CONTRA
EL NACIONALISME
ESPANYOL

per
Joan Fuster

Introducció i selecció de textos
a cura de
Jaume Pérez Montaner

CURIAL
Barcelona
1994

© Hereu de Joan Juster, 1994
Introducció i selecció dels textos: Jaume Pérez Montaner, 1994
Coberta de Jordi Fornas

Primera edició: gener de 1994

Editat per Curial Edicions Catalanes
carrer del Bruc 144, 08037 Barcelona

Imprès a Novagràfik
carrer de Puigcerdà 127, 08019 Barcelona

ISBN: 84-7256-961-6
Dipòsit legal: B-2.308-1994

Introducció

En el magnífic retrat que Josep Pla va fer de Joan Fuster l'any 1962 se'ns diu textualment: «Així no farà estrany a ningú que Fuster hagi estat successivament: espanyolista, *regionalista bien entendido*, regionalista valencià, nacionalista valencià, catalanista. No hi ha hagut manera de cremar les etapes: hauria estat impossible.»[1] Les paraules de Pla, brillants i ajustades potser pel que fa a les possibilitats d'un nacionalisme català a la València de la postguerra, resulten de tot punt exagerades o inexactes, o simplement literàries, en aplicar-les a la figura, a l'obra i a la consciència nacional del jove Fuster d'aquella època. I més encara si tenim en compte que tot seguit afegeix: «Fuster ha perdut molt de temps en aquest procés.»

Un repàs a la biografia i a l'obra de l'escriptor de Sueca ens faria veure d'immediat que no va perdre el temps i que, a més a més, el procés fou rapidíssim, cremant totes les etapes imaginables si és que les hi va haver, de tal manera que de tots els apel·latius enumerats per Pla només ens podríem quedar clarament i sense ambages amb el més rodó, definitiu i plenament escaient: catalanista i, en tot cas, nacionalista valencià, que és, d'acord amb les paraules del mateix Fuster tantes vegades repetides, una de les diverses maneres de dir-se nacionalista català.

Tractaré d'argumentar aquestes afirmacions. Una mirada a l'obra inicial de Fuster, els seus primers articles o els seus primers poemes publicats, no ens dóna el menor rastre d'espanyolisme, de *regionalismo bien entendido*, ni tan sols de regionalisme valencià. Els primers articles són: *Glosa y alabanza del Maestro Vicente Ferrer, De Historia de Sueca. Ascendencia histórica de las fiestas, Sueca tuvo un 'poeta'* i *Vint-i-cinc anys de poesia valenciana (1920-1944)*. Són articles escrits o publicats l'any 1945, quan Fuster tenia 23 anys escassos. I el que tots quatre ens mostren és un interès ben concret per la seua terra i per la història de la seua gent. Els tres primers, escrits en espanyol perquè era l'única manera, en aquella època, de poder publicar; el quart, ja en català, perquè l'«Almanaque de Las Provincias», dirigit per Teodor Llorente Falcó, tenia un cert número de pàgines reservades per a treballs escrits en la llengua pròpia del país. De fet, aquest darrer article, tal com ha estat

---

1. *Joan Fuster*, dins *Homenots. Quarta sèrie, Obra completa*, v. 29, (Barcelona, Destino, 1975), p. 369.

assenyalat per diversos estudiosos, és ja un precedent llunyà de l'extensa i important introducció a l'*Antologia de la poesia valenciana (1900-1950)*. L'esquema de les seues reflexions, de manera més sintètica en l'article, com és obvi, ve a ser el mateix; fins i tot les referències a Eugeni d'Ors, a la glossa de març de 1908, són pràcticament idèntiques o amb molt poques variants.

És cert que la seua intensíssima col·laboració com a assagista i crític literari en la revista «Verbo», entre els anys 1946 i 1958 sobretot, és bàsicament en espanyol, com no podia ser d'altra manera en aquella època i en aquella publicació, que volia fer-se un lloc en les lletres espanyoles; però també és evident que a poc a poc va donant entrada a textos sobre temes literaris i culturals referits al País Valencià o a Catalunya, com *Noticia de tres poetas de Valencia* o *Poesía valenciana actual*, així com a escrits d'autors catalans i valencians, com Carles Cardó o Octavi Saltor, Josep Iborra o Francesc de Paula Burguera. Per una altra banda i des d'un altre punt de mira, la revista «Verbo», de la qual fou cofundador i codirector, li serví com a plataforma, mitjançant l'intercanvi de publicacions, tant per a entrar en contacte amb altres literatures i escriptors, com la seua relació amb els poetes cubans, Lezama Lima i Cintio Vitier especialment —amb el qual mantingué una espaiada i interessantíssima correspondència—, com amb els intel·lectuals catalans de l'exili, el mallorquí Francesc de Sales Aguiló en un primer moment i, després, Avel·lí Artís i Vicenç Riera Llorca. Fruit d'aquesta relació fou la seua constant col·laboració en les publicacions «La Nostra Revista» i «Pont Blau».

Com es pot deduir, contràriament a una pèrdua de temps, com semblava insinuar l'escrit de Josep Pla, hauríem de parlar d'un excepcional aprofitament del temps; i més encara si tenim en compte l'època i el lloc en els quals escrivia Fuster. Pel que fa al pretès espanyolisme o *regionalismo bien entendido* en l'escriptor de Sueca el raonament és molt semblant: no hi ha cap escrit que puga demostrar aquestes afirmacions. Pla literaturitza i reconstrueix a la seua manera les paraules que Fuster li dega dir sobre els seus inicis com a escriptor i com a escriptor en català, sobre les dificultats de la llengua literària i el nacionalisme a la València de postguerra.

Fuster espanyolista? Costa molt de creure. A tot estirar ho seria un Fuster a l'edat de dotze o tretze anys; i les famoses etapes cremades serien, en tot cas, uns escassos mesos, fins als quinze anys aproximadament. Un testimoni més directe, Fermí Cortès, amic de la infantesa, així ens ho confirma. Escriu:

> Durant el curs 1937-38, en plena Guerra Civil, Fuster i jo férem una barata: jo li vaig deixar el primer volum de la *Historia de Sueca*, de Juan Bautista Granell, i ell em facilità els dos volums de la *Historia fundamental documentada de Sueca y sus alrededores*, escrita pel Padre Amado de Cristo Burguera, O.F.M.[2]

Tornem, potser, a l'inici o a la causa de l'interés per la seua terra, als temes, que podrien ser considerats locals o localistes, dels seus primers articles, a l'arrelament quasi tel·lúric al seu poble i a la seua gent. És també l'inici —als quinze anys— del primer escrit en català, tal com ens ho reporta unes línies després el mateix Fermí Cortès:

> Vingué el seu moment i ens retornàrem els llibres. El meu exemplar de la *Historia* de Granell portava sis anotacions manuscrites posades a llapis per Fuster a les pàgines 2, 50, 164, 182, 240 i 332, les tres primeres escrites en castellà i les tres últimes ja escrites en un valencià molt correcte, si tenim en compte les circumstàncies. Les anotacions descobreixen, a més, la vocació crítico-literària del seu autor, en aquells moments una criatura.
>
> Ens trobem, doncs, en presència del primer text català de Joan Fuster, i diu:
>
> «Bota el autor la part d'Historia compresa entre la Reconquesta del Cid y la del rei En-Jaume lo Conqueridor, posant davant a les Ordres Militars, pasant-se a la Edat Contemporanea, parlant de Godoy y del Ducat de Sueca, en temps de Carles IV.»[3]

La història narrada per Fermí Cortès, així com aquestes breus

---

2. *Apunts per a una biografia de Joan Fuster*, dins el llibre col·lectiu *Homenatge dels escriptors suecans a Joan Fuster* (Sueca, En la ribera del Xúquer, 1984), p. 27.

3. *Ibid.*, p. 28.

anotacions a llapis, no tenen probablement més valor que el d'una anècdota; les he reportades, tanmateix, perquè ens donen una data, sembla que segura, dels primers intents de canvi de llengua del jove Fuster.

Canviar de llengua a l'hora d'escriure era el problema cabdal en un país on des de feia segles l'única llengua de cultura havia estat i era l'espanyol, en la qual havia rebut, necessàriament, obligatòriament, una bona part de la seua formació cultural; autors francesos i alemanys, sobretot («Vostè és un senyor amb cultura alemanya passada per Madrid», li havia dit Pla, referint-se a Ortega i a les publicacions de la «Revista de Occidente».) El procés no podia ser de cap manera senzill, sinó complicadament llarg o relativament llarg. El mateix Fuster s'hi va referir parlant d'ell mateix i de Vicent Andrés Estellés:

> No fou cosa de vint-i-quatre hores. No canviem de llengua com de camisa: a tot estirar, canviem de llengua com de pell, de manera lenta i parcel·lada, biològicament comportable.[4]

Com va canviar de llengua, o de pell, Joan Fuster? És una pregunta que, probablement, ens hem fet molts, de manera especial els valencians de la meua generació i tots els que bàsicament s'han format durant l'època del franquisme. Com, repetesc, en un país com el nostre, sense una forta tradició literària en català —caldria retrocedir al segle XV per a trobar-la—, sense escoles, sense diaris, sense revistes, sense editorials, sense llibres, en els pitjors moments de la postguerra i en els anys més durs de la Dictadura, com, en aquestes difícils circumstàncies, pren partit per la seua llengua, l'estudia i la comença a escriure un jove de Sueca, o de Burjassot, o de qualsevol altre indret del País Valencià? La comparació amb el Principat no podia ser vàlida, perquè tenien, a més d'una rica i brillant literatura recent, el record encara viu dels anys de govern de la Generalitat; ni amb les Illes, en part per la seua mateixa situació geogràfica, però també per una relativament forta tradició literària que havia arribat a calar en algunes capes de la població. El País Valencià en la immediata postguerra és, pel que fa a la cultura en general i

---

4. *Nota —provisional i improvisada— sobre la poesia de Vicent Andrés Estellés*, introducció a V. ANDRÉS ESTELLÉS, *Recomane tenebres, Obra completa*, v. I, (València, Eliseu Climent, 1972), p. 24.

a la literatura catalana en particular, pràcticament un desert i, continuant amb la trista metàfora, el període anterior no fou sinó un petitíssim oasi que ajudà, en tot cas, a retardar una mort que es considerava segura. Per això han pensat molts, com ho diu el mateix Josep Pla, que l'aparició de Fuster fou una mena de «miracle» o una «propina de la història», com sembla que va dir Vicent Ventura.

Com s'ho va fer Fuster per superar aquesta situació? Josep Iborra reprodueix les seues paraules en una entrevista: «'No sé com m'ho vaig fer'. Primer que res —continua escrivint Iborra— va descobrir 'el drama de l'idioma'.»[5]

El primer contacte important que tingué amb el català escrit fou quan, en un viatge que va fer a València amb el seu pare, va comprar un exemplar de l'*Ortografia valenciana*, de Carles Salvador. Però, ja abans havia llegit, segons Fermí Cortès, una edició de *La Donsayna*, de Bernat i Baldoví i Josep Maria Bonilla, així com els poemes jocfloralescos que «recollien els almanacs de "Las Provincias"». Després, «comença a familiaritzar-se amb la llengua comuna a través d'una lectura parcial de *L'Atlàntida*, i, qui ho diria, amb els *Idil·lis i cants místics*, de Verdaguer».

El Fuster adolescent descobreix primerament la llengua i «el drama de l'idioma»; la primera edició de *La llengua dels valencians*, de Sanchis Guarner, fou probablement un ajut important per resoldre la «perplexitat» davant les diverses maneres «d'escriure el valencià» i relacionar-les amb els poemes de Verdaguer i altres autors del Principat. La lectura del *Concepte doctrinal del valencianisme*, de Joaquim Reig, l'encamina cap a una projecció nacionalista, com apunta Francesc de P. Burguera, així com la del llibre d'Antoni Igual Ubeda *Històries del País Valencià*, com diu Fermí Cortès. «Més tard, una segona lectura d'*El perill català*, de Bayarri, decidirà el seu catalanisme.» I afegeix:

> Quan Fuster, per l'any 44, és un dels contertulians de Casp, del Grup Torre, ja és un catalanista de debò, al qual no ha de descobrir res cap dels assidus a les xerrades.[6]

---

5. *Fuster portàtil*, (València, Eliseu Climent, 1982), p. 67.
6. Art. cit., p. 25.

Per aquella època el *Glosari* d'Eugeni d'Ors ja era una de les seues lectures predilectes; la prosa intel·ligent i enlluernadora de Xènius és, possiblement, un dels factors desencadenants del canvi decisiu de llengua literària. Els primers poemes que publica a «Verbo» l'any 1946 són en castellà, encara amb el nom de Juan Fuster; aquell mateix any adopta el definitiu de Joan Fuster i publica les *Tres petites elegies* a l'almanac de «Las Provincias». Tot plegat, un llarguíssim camí recorregut en molt pocs anys en una situació, com podem suposar, completament adversa. Per això, quan dóna a conèixer l'escrit *Vint-i-cinc anys de poesia valenciana*, Carles Salvador, en un article publicat a «Las Provincias», sospita o insinua entre elogis que sota el nom de Joan Fuster s'amaga un escriptor madur i de gran experiència tant literària i com lingüística.

He tractat d'oferir amb aquestes paraules una aproximació als inicis literaris de Joan Fuster, convençut com estic que la base de les seues conviccions nacionals està en el descobriment del drama de la llengua, l'arrelament a la pròpia terra i el ràpid aprofitament literari d'alguns dels millors escriptors catalans contemporanis. El Fuster que tots coneixem es podia albirar ja en els seus escrits iniciàtics; fou Albert Manent un dels primers a assenyalar-ho, tot referint-se a l'escriptor «nacionalista», en el seu llibre *Solc de les hores* (1988), quan escriu que «el primer article 'ideològic' important que publicà Fuster [...] fou *València en la integració de Catalunya*, inclòs al número de juny de 1950 de "La Nostra Revista"».[7] Els postulats de Fuster sobre la catalanitat dels valencians són clars i contundents; el mateix

7. *Solc de les hores* (Barcelona, Destino, 1988), ps. 180-181. Uns mesos abans, en una carta a Avel·lí Artís (5-III-1950), després d'afirmar que «els valencians catalanistes [...] hem estat sempre una mena d'exiliats dins les mateixes terres de Catalunya», avançava ja algunes idees d'aquell article: «Els valencians som molt afeccionats a fer 'colla a part', i parlem de 'literatura valenciana' i 'llengua valenciana', amb la conseqüència inevitable de recloure'ns en un àmbit políticament i literàriament municipal; i, el que és pitjor, els catalans-estrictes sembla que hagin acceptat això com un fet consumat no preocupant-se massa del que s'hagi esdevingut a València ni en política ni en literatura. Clar és que no hem tingut figures de la grandària dels mallorquins excelsos, que poguessin atreure l'entusiasme i la curiositat del lector català-estricte. I aquest, amb recordar el nom —tòpic— de Llorente, es queda ja amb la consciència tranquil·la» –dins Joan FUSTER, *Textos d'exili*, a cura de Santi Cortés (València, Generalitat Valenciana, 1991), ps. 163-164.

Manent continua remarcant que «l'article és ja programàtic i defineix, d'un cop i per sempre, la seva trajectòria patriòtica unitària».

Fuster estableix d'entrada la inadequació dels plantejaments catalanistes de pre-guerra per haver-se centrat exclusivament en el Principat; i encara que en els textos clàssics del catalanisme doctrinal «Mallorca, el País Valencià i el Rosselló hi són inclosos», mai no passaren de declaracions ocasionals i grandiloqüents, pura fórmula retòrica sense cap compromís de present o de futur. «Catalunya —diu Fuster i ho diu com un retret—, la Gran Catalunya, era un somni, i com a somni feia bé en determinades circumstàncies i calia prescindir-ne en altres.»[8]

Tal com sembla indicar en les primeres línies del seu escrit, Fuster ja estava familiaritzat amb la lectura de «Quaderns de l'Exili», revista que, com el mateix Manent ha recordat, deia exactament en el primer dels sis punts del seu programa polític: «Catalunya, València i Balears són tres Països i una sola Nació.»[9] Amb tot, no deixa de ser curiós i simptomàtic, per una banda, que l'article de Fuster no suscitàs cap comentari escrit ni cap polèmica entre els lletraferits i catalanistes del moment ni dintre ni fora de l'estat espanyol, si n'exceptuem la nota publicada per Vicenç Riera Llorca a favor dels seus postulats i un article de Miquel Ferrer que qüestionava els raonaments de l'escriptor de Sueca, tots dos publicats en les pàgines de «La Nostra Revista»;[10] i, per una altra, que el treball més clarament integrador i unitari en aquell temps, i durant molts anys després, fos publicat precisament per

8. *Textos d'exili*, ob. cit., p. 48.

9. Ob. cit., p. 182. En el número d'octubre de 1943 escrivia J. M. Miquel i Vergés: «Costa de comprendre per què els polítics de Catalunya no veuen Mallorca i València com a factors indispensables de la nostra redempció i s'entesten a ressuscitar el fracàs regionalista d'una Generalitat. I costa de comprendre —ja que és patent que Catalunya s'ensorra quan es desintegren els Països (de llengua catalana), i es llangueix, literàriament, quan emmudeixen València i Mallorca.» (Citat per Josep GUIA, *Sobre la catalanitat dels valencians en l'obra de Joan Fuster*, «L'Estació», 1-2. En premsa).

10. V. RIERA LLORCA, *Una veu valenciana*, núm. 55-56 (juliol-agost 1950), ps. 186-187. I Miquel Ferrer, «La nova política nacional dels Països de llengua catalana», núm. 57-58 (setembre-octubre, 1950), pp. 239-241. En un article posterior, «Objectiu evident», publicat a *Pont Blau*, núm. 121 (febrer 1963), Miquel Ferrer, després de la lectura de *Nosaltres els valencians*, rectifica les seues apreciacions. Dec a l'amabilitat de Max Cahner els detalls d'aquesta informació.

un valencià. Pense que el mateix Fuster ja n'era plenament conscient en el moment d'escriure'l. Deia:

> Jo he pensat moltes vegades —i aquest és un dels casos que poden adduir-se— en la bella lliçó que seria, per exemple, un testimoniatge valencià. Una veu valenciana que s'alcés a judicar el catalanisme de la pre-guerra, almenys en un dels seus aspectes. El simple fet que aquesta veu existeixi o pugui existir —les paraules meves en són un prova— hauria de bastar com a punt de meditació. Significa, si més no, que en l'expedient d'aquell catalanisme anem a consignar una acusació desoladora: la seva incompletud nacional, la seva insuficiència.[11]

Deixant ara de banda la subtilesa intel·ligent i impecable del seu raonament, és evident que Fuster s'erigeix en aquell «testimoniatge valencià» —català en tant que valencià— capaç de jutjar les deficiències d'un nacionalisme massa restringit i acomodat a uns límits geogràfics o administratius, imposats per les vel·leïtats històriques en alguns moments o per la malícia premeditada en la majoria dels casos. Des de la seua postura, clarament integradora i lliurement elegida, Fuster pot assenyalar les mancances, criticar plantejaments i apuntar possibles solucions globals:

> Mentre el problema de València no serà considerat pels catalans estrictes com un problema llur, i com un problema rigorosament nacional —des dels punts de mira econòmic, polític i cultural—, el catalanisme no deixarà d'ésser un moviment fracassat en potència.[12]

La frase és dura i potser arriscada per absoluta, però és certa i continua sent certa com ho són altres frases contundents i lapidàries del mateix autor, perquè la ignorància o el desinterès sobre aquesta qüestió significa, clar i ras, a la llarga, o segons els temps que corren, a la curta, l'amputació d'una part

---

11. Art. cit., p. 47.
12. *Ibid.*, p. 49.

important de la mateixa nació, no solament en els aspectes econòmics, demogràfics i geogràfics —la qual cosa ja seria ben important—, sinó, com afegeix Fuster, amb «quelcom que afecta el Cos místic de la Pàtria: una fina tradició, una deu de possibilitats, el matís jocund i elegant de la cultura catalana».

Crec que tots ho hem entès bé, però em plau, amb tot, de repetir-ho: «el matís jocund i elegant de la cultura catalana», síntesi, potser, del que Fuster pensava sobre la tradició cultural i artística de la seua pròpia terra. Catalunya —els Països Catalans— és més que Catalunya: és també, i amb els mateixos drets, el Rosselló i la Catalunya Nord i les Illes i el País Valencià. Fuster ho tenia ben clar des del principi de la dècada dels cinquanta, quan escriu aquest article, perquè patia en pròpia carn aquesta escissió acceptada per tothom en la pràctica, de la qual eren —o som— responsables tant els valencians com els del Principat.

En un dels seus darrers papers ideològics, bel·ligerants o d'urgència, *Ara o mai* (1981), destinat en un principi als catalans del Principat, torna a incidir sobre el tema, potser per deixar-lo encara més clar o simplement perquè les veritats cal repetir-les, amb aquell estil desimbolt tan característicament fusterià:

> Per ser valencià, i acceptant la superstició que els valencians, els mallorquins, som «diferents», reclamo Ausiàs Marc, el *Tirant*, Corella, Roig, sor Villena i Bernat i Baldoví. Els mallorquins reclamarien Llull, Turmeda, i la resta, tots els Aguilons xuetes, i mil capellans, i Llorenç Villalonga, i tothom que ha vingut després. Com es pot ser català sense ser valencià i sense ser mallorquí, i viceversa?
> És un punt de partida.[13]

És un punt de partida enlluernador de tan diàfan. Què en seria, de la cultura catalana, la cultura escrita a la qual es refereix Fuster, sense els valencians i els illencs? Són les mateixes idees que aquell article inicial i iniciàtic de 1950 presagiava amb claredat meridiana, ara més treballades i meditades i amb aquell «matís jocund i elegant de la cultura catalana» feta

_____

13. *Ara o mai* (València, Eliseu Climent, 1981), p. 61.

al País Valencià. El mateix matís —fusterianament irònic també— que empra en altres ocasions per referir-se a la literatura catalana en general. Vegem com a mostra dos exemples, ben coneguts, de *Judicis finals* (1960), on arribava a les següents conclusions:

> Per regla general, la literatura catalana moderna és una literatura feta per marits satisfets, sedentaris i no enganyats —i per capellans. D'aquí que resulti definitivament fada i, sobretot, reiterativa.[14]

Unes pàgines després afegia, ara amb un grau major de sarcasme:

> Un càlcul estadístic, bastant perfecte, fet sobre la massa total de la literatura catalana produïda d'ençà de la Renaixença, em dóna per resultat que, quant a la temàtica:
>
> *a)* el 60 per 100 és una glossa més o menys acadèmica d'aquells versos de Verdaguer que diuen:
>
> > Tot sia per vós.
> > Jesuset dolcíssim;
> > tot sia per vós,
> > Jesús amorós;
>
> *b)* un 30 per cent tracta de l'Empordà;
> i
> *c)* el 10 per 100 restant s'ocupa dels temes habituals en

14. *Judicis finals*, Palma de Mallorca, Editorial Moll, p. 65.
15. *Ibid.*, p. 78. I uns quants anys abans, en una primera versió dels *Judicis*, alguns dels quals no es publicaren després en forma de llibre, havia escrit, tot ajustant-se als tòpics, un brevíssim panorama de les literatures europees. Paga la pena de reproduir-lo com un dels molts *divertimentos* literaris de Fuster o una mostra més del sentit lúdic que sempre caracteritza els seus escrits:

> Després del Romanticisme, les literatures occidentals comencen a tenir —a més de color i sabor— olor local.
> La francesa, olor d'alcova —parisina o provinciana— remorosa d'adulteris.
> La castellana, de *cocido,* i de *cocido* pobre.
> L'alemanya, de cerveseria mesocràtica o universitària, segons.
> La russa, de suor de tísic.

qualsevol literatura civilitzada.[15]

La insistència de l'autor és una mostra inequívoca de la intencionalitat sobre el tema, tant des del punt de mira estètic com polític. Tota l'obra de Fuster és una «bella lliçó»; una lliçó d'esplèndida literatura, de responsabilitat ètica i cívica, de nacionalisme crític i solidari. Aquella bellíssima llicó d'«un testimoniatge valencià» que imaginava més de trenta anys abans.

M'he limitat a parlar succintament del primer text clarament polític (1950) i la darrera reflexió extensa sobre els problemes més diversos, però marcadament polítics i culturals, dels Països Catalans, representada per *Ara o mai* (1981). En el camí, un amplíssim conjunt, intens i progressiu, de textos bàsics i imprescindibles per a conèixer-nos com a poble. La lúcida presa de consciència sobre el tema nacional la posa de manifest en aquell article primerenc, però són molts els textos, alguns estrictament literaris o d'erudició, on es podrien rastrejar les mostres més inel·ludibles d'aquesta consciència unitària. Pocs anys després d'aquell article, en un escrit sobre el VI centenari de sant Vicent Ferrer, signat amb el pseudònim de Vicent Peris, torna a afirmar de manera contundent la catalanitat de València i la unitat de les terres de parla catalana:

> Fixar l'inici de la decadència de Catalunya en el Compromís de Casp em sembla una especulació arriscada. El centre de gravitació política de la Corona d'Aragó passà aleshores de Barcelona a València, i hi va perdurar gloriosament durant un segle. Però València *també* és Catalunya.[16]

I en el discurs d'homenatge a Josep Maria Cruzet, commemorant el volum 200 de la «Biblioteca Selecta», pronunciat el 9 de març de 1961 en un restaurant de Barcelona, torna a incidir en les idees ja apuntades en aquella

> La italiana, de *camerino*.
> L'anglesa, de te de senyores estèrils.
> La catalana, de botiga, naturalment: més aviat, de botigueta.

(«Pont Blau», núm. 40, febrer 1956, p. 54)

---

16. *Invitant a una commemoració*, «Pont Blau», dins *Textos d'exili*, ob. cit., p. 74.

carta a Avel·lí Artís o en l'article *València en la integració de Catalunya*:

> Catalunya com a poble, com a tradició, com a llinatge, no
> acaba en els Pirineus, ni en l'Ebre, ni a la vora de la mar. Més
> enllà de les fronteres de l'antic Principat, Catalunya continua
> sota els noms privatius i circumstancials de Rosselló, Mallor-
> ca, País Valencià. Aquesta unitat d'estirp i d'història és
> sobretot preclara d'evidències quan pensem en la llengua, en
> la llengua i en la literatura que la magnifica. En el vell, robust,
> resistent edifici de la literatura catalana, els millors carreus de
> fonament són grans noms valencians i mallorquins. Si al
> Principat li correspon la gràcia i la glòria de les millors i més
> recents contribucions, a nosaltres, el Sud i les Illes, ens
> pertany l'honor dels millors clàssics.[17]

És precisament en aquestes dates, a finals de la dècada dels cinquanta i
principi dels seixanta, quan comencen a perfilar-se les aportacions més
decisives del pensament fusterià sobre la qüestió nacional catalana. El
moment culminant és l'aparició de *Nosaltres els valencians* (1962), però ja
abans o en el mateix any cal destacar la «rèplica a Vicens Vives» (1960) i altres
treballs relacionats amb la fructífera i truncada polèmica —per la prematura
mort del gran historiador català— sobre la necessitat d'una història nacional,
o l'opuscle, tan lligat també a aquesta mateixa polèmica, *Qüestió de noms*, escrits
que, junt amb d'altres posteriors, com *Hi ha més catalans encara*, publicat en
l'obra col·lectiva *Dolça Catalunya* (1968), «El 'cas valencià'», pròleg a *Els
veritables altres catalans* (1973) o *Cultures nacionals i cultures regionals als
Països Catalans*, aparegut en el també volum col·lectiu *Els valencians davant
la qüestió nacional* (1983), els hem inclosos, per raons de coherència temàtica,
en una primera part titulada *La integració de Catalunya*.

La segona part, *Què som els valencians*, està formada exclusivament
per diversos capítols de *Nosaltres els valencians*. Hem procurat seleccionar
sobretot, davant la impossibilitat de reproduir l'obra sencera, aquells apartats
menys historicistes i més teòrics, polèmics i incisius. Considerem, amb tot,

17. *Parlament en l'homenatge a Josep Maria Cruzet*, «Pont Blau», 102 (abril 1961),
dins *Textos d'exili*, p. 149.

que l'obra de Fuster —aquesta obra concreta en especial— és de tot punt imprescindible per a conèixer el pensament de l'autor i el nostre passat i futur com a poble.

La tercera part, *Nacionalisme i nacionalismes*, recull escrits posteriors a *Nosaltres els valencians*, amb l'excepció de *La cancel·lació dels nacionalismes*, fragment del 1957 inclós en el seu *Diari*. Són reflexions al voltant del tema enunciat, en les quals va delimitant el seu pensament sobre el nacionalisme en general, el nacionalisme espanyol, en especial sota el règim de Franco, i el nacionalisme d'un poble no «excel·lit», però tampoc «frustrat» —per emprar les seues paraules—, com és el català.

Els articles que formen la darrera part, escrits entre 1977 i 1981, són la resposta puntual de Joan Fuster a alguns dels nombrosos problemes plantejats durant els anys de la transició política. Destaquen per l'extensió i per la pràctica exhaustivitat de les seues propostes *El blau en la senyera* (1978), *País Valencià, per què?* (1982) i el ja mencionat *Ara o mai*. Pense que són la millor mostra de l'atenció constant de l'autor a la realitat social, política i cultural del moment, ampliant o matisant unes idees que, en síntesi, ja es mostraven clares des de l'inici dels cinquanta. Constància i coherència summament remarcables en l'obra d'un autor que es caracteritza per un decidit i combatiu antidogmatisme i un escepticisme vital i intel·ligent, que queden doblement valorades i reforçades a la llum d'un dels seus primers *Judicis finals* que, en aquest cas concret, mai no va seguir:

> Reivindiqueu sempre el dret a canviar d'opinió: és el primer que us negaran els vostres enemics.[18]

El present volum recull pràcticament els principals textos de Fuster sobre el nacionalisme i altres aspectes relacionats. No aspira, com és obvi, a una exhaustivitat completa perquè les reflexions de l'autor sobre aquest problema espurnegen ben sovint en nombrosíssims escrits de temàtiques diferents. Tractar de reproduir-los hagués pogut significar la duplicació del número de pàgines d'aquest llibre i, en alguns casos concrets, la redundància innecessària. És el cas —ja assenyalat— d'alguns capítols de *Nosaltres els valencians*, de les nombroses referències al tema en *Viatge pel País Valencià*, dels seus escrits

18. *Judicis finals* (Palma de Mallorca, Editorial Moll, 1960), p. 11.

sobre història social de la llengua i sobre literatura o dels abundants i dispersos articles apareguts en la premsa periòdica.

Pel que fa a la titulació del llibre, pense que *Contra el nacionalisme espanyol* —acordat, una mica seguint la tradició, per Max Cahner i Josep Palàcios— [19] és un títol plenament fusterià. Ho certifiquen nombrosos escrits de l'autor, com la petita introducció a *Hi ha més catalans encara* o *Contra el nacionalisme*, i, de manera definitiva, tant pel mateix títol com pel contingut, el llibre publicat en espanyol, *Contra Unamuno i los demás*,[20] no inclòs per raons de coherència lingüística en aquest volum, però directament complementari, sobretot en la primera part, d'aquests textos més teòrics.

El catalanisme de Fuster, la seua consciència nacional, les seues concepcions sobre el nacionalisme estaven pràcticament ja formats en la seua joventut i no presenten fisures. Es tracta d'un pensament ferm i diàfan establert sobre la lògica difícilment expugnable de la més estricta racionalitat: la pròpia terra, la llengua, la continuïtat històrica, el que és desitjable i convenient per al propi país o per al manteniment de la unitat lingüística i literària. Difícilment hi trobarem canvis substancials o d'orientació, sí d'aprofundiment i d'adequació constant, pragmàtica, a les circumstàncies històriques, polítiques o socials del moment.

Alguns han tractat de veure-hi etapes o oscil·lacions amb un signe ben diferent al marcat en aquest recull: un «maximalisme» representat per la idea de la catalanitat dels valencians o una opció «possibilista» simbolitzada en la suposada col·laboració tàcita amb les institucions autonòmiques. Són, en tot cas, variants d'una actitud clarament dissenyada en tots els seus escrits, un pensament que es caracteritza per tocar sempre de peus a terra, obert a totes les possibilitats, amb les idees clares sobre la unitat lingüística i històrica de totes les terres anomenades Països Catalans. Altres, o els mateixos, han criticat el silenci de Fuster en els darrers anys sobre els diversos temes plantejats al voltant del nacionalisme. Pense que és una crítica absurda i sense fonaments, clarament interessada per motius polítics o simplement personals, com exigint o desitjant un suport més o menys incondicional del «pare de la pàtria». Fuster tenia ben clares les coses i era conscient que en essència ja

19. Veure, per exemple, el *Pròleg* a *Set llibres de versos* (València, Eliseu Climent, 1987), p. 12.

20. Barcelona, Ediciones Península, 1975.

havia dit tot el que calia dir sobre aquest tema; era el moment dels altres, d'aprofundir o divergir raonadament sobre les seues teories. Qui gosaria demanar-li més? La seua obra segueix oberta, plena de suggerències i possibilitats de present i futur encara no acomplides; per als valencians, potser, en primer lloc, per a tots els qui comprenem que un país —els Països Catalans— no pot reeixir i ser lliure si no el pensem i estimem en la seua més completa unitat.

Jaume PÉREZ MONTANER

VA MORIR TAN BELLA

1

A M. Sanchis Guarner

Cantar allò amb què cante, la paraula
treta de mi, de tots, poble i secret!
Dir, oh llengua, el teu pols o món de faula,
aquest túnel de roses que m'has fet!

Tenir-te entre el dolor, la fe i la ira,
i cantar-te a esgarips, a trossos meus!
No, no podré! Però la sang hi aspira,
viva per tu, que en tu trobà ses deus.

La deixaré recórrer ta lloança:
sabrà assumir l'espai de l'esperança,
multiplicar ton fons extremament.

I així et confessaré, llengua de marbre,
amb encontres de somni, amb esma d'arbre,
unit mon vers en força al bres i al vent.

2

A J. L. Bauset

A l'hora del record seràs, València,
una ardent mida d'obres i raó.
Trobarem que si ens queda una cançó,
en ella et sorprendrà nostra insistència.

Potser també la més tibant ciència,
aquella d'acomplir-te amb passió,
vindrà a nosaltres, regne de saó,
per aclamar ta dolça transcendència.

O sentirem per fi que ni la mort
no aturarà les nostres mans antigues,
avesades a esforç, a presentalles.

Llavors! Quan vença l'hora del conhort!
Quina prova de pes en les espigues
i quin amor segur hi haurà a les dalles!

3

A V. Riera Llorca

Tornes ja en nostra sang a ser com eres,
oh pàtria! Comencen dins la nit
a alçar-se fixament el mur i el crit,
i el cel enyora el colp de tes banderes.

Van recobrant el gust de les dreceres
els nostres peus amargs. El branc florit
s'hi estableix, com l'havíem pressentit.
Pertot desperten relles i fogueres.

Els rems, la pau, les roques poderoses,
els infants amb què et salves i vesteixes,
et reprenen. Oferts, som veritat.

Mare enmig de les tombes precioses,
tu ens anomenes un per un i ens deixes
la llengua plena del teu nom daurat.

4

A Agustí Bartra

Conec el teu cabal de punys i gana,
oh Advent! Conec les teues fonts a punt.
Com un presagi altíssim de campana,
pertanys al somni, al prec, al vol profund.

De metall cast, de dura companyia
o d'ala anunciada ets fet i ple.
Qui no voldrà el costum de l'agonia,
si el càntic n'ha d'eixir i el broll serè?

Cal que passem per tu, contrada adusta,
que així ens serà més tens el Compliment
i més precisa l'ombra que ens hi ajusta.

Però tin-nos en vetla impacient!
Concerta el solc prenyat i l'alba augusta:
oh dolç trenc de la pàtria, aliment!

5

Ara us preguem per Catalunya, oh Déu!
Ni terra ni cançó: pa que més val,
ella ens entra en la carn com un foc greu
i ens força a un clar designi seminal.

Us preguem de saber restar fidels
al seu tracte de llavi, espasa i niu.
És tan pura al costat de les arrels,
idèntica a l'amor, arc d'aire viu!

Feu-nos-en privilegi durador!
Distribuïda en mots i fortitud
la tenim. Esmerceu-la Vós, Senyor!

Perquè puguem somriure en el combat,
obriu son temps, el temps que ha merescut!
Deu-li la vostra mà i la llibertat!

I
LA INTEGRACIÓ DE CATALUNYA

1. Ramon Muntaner, un símbol i un testimoni d'excepció*

Sempre he cregut que, des de cert punt de vista, el més important de la biografia de Ramon Muntaner era el fet que l'amable cronista medieval hagués nascut a l'Empordà. Tal vegada el lector pensi que aquesta afirmació és una simple i descortesa ximpleria. M'apresso a assegurar-li sota paraula d'honor que, en el pitjor dels casos, només és una exageració lleument capciosa: la conversió d'un «símptoma» en un «símbol». La vida de Muntaner fou, evidentment, agitada i espectacular, i el seu nom va vinculat a empreses i episodis que constitueixen fites formidables en la història de la nostra gent. I precisament per això atribueixo un valor «significatiu» especial al lloc del seu naixement. Podríem assenyalar sobre un mapa els dispersos itineraris del cronista, i ens admiraríem de la seva travada exemplaritat: la seva anada a la conquista de Menorca en 1286; la seva presència, més tard, en les lluites de Sicília; la seva militància en l'aventura almogàver d'Orient; la seva afecció als reis de Mallorca; el seu matrimoni i la seva ciutadania valencians; la seva mateixa mort, en 1336, a Eivissa, i tants d'altres detalls que se m'escapen entre els intersticis d'aquesta mitja dotzena de referències. Totes les rutes catalanes del seu temps enregistraren el pas d'aquell empordanès agut i entusiasta. I la seva Peralada natal arriba a semblar-nos, així, una al·legòrica cruïlla: la vella matriu del Principat —en realitat, la Peralada estricta és el de menys— recobra, en la nostra meditació, la seva figura exacta de nus i càrrega de l'estirp.

Perquè d'una estirp —diguem-ne estirp— es tracta. En el ventall de camins que va seguir Muntaner, molts n'hi ha que no són —ni potser podien ser— altra cosa que una peripècia caducable. La de Sicília, per exemple. I més encara, la de Bizanci. La famosa expedició de Roger de Flor i les seves hosts és, sens dubte, un esdeviment èpic de gloriosa envergadura. Però no ens enganyem: els almogàvers eren una mena de Legió Estrangera que campava pels seus respectes, i allò acabà com havia d'acabar. És un capítol grandiós i feroç del nostre passat, d'una violència al·lucinant, encara que d'una esterilitat també inevitable. Muntaner el va viure com a combatent, i ens en

* Publicat en versió castellana a «El Correo Catalán» (14-I-1962) i en versió catalana a *Examen de consciència* (Barcelona, Ed. 62, 1968), ps. 131-134.

deixà el relat en termes d'ingenu orgull nacional. Tanmateix, el perdurable era una altra cosa: era l'eixamplament real de Catalunya que aleshores estava consumant-se definitivament. Jaume I havia guanyat les Illes i el País Valencià, i fins i tot s'havia endinsat a Múrcia. Eren terres de moros que calia repoblar. No ho va poder fer el Rei Conqueridor en vida, però al llarg dels regnats posteriors un ampli flux demogràfic del Principat en completà la iniciativa. La repoblació de Mallorca fou més ràpida. La del País Valencià va durar un parell de segles llargs. El mateix Muntaner fou un dels catalans que s'assentaren en terres valencianes. A Xilvella —Xirivella avui— va tenir una alqueria, i allí, en plena horta, va escriure, ja ancià, la seva *Crònica*. «Ciutadà de València» era l'empordanès, i a València acomplí funcions públiques de notòria transcendència.

Això, repeteixo, era el perdurable: Catalunya s'ampliava. La seva sang i la seva llengua arrelaven per sempre més a les Illes i al sud de l'Ebre. D'aquells qui s'instal·laren a Alacant, i a Elx, i fins i tot a Oriola i Múrcia, deia Muntaner que «són vers catalans» «e parlen del bell catalanesc del món». Jaume I no va donar a aquesta incipient unitat de nissaga una homòloga unitat d'estructures constitucionals. Potser tenia raons serioses que li aconsellaren d'erigir en regnes a part els territoris de poc conquerits. El cert és que no «uní» les comarques insulars ni les valencianes a la jurisdicció del Principat. Dos regnes nous s'integraven en la Corona d'Aragó, i eren —foren i són— terres d'estirp catalana, terres catalanes. Les vel·leïtats testamentàries d'aquell il·lustre personatge vingueren a complicar les coses, i anà prim que tot allò acabés en foc d'encenalls. Amb tot, Mallorca, les Balears amb el Rosselló, tingueren rei propi a la mort del Conqueridor. Jaume I desmembrava la seva hisenda —el seu poble—: era una aberració. Pere el Cerimoniós va recuperar *manu militari* les illes i els comtats centrífugs. Però, mentrestant, estava consolidant-se un altre perill de disgregació. Els diversos «regnes» tendien a sentir-se efectivament «a part». Catalans tots, els valencians i els mallorquins començaren a arbitrar-se una —anomenem-la així— «consciència diferencial». El particularisme ensenyava la seva orella suïcida.

Muntaner no podia veure el problema en els termes precisos, però el pressentia. Ell pensava sota espècie dinàstica. Veia tres reis d'estirp catalana, que duien el mateix «senyal» «e ab aquell han a viure e a morir». El risc estava en si perdien el sentit de la unitat. I als monarques de Catalunya-Aragó, de Mallorca i de Sicília, el cronista els recordava l'«eximpli» de la mata de jonc.

Aquest «eximpli», dins de la seva mentalitat medieval, no deixava de ser gràfic: si es lliga tota la mata amb una corda i es pretén d'arrencar-la d'una estrebada, ni deu homes no podrien aconseguir-ho; però si es prescindeix de la corda «unitària», un noi de vuit anys «de jonc en jonc la trencarà tota»... Els temps canviaren, i els dinastes desaparegueren: però la veu del venerable empordanès arrelat a València no ha perdut virtualitat. Enfront de la divisa del «divideix i venceràs» s'aixeca la d'«uneix-te i no seràs vençut». Això és tan vell com el món. Muntaner, en servir-se de l'«eximpli» de la mata de joncs, no feia sinó repetir-ho als reis catalans que regien la Mediterrània occidental. De cara a la posteritat, la seva admonició no ha perdut vigència. Val per als pobles, com valia per als reis. Si Muntaner, amb una longevitat matusalèmica —permeteu-me aquesta hipòtesi innocent— hagués viscut avui, hauria tornat a recordar-nos l'«eximpli» de la mata de joncs. Si prescindim de la «corda unitiva», estarem inermes enfront d'un noi de vuit anys, valgui la hipèrbole. Des de Salses a Elx, des de Lleida a Maó, les pàgines de Muntaner són un «evangeli» natural i lògic. Aquest passatge de la *Crònica* pot ser, per a tota la seva gent —per a tota l'estirp—, un utilíssim tema de reflexió.

2. València en la integració de Catalunya*

Llegint alguns articles publicats darrerament a les revistes catalanes de l'exili, em preguntava si no haurà arribat ja l'hora del pessimisme. Sembla, en efecte, que es desvetlla en molts esperits una certa inquietud revisionista, una preocupació desconfiada sobre el destí del catalanisme. I m'apresso a dir-vos que això, el pessimisme, és una de les poques coses que poden induir-nos a ésser optimistes, ara. Vegeu. No el descoratjament, però sí una mica de desil·lusió, hi ha en el fons d'aquella actitud: la desil·lusió, al capdavall, suposa major vidència, haver descobert, per fi, una cara, una altra cara de la realitat, abans entelada, negligida o deformada. La guerra del 36, i el que l'ha substituïda, han posat en crisi —en canvi— una pila d'idees, de conductes, de passions: hi ha posat, concretament, el catalanisme, que és alhora idea, conducta i passió. I sort que ha estat així! Aquests anys de silenci, si hom aconsegueix defugir la fàcil, la fràgil inclinació a l'enyorança, la recaiguda en l'Elegia, poden convertir-se en avinentesa d'exercicis espirituals: disciplina i deixuplina, escola de propòsits, de preparació, de reparacions. És el moment de tornar a veure en el catalanisme, més que no pas una política —això que a la Península Ibèrica sol anomenar-se política—, una moral: vull dir, un esforç i no un escàndol, una creixença total i no solament uns guanys sobre el paper, una ambició de plenitud definitiva i no aquell dispersar-se pels camins enlluernadors. Definiu el pessimisme com a tensa gana de rectificar, i encetareu. Fet i fet, el balanç del mig segle que estem salvant, no ens convida, o millor: no ens empeny a les rectificacions?

Que cadascú hi contesti a la seva manera. Jo he pensat moltes vegades — i aquest és un dels casos que poden adduir-se— en la bella lliçó que seria, per exemple, un testimoniatge valencià. Una veu valenciana que s'alcés a judicar el catalanisme de la pre-guerra, almenys en un dels seus aspectes. El simple fet que aquesta veu existeixi o pugui existir —les paraules meves en són una prova— hauria de bastar com a punt de meditació. Significa, si més no, que

* Publicat a «La Nostra Revista», núm. 1 (Mèxic maig de 1950).

en l'expedient d'aquell catalanisme anem a consignar una acusació desoladora: la seva incompletud nacional, la seva insuficiència. Clar és que l'acusació ha de fer-se, també, en sentit contrari: els valencians tampoc no estem nets de culpa. Però açò és una altra història que avui no vull contar. La maduresa del nostre recobrament nacional exigia una consciència perfecta dels seus objectius i la gravitació incessant d'aquests objectius sobre totes les seves empreses i totes les seves realitzacions. Mirant cap a València, mirant cap a Mallorca, mirant cap a les terres de la Catalunya sotmesa a França: pot assegurar-se que el catalanisme hagi anat més enllà de la retòrica, de les declaracions ocasionals, dels gestos que no comprometen? Els objectius apareixen boirosos, i llur presència en empreses i realitzacions, migrada. Repasseu els textos clàssics del catalanisme doctrinal: quan de regionalista esdevé nacionalista, hi trobem, sí, que el concepte de Catalunya va arrodonint-se, va superant els límits i les cofusions en què el deixà la Decadència, i Mallorca, el País Valencià i el Rosselló hi són inclosos. Però us adonareu de seguida que ho són per pura fórmula, per imperatiu dialèctic, o potser amb un secret, desesperat convenciment de la ineficàcia de la inclusió. Catalunya, la Gran Catalunya, era un somni, i com a somni feia bé en determinades circumstàncies i calia prescindir-ne en altres.

Les conseqüències —mediates— d'aquesta inconseqüència, per al mateix catalanisme, han estat doloroses, baldament la majoria dels catalanistes no hagin sabut sentir-les: insensibilitat que ens posa en guàrdia front a ells. Les immediates constitueixen una llarga sèrie d'absurds angoixadors. N'hi ha prou amb fullejar una Història de Catalunya, amb consultar els programes polítics de qualsevol tendència. La història de València no era història de Catalunya més que marginalment: tema d'apèndix. València no existia, així: no existia, per als programes d'acció política. Hom especulava sobre les característiques nacionals de Catalunya, i els valencians no ens hi reconeixíem. Quan vegeu un recull de folklore català, no cuideu de trobar-hi el de la regió valenciana. I qui diu València, diu Mallorca o el Rosselló. Només en literatura se'ns admet en pla d'igualtat: als mallorquins, per Llull i pels moderns magnífics; als valencians, per la nostra excelsa aportació clàssica. Quant a la llengua, si no hagués estat pel preciós instint nacional de Pompeu Fabra —tot i les concessions que li calgué fer al normalisme barceloní—, mallorquins i valencians viuríem en l'alcoverisme més desballestat. I açò s'ha de qualificar com acabo de fer-ho: d'insuficiència, d'incompletud. Altrament, el catalanisme, que a la Catalunya estricta tenia vigor i mitjans, no procurà que en participéssim. Tot va reduir-se a aquella «càlida buidor», de què parlà una vegada Nicolau d'Olwer: pirotècnia de tòpics, discursos i escrits inoperants.

El catalanisme ha arrossegat durant força temps els seus orígens romàntics: no ha assolit alliberar-se'n del tot. La idea de nació, que forrna el seu nucli, ha variat: ha estat naturalista o culturalista; però el sentiment nacional que restaurava duia, mal extingits, elements historicistes. I la història és, no ho dubteu, un cove pintoresc d'on una persona relativament enginyosa pot treure arguments en defensa d'allò que li plagui: els valencians, en particular, l'han aprofitada per combatre l'*absorció*, l'*assimilisme* del moviment catalanitzador a penes insinuat; i els catalanistes, en política, han respectat les nostres pruïges particularistes. Heus ací que València ha tingut una organització estatal i té un nom —i això és història— distints dels de Catalunya. Prendre seriosament aquestes consideracions fou tant com aixecar una barrera a l'expansió del catalanisme, tallar la seva reeixida al País Valencià. D'una banda, doncs, el particularisme dels valencians; de l'altra, la miopia, el particularisme —també; és el mot escaient— dels catalanistes del Principat. A uns i altres mancà la comprensió i la voluntat de la urgent unitat de Catalunya en el grau radical que demanava la conjuntura política.

Mentre el problema de València no serà considerat pels catalans estrictes com un problema llur, i com un problema rigorosament nacional des dels punts de mira econòmic, polític i cultural, el catalanisme no deixarà d'ésser un moviment fracassat en potència. Potser sigui aquesta una afirmació massa absoluta. Tanmateix, la situació actual del País Valencià i l'experiència —lamentable— de la seva Renaixença, mostren les dimensions possibles de la fallida. Gràcies a Déu, sempre hi ha hagut —i avui els hi ha més que mai— a València propugnadors del *fet antidiferencial* —ampro aquesta expressió, tan aguda, al filòleg Moll— entre ella, Mallorca i el Principat; però el procés de castellanització, que ací no conegué cap atur, s'accelera en els darrers temps a un ritme espantós. Perllongar el desinterès del catalanisme per València equivaldria a convertir en irreparable una desgràcia essencial —i no escric essencial per amena afició a l'adjectiu. Si els intents que hi fem els escassos catalanistes valencians no troben al Principat més que un ressò platònic, de cortesa simpatia, la reintegració nacional de Catalunya seguirà frustrada, seguirà frustrant-se cada dia. Sense remei. I tinguem en compte que no es tracta únicament de la pèrdua material, tremenda, d'un territori i d'uns milers de connacionals que es desnacionalitzen. Hi ha, a més, en perill, quelcom que afecta al Cos místic de la Pàtria: una fina tradició, una deu de possibilitats, el matís jocund i elegant de la cultura catalana.

3. De cara als plantejaments clars

Un dels últims articles publicats per Jaume Vicens i Vives a «Serra d'Or» —era el maig de 1960— es titulava, precisament, *Presència valenciana*. Tot i que aleshores encara no hi havia sinó una petita germinació incipient, i gairebé silenciosa, de signe «re-identificador», al País Valencià, Vicens i Vives va saber intuir-ne les esperances i se'n féu eco. Ell començava a il·lusionar-se amb les perspectives d'un treball universitari que prometia molt. La mort va impedir-li veure que, en efecte, alguna cosa canviava a València, i no solament a les aules d'una facultat. La meva «rèplica» —que ja no pogué ser més que una col·laboració a un homenatge pòstum— volia dur el tema a un altre nivell de plantejaments. I el tema era el dels «Països Catalans». M'agrada exhumar aquest text, ara, al cap de tants anys. Que, certament, no han estat anys infructuosos. Ni fàcils, tampoc. El fantasma del «perill català» s'arrossegava de lluny, i, de sobte, el retornàvem a la realitat diària, però no com un «fantasma» i burlant-nos-en, del «perill». Després i abans, les controvèrsies continuaren damunt la taula. Avui mateix les tenim tan excitades com sempre, o més excitades que mai. Com un exemple anecdòtic, i més aviat còmic, en reprodueixo ací un episodi. D'altres, molts d'altres, seran alguna volta col·leccionats i comentats com Déu mana, per a la il·lustració de les generacions i per a l'amenitat de les persones sensates. Perquè, si fan pena, també fan riure. En tot cas, un punt hi queda clar: contra la tòpica i suada tergiversació d'uns «Països Catalans» com a maniobra d'un hiperbòlic «imperialisme» barceloní, el fet literalment exacte és que som «els veritables altres catalans» —valencians, mallorquins, rossellonesos— els qui hem alçat el crit d'aquesta reivindicació. Hi érem pocs, al principi; ara en som molts. I ho hem fet sense embuts ni confusions: amb una nítida lleialtat al nostre poble i al nostre futur com a poble. I no es tracta d'una mera operació «política», en el sentit trivial de la paraula. La «política» dels diguem-ne polítics té les seves lleis: d'estratègia, de pacte, de fugir d'estudi, de tirar aigua al vi. El propòsit mirava a una altra política: a la de les premisses reals i doctrinals. En aquest terreny calia parlar clar. Els valencians teníem, i tenim, pendent un «examen de consciència» bàsic. Uns quants llibres i una pila de fullets s'han centrat en la preocupació d'ajudar-lo a produir-se. En el pròleg al volum de Domènec Valls en faig una ressenya succinta. Des d'aquesta recuperació de la pròpia «entitat» nacional, els catalans «perifèrics» reclamem això dels «Països Catalans». Contra el que s'imaginen els angoixats pel «perill català», la reacció «barcelonina» no ha estat, justament, la que correspondria a un «imperialisme». Entre altres raons, perquè no hi ha tal «imperialisme», que jo sàpiga. La miserable timidesa amb què els grups «polítics» del Principat, avui, eludeixen la qüestió no deixa de ser significativa: el «regionalisme» de la dreta i de la presumpta esquerra és arrugat, contradictori i tèrbol. En el pecat portaran la penitència, els uns i els altres. Mentrestant, a casa seva, tenen tot això: la veu de Raimon, mil novel·listes mallorquins, els versos de l'Estellés, aquests papers valencians, la gent que ve de Prada, i més coses. I fora del Principat, un clamor, encara modest, però que demà no ho serà tant. Ja ho veurà qui ho podrà veure.

Apunts per a una rèplica a Vicens Vives*

No crec que jo fos l'únic valencià que va sentir el desig de comentar i contestar l'article *Presència valenciana*, publicat per Jaume Vicens i Vives a «Serra d'Or», de maig. Els temes que Vicens hi tocava tenen, per a mi i per a molts paisans meus, una particular seducció: concretament, aquella mena de seducció que irradien els problemes alhora urgents i d'aparença insoluble, radicals i decisius sota llur innocència de nimietat acadèmica. Però jo hi estava més obligat que ningú, perquè entre els motius que suggeriren a Vicens i Vives algunes reflexions de la seva nota hi havia unes paraules meves, d'objecció amistosa, escrites a propòsit de treballs històrics de la seva direcció. Entrava en els meus càlculs erigir-me en interlocutor de Vicens sobre les qüestions suscitades, en aquestes mateixes pàgines de «Serra d'Or», però sempre una cosa o altra venia a destorbar-me'n, i la meva rèplica, que hauria pogut donar estat de diàleg —si puc dir-ho així— «interregional» a les nostres respectives preocupacions, anava ajornant-se estúpidament. Mentrestant, la mort se'ns enduia Vicens i Vives, i l'oportunitat era frustrada

* Publicat a «Serra d'Or», núm. 11 (novembre de 1960).

en el seu millor aspecte, que era, és clar, la intervenció i el punt de vista de l'insigne historiador desaparegué. Ara, en demanar-me col·laboració per a un número-homenatge de «Serra d'Or» a Vicens i Vives, he pensat que potser valdria la pena de reprendre aquelles meditacions on ell les deixà: això fóra, sens dubte, un tribut de record ben escaient, em sembla, i, al mateix temps, útil. Crec que, no sols entre els deixebles de Vicens, sinó encara entre els intel·lectuals tots del Principat, historiadors o no, els temes que al·ludeixo han de tenir una acollença tan clara i apassionada com va tenir-la en l'autor de *Notícia de Catalunya*, i que el diàleg que ens cal serà definitivament establert amb uns o altres.

Per començar jo hauria recomanat a Vicens i Vives una certa reserva, una cautelosa reserva, respecte a allò que ell mateix en deia «el miracle valencià». No sé si a mi, que visc la situació des de dins, la impaciència em fa trobar insuficients —en nombre, en sentit, en qualitat— els esforços recuperadors de la propia personalitat, visibles al País Valencià d'avui. Però no ens hem pas d'enganyar: l'actual «efervescència» valenciana no és, proporcionalment a la d'altres èpoques una mica més reculades, ni molt major en l'expansió, ni molt millor en l'eficàcia. Hi ha un bell jovent, uns quants escriptors discrets, una mena d'inquietud difusa: tot això, en efecte, no existia fa deu o vint anys, d'acord; però sí que hi havia un clima semblant trenta o quaranta anys enrere. No convé exagerar ni desvirtuar les coses. Les diferències entre l'estat actual i el dels anys 25 a 35, per exemple, són importants, no ho nego: els nostres petits nuclis intel·lectuals han afinat les ambicions i han estudiat una mica —una mica només— de gramàtica, durant l'última etapa de silenci. De tota manera, la novetat, el «miracle», potser és que hi ha un començ prou viu de consciència de catalanitat, que es vol precisament rigorosa en les seves implicacions culturals, i que vol sentir-se corresposta amb els mateixos termes en els altres països catalans. Mai no han mancat, al País Valencià, intel·lectuals que afirmessin la substancial unitat de les terres de la nostra llengua: aquell «món històric homogeni, amb una sola vivència de base i unes mateixes línies estructurals en els aspectes econòmic, social i mental», que deia Vicens. Podria citar uns quants noms que la sustentaren amb radicalisme i tot, al llarg del segle xx, i no sols en el pla de les dolces especulacions culturalistes. Però avui el panorama ha guanyat en més d'un extrem. Encara hi ha sectors que cultiven el recel i la suspicàcia sobre el particular: són, tanmateix, reminiscències provincianes en plena liquidació. I no caldrà que digui, en fi, que tot això s'esdevé en un àmbit reduït, d'escassa transcendència social: l'únic, amb tot, que pugui recaptar sense obscenes mistificacions un caràcter representatiu autèntic de la vida cultural valenciana.

Una de les notes que distingeixen la posició a què em refereixo, singularitzant-la respecte a les posicions anàlogues dels nostres predecessors, ja ha estat insinuada tot passant. He dit, en efecte, que l'actitud que va perfilant-se al País Valencià *exigeix* ara una simètrica correspondència en les altres terres catalanes, i sobretot al Principat. No ens basta, com sembla que bastava abans, proclamar-nos «catalans de València» segons la fórmula consagrada: aspirem que aquest reconeixement de nissaga i d'identitat arribi a les últimes conseqüències. I és de cara als intel·lectuals del Principat que les reivindiquem, aquestes últimes conseqüències. Si som catalans, per catalans volem ésser tinguts, nosaltres i les nostres coses: en el mateix terreny que els homes i les coses de qualsevol comarca de la Catalunya estricta. La Decadència havia creat en cada una de les nostres regions un sentiment particularista mútuament desconfiat: un «fet diferencial» no fals, però sí inconvincent. En algun ordre d'activitats, això no era —ni és— fàcil de superar. En d'altres, en canvi, podia ser-ho i calia que ho fos, si el nostre recobrament col·lectiu no volia trair-se. Pensem, només, i per aquí reprenem les consideracions del professor Vicens, en els estudis històrics. La història literària, naturalment, se sobreposà de seguida, amb més o menys seguretat, a la desviació «regio-nal»: no era concebible una història de la literatura «catalana» sense comptar-hi amb Llull i Ausiàs Marc, amb Joanot Martorell i Turmeda, al costat de Muntaner i de Metge. La unitat de la llengua imposava aquesta evidència massa violentament perquè ningú pogués desatendre-la. Tot era ben distint ja, quan es tractava d'historiar qualsevol altra faceta del nostre passat cultural. Probablement, ha estat Alexandre Cirici Pellicer el primer a cercar i trobar un enfocament *integrador* per a l'estudi de les arts en els Països Catalans a través dels temps. Mai no li agrairem prou, a Cirici, aquest gest de peoner. Però la història política i social...

La història a seques, en el sentit corrent de la paraula, mereix una reflexió a part i detinguda. D'ençà del XVI, quan els historiadors deixen d'escriure «cròniques» en les quals la narració ve «protagonitzada» pels nostres reis comuns, la historiografia dels Països Catalans es fa parcial: cada regió té la seva història privativa. I una ben explicable pruïja «diferencialista» indueix els nostres respectius erudits a distanciar i separar les visions respectives del nostre passat. Cal confessar que, donat que cada regió va tenir fins al Decret de Nova Planta una estructura jurídico-administrativa diferent, i un nom estatal propi, la perspectiva d'unes històries particulars era justificada. I ho és encara. Però justificada *fins a cert punt* només. Perquè som *un* poble, i fins i tot quan més divergents poden aparèixer els nostres destins «regionals», o més aïllats hem viscut els uns dels altres, sempre ha existit una forta trama de relacions, de connivències, de contrapesos, de compenetrades rivalitats, d'adhesions fraternals, que permeten i demanen una reconstitució històrica total i integradora. Això encara està per fer. Si els retrets valencians —i m'imagino que també podria haver-n'hi de mallorquins— s'adrecen als historiadors del Principat és per motius ben clars. D'ençà de la Renaixença, el Principat i els seus homes porten el pes de la màxima responsabilitat en el reordenament de la nostra cultura; ells, encara, estaven i estan més ben preparats que no pas els valencians ni els mallorquins per a trencar les velles prevencions particularistes i encetar els criteris que necessitem. Però, concretament pel que fa a la història, a la història política i social, els historiadors del Principat no han atès com cal el passat complet de les nostres terres, i han confeccionat llurs estudis sobre el passat privatiu del fragment que s'estén «entre els Pirineus i l'Ebre». No vull dir que hagin negligit en absolut «totes les gestes relatives a València i Mallorca» «llevat alguns episodis prestigiosos». No. Però tampoc no els han concedit l'espai i la importància que els corresponen. Valencians i mallorquins sabem que la «síntesi d'història dels Països Catalans», que tanta falta ens fa, ha d'elaborar-se, ara com ara, al Principat. Les nostres escoles locals d'erudició no hi estan preparades encara, ni tècnicament ni moralment.

«No es pot entendre la dinàmica de qualsevol de les tres porcions fonamentals de la catalanitat sense una prèvia definició de l'evolució del conjunt», reconeixia Vicens i Vives en el seu article de «Serra d'Or». Qualsevol que tingui ulls a la cara subscriurà aquesta apreciació inicial. En principi, doncs, les paraules citades de Vicens ja enuncien un argument prou sòlid, per als historiadors catalans de totes les regions, a favor del paper imprescindible, preliminar i il·luminador que hauria d'exercir en la nostra historiografia la «síntesi» que venim preconitzant. I n'hi ha més, encara. Hi ha més raons que l'aconsellen: raons, per cert, no estrictament científiques i tot. Si la història fos una disciplina tan asèptica com la física o la geometria, els seus problemes podrien reservar-se en una àrea d'exclusions altives, descircumstancialitzada —si puc dir-ho així—; però la història, quan no és solament erudició, i fins i tot quan només és erudició, torna a la història, reverteix en la societat com un estímul insidiós, es converteix en arma. I seria idiota de renunciar-hi. No sé si això que dic pot ser reprovat com una tara d'«ideologisme». De tota manera, dubto molt que es pugui fer història des del punt de vista de Sírius. L'historiador constata, aclareix i valora; quan explica un fet no fa sinó judicar-lo, i malgrat ell mateix, sempre pecarà amb una mena o altra d'«ideologisme». L'objectivitat d'un historiador està tothora sotmesa a correccions d'índole ben humana: socials —de classe—, nacionals, religioses, polítiques. Però encara que no fos així, encara que una metodologia o altra pogués atribuir-se el suprem privilegi de l'objectivitat, la «utilitat» de la història conjunta dels Països Catalans que reclamem seguiria intacta. Utilitat no solament científica, insisteixo. Perquè, en definitiva, vindria a desemmascarar l'ideologisme de les altres històries que fins ara hem patit, les històries tenyides de particularisme regional i les històries inspirades en el centripetisme peninsular, les unes i les altres tendencioses, negadores del fet bàsic de la nostra unitat i de la consistència del seu desplegament al llarg dels segles.

Vicens i Vives, amb un escrúpol professional que l'honrava ben noblement, no creia arribat encara el moment d'intentar el treball de síntesi que demanem. Sobretot, en el quadre de la seva escola particular. Deia que calia esperar que els erudits valencians i mallorquins haguessin fet, respecte a llurs regions, allò que ell i els seus deixebles feien respecte al Principat. Sense un ampli material monogràfic, és clar, la construcció sintètica resulta il·lusòria. També en aquell «propòsit d'introspecció col·lectiva» que Vicens es proposà en *Notícia de Catalunya* volia ser acompanyat per aportacions paral·leles de valencians i mallorquins. Però, ai!, ni valencians ni —o m'enganyo molt— mallorquins no podem oferir la col·laboració que s'espera de nosaltres, almenys no la podem oferir amb l'abundància ni amb els designis que ens serien exigibles. En la pràctica, la dilació, l'honestíssima dilació que es prenia Vicens equivalia a un ajornament *sine die* de l'obra desitjada. Vicens temia la improvisació fàcil, les «quatre ratlles esquemàtiques i enlluernadores», amb què podria bastir-se el llibre d'història de la Comunitat catalana. Ara bé: un esbós provisional, obert a tantes rectificacions futures com calguessin, seria encara impossible? Penso que no. Penso que, amb les dades disponibles de la nostra investigació, podrien aventurar-se les línies generals d'una visió de conjunt, aquella «prèvia definició» sense la qual «la dinàmica de qualsevol de les tres porcions fonamentals de la catalanitat» seria inintel·ligible. Crec que, a la llarga, Vicens i Vives hauria acabat escrivint la síntesi que li demanàvem: l'hi hauria obligat la seva lucidesa d'historiador i la seva passió de ciutadà. Hem de confiar, ara, que algú, de la seva escola o no, s'atreveixi a heretar aquell projecte. Necessitem com el pa que ens mengem un manual d'història dels Països Catalans: un llibre on, si més no, s'exposi la trajectòria solidària del nostre passat, la dispersió de la Decadència, les afinitats i els vincles que, malgrat tot, subsistien, i les causes profundes d'aquest moviment secular del poble a mig fer que som.

Ni que es faci això, la nostra historiografia seguirà, per molt de temps, encarrilada en el motlle tradicional de les «regions», no cal dir-ho. Més que més quan la «nova escola històrica» de Vicens, en ple rendiment, s'ajusta per principi metodològic al «quadre d'història regional», com ell mateix observava. Si les coses es plantegen d'aquesta manera, cal que mentrestant depurem una mica la qüestió de la nomenclatura. Vicens i Vives es va fer càrrec de la transcendència d'aquest punt, i en el seu article ho apuntava ben clarament. Hem de trobar uns mots, deia, «que expressin la unitat de l'evolució històrica de la Comunitat catalana». Perquè, per no tenir sort, no n'hem tinguda ni en la possessió d'un nom comú únic i inequívoc. «Catalunya» ha designat sempre, i gairebé exclusivament, el Principat; les Illes i el País Valencià, en tant que estats a part, van disposar de títols privatius: Regne de Mallorca, Regne de València; del Rosselló, en diem el Rosselló incloent-hi comarques que tenen nom distint. El mateix nom de la llengua que ens uneix es va perdre en la dissolució particularista de la Decadència... No considero molt difícil una puntualització en aquests aspectes, admissible per tothom. Dir-ne Països Catalans de tota la Comunitat és una fórmula ja bastant estesa, i una certa insistència acabarà per imposar-la, almenys en extensos sectors de la nostra societat. Reduït al terme «Principat» allò que sempre s'ha acostumat a dir «Catalunya» té potser més inconvenients: però insalvables? De tota manera, aquí surt la part més espinosa del problema. Perquè els gentilicis no toleren solucions tan senzilles. Vicens ho subratllava: «no crec que sigui satisfactòria la solució d'atribuir el genèric Principat a la Catalunya estricta, quan, per força, hem de recórrer a cada moment al gentilici de català i catalans». Tindríem, sí, un gentilici exclusiu per a cada regió —catalans, valencians, balears, rossellonesos—, però si acceptàvem el de «catalans» també per a la totalitat, el perill del confusionisme era evident...

Ja se m'ha fet massa llarg aquest paper perquè pugui estendre'm gens ni mica sobre aquesta última qüestió. La deixo en el punt que la deixava Vicens. Un altre dia, potser, tindrem ocasió de reprendre-la: crec que valdrà la pena. En l'actualitat, però, el problema del vocabulari ens ha de preocupar seriosament. El nom fa la cosa, en bona part. De la netitud de la nostra terminologia dependrà l'eficàcia de moltes de les nostres accions. I afegiré, encara, que tot això no és, ni de bon tros, una simple minúcia d'historiadors. La mateixa necessitat d'emprar noms clars tindran, igualment, els economistes, el geògrafs, els folkloristes, els sociòlegs, tots aquells qui un dia o altre es dedicaran a estudiar les realitats actuals dels Països Catalans utilitzant per fi l'òptica integradora i unitària que s'imposa. Sense desdenyar les indagacions territorialment parcials sobre els nostres països, hem de procurar, cada dia més, donar preferència als enfocaments de conjunt. I tant per a aquells com per a aquests, la pulcritud de la nomenclatura ha d'ésser essencial. El confusionisme en aquest camp podria resultar nociu; seria, a més, un error de fet. Ja sé que redreçar uns hàbits matussers tan arrelats en totes les nostres regions, tan explicablement arrelats, no serà cosa d'uns mesos ni d'uns anys. Però hem de decidir-nos-hi. Jo parlo ara com a valencià, i vull suposar que la meva procedència geogràfica, en si, dóna un particular valor a aquestes reflexions, les quals potser no en tenen d'altre. No m'arrogo cap caràcter representatiu. Per mi mateix i pel fet d'ésser valencià, dic el que he dit. Que d'altres diguin el seu parer: amics de les Illes, del Principat, del Rosselló, més encara del País Valencià. I que l'egrègia figura de Jaume Vicens i Vives, que en certa manera obrí el debat, rebi les nostres aportacions com un homenatge a la seva obra i a les seves millors intencions.

Sobre el fet diferencial valencià: una carta i una resposta *

Carta a «Serra d'Or»

Distingit senyor:

Per tal que no càpien confusions sobre un ambient que va formant-se, revelador d'una tendència de la qual suara han estat expressió un article sobre València publicat en «Serra d'Or» de novembre i un mapeta que figurava en un christmas del passat desembre, volem precisar la nostra posició a fi que no es puga suposar en un assentiment de tots els valencians, perquè nosaltres, cara a la Història, creiem en el fet diferencial valencià i en la personalitat valenciana, i no considerem València amb un criteri de regionalitat i no podem acceptar que, referint-se a l'època anterior al Decret de 29 de juny de 1707, es parle d'«estructura jurídico-administrativa diferent» perquè és desconèixer la realitat històrica o falsejar-la considerar diferències administratives tenir diferent parlament i diferent moneda, per citar dos exemples.

No podem ni volem oblidar la nostra personalitat històrica que dita tendència minimitza, com no podem ni volem oblidar el bimil·lenari i gloriós nom de València, substituint-lo sistemàticament amb l'ús de País Valencià, denominació d'emergència ideada per Felip Mateu i Llopis durant el règim republicà en què es qualificava de monarquitzant el dir Regne de València, denominació que, per als pocs casos en què càpia confusió amb la capital, preferim: per ser la de sempre, per indicar la jerarquia de València i per no desaparèixer el nom de València, substituït pel gentilici en País Valencià. No sabem què pensaran els mallorquins de la sistemàtica substitució de Mallorca per les Illes, denominació de circumstància geogràfica que a nosaltres ens fa el mateix efecte que quan hom diu Llevant a València. En quant a Principat en lloc de Catalunya, els catalans diran. I mallorquins i catalans, en quant als gentilicis que haurien de correspondre a les Illes i Principat.

No acceptem tampoc per al conjunt la denominació Països Catalans, sota la qual i en identificació amb la llengua, apareix en el citat mapeta: Catalunya amb la mutilació de la Vall d'Aran (ho accepten els catalans?) i València amb la mutilació de la seua zona de parla «xurra» (territori i població valencians als

---

* Publicat a «Serra d'Or», núm. 6 (juny de 1961).

quals no podem ni volem renunciar), i anexionada a Catalunya en la resta, idea que refusem perquè València forma una unitat amb dues vessants: la de parla d'origen català (60 % del territori i el 75 % de la població), i la de parla d'origen principalment aragonès (40 % i 25 %), els dos pobles que retornaren la fe de Crist a la nostra terra, duts de la mà democràtica i generosa del Rei Don Jaume, «de bona memòria», com solia dir-se antigament a València. És per la zona lingüística d'origen català que creiem en una comunitat lingüística i cultural amb Mallorca i Catalunya, però no en una annexió amb mutilació, sinó en una unió del tot que, seguida d'altres de major extensió, ens duga a Europa.

És per tot açò que, per al dit conjunt de València, Mallorca i Catalunya, acceptem la denominació suggerida fa poc per Miquel Adlert Noguerol de «Comunitat Catalànica», on la primera paraula indica el tipus d'unió que existia i és el que acceptem, i la segona afirma la unitat de llengua i cultura, alhora que ens dóna un gentilici comú i nou per a tots, que conservem així els antics, junt amb les denominacions de sempre per a les nostres terres.

El saluden atentament,

ALFONS VERDEGUER, JOSEP A. DEVESA R., RAFAEL VILLAR, VICENT CASP I VERGER, R. TOMÀS BÈRNIA, FRANCESC NAVARRO NAVARRO, JOAN GARCIA RIGAL, R. GARCIA ESCRIG, DIANA PALMER, ANDREU MONSÓ NOGUÉS, PVRE., JAUME BRU I VIDAL, JOSEP SANS MOIA, BEATRIU CIVERA, L. ARLANDIS, J. GUILLAMON, BERNAT GARCIA I APARICI, ALFONS CUCÓ, MIQUEL ADLERT NOGUEROL, XAVIER CASP.

Resposta

Comprenc perfectament que els problemes al·ludits per mi en l'article *Apunts per a una rèplica a Vicens i Vives* («Serra d'Or», novembre de 1960) hagin suscitat la reacció reflectida en la carta precedent. Les meves idees sobre el particular, formulades amb més o menys fortuna, no són sinó prolongació d'una actitud sostinguda per un sector d'intel·lectuals i de no intel·lectuals valencians d'ençà que la Renaixença local pren consciència d'ella mateixa. El lector curiós podria trobar-ne referències, adduïdes per refutar-les, en el pintoresquíssim pamflet de Josep M. Bayarri significativament titulat *El perill català* (València, 1931). La posició dels firmants de la carta respon així mateix a un corrent d'opinió també ja fet: un corrent d'opinió que té en *El perill català* i en textos encara més divertits la seva millor il·lustració. No és d'avui aquesta discrepància, doncs, i hauria estat ben estrany que *ara,* amb l'excusa del meu article o amb una altra qualsevol, no s'hagués manifestat. *Ara,* precisament. Perquè no es tracta, com la carta diu, «d'un ambient que va formant-se»: és, senzillament, que això designat amb l'eufemisme «ambient» continua i prospera en una mesura molt encoratjadora. Dins el camp minoritari en què —ara per ara— aquestes preocupacions es produeixen, l'afirmació de la catalanitat del País Valencià guanya terreny: sobretot, entre les generacions que representen el futur i que fan alguna cosa.

Considerar el País Valencià amb «un criteri de regionalitat» no és, per tant, cap novetat. Tampoc no crec que estigui en contradicció amb el fet d'haver tingut la «regió» un parlament i una moneda privatius abans del 1707. Ni tan sols no s'oposa a l'existència d'una forma o altra de «fet diferencial», per bé que, sobre això dels «fets diferencials», caldria parlar-ne molt i ben reposadament... De tota manera, em fa la impressió que els firmants de la carta s'han deixat enganyar per un equívoc bastant grosser. Sembla que, per a ells, la idea de «regionalitat» suposa dependència d'una «metròpolis»: en el nostre cas, una subordinació del País Valencià al Principat. I això els disgusta. Bé. Confesso que, pel que fa a mi, la meva susceptibilitat localista no arriba a un tal extrem: què hi farem! Però penso que la cosa admet alguna interpretació més raonable i més útil que la que es desprèn de la carta. Per què no partir de la base que el «criteri de regionalitat» és aplicable a totes i cada una de les «regions»? Membres distints d'un mateix cos, com si diguéssim... Crec que els circumloquis a què les circumstàncies m'obliguen no seran obstacle per a fer-me entendre. D'altra banda, veig que la suspicàcia dels comunicants els condueix a conclusions una mica còmiques. Diuen, per exemple, parlant d'un cert mapa, que hi apareix la zona valenciana de parla catalana «annexionada a Catalunya». Amb la mateixa raó podrien haver dit que és el Principat que hi apareix «annexionat» al País Valencià!

Heus ací per què la qüestió de nomenclatura s'imposa amb una clara urgència. Sofismes com els que argüeix la carta adjunta poden desconcertar la gent de bona fe, i això pot tenir conseqüències funestes per a tohom. La denominació «Països Catalans», *amb el seu plural tan explícit,* és d'una oportunitat innegable. A falta d'una altra de millor, aquesta ens pot fer un gran paper si de veres aspirem a aquella «unió del tot» a què es refereix la carta. Quant al terme «País Valencià», lamento molt haver de corregir l'espècie recollida pels comunicants: no fou «ideat» pel senyor Mateu i Llopis l'any 33. Ni de bon tros! Si més no, la fórmula data del segle XVIII, i l'empraven, amb més o menys assiduïtat, no sols els erudits «regnícoles», sinó també algun *colloquier* anònim i popular (veg., *v. gr.*, Ribelles Comín, *Bibliografia*, III, 279, col. 1.ª). Potser, en un moment determinat, hi havia motius poderosos que aconsellaven de reintroduir l'ús de «País Valencià». Els que la carta insinua en serien uns, molt respectables i avui encara vàlids. Però n'hi havia més. Sota la capa capciosa dels «provincialismes» —el pitjor dels quals és el de la *«provincia»* de València—, uns nous «fets diferencials» progressaven entre nosaltres, i el nom de «València», únic per a designar alhora el país, la província i la ciutat, contribuïa a atiar-los amb el seu confusionisme. Una manera de superar la dificultat podia ser l'expressió exhumada cap al 1931. Aquesta intenció està en plena vigència.

No m'he sentit mai inclinat a l'enyorança, i, menys encara, a l'enyorança d'una edat mitjana desplaçadament walterscottiana i convencional. No m'interessa gens una democràcia de gremis, beneficiats i almogàvers, presidida per la mòmia il·lustre del rei En Jaume. Per això, sens dubte, la substitució del «Regne de València» per «País Valencià» no em fa fred ni calor. Pensar, en aquestes altures, que dir «Regne de València» indica «la jerarquia de València» és només una piadosa il·lusió. Igualment, la substitució de «Mallorca» o «Regne de Mallorca» per «Illes Balears», tampoc no crec que alteri els nervis de cap insular sensat. Vull afegir, però, que no sento cap animadversió personal respecte a paraules com «regne», quan no tenen sinó un valor estrictament arqueològic, com seria el nostre cas. Uso el mot «Principat» sense cap escrúpol. En definitiva, davant aquest problema, com davant qualsevol altre, sempre em decantaré per les solucions que es presentin amb un avantatge de claredat i amb una promesa d'eficiència. Les objeccions sentimentals em semblen bizantinismes nefastos. Com tots els bizantinismes —i deixo al lector que s'allargui pel seu compte aquesta al·lusió a Bizanci amb totes les comparances que sigui capaç de trobar-hi.

Finalment, hi ha això de les comarques xurres del País Valencià. Per a mi, en l'ordre diguem-ne teòric, no hi ha problema. La minoria d'arrel aragonesa, actuant amb entitat pròpia, mai no ha influït ni poc ni molt en la vida històrica ni en la consciència col·lectiva del País Valencià. La fisonomia de la regió, el caràcter i l'impuls positiu, els hi han donats sempre i continuen donant-los-hi les comarques del litoral: és a dir, les comarques catalanes. Fet, d'altra banda, ben lògic, si tenim en compte els factors demogràfics i econòmics, geopolítics i fins i tot racials, que juguen a favor d'aquestes últimes. Avui, tot el que qualifiquem de valencià —llengua i literatura, costums i mentalitat, bandera i prestigi— és, indefectiblement, cosa vinculada *en exclusiva* a la part catalana. Això són fets, els agradin o no als xurros i als xurròfils. En l'ordre diguem-ne pràctic, jo no veig que el plantejament «català» sigui incompatible amb una solució de convivència i de respecte mutu. Per un altre cantó, em permetré d'observar que el concepte de «Comunitat Catalànica» no resultaria tampoc gaire pertinent per a la població de Sogorb, d'Aiora o d'Oriola. Des de l'angle en què els autors de la carta ho enfoquen, el terme adequat seria el de «Comunitat Catalànico-Aragonèsica», i en aquest cas convindria treure a col·lació la mòmia del rei En Jaume, els gremis, els beneficiats i els almogàvers...

4. Catalunya, més enllà de les fronteres de l'antic Principat*

Si alguna justificació té la meva paraula en aquest acte —a part, naturalment, la més sincera i viva adhesió personal a l'obra i a l'amistat de Josep M. Cruzet—, és, sens dubte, la meva condició de valencià. I en tant que valencià, en tant que escriptor valencià, voldria —i crec que puc— assumir la representació tàcita dels homes de lletres catalans de fora del Principat. Catalunya, com a poble, com a tradició, com a llinatge, no acaba en els Pirineus, ni en l'Ebre, ni a la vora de la mar. Més enllà de les fronteres de l'antic Principat, Catalunya continua sota els noms privatius i circumstancials de Rosselló, Mallorca, País Valencià. Aquesta unitat d'estirp i d'història és sobretot preclara d'evidències quan pensem en la llengua, en la llengua i en la literatura que la magnifica. En el vell, robust, resistent edifici de la literatura catalana, els millors carreus de fonament són grans noms valencians i mallorquins. Si al Principat li correspon la gràcia i la glòria de les millors i més recents contribucions, a nosaltres, el Sud i les Illes, ens pertany l'honor dels millors clàssics. I és en nom de la fidelitat mallorquina, rossellonesa i valenciana a la nostra llengua comuna, que jo vull intervenir representativament en aquest homenatge a Josep Maria Cruzet. En els catàlegs de la Selecta, els catalans de fora del Principat hi són representats tant com ha estat possible: no ens en podem queixar, perquè en la nostra nòmina s'insereixen les figures antigues i més insignes —Llull, Ausiàs Marc, Joanot Martorell— i algun de les modernes, més delicat i satisfactori —Costa, Alcover... En nom de tots, vius i morts, dic, he de fer constar, ara i ací, el testimoni cordial i incondicional d'admiració i de confiança a Cruzet per la

* Parlament en l'homenatge a Josep Maria Cruzet amb motiu de la publicació del volum 200 de la «Biblioteca Selecta», publicat a «Pont Blau», núm. 102 (Mèxic, abril 1961), ps. 149-152 i reproduït a *Textos d'exili* (València, Generalitat Valenciana, 1991), ps. 149-150.

tasca realitzada amb les seves edicions. Aquest acte pren excusa en la publicació del volum 200 de la «Biblioteca Selecta»: hauríem d'afegir-hi encara les sèries de la «Perenne» i de l'«Excelsa». Es tracta, en conjunt, d'un dels blocs bibliogràfics més importants que mai s'hagin produït en la nostra llengua.

No és ara el moment oportú —en plena eufòria digestiva d'una assistència copiosament literària— per demorar-nos en la consideració dels problemes que tenen plantejats, com a fet editorial —és a dir, econòmic i intel·lectual—, les lletres catalanes d'avui. Fóra posar una nota trista en una reunió que vol i té l'obligació d'ésser satisfeta i esperançada. Però ningú no ignora el grau de precarietat en què es mou, moralment i materialment, la nostra literatura. I tampoc no ignora ningú l'energia, l'eficàcia i l'habilitat que ha calgut desplegar per salvar-ne la continuïtat i per mirar de garantir-li un mínim de solidesa normal. A Josep Maria Cruzet devem un esforç positiu i sostingut en aquesta empresa, potser un dels més dilatats i coherents que pugui recordar la tradició editorial del país. Quan, d'aquí a cent anys, o els anys que siguin, es faci la història del nostre temps, els catalans hauran d'ocupar-se, no sols dels poetes i dels novel·listes, dels dramaturgs i dels erudits, dels assagistes i de Josep Pla (que ell sol ja val per tot un gènere literari), sinó també dels editors. Els editors tant com els escriptors mereixeran l'estudi i l'atenció dels historiadors del futur, perquè els uns tant com els altres contribueixen a possibilitar el fet social de la nostra literatura d'avui, plantant cara a les pitjors i més dramàtiques adversitats amb què ha hagut d'enfrontar-se la cultura catalana. No sé què diran ells, annalistes i crítics de demà, no sé què diran de nosaltres, els escriptors. Podem dubtar més o menys, segons la mesura de la nostra modèstia, de la ració de glòria i de memòria que demanem a la posteritat. Però els editors de la nostra època que, com Josep Maria Cruzet, han dedicat tot llur entusiasme, tota llur tenacitat, a la literatura catalana, ells sí que tenen, des d'ara, la posteritat assegurada, la gratitud de les generacions futures. Nosaltres, avui, en aquest homenatge, no fem sinó anticipar-nos-hi. Amic Cruzet: és costum que l'homenatjat doni les gràcies en la recapitulació final de la festa. Aquesta vegada, però, us en negarem el dret. Som nosaltres, escriptors i lectors, els que hem de dir-vos «moltes gràcies». Moltes gràcies, doncs.

5. Hi ha més catalans encara*

Una sèrie de fascicles col·leccionables, *Dolça Catalunya*, em demanà una col·laboració: sobre els «Països Catalans», *Hi ha més catalans encara*, va ser el títol que hi vaig posar. Allò de la «Dolça Catalunya, pàtria del meu cor» de Verdaguer no figurava entre les meves referències. El «patriotisme» lacrimogen m'irrita. Confesso que, de vegades, em contamina, i aleshores m'irrito més. Tampoc no m'entusiasma el «nacionalisme». Més d'un cop ho he dit i redit: a tot estirar, sóc «nacionalista» en la mesura que m'obliguen a ser-ho, l'indispensable i prou. Perquè, ben mirat, ningú no és nacionalista sinó enfront d'un altre nacionalista, en bel·ligerància sorda o corrosiva, per evitar senzillament l'oprobi o la submissió. Hi ha qui es veu forçat a ser «nacionalista», i ho confessa, perquè ho sap; hi ha qui és «nacionalista» sense adonar-se'n que ho és, i s'indigna quan troba resistència. En el merder celtibèric, aquest embolic dóna lloc a divertides —o dramàtiques— coincidències. «Antes roja que rota», afirmava Calvo Sotelo. «Antes azul que rota», deia el doctor Negrín, i diuen el Felipe, don Santiago, i més. No serà necessari recordar què pensaven o en pensen Américo Castro, el Madariaga de la ben experimentada «democràcia orgànica», Claudio Sánchez Albornoz, ex-president de no sé quina ex-República espanyola. I l'Unamuno, i l'Ortega, i el Marañón, i el Pérez de Ayala, difunts. I les mitres, que no callen mai, perquè no es resignen a no manar: sigui amb «pastorals col·lectives» com el cardenal Gomà, sigui amb «homilies» i «*cartas cristianas*» com el cardenal Tarancón. De vegades penso si no valdria la pena d'encomanar al vicari de la parròquia més pròxima una novena a santa Rita de Càssia, advocada dels impossibles, que és una bellíssima advocació. Però els vicaris ja no fan novenes. Paciència! Vull creure que les disjuntives que al·ludeixo no són, de moment, fatals. Una cura de desintoxicació de «nacionalismes», començant pel nacionalisme provocador i provocatiu, no seria molt higiènica? En tot

* Publicat a *Dolça Catalunya*, III (*Els catalans*) (Barcelona, Editorial Mateu, 1968). El primer paràgraf fou afegit a la reedició d'aquest text a *Un país sense política* (Barcelona, La Magrana, 1976), ps. 135-136.

cas, jo mai no he ficat llenya al foc. Les planes dedicades a *Hi ha més catalans encara* són una mera exposició didàctica, estrictament descriptiva. Han estat escrites al marge de qualsevol perversió politicoide. Han estat escrites, encara, sense tantes precaucions erudites com potser hauria convingut. Qui era aquell fulano que, parlant d'Ausiàs Marc, negava que fos un «*poeta català*», per reduir-lo a «*un judío español*»? Madariaga? No ho recordo. És igual. El protofeixista Madariaga és capaç de dir qualsevol cosa. L'antifranquisme de don Salvador pertany a l'àrea de l'esquizofrènia, i no té cap valor polític. I quan ens faran el favor, «ells», de no forçar-nos a ser «nacionalistes»? «Ells», tots plegats...

*   *   *

Hi ha més catalans encara.

Estem acostumats a reservar el nom a la gent del Principat: del Principat de Catalunya, en efecte. Però n'hi ha més. No tots els catalans som «catalans» pròpiament dits. De vegades —i potser no tan sovint com caldria— als papers i a la conversa surten fórmules com «català de Mallorca», «català de València» o «català del Rosselló», i per contrast, expressions com «catalans estrictes». Ja sabem què significa aquest recurs a la geografia o a l'adjectiu de matís. Indica una certa «insuficiència» de nomenclatura. En bona lògica, hauria de bastar un sol terme per a tots els casos. Catalans, per exemple: catalans a seques. Tanmateix, les coses no sempre són tan senzilles...

Què passa, què ens passa, a nosaltres, catalans, amb la qüestió del nom?

Les accepcions possibles

Convindria fer, d'entrada, un recompte i un catàleg de les accepcions que el gentilici «català» ha tingut al llarg dels temps. La majoria de les designacions ètniques o nacionals han sofert, a través dels segles, canvis d'abast o d'ús, i la nostra difícilment hauria pogut ser-ne una excepció. Les circumstàncies «polítiques» hi han intervingut d'una manera decisiva, i seria ben interessant de resseguir-ne les peripècies.

Un intent de resum, i sense cap pretensió formal, podria donar aquest resultat:

a) En una època determinada, eren considerats *catalans*, en general, tots els súbdits del rei d'Aragó. Es tractava d'una identificació a nivell internacional. I fou durant l'edat mitjana, és clar. La «senyoria» d'un monarca —ara en diríem un estat—, vista des de fora, induïa a incloure en el mateix nom *tots* els pobles que li eren sotmesos, per més diversos que fossin. En les rutines de l'Europa medieval, els pobles que integraven la Corona d'Aragó eren coneguts, indistintament, per «aragonesos» o per «catalans». Van ser anomenats «aragonesos», de tant en tant, quan hi prevalia el prestigi diplomàtic de la Corona, i, en conseqüència, del topònim que la definia. Però quan hi era presa en compte l'entitat real, social o demogràfica, que jugava «sota» la Corona, es preferia el nom de «catalans». Al capdavall, el Principat, i amb ell els regnes de Mallorca i de València, àrees de llengua catalana, hi eren el factor hegemònic: humà, econòmic, i, en última instància, polític. «Catalans», doncs, foren, per nom, tots els vassalls dels reis d'Aragó: en més d'una ocasió, «catalans» eren els aragonesos i els provençals, subjectes a la sobirania dels Jaumes i dels Peres, i fins i tot dels Trastàmara. Els aragonesos, els provençals, i, naturalment, els catalans d'idioma: del Principat, de les Illes, del País Valencià, del Rosselló.

b) Més concretament, el nom de *catalans* fou restringit als qui parlaven català. En els nostres manuals escolars, hem llegit i après allò de l'«*expedición de catalanes y aragoneses a Oriente*». I, globalment, la història sencera de la Corona d'Aragó sol tenir la mateixa distinció bífida: «aragonesos» i «catalans». Poques vegades hi ensopeguem amb una menció específica als «mallorquins» o als «valencians», i menys encara als «rossellonesos». Al cap i a la fi, no calia. De moment, no calia. El vocable «catalans» implicava tothom. Mallorquins, valencians, rossellonesos, érem —som— lingüísticament iguals als catalans del Principat: catalans, per tant. En principi, la llengua rebia el nom del Principat: de Catalunya. Fins ben entrat el segle XVI, a Europa, «catalans», «mallorquins», «valencians» i «rossellonesos» només érem *intel·ligibles* sota la denominació comuna de *catalans* per aquesta elemental raó filològica. Català era a París Ramon Llull, de Mallorca, com a Roma eren catalans els Borja de Xàtiva, i català a París i a Roma i a Avinyó aquell fabulós Arnau de Vilanova que ningú no sap on va néixer i que podia haver nascut a qualsevol lloc dels Països Catalans. «Són vers catalans», i «parlen del bell catalanesc del món», deia Ramon Muntaner dels habitants d'Alacant i d'Elx, en el XIV: «de nació catalana» i «nat en la ciutat de Mallorques» s'afirmava fra Anselm

Turmeda; «*caballero valenciano, de nación catalán*» era designat Ausiàs Marc per un seu traductor, també valencià, a la primeria del XVI.

c) Amb un valor definitivament restringit, el nom «català», atribuït a persones, coses i terres, es limita al Principat, o com avui caldria dir, a les quatre províncies espanyoles de Barcelona, Tarragona, Lleida i Girona. Així és, de fet. Però, de tota manera, s'hi imposa alguna salvetat. A diferència dels «valencians» i dels «mallorquins», que tendeixen a no dir-se catalans, els «rossellonesos» mai no han renegat del gentilici unitari i comú: ells són, a França, catalans. Del Rosselló, la Cerdanya i les altres demarcacions històriques de llengua catalana, que d'ençà de la Pau dels Pirineus (1659) pertanyen a la Corona de França —i, per herència, a les successives repúbliques—, sempre se n'ha dit «*Le Pays Catalan*». Dins el marc francès, el departament dels Pirineus Orientals és «*La Catalogne*»: la Catalunya francesa, com repetim nosaltres, dòcilment, i per entendre'ns. I encara queda Andorra, petita i una mica autònoma: l'únic territori dels Països Catalans on el català és idioma oficial, si se'ns tolera la il·lusió. I no parlem ja de l'Alguer! L'Alguer, la Barceloneta sarda, italianitzada, que es resisteix a esvair-se i que s'esvaeix... En el fons, la reducció del gentilici només es planteja de cara a les Illes i al País Valencià.

Aquest és l'esquema.

Però, en realitat, no tot és un problema d'història passada ni de mecanismes administratius...

El «*somni*» de Maragall

Una quarta accepció del mot ens ve suggerida per un dels més tendres i incisius poemes de Joan Maragall. El que es titula *Glossa*, i que, de fet, simula ser una glossa de certa cançó pirinenca:

> Aquelles muntanyes —que tan altes són,
> me priven de veure— mos amors on són...

Maragall imaginava un trobador, i una princesa, i no sé quantes coses més: una *mise en scène* vaga i emotiva. Com Verdaguer, don Joan patia la fascinació de les orografies ampul·loses, i tenia el Pirineu ben a la vora. En

aquella ocasió, doncs, s'hi deixà anar una mica més que no li era habitual de
fer-ho.

> Jo no sé com, prô un vent de profecia
> corre sobre eixos monts d'ací i d'allà;
> jo no sé quan, prô vindrà un dia
> que el Pirineu regnarà!

Naturalment, l'esperança que el Pirineu «tornés a regnar» constituïa una
pura confusió: temerària, de més a més. En el 1904, quan Maragall fabricava
els seus versos, quines expectatives «civils» podia presentar la tòpica cordille-
ra que separa Espanya de França? Cap: ni una. Perquè ni tan sols era possible
de creure's l'eco ja decadent i tothora equívoc de Mistral i els seus felibres.

No hi havia res a fer, per aquest cantó. Però Maragall hi detectava «un
vent de profecia». I el va traduir en una estrofa admirable, vibrant:

> Vosaltres els del mar cap a Baiona,
> vosaltres els de Pau i d'Argelès,
> vosaltres de Tolosa i de Narbona,
> i los del bell parlar provençalès:
> i tu, Aragó més alt, i tu, Navarra,
> oh catalans que a l'altre mar sou junts,
> alceu els ulls al mur que ara ens separa:
> s'acosta el dia que serem tots uns...

Notem-ho: segons això, tothom és «català», per poc acostat al Pirineu
que es trobi. Occitans, aragonesos —els de l'«Aragó més alt», almenys— i
bascos es veien involucrats en la bella convocatòria maragalliana, i, de retop,
en el nom. Don Joan en feia un gra massa, sens dubte. La seva exageració es
desautoritzava per ella mateixa, i solament escapa de ser irrisòria per la noble
magnificència verbal amb què venia dita. No existien tals «catalans», com
tampoc no existia aquell Pirineu aglutinador...

En els seus orígens històrics —posem-hi els segles IX al XII—, Catalunya
semblava predestinada a convertir-se en un vertader estat pirinenc, estès a
banda i banda de la serralada. Dir «Catalunya», en aquest punt, resulta
probablement anacrònic: em refereixo, en concret, a la profusió de comtes

i de bisbes que aleshores hi dominaven. Aquells personatges propendien a coagular-se en una mena d'«unitat» que podia haver tingut, com a espina dorsal, el Pirineu. Els primitius dinastes d'Aragó i els senyors feudals d'Occitània començaven a entrar en el mateix joc d'interessos polítics. Però tot allò acabà malament. Els reis de Franca hi tenien també les seves ambicions, i aprofitaren la croada contra els càtars (1209-1229) i les aliances matrimonials per introduir-s'hi. L'any 1213, Pere el Catòlic, rei d'Aragó i comte de Barcelona, fou vençut a Muret pels exèrcits franco-papistes: la sort s'inclinava, doncs, del costat francès. Els esforcos posteriors de Jaume I, per reemprendre l'hegemonia «catalana» al sud de les Gàl·lies, van ser inútils, i el 1258, amb el Tractat de Corbeil, quedava liquidat l'afer. Aquesta escriptura cancel·lava el «somni» d'expansió ultramuntana. Jaume I, abans, ja havia iniciat una nova política. Era el camí del sud: ibèric. El regne moro de Mallorca, i el de València, i d'altres terres més meridionals, foren incorporats a la seva monarquia.

Sis o set-cents anys després d'aquestes peripècies, encara hi ha, entre els habitants de la Catalunya Vella, i entre els veïns de Barcelona, un pèl de nostàlgia del mite pirenaic. La *Glossa* de Maragall en representa un estat agut. I, de més a més, fins i tot quan la «nostàlgia» no hi és, hi perdura una inèrcia ben significativa: la tendència a «pujar», a marxar cap al nord. Ho podem observar en els costums dels barcelonins. Quan s'animen a sortir de casa, per al descans estival, per a l'excursió esportiva, piadosa o folklòrica, per passar l'estona amb un tema arqueològic o literari, trien sempre una ruta que vagi cap amunt: cap al Pirineu. Ja ho feien així, en els temps que es desplaçaven amb tartana o a peu, i continuen fent-ho avui amb els *Sis-cents* i amb els autocars col·lectius. Si el consum d'itineraris fos susceptible d'estadístiques, ho veuríem certificat amb números, això. Són una minoria els qui davallen a Tarragona, i ben pocs els qui han arribat fins a Tortosa. Morella, Peníscola, València, Xàtiva, Dénia, Elx, cauen ja fora de la seva imaginació. I igualment les Illes. Les Illes no tant, és clar. El viatge per la mar, el salt amb l'avió, els clixés del turisme maquinal, ofereixen uns altres al·licients. Tant se val. La direcció nord, en definitiva, és la preferida.

És cert que els Pirineus i les seves proximitats brinden uns panorames, uns climes i unes deferències físiques precioses, i és cert que les contrades més arcaiques del país conserven molts atractius de pintoresc i de monuments. Però això no ho explica tot. Ni explicaria una llarga sèrie de fenòmens connexos o afins: les múltiples edicions de mossèn Cinto, la difusió de la sardana, els immensos paquets de literatura sobre l'Empordà, l'afecte general pel romànic, l'altisonant i sistemàtic europeisme de les classes dirigents, els dolços finals de setmana a Perpinyà o a Andorra la Vella, els minyons de muntanya, Dalí, etcètera. En el fons, es tracta d'una querència —i demano perdó pel castellanisme— gairebé instintiva. I no l'acabaríem d'entendre, si oblidàvem allò que se'n diu «el pes de la història». D'una història frustrada, tanmateix.

La contrapartida és, naturalment, el descuit o la ignorància del Sud: del sud del Principat, i de tot allò que ja no és el Principat. Per a molts, per a moltíssims catalans —particularment per als catalans de Barcelona—, Catalunya ve a ser un tros, un simple trosset de Catalunya.

Maragall...

Les altres Catalunyes

No cal insistir-hi, tot i que bé en valdria la pena. Com a símptoma, l'obra literària de Joan Maragall té una notòria utilitat. La seva temàtica «geogràfica» és l'indici més robust de la temptació «septentrionalista» de Barcelona. Tot Maragall es decanta «cap a la part dels Pirineus...». Mai no sent l'emoció —ell ho diria així— de les altres Catalunyes. Un poema, de circumstàncies, *A València en festes*, és tot el que hi podríem adduir en contra.

> Recorda't de qui ets i quant podries,
> si se't complissin totes les promeses
> que dins el teu terrer fecond palpiten.

Escriu, encara:

> Escolta de la part de Catalunya,
> i sentiràs una gran veu que et crida
> amb la parla que és ta mateixa parla,
> més eixuta prô molt amorosida...

i hi endevinem que la discreta correcció del vers, ara, no és vehicle de cap «vent de profecia». Em penso que les Illes ni tan sols li van merèixer una rememoració com aquesta, convencional i tèbia. I com Maragall, els altres. Ben sovint, els altres, pitjor encara.

Això no obstant, el crit de

s'acosta el dia que serem tots uns!,

si mai arriba a adquirir un contingut de vigència compulsiva, haurà de ser de cara a les Catalunyes no pirinenques: de cara a les Catalunyes nascudes de la renúncia —forçada— al «regne» del Pirineu. Jo no crec en «vents de profecia», gràcies a Déu. Però sí en les raons i en la raó d'una «unitat» viable i preparada per exigències morals i materials, que de moment no és sinó una «unitat en tràmit». Potser «s'acosta el dia que serem tots uns»; potser no. En qualsevol cas, els qui podem ser «tots uns» no veníem citats pel Maragall de la *Glossa*.

La «renúncia» als Pirineus va fer que les Balears fossin catalanes, i que fos català —o predominantment català— el País Valencià.

En realitat, la conquesta de les Illes obeí a unes clares aspiracions dels mercaders del Principat. Als negocis de Barcelona, ja en el segle XII, els calia assegurar-se posicions sòlides en el comerç del Mediterrani, i l'arxipèlag hi era una fita imperiosa. Un cop presa als sarraïns —i més o menys netejada de sarraïns—, Mallorca fou repoblada per catalans, gairebé exclusivament per catalans. Ferran Soldevila ho ha remarcat: el regne cristià de Mallorca acabà per ser una «prolongació» del Principat. La conquesta del País Valencià va tenir un estimul i un desenvolupament distints. La reclamaren els aristòcrates d'Aragó, que buscaven eixamplar els seus dominis senyorials i, de passada, aconseguir una sortida a la mar. Però Jaume I, que capitanejà la maniobra, només hi va consentir a mitges. El rei tenia por dels nobles aragonesos; temia la seva força feudal, independent i agressiva. I per això impedí que el País Valencià fos, al seu torn, una «prolongació» d'Aragó. A l'hora de «repartir» el territori, procurà que les zones més importants i més riques no caiguessin en poder dels magnats aragonesos. El litoral fèrtil, amb la ciutat capital (València), i els llocs d'una possible urbanitat efectiva (Xàtiva, Alcoi), i l'interior decisivament estratègic (Morella, Montesa), va retenir-los sota la seva jurisdicció, i en repoblar-los, mirà que s'hi instal·lessin catalans. L'idioma en dóna testimoni, encara avui. Catalunya, en el segle XIII, s'estirà cap a l'est i cap al sud. El Pirineu s'esfumava...

Com és obvi, aquestes novíssimes Catalunyes no «van néixer» completes i robustes per l'acte fundacional del monarca. Calgué un llarg procés de migracions i d'assentaments perquè sorgissin finalment amb una consistència pròpia. Els «conqueridors» del segle XIII, catalans o aragonesos, no comptaven amb un potencial humà suficient per omplir de gent els espais que deixaven abandonat els musulmans. La repoblació, doncs, hagué de fer-se a poc a poc. Al País Valencià, no hi hagué més remei que consentir que una bona part dels moros indígenes hi continuessin vivint, perquè una expulsió radical hauria representat una vertadera catàstrofe econòmica. No hi hauria hagut braços per treballar els camps o per fornir els obradors. Però el desplaçament de catalans del Principat als regnes de Mallorca i de València és seguit i sostingut, almenys fins a les darreries del segle XV. Durant les etapes de guerra civil al Principat, l'emigració en aquest sentit s'intensificava. I de la lentitud del tràmit, en tenim notícies fermes: el 1270, al Regne de València, encara no hi havia més de trenta mil famílies de cristians; el 1383, Francesc Eiximenis podia dir que la seva capital era una ciutat «quasi morisca».

Tanmateix, l'estabilització «ètnica» queda ja indiscutible en el moment en què Eiximenis escrivia aquesta última observació. Potser abans i tot, a les Illes. Cap certificació no en podria ser més convincent ni més espectacular que el fet de ser «mallorquins» o «valencians» la majoria dels escriptors que avui anomenem «clàssics» de la llengua catalana. De Mallorca eixien Ramon Llull i fra Anselm Turmeda; del País Valencià, Ausiàs Marc, Joanot Martorell, Jaume Roig, Joan Roís de Corella. Les dues «noves» societats catalanes revelaven així la seva profunda i íntegra identificació. Els escriptors i el poble eren «catalans». A les Illes, ho era tothom. Al País Valencià la cosa oferia unes particularitats marginals: hi perdurava la comunitat arabitzada —i hi perdurà fins al 1609— i hi hagué unes quantes comarques de població aragonesa. Però els moros, o moriscos, no hi comptaven, ni tampoc hi comptaven els descendents d'aragonesos, pocs en nombre i desproveïts de ressorts polítics i culturals... De Peralada a Eivissa, de Barcelona a Mallorca, de Perpinyà a Alacant, un home com Ramon Muntaner podia anar i venir sentint-s'hi sempre a casa seva: «ver català», s'hi trobava entre «vers catalans»...

La primera divisió

Jaume I, en certa manera, «construí» els Països Catalans: més ben dit, els acabà de construir. I per ser més exactes, hi afegirem que fou el seu nét Jaume II qui va annexar al Regne de València les contrades més meridionals: Alacant, Elx, Oriola, Elda, Monòver, Novelda. De fet, però, Jaume I encarna la glòria i l'esperança d'aquella operació inicial: també sobre això s'han escrit molts versos... Doncs bé: ell mateix, Jaume I, fou el primer a sembrar-hi els gèrmens de dissolució. No li'n farem retret, naturalment. Seria un anacronisme, això de «criticar» un polític del segle XIII amb judicis o prejudicis del segle XX. Jaume I tenia una concepció patrimonial dels seus estats, similar a la que tenien tots els reis i reiets de la seva època. «Patrimonial», no «nacional». Per a ell, els seus regnes eren un bé seu, una mena de propietat privada, i en disposà com li vingué de gust. Les conseqüències ulteriors li eren imprevisibles.

D'entrada, Jaume I va erigir el País Valencià i Mallorca en «regnes» a part: o sigui, en estats independents, si volem expressar-ho amb terminologia moderna. Es negà a fer de les Illes un simple apèndix del Principat, i encara s'oposà amb més vigor a les pretensions aragoneses d'inserir el País Valencià en el Regne d'Aragó. Les dues circumscripcions territorials conquerides van ser considerades com entitats amb personalitat política peculiar: amb denominació específica de «regne», amb institucions pròpies, amb legislació privativa. La vinculació s'establia en la persona del rei, semblant a com tècnicament estaven units el Principat i Aragó.

No caldrà advertir que, en aquell temps, la idea i la realitat constitucional d'un «regne» —d'un estat— eren coses vagues, indecises i, en la pràctica, dubtoses. Les funcions exhaustives del Poder, l'eficàcia de les fronteres, la delimitació d'àrees i de competències, no tenien aleshores el caràcter rigorós que han adquirit després. Malgrat la diferència de «regnes», entre el Principat, les Illes i el País Valencià, els factors reals s'hi imposaven: l'hegemonia de Barcelona, per exemple. I així va continuar la situació fins ben entrat el XV. I encara en el XV, la representació «exterior» que ara en diríem diplomàtica, quan no pertanyia immediatament als interessos de la monarquia, quedà a mans de Barcelona: els «cònsols de catalans», que als ports d'Europa, d'Àfrica o de Llevant, dirigien la tramoia mercantil internacional de «catalans», «valencians» i «mallorquins», eren designats pels consellers. Sovint, si més no... De tota manera, els límits de cada «regne» havien de condicionar i d'afaiçonar, a la llarga, jurídicament i sentimentalment, les poblacions que abraçaven. De ser tots «catalans», un dia o altre començaren a sentir-se, els uns, «mallorquins», i els altres, «valencians». El nom primitiu quedà reduït al Principat —i, és clar, als comtats pirinencs. Era una qüestió de temps.

D'altra banda, Jaume I, quan féu testament, va dividir els seus dominis entre els dos fills barons que li sobrevivien: a Pere llegà el Principat i els regnes d'Aragó i de València; a Jaume, Mallorca, el Rosselló, el Conflent, el Vallespir, la Cerdanya i la ciutat de Montpeller. La ruptura, ara, s'introduïa a nivell de la Corona. Fou una resolució «impolítica»: tal és l'opinió de la posteritat. Però entrava en la lògica del moment. I així, des del 1276, en què mor Jaume I, fins al 1349, el Regne de Mallorca, que incloïa les Illes i les terres actualment rosselloneses, va estar separat de la Catalunya peninsular. El 1349, l'escissió era liquidada *manu militari* per Pere el Cerimoniós: una petita, desagradable taca de sang. És cert que els «mallorquins», mentrestant, van conservar ben lúcida la seva consciència de ser catalans. Per damunt i per sota la fidelitat a la dinastia local, s'hi mantingué la noció «ètnica». De tota manera, l'episodi independentista insular havia de deixar un rastre romàntic o irritat, difícil d'esborrar.

Aquestes divisions que a nosaltres ens semblen aberrants i lamentables, i que no poden deixar de semblar-nos-ho, van frustrar les expectatives d'unitat definitiva que s'esbossaven en el segle XIII. La història és com és, i no val la pena que ens hi aturem amb elegies o amb imprecacions. Jaume I va preparar la nostra «unitat», i tot seguit la desbaratà. En la mesura que aquestes afirmacions són admissibles —i només ho són *cum grano salis*—, això és la pura veritat. D'«una» Catalunya que els catalans de la seva època es posaven a fer, en van sortir diverses, i al capdavall, abocades a la dispersió.

Més diferències

Probablement, la primera formulació de la dissidència correspon al País Valencià. I, per paradoxa, la devem a un gironí: a fra Francesc Eiximenis. En la carta-dedicatòria que encapçala el seu *Regiment de la cosa pública*, Francesc

Eiximenis s'adreça als Jurats de la ciutat de València amb unes frases hiperbòliques d'elogi i d'afalac localista. Entre elles, aquesta: «Ha volgut Nostre Senyor Déu que poble valencià sia poble especial e elet entre los altres de tota Espanya. Car com sia vengut e eixit, per la major partida, de Catalunya, e li sia al costat, emperò no es nomena poble català, ans per especial privilegi ha propri nom e es nomena poble valencià.» Són paraules del 1383. Feia uns cinquanta anys escassos que Ramon Muntaner, empordanès i «ciutadà de València», encara havia pogut dir dels valencians, i fins i tot dels valencians més «recents» —els d'Alacant i d'Elx, els d'Oriola i de Novelda—, que eren «vers catalans».

El «regne a part» anava fent el seu fet: creava un «patriotisme» particular, i com veiem, particularista. Per aquest camí s'hi podia arribar ben lluny. Hi havia d'altres factors materials que contribuïren que fos així. No tardaren a produir-se friccions i rivalitats entre les institucions dels tres estats catalans. Més d'un cop, les classes dominants respectives van tenir interessos contraposats, i molt sovint, els tenien divergents. La problemàtica de base diferia a cada lloc, i en conseqüència els esdeveniments hi prenien un gir específic. Certament, les grans crisis foren comunes —com en els canvis de dinastia—; certament, fins i tot les crisis privatives —la de les Germanies al País Valencià i a Mallorca, la de 1640 al Principat— presentaren símptomes de contagi o d'adhesió en els països germans. Però la separació progressava, s'enduria. Aquells antagonismes i aquell aïllament segregaren la seva pròpia «ideologia», que els pobles absorbiren. Prosperà la consciència de ser «valencians», «mallorquins» o «catalans», a expenses de la de ser catalans.

Podem seguir la trajectòria del fenomen gràcies als textos literaris que fan al·lusió a la llengua. L'actitud dels escriptors —i dels no escriptors— respecte al nom de la llengua n'és tot un indici. En l'edat mitjana, els idiomes vulgars no sempre presenten un nom unànime i exclusiu: en general, se'ls solia designar per referència al llatí, i bastava dir-ne, precisament, «vulgar», o «pla», o «romanç». O bé adquiria l'apel·latiu d'una regió determinada, per raó d'origen o de prioritat demogràfica o històrica. En el nostre cas, aquesta última denominació fou: «català» o «catalanesc». Però sense que arribés a generalitzar-se a tota l'àrea lingüística: almenys, sense que arribés a evitar la possibilitat d'una competència de la mateixa índole. Al País Valencià fou ben precoç la tendència a anomenar «valencià» l'idioma català. El català —aquell català adolescent, encara sense un nom gaire segur— era la llengua dels valencians: per què, doncs, no dir-ne «valencià»? Dir-ne valencià, en principi, no significava sostenir que fos una llengua distinta del català del Principat i del català de les Illes o del Rosselló. Ni de bon tros. Els valencians del segle XV, sobretot, una mica desvinculats de les altres gents que parlaven com ells, i animats per l'esplendor política i cultural del seu país, trobaven ben natural batejar l'idioma comú amb el gentilici privatiu... Allò era un conat de dissensió. Involuntari, però carregat de perills. Després, s'embolicaren les coses, i el risc donà tot el seu rendiment.

Seria impossible d'explicar ací, amb els detalls que convindrien, l'evolució d'aquest penós capítol de la nostra història social. Hauríem de tornar, de nou, a algun altre passatge d'Eiximenis; i de discutir la declaració d'Antoni Canals, el 1395, que vol distingir entre «català» i «valencià» en un context increïble; i fer un recompte dels usos de nomenclatura en els llibres i els documents, a València, a Barcelona, a Mallorca. Alguna vegada les obres del gironí Eiximenis foren editades a Barcelona amb la indicació d'estar escrites en llengua valenciana, i era normal que a Barcelona s'imprimissin escrits «en valencià», i a València «en català», sense que això destorbés gens ni mica la convicció general de ser els uns i els altres redactats en la mateixa llengua. Caldria, encara, precisar quan la vel·leïtat indigenista s'enceta a les Illes i al Rosselló. L'exposició i l'examen de tots aquests testimonis ens estan vedats, per l'espai i pel temps, en aquestes pàgines.

La qüestió no hauria estat tan vidriosa ni tan dramàtica, si no s'hi haguessin interposat unes altres circumstàncies, també d'ordre lingüístic, però de caràcter diferent. És probable que, en el cas d'haver continuat la cultura catalana la seva drecera monolingüe, com feia esperar la tradició medieval, la discrepància del nom s'hauria resolt d'alguna manera. Potser tothom n'hauria dit «català». O potser avui en diríem «valencià», tothom. Però la sort ens fou adversa.

Justament quan la propensió, a tot arreu, era de donar a l'idioma un nom regional «mallorquí», «valencià», «català», les minories cultes dels Països Catalans començaren a adoptar el castellà per a les seves ocupacions literàries. A partir d'un cert moment, els poemes, els drames, les narracions, els sermons, van ser escrits en castellà. No tots: molts, tanmateix. La major part de la producció local. La llengua, de mica en mica, quedà deixada a la sola habitualitat de les rutines populars. I els pocs lletraferits que s'hi mantingueren lleials, ja no se sentien solidaris: la demarcació regional s'hi imposà. L'idioma col·loquial, sense el fre del model «literari», comú i culte, es fragmentà en «dialectes». Les variants de fonètica, de lèxic o de morfologia, ben minses fins aleshores, s'accentuaren. La castellanització de la parla diària, irregular segons les contrades, contribuí a marcar la diferència. La llengua «viva», a la llarga, fou víctima d'una doble disgregació o escissió: d'una banda, se separava de la «llengua antiga», fins al punt de semblar una llengua distinta; de l'altra, se separava de regió a regió, i semblava ser finalment «distinta» al Principat, a les Illes, al País Valencià, al Rosselló. Antoni Bosc, el 1628, en els seus *Títols d'honor*, insereix una pàgina «De la llengua rossellonesa, i de son origen, i diferència ab la llimosina i catalana». La dissolució del català apuntava pels quatre punts cardinals.

S'hi afegiren les suspicàcies localoides, és clar. I més vicissituds polítiques. Integrats constitucionalment —per «unió personal»— en la monarquia espanyola quan el futur emperador Carles V heretà les corones de Castella i d'Aragó, els Països Catalans hagueren de sofrir, amb el temps, els estralls d'unes guerres i d'una diplomàcia en les quals ells no hi tenien res a dir o bé eren uns simples comparses. De primer, fou la pèrdua del Rosselló: dels comtats pirenaics que avui pertanyen a França. Aquestes terres ens van ser amputades el 1659. I si «ens van ser amputades» sembla una expressió poc feliç, la idea és justa: una nova frontera, i aquesta vegada una frontera ben compacta, ens apartava els uns dels altres. A les primeries del segle XVIII, la disputa armada entre Àustries i Borbons va augmentar-hi les mutilacions. L'Alguer i l'illa de Menorca, aleshores, van passar a sobiranies distintes de la que conservava les restants Catalunyes. Menorca, en el curs de cent anys, va ser espanyola, anglesa, francesa, espanyola. De més a més, a Espanya, els criteris governamentals de Felip V imposaren la supressió de les autonomies «estatals», ja prou atenuades pels Àustries...

La dispersió dels Països Catalans, formalitzada en el XVI, semblava irreversible en el XIX.

De l'enyorança a la voluntat

La Renaixença hi reintroduí uns quants gèrmens de lucidesa. Això que, per entendre'ns, solem denominar «la Renaixença» representà, en definitiva, un redescobriment de la «unitat». De la múltiple unitat subjacent. En primer lloc, tornava a fer-s'hi visible la unitat de l'idioma perquè tots, valencians, mallorquins i catalans, en volien la restauració, i la imaginaven sobre el paradigma únic i unificador de la memòria medieval. Després, s'hi insinuava la unitat diguem-ne històrica, perquè al mateix temps hi aflorava l'entrellat real que ens havia fet «uns» en el passat i que denunciava les connexions actuals. I, en últim terme, molt en últim terme, hi podia aparèixer la unitat en les aspiracions col·lectives, perquè, malgrat la dissidència plurisecular, tots teníem plantejats els mateixos problemes pràctics, de postergació civil i de provincianisme.

No cal dir que la cosa no fou ràpida ni extensa. Ni podia ser-ho. Com rectificar en quatre dies una rèmora de segles? La represa hagué de tenir aquesta gradació: més viva i viable, la unitat de l'idioma, traduïda en literatura; una mica més costosa, la unitat històrica —o la consciència d'unitat històrica—; i ben difícil i opaca, la unitat d'acció immediata. La temptativa havia de ser inexcusablement complexa. I lenta.

Quan don Bonaventura Carles Aribau publicà la seva *Oda* —i valgui la data convencional—, els catalans a penes sabien què volia dir ser català. A Perpinyà i a Alacant, a Maó i a Lleida, a Ciutat de Mallorca, a València, a Barcelona, a tots els racons de la nostra geografia, la noció d'«unitat» —de plena catalanitat— s'havia aigualit. No havia desaparegut completament, però. Si la Renaixença oferia unes opcions d'eficàcia, era perquè «alguna cosa» restava en peu. I és que mai no havien deixat de comprendre que «alguna cosa» ens unia. La llengua, la història —o sigui, el fet social d'una convivència duradora—, els problemes diaris, cohibits pels condicionaments externs i interns, continuaven manifestant-se comuns. I encara, a pesar de tot, les situacions de cada regió eren similars, i al cap i a la fi, convergents.

A mi, personalment, no em seria massa complicat de presentar, ara i ací, un brillant mostrari de testimoniatges valencians, datables entre el 1500 i el 1800, que ho certificarien, això. Unes vegades, les confessions són contundents, i d'altres, tímides, cauteloses o vergonyants. Però la intenció resultava diàfana. La mateixa obsessió de proclamar que el «valencià» és una llengua distinta del «català», posem per cas, prou indica fins a quin extrem la identificació es feia ineludible: a ningú no se li hauria acudit de perdre un minut tan sols, per demostrar que el valencià és una llengua diferent del castellà, naturalment! Vull dir que, inclús les temptatives més anticatalanes, venien a subratllar la unitat catalana. El bisbe Josep Climent, de Castelló de la Plana, el 1766, no vacil·lava a afirmar: «*Casi todos los valencianos somos catalanes en el origen, y con corta diferencia son unas mismas las costumbres y una misma la lengua de los naturales de ambas provincias.*» «*Tan unidas y hermanadas en la lengua*», havia escrit Gaspar Escolano cap al 1611, en referir-se a «Catalunya» i a «València». Etcètera. Un mallorquí hi podria adduir textos semblants, sens dubte. I, sens dubte, també se'n podrien al·legar del Rosselló. Caldrà col·leccionar-los, algun dia.

Val la pena de recordar aquí que un versificador valencià del 1531 escrivia com a pròleg d'una reedició de l'*Espill* de Jaume Roig:

> Criat en la pàtria que es diu llimosina,
> no vol aquest llibre mudar son llenguatge,

perquè l'adjectiu «llimosina» —llemosí, llemosina— ens col·loca davant un altre reconeixement perdurat d'unitat. Catalans, valencians i mallorquins, quan van decidir que es consideraven diferents en la manera quotidiana de parlar, hagueren d'admetre que, en el passat, tots ells havien coincidit en una mateixa modalitat idiomàtica. La de Ramon Llull, la d'Ausiàs Marc, la de Bernat Metge. Aquesta modalitat havia esdevingut arcaica. Però tothom la sentia com a pròpia; com un antecedent directe de la pròpia eventualitat dialectal, de més a més. En deien «llemosí» per una confusió filològica lleugerament còmica. Tanmateix, en dir-ne «llemosí», tractaven d'afirmar-ne la unitat, o hi tendien. Era una unitat «antiga», és clar. En l'època dels Marc, dels Metge, dels Llull, tots parlaven llemosí; després, els uns ja parlaren català, els altres mallorquí, i els altres valencià... I no solament la unitat «antiga». El poeta anònim invocat, en la València del XVI, es veia ciutadà d'una «pàtria» que no sabia qualificar sinó de «llemosina», i que excedia els límits del País Valencià.

El recurs al vocable «llemosí» era un subterfugi o un eufemisme. Ningú no havia trobat la fórmula superadora de les particularitats localistes. El terme «català» incomodava mallorquins i valencians; «valencià» i «mallorquí» tampoc no tenien opció a estendre's fora de les respectives àrees tradicionals. El «llemosí», per contra, semblava genèricament vàlid.

> En llemosí sonà lo meu primer vagit,
> quan del mugró matern la dolça llet bevia;

en llemosí al Senyor pregava cada dia,
e càntics llemosins somiava cada nit,

deia el senyor Aribau. «Per a no donar motiu a rivalitats entre los pobles que parlen nostra llengua, sempre hem cregut lo més convinent l'aplicació de lo calificatiu llemosina a les diferents rames que, despreses de l'antic arbre naixcut en la provençal Llimoges, varen arraïlar en Catalunya, València i les Illes Balears», opinava Constantí Llombart, el 1876... I és que, un cop dividits en valencians, mallorquins i catalans, per obra i gràcia de Jaume I, ens quedàrem sense un nom comú. Aquest nom hauria d'haver estat el de «catalans». Com que els escrúpols comarcals ho feien intolerable, la paraula «llemosí», «llemosins», hi fou un succedani.

Avui, això del «llemosí» ja resta descartat del tot: era una aberració filològica i històrica, i no podia imposar-se. Però la dificultat hi subsisteix. La unitat de catalans, valencians i mallorquins —amb els rossellonesos inclosos— es faria més clara per a tothom, si hi hagués una denominació comprensiva, superior, que no ferís les tossudes susceptibilitats regionals. Perquè els noms —ai!— fan la cosa.

Els noms ajuden a fer-la, si més no. En tenim una vasta experiència, nosaltres. Catalunya és el Principat: en conseqüència, allò que no és «del Principat» no és ben bé «català». Mallorquins? Molts habitants de Menorca es neguen a dir-se'n: ells són menorquins, i la seva llengua, en moments de crispació o d'isolació màximes, és anomenada «llengua menorquina». Com «eivissenc» és l'idioma que la gent d'Eivissa diu que parla. El concepte de «valencià», a hores d'ara, està en crisi: hi ha —segons les províncies de l'Administració— valencians, castellonencs i alacantins... Els «fets diferencials» es multipliquen a cor què vols, per poc interès que hi hagi. En aquest desconcert, no ha de sorprendre'ns que don Amanci Martínez Ruiz, germà de don Josep, o sigui, d'*Azorín*, quan publicava un libret en vernacle, digués que l'havia escrit «en parla monovera». En la llengua de Monòver, que era el seu poble.

La nomenclatura oficial té molta importància. Pensem que, el 1821, uns senyors de la burocràcia estatal que projectaven trossejar el Principat en províncies, tingueren la idea de reservar el nom «Cataluña» a una sola i reduïda parcel·la de la Catalunya estricta: *«Parece que la justicia debe conservarse este nombre en la provincia que tenga por capital Barcelona.»* Si hagués

prosperat aquesta iniciativa, què hauria passat? Com es dirien i
s'autoconsiderarien avui els catalans de Lleida, de Tarragona, de Girona?
Més d'un risc s'hi hauria interferit... Com n'hi ha d'altres, encara,
amenaçadors: *Levante*, per escamotejar el de País Valencià i afegir-hi algun
territori adjunt: *Sureste*, quan es vol escindir el sud valencià i sumar-lo a
Múrcia i Almeria; *Noreste*, que exceptua Lleida del Principat; *Valle del Ebro*
(o un truc d'aquest tipus), per incloure Lleida entre zones d'Aragó... La
terminologia sembla asèpticament geogràfica, però té la seva malícia. Si
arriba a obtenir duració i força, hi passarà com ha passat amb els «regnes»
antics: produirà els seus «patriotismes locals», adversatius i vidriosos.

                    Tanmateix, tots som catalans.
                    I no volem deixar de ser-ho.

L'últim malentès

Naturalment, en aquest sentit bàsic i extrem, abraçador, «ser català» és
una determinació que, ara com ara, s'exposa a equívocs i a males
interpretacions. Això hi resultava inevitable, gairebé fatal. Els recels i les
resistències procedents de les Catalunyes perifèriques es mantenen bastant
vius. I cal dissoldre'ls. S'ha avançat prou per aquest cantó, però encara hi ha
molt a fer. Al nord i al sud dels Pirineus, al nord i al sud de l'Ebre, a l'una
vora i a l'altra de mar: molt.

Els prejudicis maquinals estan ben arrelats, però són els més fàcils de
dissipar. D'altres, que s'hi agreguen, es revelen més recalcitrants: provenen
d'estímuls exteriors, sovint, o bé de la pròpia deterioració nacional. I també
hi ha, de més a més, tota una sèrie de temors absurds: el temor de ser
«absorbits», el temor del «centralisme» barceloní, el temor de «perdre la
personalitat», el temor de... Fins i tot s'argüeixen temors que deriven de
caducades polèmiques entre proteccionistes i lliurecanvistes... I és que els
fantasmes que un mateix s'inventa són els que fan més por. Serà preferible
que ho deixem córrer, doncs. Els plantejaments irracionals, o irraonables, no
entren en els meus càlculs.

Personalment, i parlant de «nosaltres, els valencians», jo, més d'una
vegada, he escrit: «Dir-nos valencians és la nostra manera de dir-nos

catalans.» Crec que l'afirmació, amb els canvis pertinents, podrien repetir-la balears i rossellonesos. Però no sé si totes les seves implicacions salten a la vista. De fet, no basta «dir-nos» valencians, balears, rossellonesos o «catalans». Cal ser-ho: ser valencians, balears, rossellonesos, «catalans». I no uso el verb «ser» amb cap intenció metafísicament tèrbola, nacionalista o no. Es tracta, només, de prendre consciència d'unes vinculacions immediates, de societat palpitant i específica, i de respondre-hi. Aquesta mena de compromís o de fidelitat, a la curta o a la llarga, comporta el redescobriment de la nostra identitat última. Aleshores «ser valencià» o «ser mallorquí» no contradiu el fet de «ser català». I és aleshores quan ens adonem que la diversitat de noms és una qüestió accidental i subordinada. El malentès s'esvaeix.

Les Catalunyes diverses i reunides constitueixen un projecte, una esperança, una realitat: una mica de cada cosa. Per començar, amb això en tenim prou.

* * *

La Catalunya múltiple que ara evoquem, la plural i innominada Catalunya del passat, del present i del futur, no acabem de veure-la clara, potser. O potser la veiem massa clara i tot. Depèn de l'òptica i de la voluntat, sens dubte. «S'acosta el dia que serem tots uns»? Però encara que aquest dia estigui lluny...

6. El «cas valencià»*

Pràcticament, fins el 1941 no existeix una literatura seriosa sobre «el cas valencià». Hi havia hagut, és clar, papers descriptius, alguns ben importants, de geografia i d'història, i també, entre l'època del senyor Dato o el senyor Maura i l'època del senyor Azaña, una mica de tràmit polèmic entorn del problema de l'autonomia. Tot això, però, quedava al marge —o gairebé— de la qüestió que més urgia aclarir: la de saber «què som» els valencians, i «per què som com som». No cal dir que es tracta d'un plantejament obert a tantes seduccions «ideològiques» com es vulgui. Tanmateix, les possibilitats d'un debat positiu hi són. No s'ha produït el debat: les circumstàncies no eren favorables a la pública discussió del tema, i, quan n'apunta una mínima oportunitat, l'anècdota va tenir un final miserable, trist. Un dia haurem d'explicar-ne les incidències. Sigui com sigui, i de moment, ja podem comptar amb aquest avantatge: uns quants llibres, una dotzena de fullets, una divertida —parcial— eclosió periodística, constitueixen un material considerablement eficaç. A pesar de les dificultats òbvies, que no és necessari puntualitzar, sempre a nivell pragmàtic, de «tribuna», la cosa ha funcionat. La penetració «popular» de la controvèrsia és verificable. Sense fer-nos il·lusions respecte al seu abast, hi ha un principi de clima efervescent, que ningú no sabria negar. Modest? Sí. Ara: no tenia precedents. I, partint de zero, tot són guanys.

He concretat una data: 1941. El 1941, una editorial de Madrid publicava *Alma y tierra de Valencia*, de Martí Domínguez. Per primera vegada, em sembla, algú s'arriscava a estipular hipòtesis sobre la consistència «civil» dels valencians. He observat que, entre la gent interessada en l'angoixa quotidiana del país, el llibre de Martí Domínguez és quasi ignorat. Seria un greu error, si la ignorància fos voluntària: despectiva. *Alma y tierra de Valencia* és, d'altra banda, un document excepcional, que ajuda a comprendre un punt d'inflexió

* Publicat com a pròleg al llibre de Domènec Valls *Els veritables altres catalans*, «Biblioteca Selecta», 471 (Barcelona, 1973).

—històric— decisiu de la societat valenciana. La Guerra dels Tres Anys acabava feia quatre dies. En certa mesura, induïa a pensar en guerres anteriors: la de les Germanies, la de Successió. Totes tres catàstrofes tenen un punt de coincidència, quant als resultats, si salvem les distàncies que òbviament cal salvar. La sorpresa d' *Alma y tierra de Valencia* procedia del fet que una veu del bàndol victoriós, a la seva manera, descobria i explicava l'equívoca identificació col·lectiva del seu poble. L'ambiguïtat havia de ser inevitable. El llibre de Martí Domínguez era pétainista, per dir-ho ràpidament. Un propietari rural de la Ribera convertit en «*alférez provisional*», què podia ser, si no, el 1941? Això: tradicionalista i agro-pecuari. Però inaugurava un camí. Enmig de retalls de programa i de florides evocacions patriòtiques, aquell paper posà damunt la taula una mica de qüestió.

Potser exagero. Parlo de la meva experiència. Lector ingenu, vaig trobar en *Alma y tierra de Valencia* una pila de contradiccions i de buits, que em foren ben estimulants per a una reflexió personal. Deu anys de bibliografia han de fer-nos recordar don Salvador Ferrandis Luna, el Llorente junior, Azorín, l'insigne perorador Garcia Sanchiz, i no sé si algú més. *El humo del país* havia precedit l'obra de Martí Domínguez: és del mateix 1939. No importa: el senyor Garcia, que tenia per ofici parlar, mai no va tenir res a dir: res que valgués la pena de ser escoltat. Azorín, també el 1941, amb *Valencia*, es limita a oferir unes «memòries» de la seva època d'estudiant, però no hi manquen confessions significatives —les referents a l'idioma, per exemple— i breus escolis de la vella literatura autòctona. El fill de don Teodor, de 1942 al 1948, reuneix en volum uns resums de reminiscències, més aviat insípids, que revelen a quina inanitat última podia arribar hereditàriament l'actitud del Patriarca de la Renaixença local: tota la Renaixença, ben mirat. Era una dada, tanmateix. Ferrandis Luna, home de negocis, va consumir els seus ocis practicant l'elegia a propòsit de l'eliminació del gòtic dels carrers de València: entreteniment inútil... No serà imprescindible de mencionar altres peripècies menors o més pintoresques. Al marge, una germinació de poesia i fins i tot de prosa, militantment vernacular, feia la seva via.

El 1962 fou un moment de crispació: el 1963, per ser més exacte. Culpa meva, en part. En l'encavallament d'aquests anys es desencadenà una campanya de fòbies entorn de dos *bouquins* meus: *Nosaltres els valencians* i *El País Valenciano*. L'embolic estentori perjudicà —vull creure-ho— una nova aportació de Martí Domínguez: *El tradicionalismo de un republicano*.

Escric que «vull creure-ho», però no n'estic segur. Sospito que, sense la meva interferència, tampoc *El tradicionalismo de un republicano* no hauria trobat un ressò com el que es mereixia. Entre *Alma y tierra de Valencia* i *El tradicionalismo de un republicano* hi ha una considerable diferència: el punt de vista clerical i vergonyantment carlinoide del 1941 havia sofert rectificacions i maduracions, i, entre elles, apareixia la «comprensió» del fet urbà de la petita burgesia blasquista. Martí Domínguez intentava rescatar la figura de Blasco Ibáñez: rescatar-la per a una possible dreta regionalista. Blasco fou un home de dreta evident, i ho foren la majoria dels seus seguidors; no era tan evident el seu «regionalisme», però es presentava a una interpretació benèvola en aquest sentit. El pas fet per Martí Domínguez podia tenir unes implicacions subtils. I no les va tenir. Probablement, la maniobra era prematura. O ja era supèrflua. No ho sé. Construir una aliança entre la propietat —mitjana: com en la Ribera— rústica i els botiguers de ciutat, al capdavall, no deixava de ser un truc hàbil...

Decididament hàbil, en el context en què es dibuixava. A deu anys del projecte, i meditant-ho bé, la iniciativa continua sent un recurs de mobilització de forces socials ben curiós. Martí Domínguez procurava aigualir les velles discrepàncies: la religiosa i la de les formes de govern. La conjuntura resultava favorable al joc. D'un cantó, les sagristies afluixaven, i han afluixat més després del Vaticà II; els menjacapellans de procedència blasquiana, mentrestant, no solament es casaven per l'Església i batejaven les criatures —com sempre—, sinó que, superat el 39, s'afanyaven a enviar els fills en edat escolar als jesuïtes, als dominics, als escolapis, a totes les *madres* possibles, i ho feien amb una tranquil·litat de consciència monumental. I allò de discutir entre república i monarquia havia esdevingut ja un passatemps arcaic... Els uns i els altres podien unir-se en un tendre pacte efectiu. La propietat privada —petita, mitjana, insisteixo— en constituïa el comú denominador. Blasco i Cucala podien abraçar-se, fantasmagòricament, enfront d'unes situacions que ni l'un ni l'altre no haurien sabut preveure... I, en reedificar la «dreta», el component de «classe» de la interpretació saltava a la vista. Hi funcionava com una premissa. Per això *El tradicionalismo de un republicano* adquiria el valor d'un símptoma important. Que les seves postulacions no hagin tingut un gran èxit n'és un altre. Però no és aquest el lloc de discutir-ho.

Ni tampoc em pertoca a mi comentar la major o menor incidència que van arribar a tenir-hi *Nosaltres els valencians* i *El País Valenciano*. Una virtut se'ls ha de reconèixer, almenys, a aquests llibres: la d'haver trencat el gel i d'obligar a estendre els termes d'una preocupació latent. L'enrenou va ser aparatós, al començament, i es dispersà en banalitats primàries. No hi hagué «polèmica»: no podia haver-n'hi, per manca de plataformes idònies i perquè no existia el mínim de condicions de tolerància que en garantís el desplegament. De tota manera, una línia de definició es destacava: pros i contres entorn de la «catalanitat» dels valencians. El problema fou tergiversat odiosament, però també amb aspectes positius: en estripar-se les vestidures, encesos de santa ira localista, molts prohoms ensenyaren el cul, i això sempre havia de ser positiu. En el fons, en refusar la «catalanitat», no afirmaven una «valencianitat» sincera i segura, sinó coses prou distintes i generalment oposades. De més a més, aquest drenatge exclusiu de la xerrameca cap a la «qüestió de noms» —que no sols era de noms, i tant!— era capciós: distreia d'altres problemes, econòmics i socials, i polítics, així mateix penosos i virulents, que hi restaven involucrats. Més tard, la reacció hostil —la «reacció» *tout court*— mirà de formalizar-se en rèpliques: la d'Antoni Igual Úbeda, la de F. Almela i Vives, la de Diego Sevilla. Els nivells intel·lectuals eren diferents; potser no les intencions.

I, en definitiva, aquestes rèpliques van ser víctimes del mateix silenci de què volien beneficiar-se i que les propiciava. Fou un «silenci» fructífer, altrament. Sufocada la controvèrsia, en perduraven les inquietuds més fondes. Una sèrie de xambes acadèmiques hi col·laborà: gràcies a oposicions o a escalafons, la Facultat de Lletres de València es revifà. L'erudició jove va canviar de mètodes i abandonà prejudicis: si no tota, la més vàlida. I hi aparegueren els primers «economistes», els uns de periòdic i els altres de càtedra, ja amb idees clares, i amb un bri —sovint— de voluntat encara més clara. Fins i tot hi han apuntat les primícies d'uns sociòlegs esperançables. Més: una branca tan inèdita en aquest hemisferi com la sociolingüística s'hi estrenava. Era lògic, ben lògic. Uns quants valencians, dins o fora les aules, convertien les seves preguntes personals en estímul d'investigació o d'examen. La història, en primer lloc: la política i la social, l'econòmica, la de la cultura, tan complexa i vacil·lant, trobaven un punt de reunió. Però també, o sobretot, la societat viva i desgraciada, en la seva actualitat més estricta, reclamava l'atenció, i l'obtenia, de la geografia a l'estadística, de la pedagogia als paradigmes de l'acció i del somni. En deu o quinze anys, la misericordiable entitat del País Valencià s'ha vist més atesa, escorcollada, posada en qüestió en cada faceta o peripècia, que en el curs dels cent anys precedents.

Per a bé o per a mal, aquesta deflagració d'interès, o d'interessos, no era homogènia: ni ho ha estat ni ho és. I tant se val. No es tractava d'una «maniobra», afortunadament, sinó d'una sinceració espontània. Confusa, per tant. El fenomen tenia la sèva pròpia dialèctica, i les dificultats objectives de la societat valenciana la condicionaven. Però importava i importa el fet d'haver-se produït en termes tan escandalosos. Si la ciutadania subalterna no ha arribat a assabentar-se'n, no és culpa seva ni menys encara culpa de la minoria que s'aplica al tema: hi han fallat les mediacions —*et pour cause!*— *si* tenim en compte en mans de qui estan les tals mediacions... El procés d'aclariment de la situació valenciana, en la seva genealogia o en la seva insídia immediata, ha estat *seqüestrat* —i valgui l'hispanoamericanisme—, i flueix en l'*underground* de les revistes especialitzades i de les llibreries selectes. Són les coses de la vida: o de la història (ara dic «història» en el sentit d'accidents de la vida, d'estructura i d'aventura). Sigui com sigui, d'*Els fonaments del País Valencià modern* i *El Valencianisme polític* a *L'estructura econòmica del País Valencià*, de «Valencia-fruits» a «Gorg», de certes insercions a les planes de «Serra d'Or» o d'altres en els materials de «Ruedo Ibérico», el conjunt de temptatives és d'una utilitat evident.

Un dia, algú haurà d'establir una relació directíssima entre tota aquesta experiència d'estudi i d'assaig i el marc social concret en què es produeix. Ben sovint, en l'arrel de tanta ansietat estructuradora, hi ha un gest de perplexitat cívica. Per poc valencià que un arribi a sentir-se, si n'és conscient, ha d'acabar buscant-se respostes a preguntes que recauen sobre la pròpia identitat de grup. La societat valenciana, d'uns quinze o vint anys ençà, ha vist agreujar-se les seves contradiccions més vibrants, i no ha sabut digerir-les; o no podia. Algunes —la de la llengua i la de la cultura, per exemple— ja havien estat acusades, però no plantejades ni compreses com convenia, i ara, *in articulo mortis*, havien d'esclatar amb un toc d'exasperació. N'afluïen d'altres, tanmateix, que el veïnat es resistia a admetre, i que l'ultratge amarg de cada dia posava al descobert. L'emigració s'imposava com a primera alarma. La mà d'obra d'unes comarques tòpicament riques feia les maletes i marxava a França: la línia d'autobusos «Oliva-Metro Pompe» feia més de set serveis a setmana. Drogats per *limnorrequional* —«*penden racimos de oro*», «*los arcos de las palmeras*», «*flote en los aires nuestra Señera*»—, ni els amos ni els llogats no s'adonaven que el negociet s'ensorrava. I els paràsits de sempre tardaren molt a acceptar-ho. El «*Levante feliz*» i les seves divises feien crisi. Les divises eren un factor prou sarcàsticament indicatiu...

L'home del carrer respirava i respira el malestar, si és que no el pateix en la seva carn. D'altra banda, la «*región eminentemente agrícola*» que érem es trobava abocada a la inòpia. La creació del Mercat Comú Europeu ens acantonava en una inferioritat rigorosa. La «*naranja española*» perdia preeminències davant l'Administració i davant les *halles*. La panacea de la industrialització es va convertir en ideologia subterrània. El turisme progressà. I no solament progressà, el turisme, sinó que ha acabat per ser un *grand guignol* d'especulacions tenebroses, entre apartaments, càmpings i pseudo-supermercats. Una colla d'indígenes espavilats n'han tret duros i prestigi: ai el Benidorm de Gabriel Miró!, ai tots els Benidorms devorats per la concupiscència idiota d'uns i altres! A la llarga, tothom hi perd diners. I, al mateix temps, Morella consuma la seva ruïna, i Elx s'infla demogràficament. Per als *currinches* de València, i per als seus burgesos incipients, i per a la ciutadania menor —en conseqüència—, Morella són unes muralles decadents, i Elx, una confabulació de dàtils i de polifonia renaixentista. Alcoi és un enigma. Elda i les seves sabates, uns mots encreuats en anglès de Nova York, Xàtiva? Ni tan sols «El Carrer Blanc» de la cançó d'en Raimon... No tot és «arròs i tartana». Ni la Ford ni la Siderúrgica de Sagunt no hi posaran remei.

No esgoto les insinuacions possibles, Oriola? I el *Sureste*. Què és el *Sureste?* Com és que ningú no ha suggerit encara l'operació *Sureste* —amb les transfusions irrigatòries del Tajo al Segura— com una maquinació gilroblista de *Derecha Agraria* futura calculada des de la Santa Casa entre «Ya» i «La Verdad»? I la discutida i dubtosament útil autopista del Mediterrani?... No ha de sorprendre que les preocupacions serioses que puguin irrompre entre la desbaratada minoria de la *Intelligentsia* valenciana siguin tremendament localistes. No ho són prou, encara, al meu entendre. Hi ha el desafinament de la realitat immediata: un repte angoixós, emprenyador, fotut, que no deixa més que una opció. O el descartem i ens dediquem tots a la poesia lírica i a dormir la sesta, o bé hi plantem cara. Hi ha moltes maneres de plantar cara: l'article de periòdic i la monografia sàvia, l'acumulació de xifres instructives i el poema ulcerat, la guitarreta i el teatre, una escultura, un llenç, una solfa culta, la ciclostil, una tesi doctoral, un sermó de Quaresma —si encara en fan, que no ho sé—, una qualsevol, límpida, arrogant displicència taxativa si no renuncia a la solidaritat verificable de base... D'aquesta envitricollada eventualitat surt la miqueta d'introspecció genèrica que dona de si el país. El «país» és tèrbol i precari. Per què i per qui? Podria ser una altra cosa: per què i per qui no ho és?...

El llibre de Domènec Valls és fill o fillol d'aquesta bibliografia. En recull informacions i arguments, els repassa, els articula des d'un angle «diferent». Jo no goso avalar-lo amb un judici personal: ni tinc autoritat per a avalar-lo, és clar. El meu escrúpol deriva de la mateixa ambició del paper. Domènec Valls hi posa a contribució molta cosa, pràcticament tot: geografia i història, emigrants i immigrants, burgesos i proletaris, tonsurats i seglars, dretes i esquerres, joves i vells, ciutat i camp... Són massa coses alhora per a poder-les sospesar: per a sospesar les coses i per a sospesar les opinions de Domènec Valls sobre aquestes coses... Ell hi diu la seva. Això ja és un principi meritori: s'incorpora a la mòdica però revulsiva aspiració de comprendre i de construir. Personalment, trobo que l'escrit de Valls reprèn la temàtica valenciana amb un nervi particular: el to especulatiu i discursiu és vehement, com només podia ser-ho des d'uns supòsits generacionals nous. També els seus punts de vista i de cavil·lació tenen unes implicacions que deu anys enrere resultaven inimaginables per la pròpia fatalitat del temps. No dubto que les seves afirmacions promoguin reticències i discrepàncies: demostraran que són fàcils, si és així. Bo és «encertar»; no és gens menyspreable provocar que els altres «encertin». Domènec Valls ens presenta la seva visió del «cas valencià», i podem acceptar-la com una convocatòria a la disputa higiènica i clarificadora... Té, encara, una altra virtut, aquest llibre. L'autor és un valencià immigrat: vull dir un neovalencià. Nascut i criat al Principat, Domènec Valls s'ha convertit en un més entre nosaltres: fins i tot en la fonètica i en el lèxic, la seva incorporació ha estat absoluta. Però és un català del Principat i no pot evitar la perspectiva que aquesta circumstància li proporciona. Els valencians necessitem veure'ns a través dels forasters, i no tenim gaires ocasions d'aconseguir-ho: el foraster, en general —passa-volant—, es limita a concedir-nos una atenció ràpida, de superfície, cenyida a una festa o a un paisatge. L'única possibilitat de cooperació ve o pot venir d'aquell al·logen que, d'alguna manera, ha decidit viure amb nosaltres i compartir les nostres dificultats de poble. Quan aquest valencià d'adopció —la fórmula és irrisòria, ja ho sé— pensa en la seva condició de valencià, no contribueix, no podria contribuir a fer-nos entendre més exactament? Però l'immigrant normal i corrent, com i en quina mesura arriba a endevinar que ha esdevingut valencià? Ho ha esdevingut, de veres? De vegades, sí. I, aleshores, tampoc no és idèntica la significació del cas, si la procedència és una o altra: castellanoparlant o catalanoparlant, per dir-ho sense embuts. L'opuscle de José-Vicente Mateo sobre Alacant fou una excepció: ni tenia precedents ni ha tingut continuadors. Mateo és un murcià instal·lat a Alacant, que ha sabut captar l'àcida paradoxa nacional de la situació en què s'immergia. Domènec Valls venint del Principat. Els «catalans estrictes» que, per una raó o altra, aterren al País Valencià solen caure en l'estranya trampa d'allò que Lluís Aracil, valent-se del francès, ha etiquetat de *méfiance anticatalane*. Davant el Principat, els valencians van i vénen entre la *méfiance* i l'admiració. Quan un «català estricte», sigui industrial o banquer, sigui buròcrata, notari, bisbe, enginyer o viatjant de comerç, arriba al País Valencià, i s'hi queda, no sempre acaba de reconèixer que no ha sortit de casa. Ho fa el dialecte? Potser sí. Podria explicar, ara i ací, episodis prodigiosament ridículs. Recordo que, durant anys, en la meva pensió —dispesa, perdó— d'estudiant, un senyor d'Olot, el senyor Sala (que al cel sia), empleat dels negocis del senyor Vilarrasa —el de la fusta i de Besalú—, mai no va pronunciar una sola paraula en vernacle, i el seu castellà era pura infàmia. No són pocs els catalans del Principat que, al País Valencià, canvien de llengua. O dissimulen la pròpia. D'un bisbe i d'un seu canonge familiar, recentíssims, perdura la memòria d'una hilarant timidesa a practicar —i ni tan sols a facilitar— l'ús de la parla col·loquial conciliarment aconsellat a les parròquies indígenes. S'excusaven amb la *méfiance*: si parlaven català, serien titllats d'«imperialistes» o —Mare de Déu!— de «catalanistes». I conec empresaris amb duros i panxeta que només parlen en català, a València o a Alacant, en família o a la corresponent Casa de Catalunya... Certament, a Barcelona, hi ha molts valencians que també passen per la mateixa angúnia: de por o de vergonya. Els socio-lingüistes hi tenen matèria abundant i bigarrada... Domènec Valls degué ensopegar amb l'obstacle del prejudici tradicional. Ho suposo. No s'hi va resignar. A la llarga, i ja ho he dit, s'ha ajustat als mòduls dialectals de la seva convivència. Com tantíssims valencians, a Barcelona, s'adapten a les rutines de la parla local. Per a nosaltres, a la irruptiva valencianització de Domènec Valls sobrepassa la frontera de la misèria fonètica, i la seva «assimilació» permet —li permet— una perspectiva especial. Hem de tenir-la en compte, nosaltres, els valencians. I cal que la

tinguin ben present els altres catalans. Perquè això d'«els altres catalans» —
expressió encunyada per una obra d'un valencià castellanoparlant immigrat
a Barcelona, el Candel, Francisco Candel, de Casas Altas, testimoni d'un
embolic que potser ni acaba de comprendre— és polivalent. Qui són «els
altres catalans»?... Digui el que vulgui Domènec Valls, per a mi, «els altres
catalans» són el doctor Aramon i Serra, la Maria Aurèlia, Bernat Metge, el
poeta Foix i tota la població de Sarrià, els empordanesos, un sector de veïns
de la Diagonal, els catedràtics amb barretina, Joan Miró, don Pau Casals,
Maragall, el novel·lista Gironella, Diego Ruiz, els Goytisolo, Joan Triadú,
Badalona sencera, Castellet, els aplicats deixebles del professor Molas, Can
Tunis... «Ells» són «els altres catalans»: «uns altres catalans». Des de les Illes
i des del Rosselló, la constatació seria similar. Entre catalans, tots som
«altres». Vulguem admetre-ho, o no. Per regions, per classes, per barriades...
És la fatigosa i endimoniada confusió que arrosseguem, i pocs són els qui la
volen dissipar.

7. Cultura nacional i cultures regionals als Països Catalans

Parlar del tema que m'han atribuït, «Cultura nacional i cultures regionals als Països Catalans», planteja d'entrada la vella «qüestió de noms» que tant i tan malignament ha dificultat, i dificulta avui, les expectatives completes del nostre recobrament col·lectiu. I tots sabeu en què consisteix això. La comunitat catalanoparlant s'ha vist privada per la història, i quan més la necessitava, d'una designació única i inequívoca, dins la qual les descompensacions sòcio-geogràfiques de cada moment haguessin pogut redimir-se en un sentit clar d'identitat. És lamentable, però és així, i la culpa no és de ningú. Hem de pensar que la divisió medieval, o les divisions, que iniciaren el procés, no van ser arbitràries, encara que ho hagin pogut semblar. Si Jaume I creà el Regne de Mallorca i el Regne de València, independents de Catalunya, probablement tenia raons immediates, d'ordre polític, per fer-ho, i a hores d'ara resultaria tan superflu com ridícul reprotxar-li-ho. De fet, els tres territoris emergits en circumstàncies distintes i també amb uns condicionaments socials distints, van quedar institucionalitzats separadament, i, segons l'òptica general de l'època, la cosa no deixava de tenir la seva justificació. El cas de la Catalunya Nord és diferent. Sigui com sigui, aquesta situació d'origen ens ha dut a l'actual, problemàtica i confusionària.

És cert que, fins a ben avançat el segle XV, la consciència unitària no fa crisi, no solament pel que fa a l'idioma, sinó igualment en altres aspectes, fins i tot els polítics. Però el germen de la disgregació possible hi era. Ramon Muntaner encara podia sentir-se «català», i dir-se'n sense empatx, en les seves anades i vingudes d'un cap a l'altre de l'àrea on es parlava el «bell catalanesc». I si Francesc Eiximenis, de Girona, va viure molts anys a València com un valencià més, sant Vicent Ferrer, valencià, sempre fou considerat a Barcelona com «de la nostra nació». Tanmateix, ja fou Eiximenis, paradoxalment, el primer a distingir entre «poble valencià» i el «poble català», i a denunciar un cert particularisme idiomàtic en les comarques valencianes. A les Illes, aquesta vel·leïtat fou més tardana. Tot això, per una acumulació de factors, els uns estructurals i d'altres episòdics, va desembocar en un progressiu distanciament d'allò que, anacrònicament, anomenaríem els tres «estats» catalans. Explicar-ho en detall fóra massa llarg, i desplaçat ací. La conseqüència inevitable havia de ser, com fou, la secreció d'uns «patriotismes locals», quasi sempre paral·lels, algun cop antagònics, però decisivament condemnats a tancar-se en els respectius interessos i, a la llarga, en una recíproca suspicàcia.

S'hi afegiren més ingredients, a la complicació de l'edat mitjana, i, quan va tocar l'hora europea d'intentar la fórmula de les grans «monarquies nacionals», la Corona d'Aragó, ja nacionalment heterogènia, venia lligada a la de Castella, hegemònica, impedint així, entre nosaltres, l'opció de constituir-nos «unitaris» pel nostre compte. Ben al contrari, en l'interior de la monarquia espanyola, la dissidència s'accentuà. I s'accentuà, torno al que volia subratllar, sense que s'hagués establert aquell corònim i aquell gentilici que ens hauria pogut salvar. «Catalans» van ser, doncs, els de Catalunya, i «mallorquins» els de les Illes, i «valencians» els del País Valencià. Mai no han faltat, enlloc, els indígenes plenament convençuts de la «unitat» alhora frustrada i subjacent: sobretot, a nivell lingüístic i, en definitiva, cultural. Però la inèrcia popular es deixava portar per la tendència diguem-ne espanyolista de les classes dominants. I si al País Valencià i a les Illes no acabaren de madurar els «patriotismes» que els correspondria, va ser per manca de temps: de la catalanitat inicial, gairebé genealògica, de la Conquesta varen saltar pràcticament a les il·lusions que els oferia la Corona d'Espanya, amb els Reis Catòlics, de primer, i amb els Àustries, després. Al fet polític se sumava la dialectalització, que donava peu a l'eufòria de les «llengües» diferents: el català, el valencià, el mallorquí, i, després, tantes fraccions com hem volgut.

Res de tot això, crec jo, no hauria tingut massa importància si, des d'un principi, o des de quan fos, s'hagués imposat un «nom» comú. Ben mirat, casos com el nostre no són insòlits arreu del món. Encara que la comparació sigui una mica forçada, el del castellà, especialment en la projecció americana, en seria un exemple, i basta recordar algunes pàgines d'Amado Alonso per veure quantes reserves i quantes animositats ha trobat la llengua castellana, o la llengua espanyola, per ser acceptada amb aquests noms a l'altra banda de l'Atlàntic. Fins i tot en algun estat sudamericà, durant uns anys, oficialment va ser fomentada i mantinguda una ortografia «dissident» inspirada en l'hostilitat a la metròpoli colonial. Als Països Catalans, on les divergències lingüístiques i polítiques eren mínimes, el cantonalisme es va endurir amargament. El període que tradicionalment anomenem «Decadència» pot ser qualificat, entre altres motius, per això: per una fragmentació, i no gaire profunda, en l'idioma, i més que res, per una postergació de l'idioma a favor del castellà. Això comportà un aïllament «regional» per a cada zona.

Quan, amb la «Renaixença», les minories lletraferides recuperaren, poc o molt, el sentit «unitari» de la llengua, de seguida van ensopegar amb la «qüestió de noms». Jo no diré que el senyor Aribau, en aplicar-li el nom de «llemosí», sabia el que es feia. Potser només es deixava endur per una tradició erudita. Però, a València, un personatge prodigiosament pintoresc, Constantí Llombart, va decidir-se pel qualificatiu de «llemosí», no tant per la seducció d'una teoria que imaginava una «llengua d'oc» única, com per estalviar-nos els recels mutus. No ens ha de fer riure ni somriure l'actitud de Llombart: ell deia «llemosí» per no dir-li «català», ni «valencià», ni «mallorquí»: el terme, fal·laç, resultava útil per desmuntar les objeccions «regionalistes». Més que més, quan la «Renaixença», més sòlida al Principat, adoptava per a l'idioma el nom de «català», sense aquell mínim d'imaginació política —i de política cultural— que fes pensar quina repercussió podia tenir això en la perifèria. I no oblidem que la cosa s'arrossega fins al *Diccionari* de mossèn Alcover, que canvià de títol per un pragmatisme evident. De dir-se «de la Llengua Catalana» esdevingué «Català-Valencià-Balear».

Avui, gràcies a Déu, per una banda, l'agressivitat anticatalana ha disminuït, a nivell cultural, a les Illes i al País Valencià; a nivell no cultural ja sabem que no. Per un altre costat, ha augmentat, artificialment promoguda per la tàctica desnacionalitzadora d'alguns partits, i per l'eloqüent misèria moral d'uns altres, passius davant la campanya de l'enemic. Al País Valencià i a les Illes, entre els qui «fan cultura», no hi ha problema. Al Principat? Em fa la impressió que, si per «cultura regional» hem d'entendre alguna cosa pejorativa, l'hem de referir a determinades posicions preses des del Principat, precisament. Però, en la realitat més òbvia, era el Principat qui podia promoure l'arrencada, i de fet ha estat així. I més encara que el Principat, Barcelona. Ferran Soldevila deia que, sense Barcelona, la Renaixença catalana hauria estat un pur felibritge: un total empantanament mistralià. Ara: capitalitat o centralisme, aquesta Barcelona no sempre ha estat lúcida respecte a la perifèria. La dinàmica de la Renaixença, del Modernisme, del Noucentisme, en tant que fenòmens culturals eminentment barcelonins, ha xocat amb els ritmes diferents de les Illes i del País Valencià, i de la Catalunya Nord. I aquí vull venir a parar.

Als Països Catalans... Bé. També hauríem de discutir això de «Països Catalans». La fórmula no és precisament antiga, i la divulgació, recent. Però d'alguna manera calia denominar l'àmbit social catalanoparlant. Observo que, últimament, hi ha una curiosa retracció a emprar el terme «Països Catalans», i sobretot a Catalunya. Jo suggeriria als qui el bloquegen o el congelen que em facin el favor de procurar-me una alternativa. Quan cal dir «Països Catalans», respecte al passat i respecte al futur, i per a l'avui urgent, quin recanvi ofereixen? La pregunta sobra. Naturalment, els tímids en la qüestió —en la «qüestió de noms»— no vacil·len a incloure en la «literatura catalana» Llull i Marc, Corella i Turmeda, el *Tirant* i l'Escola Mallorquina, i el mateix Llorente, ni que sigui testimonial, i els més proxims, Llorenç Villalonga o Andrés Estellés. Però en el fons no es tracta solament de «grans figures». En qualsevol moment de qualsevol literatura poden haver-hi grans figures o no: la literatura és tota una altra cosa, un entrellat d'autors i de lectors, i fins i tot de no-lectors, que abraça l'àmbit d'un idioma. Sociològicament parlant, és això. I, des d'un punt de vista «barceloní», enmig d'una «Decadència» inanne, on situaríem els rossellonesos i els menorquins del XVIII, que Jordi Carbonell ha exhumat? Rossellonesos sota la monarquia francesa; els menorquins, colònia anglesa.

Una literatura amb una llengua, per més dialectalitzada que estigui, és la de la «Decadència»: la base social que l'aguantava exigeix un nom. Països Catalans? O «regionalitzar-la». En realitat, la literatura catalana a partir de la darreria del XVI es «regionalitza». Potser no tant com ara creiem, però es regionalitza. Si, amb la «Renaixença» es recobra la voluntat «unitària» —i ja he citat Llombart, que té al costat Llorente, en el País Valencià—, tots esdevenim «regió»: tant la Catalunya capdavantera, com les Illes de l'Aguiló, de Costa, de Joan Alcover, com el Rosselló petit i expropiat de Josep-Sebastià Pons i d'Antoni Cayrol, i com el País Valencià destruït... Tots som «literatura catalana», ens agradi o no: els autors brillants i els provincians, les sagristies de Vic i de Mallorca, la púrria anticlerical de «La Traca» i tot el que, en aquesta llengua marginada, bo o dolent, s'ha escrit. Una «cultura nacional», si volem començar per aclarir-ne la noció, demana prèviament els límits «nacionals», i en això de la llengua, no hi ha dubte. Si per «cultura catalana» només s'ha de considerar la cultura del Principat, en literatura les aportacions del Principat són solitàries o mediocres quant al període «clàssic». La ridícula adoració al descarat de Bernat Metge, gran escriptor, això sí, és tot un símptoma de «regionalisme».

No caurem en la trampa d'aquest «regionalisme», precisament, i com a valencians, no reclamarem l'exclusiva dels nostres grans paisans: el discret Jordi de Sant Jordi, el monumental Ausiàs, el *Tirant*, l'*Espill* de Jaume Roig, les devotes planes de sor Villena, les voltes de «valenciana prosa» de Joan Roís de Corella... Com un insular no s'aferrarà a Ramon Llull o a l'apòstata Turmeda. Tot és «literatura catalana». I quan Joanot Martorell plagiava Ramon Llull, per exemple, tot es fa més clar encara. I si de València o d'Alcoi, entre els sectaris lul·listes, fabricaven textos que podien —i volien— ser autènticament del Beat Barbaflorida, la dada no és de desdenyar. I si les edicions d'autors «regionals», en la primera etapa de la impremta, eren sincròniques a Barcelona i a València, el fet que uns llibres es diguessin escrits «en llengua valenciana» i els altres «en llengua catalana» no tenia gens d'importància. El nom, de moment, no feia la cosa. Més tard, sí. I és divertit d'observar que la primera edició del *Blanquerna* fou feta a València el 1521, sufragada per un mallorquí, i amb el text valencianitzat per un individu de Queralt. El dialectalisme posterior és simultani: dialectalisme valencià o mallorquí, i dialectalisme, o dialectalismes, del Principat. I tot era, i és, dialectalisme.

Però, passant a un altre nivell de reflexió, i sense abandonar l'idiomàtic, hem de reconsiderar automàticament que els catalans no sempre han escrit en català. Han escrit en provençal, i en llatí, i en àrab, alguns en hebreu, i en castellà molts, moltíssims, i en francès, i en italià —com els jesuïtes expulsats en el XVIII— i fins i tot en anglès. El doctor Rubió i Balaguer ja ho va fer constar. No entendrem mai la «cultura catalana» si la reduïm al català. I aquest principi, elemental, ha tingut, però, una deformació «regionalista». En els panorames ideològics que tots coneixem, o hauríem de conèixer, com el del bisbe Torras i Bages i el del senyor Pujols, Lluís Vives constitueix el límit de la «catalanitat». Després vénen Balmes, Llorenç i Barba i fins i tot el veterinari Turró. Però ja els catalans perifèrics que escriuen en castellà —o en llatí— en queden descartats; la regionalització del concepte de «català» s'aferma contra el «valencià» i el «mallorquí». Només mossèn Clascar, quan era seminarista, va fer una proposta de reintegració nacional: en un llibret precursor, on Gregori Maians era considerat junt a Josep Finestres, i més coses. Tota la nostra modesta «Il·lustració» hi venia apuntada en una visió de conjunt. La conclusió seria que no era més «català-nacional» Finestres que Maians, a pesar que ni l'un ni l'altre no ho volien ser.

A través d'una castellanització genèrica, o del llatí ja decadent, una «cultura catalana», que ells no sabien que ho era, s'aguantava. La castellanització s'accentuà amb el Romanticisme, just amb romanticisme que absorbia l'Aribau. A banda el poema *La pàtria*, Aribau dedicà la major part de la seva vida al castellà: a la «Biblioteca de Autores Españoles», d'un Rivadeneyra que també era el Principat. I com aclarir el drama personal de López Soler, autor de los *Bandos de Castilla*, novel·la publicada a València, i en la qual hi ha un breu poema en català, que són mitja dotzena de versos, però molt discrets? El problema, en si, no és el nostre romanticisme, sinó la valoració «regionalista» que n'hem fet. I l'abús del qualificatiu de «català» prospera. Nacionalment, per què havia de ser més català Pi i Margall que Blasco Ibáñez? Evidentment, Blasco no hauria admès que li diguessin «català». Però això és secundari. Som nosaltres els qui, en tant que Blasco era valencià, l'hem de situar en la mateixa línia que va de Cabanyes o Piferrer a Quadrado, i a Ayguals de Izco. No van escriure, o poc, en català. I Lluís Vives tampoc.

Fins ara, m'he centrat en l'idioma. Una cultura és més que un —o diversos— idiomes. Hi ha la música, hi ha la pintura, hi ha l'arquitectura, hi ha... Hi ha la «ciència» estricta. Deixaré de banda la «ciència». Suposant que Ramon Llull i Arnau de Vilanova, quan especulaven, poguessin merèixer la consideració de «científics» —de «racionalistes», almenys—, no van tenir continuadors. La genial prosa catalana firmada per Llull no té continuadors... Però, i els pintors i els miniaturistes, i els pedrapiquers, i els qui planejaven les «obres de la Seu», interminables avui mateix? I els músics, mestres de capella, organistes, cantors? La majoria eren una gent transhumant. Si un arquitecte monumental resta en la memòria dels valencians, era un «mestre» de Girona, que no va aconseguir «aveïnar-se» a València, perquè els gironins no el volien deixar anar: Pere Compte. En línies generals, els «artistes» eren un personal ambulant. Si amb la lleialtat a la llengua autòctona podem definir (a mitges) una literatura, i «literatura nacional», ja no és tan senzill establir les línies de penetració dels «estils» europeus —italians, francesos, neerlandesos— a les demandes locals. Hi havia pintors italians a València, deixebles de Leonardo da Vinci. Marçal de Sax, autor del gloriós retaule de Sant Jordi que conserva el museu Victòria i Albert, qui era?, d'on procedia?, com acabà?

La condició «muda» de les arts plàstiques —Eugeni d'Ors insinuava que prosperaven precisament en els països bilingües, perquè era una «tercera llengua»— ha fet que el «regionalisme» hagi ofuscat més encara en els esquemes «nacionals» a partir de l'efervescència «modernista». Igualment, o potser no tant, la música. Vull dir: després de la Renaixença, quan ja les connexions «interregionals» podien haver començat a reflectir-se en la consolidació del propòsit cultural comú. Però ni tan sols en la literatura la coherència fou factible. Al País Valencià i a les Illes, ho he explicat més d'una vegada, no va haver-hi «modernisme», com tampoc no va haver-hi «noucentisme», sinó en un grau insignificant i mimètic. Fins a quin punt les societats pre-industrials perifèriques proporcionaven les «condicions objectives» en les quals hauria pogut repetir-se, ni que només fos tènuement, la trajectòria de «cultura» que va de Maragall a Riba, per posar-hi uns cognoms il·lustratius? La plataforma «burgesa» era pràcticament inexistent, entre els valencians i entre els insulars. No pretenc afirmar un determinisme sociològic absolut: de tota manera, alguna cosa d'això hi havia. Costa molt de no reconèixer-ho.

Les tres grans «regions» dels Països Catalans, i més encara la quarta, petita i inerme davant la poderosa influència de França, s'acantonaren en els seus «regionalismes». A tot estirar, les vinculacions represes van ser d'un voluntarisme parcial i infructuós. Recordaré ara, com un símptoma, la queixa que els escriptors valencians en català de la dècada dels 30 exposaven en les planes d'una revista que, aleshores, podia considerar-se plenament catalanista, «Taula de Lletres Valencianes»: a València eren introbables els llibres que es publicaven a Barcelona. Era comprensible que fos així, en efecte. Ni en aquell moment la indústria del llibre català, tot i haver-se afermat i crescut, podia valer-se d'uns mitjans de distribució operatius, ni el País Valencià constituïa un mercat prou temptador per atreure l'atenció dels editors de Barcelona. Un examen de les polèmiques literàries d'aquells anys, a València, que enfrontaven «avantguardistes» i «populistes» —per dir-ho així— revela la ingènua desinformació dels autors locals: miraven cap a Barcelona, però Barcelona hi queia tan lluny! Hi havia, és clar, més factors en joc. El resultat no podia ser sinó ambigu.

No seguiré pas a pas les peripècies del «regionalisme» valencià. Poc abans d'esclatar la guerra d'Espanya, tanmateix, el defecte rebia alguna correcció estimulant. La trobem, sobretot, en una altra publicació interessant: «La República de les Lletres», ja pancatalanista sense ambages, que apareix el 1934. No n'hem d'exagerar l'abast, tampoc. Es tractava d'una revista relativament ambiciosa, però minoritària. I pensem, de més a més, que la «normalització» literària amb prou feines havia arribat a salvar l'escull de l'ortografia. Va ser l'any 1932 quan, des de la Societat Castellonenca de Cultura, es va promoure un «acord» per a aplicar les Normes de l'Institut d'Estudis Catalans, i encara ho van fer amb cauteles. No és que els grups d'escriptors més responsables se n'haguessin inhibit: un cert fabrisme, ortogràfic i no ortogràfic, ja s'havia insinuat al País Valencià des de molt abans. La novetat consistia en l'esforç per eliminar les dissidències gràfiques, en primer lloc, que, altrament, també venien estimulades des de Catalunya. I no sols les gràfiques. La teoria de l'origen del «valencià», simultani al del «català» i al del «mallorquí», llengües derivades d'una evolució paral·lela a partir dels dialectes pre-romans, té un dels primers instigadors en l'erudit barceloní Francesc Carreras i Candi. Aquestes coses, ara, poden semblar-nos tan estúpides com eixelebrades. En la pràctica, han estat dolorosament obstaculitzadores.

Fa molts anys, quan em vaig veure forçat a recapitular la qüestió, vaig creure que una fórmula per definir els problemes valencians podia ser la de «cultura satèl·lit». El terme procedia de no sé quin paper del poeta Eliot. Eliot deia que una cultura «satèl·lit» és —cito de memòria— «la que s'expressa en la llengua pròpia però amb un esperit estranger». La paraula «esperit» no m'agrada, i menys encara si se la vol introduir com un «contingut» d'una cultura. No hi ha cap cultura al món que sigui monolítica: que tingui un sol «esperit». En realitat, és difícil precisar en què podem basar-nos per definir una cultura, que, fins i tot literàriament, sobrepassa els límits del seu idioma. Si m'induïen a insinuar, provisionalment, què és una cultura, jo gosaria contestar que un «sistema de referències», i aquestes «referències», en determinats casos, poden ser «estranyes». M'entendreu ràpidament si afegeixo de seguida que els escriptors valencians en català, des del segle XVII almenys, s'han mogut dins un «sistema de referències» castellà: les lectures, els models, els projectes havien deixat de ser unitàriament catalans, com en l'edat mitjana, i no podien reduir-se a ser únicament valencians. La literatura espanyola s'hi va convertir en el marc habitual, i no solament per als qui escrivien en castellà.

A les Illes, aquesta condició de «cultura satèl·lit» no va ser tan marcada, i fóra llarg d'enunciar-ne el perquè. Al País Valencià, la inèrcia del Barroc espanyol, i les successives onades culturals, concretament literàries, procedien de Madrid. N'han procedit fins fa quatre dies. Advertiré, de passada, que també la Renaixença, tota, la del Principat també, fou «satèl·lit»: fins arribar al Modernisme, la dependència del món cultural castellà va ser predominant, si no total, per més «catalanescos» i «almogàvers» que se sentissin els escriptors. Al País Valencià això ha estat habitual. La gent de la meva generació, per exemple, que ja va tenir més accés a la literatura del Principat —i no gaire, ben mirat—, encara ens nodríem més de les «referències» castellanes que no pas de les que brindava el Principat modernista, noucentista i postnoucentista. El fet dóna una coloració més, i més «regional», als valencians. Fins i tot avui, quan tant s'ha fet per restituir-nos a l'òrbita cultural catalana, encara se n'adverteix el rastre. I no és que jo vingui a propugnar una «autarquia» cultural, que seria idiota i suïcida. Em limito a subratllar que la «castellanització» arribava a un nivell més profund que el mateix idioma. I la conseqüència era el «provincianisme».

No sé si divago. Però crec que calia posar damunt la taula aquests detalls, si és que tenim la pretensió de comprendre, als Països Catalans, el contrast, la dialèctica, o el que sigui, entre «cultura nacional» i «cultures regionals». Actualment, són escassos els escriptors —o escriptorets— en català que, al País Valencià, no hagin procurat reinstal·lar-se en aquell «sistema de referències» que és o hauria de ser una «cultura nacional» catalana. I si aquesta inserció no dóna més de si és perquè continua pesant-hi la proximitat del castellà i la postergació social de la llengua. No tant com abans, però continua. Si la societat valenciana, en línies generals, no ha abandonat el seu tradicional provincianisme, la implantació cultural del català hi ha estat decisiva en les últimes dècades. La quantitat de poetes i de prosistes en català que avui podem censar, per quilòmetre quadrat, al País Valencià, fa feredat. No tots són bons i no tots són dolents. En la meva consideració, el fet que importa és l'abundància, d'una banda, i de l'altra, que la genuflexió inconscientment castellanitzada minva de dia a dia. A les Illes, les noves generacions —o no tan noves— disposaven del «sistema de referències» autòcton, insigne, i la seva incorporació a la «cultura nacional» ha estat més fàcil. I que consti que no peco d'optimista.

L'optimisme seria precipitat. I nefast. En l'aspecte literari, moltes barreres han caigut. I en el no literari: tant en la historiografia com en els estudis econòmics i sociològics, i en els geogràfics i en els de les altres ciències que tenen per objecte les realitats passades o actuals, la «referència» al conjunt dels Països Catalans és gairebé constant. I no per un apriorisme militant: pel pur pes de les evidències. Només que això és insuficient. Una «cultura», en les darreries del segle XX, per més «nacional» que es vulgui —i no tinguem vergonya de reivindicar la nostra, perquè, si gireu la vista al vostre voltant, els altres «nacionalismes» són més «nacionalistes» que el nostre, començant pel carpetovetònic—, una «cultura nacional», avui, ja ha deixat de ser impermeable i casolana, i ha d'arriscar-se a la «competitivitat» de l'ús que n'hagi de fer la clientela. Els nostres «regionalismes» d'anar per casa hi perduraran per molt de temps encara. Com a tot arreu del món passa. Però l'espectre de la «normalitat» se'ns imposa. Sempre he estat en contra del venerable eslògan de: «Puis parla en català, Déu li don glòria.»

Ara: tampoc no vull acabar aquest parlament sense remarcar la importància de «parlar en català». Que Déu ens doni glòria o no, és secundari. I quan dic, en aquest punt, «parlar en català», també penso en els qui pinten, en els qui esculpeixen, en els qui componen música. I en els homes de ciència. I en els qui fan cine o fan teatre. O els que dibuixen còmics. La «cultura catalana», des de la «regió» a la «nació», ha d'abracar totes aquestes activitats i moltes més, des d'una afirmació solidària. L'alternativa és el provincianisme de sempre, i si es disfressa de «cosmopolitisme», tant se val! Per a alguns de nosaltres, i espero que per a la majoria, la nostra pàtria és la nostra llengua. Tampoc no m'agrada parlar de «pàtries», però d'alguna manera ho hem de dir. Els «regionalismes» s'hi interfereixen: en la fonètica, en la morfologia, en el lèxic. És un problema que no tenen els músics, els pintors, els escultors. En el fons, la convocatòria ve decidida per això que acabo de proclamar: l'afirmació solidària. No basta cridar: «Som una nació!» Ni cal demostrar-ho, perquè som una nació. Però d'una nació emana una «cultura» que respon a les necessitats del poble que la constitueix, i és des del poble, des d'aquest poble que s'estén de Salses a Guardamar i de Fraga a Maó, que hem d'entendre les nostres probabilitats de supervivència col·lectiva. Qualsevol intent de retallar aquesta esperança serà estèril.

Tenim els dies comptats, i hem d'espavilar-nos. Ja no es pot ser «regionalista» de Catalunya: o «nacionalista» de la Catalunya estricta. Ho hem de tenir ben present: la «nació catalana», culturalment i políticament, no pot enclaustrar-se en les quatre províncies del Principat. Acceptar això seria renunciar a la proclamació «nacional»: seria revertir en un «regionalisme» més, que, retroactivament, els duria a prescindir de Llull o del *Tirant*, de Llorenç Villalonga i de Jaume Roig, i podria multiplicar les al·lusions. Per a nosaltres, els perifèrics, suposaria prescindir de Bernat Metge, i no seria cosa que ens preocupés massa. Però reclamem Verdaguer, Maragall, Carner, Salvat, Riba, Foix, Brossa... I és amb aquesta visió «cultural» unànime que podrem reprendre la marxa. Sense discriminacions i sense manies. Catalans, ho som tots, inclús els qui no volen o no volien ser-ho. Ho era Balmes, ho era Blasco Ibáñez. Ho era Lluís Vives. Som nosaltres els qui, en assumir-los, ens construïm. Cada «regió» dels Països Catalans, al llarg dels segles, ha tingut la seva aventura. De cara al futur, o els Països Catalans, amb aquest nom, recuperem i reestructurem la nostra dispersió «regional» o no serem res.

Jo no he vingut ací a aportar solucions. Els «regionals», als Països Catalans, són obvis. M'he detingut a considerar el cas valencià, el més conflictiu. Però catalans, valencians, mallorquins i rossellonesos, encara que les designacions estiguin mal dites, no tenim altra opció que la de la unitat. Ens ve obligada per la història, i ens ve provocada per l'esdevenidor. No solament tenim patrimoni cultural compartit: és que tornem a tenir-lo ara, tan desigual com es vulgui, però amb una decisió «unitària» resolta. Parlo de «cultura», i especialment de cultura «literària». L'impacte de les Illes és brillant i excepcional, i comença potser amb don Marià Aguiló. El del País Valencià és recent, amb un bloc de gent, potser no tan madura, però alegrement decidida a no ser ja «regional» sinó «nacional».

Que ho aconsegueixi o no, el temps ho dirà, i no jo. Ningú no vol «desregionalitzar-se». L'exemple gloriós de la novel·lística mallorquina, encapçalada per Llorenç Villalonga, n'és una mostra. Els valencians, avui com en el segle xv, es fan sentir com a valencians, i com a «catalans». No tenim al darrere un Balmes sinó un Blasco Ibáñez. Ni tampoc un Torras i Bages o un Almirall ni un Prat de la Riba. Ni un Maragall, ni un Carner, ni un Salvat-Papasseit. De fet, procedim del no-res provincià de Llorente i de Constantí Llombart. I de la «cultura satèl·lit». Però això no ha estat obstacle perquè, ara, la configuració «regional» s'insereixi en la «nacional». No citaré noms. Evoco només la voluntat. I, certament, una literatura no s'alimenta de voluntats. Però alguna cosa en sortirà. I ja n'ha sortit una: la d'escriure en català, i dins el «sistema de referències» que és la literatura catalana. Si ho fan millor o pitjor, es tracta d'una eventualitat circumstancial. I si ho fan agressivament, tots n'eixirem guanyant. Les actituds corrosives d'alguns mallorquins, també «regionalistes» per reacció, em semblen substancialment positives.

Les tres o quatre «cultures regionals» que s'articulen en «cultura nacional», als Països Catalans, podrien revertir en una fructuosa renovació, si a Barcelona en fossin més atents, i no es limitessin a «mirar-se el melic», com ha dit algú. Certament, avui més que mai, Barcelona, la Barcelona editorial i no sé si la Barcelona lectora, s'ha obert generosament a la perifèria. On pot arribar l'operació? Els mallorquins revoltats de l'última fornada enceten uns altres camins: un «regionalisme» més, però descaradament «nacional». Al País Valencià no arribem a tant. Però tot vindrà: vindrà la revolta de les «regions» subalternes enfront de la «regió» autoconsiderada «nacional». I serà una revolta «integrada», a la llarga. I de ferment, al cap i a la fi. No m'allargo més en tot això. Caldria parlar de la novel·la, i del teatre, i de tot allò que no és ni poesia ni novel·la ni teatre. Però hi haurà una «literatura catalana» diferent.

I una «cultura catalana» diferent. Els artistes plàstics, els músics, els historiadors, els sociòlegs, no obriran nous camins a les seves especulacions? I no seran, si volen ser, i sobrepassen la misèria acadèmica «regional», o el negoci de les burgesies municipals, una opció autènticament «nacional»? Ací, i entre nosaltres, només és «nacional» allò que abraça tots els Països Catalans. Que cada «regionalisme» hagi de passar per les baquetes del seu entorn particularista és una altra cosa, i cadascú farem el que podrem. Però, per a tots els catalans, per a tots els catalanoparlants, només hi ha una resolució clara: facin versos o novel·les, quadres o escultures, música o història, economia o urbanisme, política o política, la disjuntiva final és aquesta. O Països Catalans o «regionalisme» en el mal sentit de la paraula. És la conclusió a què he aplegat després d'una llarga i complicada experiència personal. I en aquest punt és on volia arribar.

8. Qüestió de noms[*]

El problema

El problema, en efecte, només es planteja en funció de les Illes i del País Valencià, els dos «regnes» *a part* que creava la voluntat conqueridora del rei Jaume I. I és evident que, en un principi, tant els «valencians» com els «mallorquins» havien de trobar ben natural el fet de dir-se «catalans.» Una realitat immediata, de tipus primàriament ètnic, ho decidia: uns i altres, en l'etapa fundacional dels «regnes» respectius, no eren sinó «catalans» —catalans del Principat— trasplantats als nous territoris. Desplaçada o sotmesa la població sarraïna de les zones conquistades, calia erigir-hi una societat cristiana que la substituís, i això hagué de fer-se a través d'una colonització massiva, que va sortir sobretot de Catalunya. Pel que fa a les Balears, la cosa és clara. La conquista de l'arxipèlag va ser una empresa catalana, i exclusivament catalans —en xifres bàsiques—, els repobladors que s'hi instal·laren. En el cas del País Valencià, va haver-hi una àmplia participació aragonesa, però foren també els catalans que contribuïren d'una manera determinant a l'eficàcia última del repoblament cristià. Les comarques del litoral i algunes altres de l'interior, i la ciutat capital del «regne», van ser absolutament catalanitzades: elles, hegemòniques en tots els aspectes —cultural i demogràfic, polític i econòmic—, van assegurar la catalanitat essencial en la vida valenciana. «Són vers catalans, e parlen el bell catalanesc del món», escrivia Ramon Muntaner en referir-se als habitants del sud limítrof amb Múrcia.

Sens dubte, Jaume I va tenir raons poderoses per a convertir les Illes i el País Valencià en «estats» autònoms. No és de la nostra incumbència discutir-les, ara i ací. Si el rei hagués obrat altrament, les Illes haurien quedat integrades en el Principat, però potser Aragó hauria absorbit el País Valencià.

[*] Publicat per primera vegada a «Serra d'Or», 2ª època, any IV, núms. 8-9 (agost-setembre 1962), ps. 16-20.

Sigui com sigui, aquella constitució en «regnes» a part no alterava de moment la «realitat ètnica» a què al·ludíem. El procés de la repoblació cristiana no va ser ràpid, precisament, i en el País Valencià encara no podia donar-se per conclús a darreries del segle XV. Una constant, o gairebé constant, immigració de gent del Principat venia a edificar la nova societat valenciana, com havia edificat la mallorquina. L'ascendència «catalana» de valencians i mallorquins, doncs, no era una simple dada remota, vinculada a l'origen dels «regnes», amb els episodis diguem-ne èpics de la Conquista i els assentaments familiars del Repartiment. Hi havia, de més a més, la repetida incorporació d'homes i dones que procedien de Catalunya i consolidaven l'estructura catalana d'aquestes regions. Les minses fronteres polítiques que separaven del Principat els dos «regnes» filials no interrompien la continuïtat del fons humà comú: continuïtat —unitat— d'idioma, de predisposicions col·lectives, de cultura, de formes de vida. I d'això, tothom en tenia consciència.

D'altra banda, com a «catalans» érem coneguts, tots plegats, els del Principat, els de les Illes i els del País Valencià a tot arreu de l'Europa medieval i renaixentista. Formàvem un bloc socialment i lingüísticament compacte, i un estranger no hauria estat en condicions de distingir-hi les nostres variants de «regnes»: al capdavall, aquestes variants s'esborraven davant la sobirania única dels reis d'Aragó. Ni valencians ni mallorquins no van tenir més nom *internacional* que el de «catalans.» Com a «catalans» eren coneguts, i com a «catalans» es donaven a conèixer. Podríem citar l'exemple insigne dels Borges, de Xàtiva. «*O Dio, la Chiesa Romana in mani dei catalani!*», exclamaren els italians en veure com aquella tribu de valencians espavilats s'enfilava al soli papal i als alts càrrecs de l'Església. El mateix Calixt III al·legava el seu propi pontificat —«*Papa catalanus*», es deia— com un signe més, entre altres, d'un instant gloriós per a la «nació catalana»: «*Magna profecto est gloria nationis catalanae diebus nostris...*» De vegades i tot, el gentilici «català» arribava a aplicar-se a tots els súbdits de la Corona d'Aragó, encloent-hi els aragonesos. Però era la identitat de llengua i d'estirp el que feia que mallorquins, valencians i catalans estrictes apareguessin com un sol poble. Com un sol poble apareixien als ulls dels altres pobles. I com un sol poble se sentien ells mateixos en confrontar-se amb els pobles veïns: «catalans» en definitiva.

Però no solament en confrontar-se amb els pobles veïns. Hi hagué un temps en què tots els catalanoparlants —o, si això us fa més goig, tots els catalanòfons—acceptaven ben de gust anomenar-se i ser anomenats «catalans» en el mateix àmbit domèstic. Un erudit tindria tasca útil i amable en la indagació d'aquest punt: precisar la durada i les condicions de la nostra unanimitat en el gentilici. Era lògic que, establerta la divisió jurídico-administrativa dels «regnes» —un «regne» de Mallorca i un «regne» de València, al costat del «principat de Catalunya»—, uns gentilicis privatius entressin en concurrència amb el de «catalans.» Era lògic i necessari: els «regnícoles» del «Regne de València» havien de dir-se «valencians», i els del «Regne de Mallorca», «mallorquins.» Ho imposaven les circumstàncies, amb una exigència indefugible. Es tractava de denominacions més aviat «polítiques» que, d'entrada, no estaven en contradicció amb el nom nacional genèric. Tanmateix no podien ser eludides. L'existència dels «regnes» comportava la inevitabilitat de les designacions locals. Si de cara a l'exterior tots podíem passar per «catalans», en ordre als tràmits interns de la Corona bé calia fer discriminacions. La unitat dels catalans es desglossava, així, en tres «ciutadanies», si puc dir-ho en termes moderns, i cada «ciutadania» descansà en un nom especial.

Des d'aquest angle, per tant, hi hauria «valencians», «mallorquins» i «catalans.» Hi hauria, de fet, uns catalans més «catalans» que els altres. Perquè els nadius del Principat de Catalunya —els catalans originaris— conservaren l'apel·latiu de «catalans.» I això, és clar, proporcionava un perillós inici de confusionisme. La paraula «català» esdevenia amfibològica: tant podia servir per referir-se al conjunt com per mencionar una de les parts. Era una ambigüitat prenyada de conseqüències incòmodes. Aquell «un sol poble» que eren i se sentien els catalanoparlants de la baixa edat mitjana corria el risc de quedar-se insatisfactòriament «innominat.» Una forma o altra de particularisme no tardaria a interferir-s'hi, i el risc s'agreujà. Valencians i mallorquins començaren a covar un amor propi regional, i el mateix Principat es confeccionà el seu. Les organitzacions «estatals» distintes ho fomentaven. De més a més, als «regnes» es produïen situacions ben favorables a l'eclosió de sentiments localistes que, per un mecanisme obvi, havien de contrastar-se amb els del Principat. Mallorca va córrer l'aventura d'independència dinàstica que obrí el testament de Jaume I i tancà la recuperació *manu militari* de Pere el Cerimoniós. El País Valencià, en el segle XIV, ascendeix a una plenitud econòmica i social molt estimable, la qual es refermarà en el XV, justament a expenses de la incipient decadència del

Principat. Dir-se «mallorquins» o «valencians», després de tot això, implicava ja una punta d'orgull, de repercussions bastant previsibles.

No la unitat, però sí la consciència d'unitat dels catalanoparlants, hi quedava compromesa. En *regionalitzar-se*, el gentilici genèric perdia la seva força innervant. Serà un home de Girona, fra Francesc Eiximenis, qui formularà precisament la primera manifestació —ben precoç per cert: 1383— del particularisme valencià. Eiximenis diu del «poble valencià» que, «com sia vengut e eixit, per la major partida, de Catalunya, e li sia al costat, emperò no es nomena poble català, ans per especial privilegi ha propi nom e es nomena poble valencià.» La diferenciació entre «valencians», «mallorquins» i «catalans» es trobava desproveïda d'una instància superior en nomenclatura, que mantingués reunides les tres branques regionals. Des del moment que «catalans» eren, per antonomàsia, els habitants del Principat, resultava fàcil la contraposició de «valencians» i «mallorquins» a la vella denominació. El camí de les dissidències intranacionals hi tenia una oportunitat. Un nom superador —uns noms que no haguessin estat el de «Catalunya» i el de «catalans»—, podria haver aturat la dispersió. Aquest nom, aquests noms, no hi eren. L'època, d'altra banda, no estava madura per a fer-se càrrec de la dificultat i de la seva transcendència. Seria anacrònic, pel nostre costat, lamentar-nos-en. Al capdavall, si el nom comú es desvirtuava o s'esvaïa i cap altre no venia a substituir-lo, era perquè la nostra gent no en sentia la necessitat. Unes puntualitzacions cronològiques il·luminarien l'evolució del problema.

Malgrat tot, «valencians» i «mallorquins» continuaren dient-se catalans. Amb una mica de paciència podria confeccionar-se una abundant antologia de textos històrics i literaris que ho demostrarien. Valdria la pena d'intentar-la. Jo em limitaté a adduir ací uns pocs testimonis, significatius si més no per la data. El 1417, en escriure la seva *Disputa de l'ase*, fra Anselm Turmeda afirma de si mateix —i copie el passatge de la versió francesa de l'obra— que «*est de nation cathalaine et nay de la cité de Mallorques.*» Durant la guerra entre «ciutadans» i «forans» en el regnat d'Alfons el Magnànim, i també a Mallorca, un capitost del partit dels «ciutadans», Jaume Cadell, diria: «Pensau que tots som catalans, e havem fama per tot lo món d'ésser lleials vassalls a nòstron rei i senyor...» Les paraules de Calixt III ja reportades són, indiscutiblement, una important referència provinent del País Valencià. I encara, en 1539, quan es publicava a València la primera edició dels versos d'Ausiàs Marc, amb la traducció de Baltasar de Romaní, la portada del llibre fa constar que «*el famosíssimo philósofo y poeta*» era «*cavallero valenciano, de nación catalán.*» Al Principat tampoc no s'oblidava aquella vinculació elemental. Els consellers de Barcelona, el 1456, celebraran la canonització del valencià fra Vicent Ferrer, i remarquen que el nou sant és «de nostra nació.» Insisteixo que totes aquestes dades, i les moltes més que podrien afegir-s'hi, haurien de ser articulades amb una minuciosa pulcritud cronològica, a fi de fixar la trajectòria de la perduració del nom «català» amb un abast general. Però crec que no estarà de sobres recordar el que escrivia Gaspar Escolano el 1610. Aquest amable cronista valencià diu: «*Como fue poblado desde su conquista casi todo de la nación catalana, y tomó della la lengua, y están tan paredañas y juntas las dos provincias, por más de trescientos años han pasado los deste reino* [de València] *debajo del nombre de catalanes, sin que las naciones extranjeras hiciesen diferencia ninguna de catalanes y valencianos.*» I afegeix que això durà «*hasta que cien años o poco más a esta parte, que el rey católico don Fernando de Aragón unió su corona con la de Castilla, cada una de estas naciones* [«valencians» i «catalans»] *ha tirado por su cabo, como sintiendo la ausencia de su cabeza, y así tenidas por diferentes.*»

No hi ha dubte que Escolano tenia raó. A partir del regnat de Ferran el Catòlic, «catalans», «valencians» i «mallorquins» van ser «*tenidos por diferentes.*» Abans, la diferència de noms no afectava la unitat del poble catalanoparlant. Tot i que el terme «català» era equívoc, no per això es desvaloritzà. Ho acabem de veure. Després de Ferran el Catòlic les coses canvien. El prestigi de la monarquia introduirà conceptes i denominacions supraregionals que no recolzaran ja en la nostra identitat col·lectiva estricta. Per a nosaltres s'enceta aleshores un període «de decadència», i «*cada una de estas naciones*», efectivament, «*tira por su cabo.*» «Valencians», «mallorquins» i «catalans» es distancien. El nom de «catalans» se'ls fa estrany, a valencians i mallorquins. La llengua comuna sofreix una marcada dialectalització, la qual, com que fereix l'element unitari més «visible», provoca l'aparença d'uns «fets diferencials» idiomàtics capaços de ser interpretats com a discrepàncies nacionals. Mai no s'esfuma la memòria de la unitat *anterior*, naturalment: ni de bons tros. Fins i tot trobem afirmacions com aquesta, que feia el bisbe Josep Climent el 1766, en prendre possessió de la Mitra de Barcelona: «*Si bien se mira, Valencia puede llamarse con propiedad una colonia de Cataluña, casi todos los valencianos somos catalanes en el origen, y con corta*

*diferencia son unas mismas las costumbres y una misma la lengua de los naturales
de ambas provincias.*» Però en realitat predomina allò altre: la dispersió. En
enfrontar-se, ara «catalans», «mallorquins» i «valencians» no voldran
reconèixer-se com «un sol poble» —amb un o amb tres noms, tant hi fa—
: més aviat es veuran com tres «pobles germans», o en tot cas, amb un lligam
de filiació llunyà, valencians i mallorquins respecte dels «catalans.»

El particularisme regional s'havia esclerosat de mica en mica, entre el XVI
i el XIX. Res no resulta més instructiu, a propòsit d'això, que examinar les
opinions sostingudes pels erudits d'aquests segles sobre la llengua autòctona.
Accentuats els matisos dialectals de cada regió, pretendran justificar-los amb
la consideració categòrica d'*idiomes* diferents. Si en el Quatre-cents els
escriptors valencians havien tendit a anomenar «llengua valenciana» la
llengua catalana, mai no havia estat amb la intenció de proclamar l'existència
d'una variant local *distinta*, ni menys encara *independent*, de les variants del
Principat i de les Illes. Però després del 1500, aquesta intenció hi és. Els
valencians reivindiquen una «llengua valenciana» i els mallorquins una
«llengua mallorquina» que no seria ja la «llengua catalana.» Una evidència,
però, perdurava intacta: l'idioma antic, que servaven els documents i els
manuscrits medievals, el qual havia estat idioma únic i comú de «valencians»,
«catalans» i «mallorquins.» Per una aberrant confusió filològica, els homes de
la Decadència van creure —almenys molts d'ells— que el català antic no era
sinó «llemosí», la mateixa llengua dels trobadors. L'ús del terme «llemosí» per
designar el català medieval venia a ser, tot ben comptat, un expedient
confortable que esquivava les susceptibilitats localistes. La «regionalització»
del nom «català» era suplida pel nom fals de «llemosí», quant a l'idioma. En
el fons, era una manera encara d'afirmar la unitat dels catalanoparlants: una
unitat retrospectiva, sí, però que seguia pesant en la tradició cultural de cada
una de les nostres regions. Les tres «llengües» *modernes* —el «català», el
«mallorquí», el «valencià»— eren filles directes del «llemosí», i això les
relligava amb un parentiu diàfan. Les frases d'Escolano i del bisbe Climent,
ja citades, prou demostren que la consciència d'unitat idiomàtica subsistia
netament.

Amb la Renaixença es produeix una radical i taxativa revisió de criteris.
La represa del conreu *culte* del vernacle havia de suposar, simultàniament a
totes les regions de llengua catalana, la superació del destí dialectal, i per
consegüent un retorn a la idea unitària dels nostres principis històrics. Això,

pel que fa a l'aspecte literari. Amb el temps, no solament serà la unitat d'idioma el que es presentarà als ulls dels «valencians», dels «mallorquins» i dels «catalans» que continuen l'esforç renaixentista: una altra unitat, més àmplia i més profunda, eclipsada fins aleshores, torna a la superfície de les renexions civils de la nostra gent. És el fet de ser i de sentir-nos «un sol poble», que es planteja com un pressupòsit i com un projecte de cara al futur. Importa poc, ara, que aquest plantejament sigui compartit per nuclis més o menys extensos del Principat, de les Illes i del País Valencià. El que importa és que hi hagi «mallorquins», «catalans» i «valencians» que assumeixen aquella il·lusió i aquella responsabilitat. Cau fora de l'àmbit d'aquesta nota analitzar les causes político-socials que ho determinen, això. Basta que hi sigui. La qüestió dels noms sorgia immediatament amb una renovada acuïtat. La nomenclatura localista era, d'entrada, un obstacle ja en el pla de les consideracions culturals: la llengua i la literatura autòctones havien de tenir una denominació única. El graciós miratge «llemosinista» era liquidat per filòlegs i historiadors: calia dir «llengua catalana», «literatura catalana.» D'altra banda, tot i que les designacions regionals havien de mantenir-se, perquè responen a realitats sociològiques palmàries, també arribava l'hora de restaurar un gentilici comú, que abracés la totalitat del poble catalanoparlant. Res no era tan indicat com rehabilitar el nom de «català», que inicialment havia tingut aquell sentit. Però no podia desfer-se en quatre dies una situació sedimentada al llarg de quatre segles. Els particularismes són uns prejudicis difícils d'extirpar. No oblidem tampoc —fóra ingenu!— que no són gratuïts: hi ha *particularismes* perquè hi ha *particularitats*. I en aquest punt és on comença la nostra tasca, avui.

Els prejudicis

Prejudicis, deia. Tots ells es concerten entorn de la paraula «català.» D'ençà del xv, «català» vol dir exclusivament home o cosa del Principat. El gentilici comú —repeteixo— es regionalitza, perd aquell abast «total» que tenia en la ploma de Ramon Muntaner, que acceptava fra Anselm Turmeda, que enorgullia Calixt III. I el localisme s'hi aferra. D'un costat, al País Valencià i a les Illes. Mallorquins i valencians es mostren refractaris a subsumir-se en una denominació com la de «catalans», que ja no té per a ells el valor genèric dels orígens, sinó una específica aplicació regional —que no és la d'ells. De l'altre cantó, al Principat, també el terme «català» ha adquirit una accepció restrictiva. En el millor dels casos, i sempre al Principat, és corrent que el terme «català» sigui emprat amb exactitud quan es parla de llengua i de literatura; però en referir-se a història política o social, a economia, fins i tot a les altres facetes de la cultura, es prescindeix de les Illes i del País Valencià i només el Principat queda com a titular del gentilici. El particularisme, doncs, hi és, a tot arreu. S'ha convertit en una mena d'automatisme mental, per a uns i per als altres.

I la veritat és que, pel que es refereix a les Illes i al País Valencià, ben sovint el fenomen no és res més que allò que acabo d'insinuar: una repugnància al nom. Al nom i no a la unitat. El 1875, Constantí Llombart, un dels més tenaços treballadors de la Renaixença valenciana, escrivia, en polèmica amb Careta i Vidal: «Per a no donar motiu a rivalitats entre los pobles que parlen nostra llengua, sempre hem cregut lo més convinent l'aplicació de lo calificatiu *llemosina* a les diferents rames que, despreses de l'antic arbre naixcut a la provençal Limoges, varen arrailar en Catalunya, València i les Illes Balears.» Llombart encara queia dins la seducció de la teoria llemosinista sobre l'origen de la llengua. Però el que en el seu text interessa és l'opció que fa, en decantar-se per un nom d'aparença supraregional, «llemosí», que «no donaria motiu a rivalitats entre los pobles que parlen nostra llengua.» Les presumptes «rivalitats» —els particularismes—, doncs, només incidiren en «lo calificatiu.» També per defugir la denominació «català» un altre valencià, Nicolau Primitiu, inventaria la curiosa fórmula «bacavès» per designar l'idioma *comú* —i *Bacàvia* per al conjunt de les terres on es parla. Totes aquestes proposicions —salta a la vista— parteixen de l'afirmació prèvia de la nostra unitat, i només des d'una afirmació unitària tenen sentit.

Val la pena de subratllar unes altres frases de Constantí Llombart, que segueixen a les ja transcrites. «Res té de particular —deia—, que, aixins com la llengua que es parla en tota Espanya se nomena *castellana*, perquè en Castella va nàixer, la que parlem hui en la pàtria *llemosina*, com lo senyor Balaguer l'anomena, o sigui Catalunya, València i Mallorca, prenent lo nom d'aon tingué lo bressol, se denomine *llemosina*, a imitació de lo que els espanyols hem fet en la *castellana*.» El paral·lelisme amb el cas espanyol-castellà no estava gens malament, per argüir contra el localisme reticent de valencians i de mallorquins. L'al·legació de Llombart se'n va a terra des del punt de mira filològic, ja que la llengua «que parlem hui en la pàtria llemosina» no procedeix de «la provençal Limoges», sinó de Catalunya. Però l'argument és vàlid per això mateix, i les resistències «regionalistes» enfront de la denominació de *català* per a l'idioma comú havien de pensar que entre nosaltres es donava un cas ben semblant al del castellà, idioma que conserva el nom de la regió originària. Els romanistes de tot el món, que no podien fer cas de les nostres picabaralles cantonals, es limitaren a donar el nom de *catalana* a la llengua de valencians, mallorquins i «catalans»; novament i ni que fos en el camp filològic, el vell nom internacional del nostre poble revivia.

De fronteres endins, a la llarga, la recuperació d'aquest nom per a l'idioma no podia deixar d'acomplir-se. Quan mossèn Antoni M. Alcover canviava el títol del seu *Diccionari*, i en comptes de dir-ne «de la Llengua Catalana» en deia «Català-Valencià-Balear», obeïa potser a unes pressions d'ambient que avui ja no existeixen. «Català-Valencià-Balear», de més a més, era una rastellera massa feixuga per a ser viable en altre lloc que no fos la portada d'un llibre. El mot «bacavès» o llengua «bacava» mirava de corregir aquest defecte, i es construïa amb les síl·labes inicials dels gentilicis regionals. Naturalment, era un truc artificiós, amb poques possibilitats d'èxit. Forjat de cara al País Valencià, avui ja resulta del tot inútil: era entre els valencians on havia prosperat més —i per raons més antigues— la resistència a dir-ne «català» de la llengua que parlen, i aquest recel ha amainat i ben bé desaparegut en els últims temps. I és sorprenent que, just ara, quan sembla esvaïda una tal dificultat, vegem reflorir, i no menys que a Barcelona, algun altre conat similar: «cabarovès» és la pintoresca etiqueta que un full de propaganda de «Criterion» penjava a la llengua catalana. El mot era enriquit amb una quarta síl·laba per no deixar-hi fora el Rosselló. Salvador Espriu ja havia satiritzat aquestes foteses terminològiques escrivint la paraula *rosalbacavès*: una al·lusió a l'Alguer completava les referències geogràfico-lingüístiques...

«Llengua catalana» —i «literatura catalana»—: tant si es vol com si no es vol. I tot això de «bacavès» i de «cabarovès» a aquestes altures no són sinó el darrer estertor del particularisme dialectal. En les noves generacions intel·lectuals de les Illes i del País Valencià no pot influir més, d'ara endavant, la temptació localista. Si un senyal clar presenta el panorama actual d'aquestes regions, és el d'un rotund desistiment dels prejudicis diferenciadors. Ho veiem en el lèxic de les publicacions joves, en l'actitud que la majoria adopta enfront dels problemes culturals i cívics, en l'ànsia decidida de corregir les desviacions i timideses de cent anys de Renaixença indecisa. Al marge d'aquests grups actius, la gran massa del poble tampoc ja no troba «xocant» el fet de veure designada la seva llengua amb el nom de *catalatta*. No ha calgut fer massa esforços per aconseguir-ho. Ha estat suficient que, des dels diaris, des de les tribunes públiques, des dels llibres firmats pels indígenes, l'expressió «llengua catalana» hagi estat emprada amb naturalitat per referir-se a la parla local. La insistència ho ha acabat de refermar. No vull dir que el vell particularisme idiomàtic hagi mort per complet. Però a hores d'ara no és sinó una trista reminiscència, que bé podem col·locar dins les vitrines ameníssimes del folklore.

Però, a més del nom de la llengua, hi havia —hi ha— pendent el nom de la col·lectivitat dels qui la parlen. «Pàtria llemosina», havia dit i propagat Víctor Balaguer. Hem vist que Constantí Llombart no trobava la fórmula inacceptable. Entrava de ple, això, en el joc dels tòpics i dels malentesos de la Renaixença. Quan ja es va fer insostenible la posició de qualificar de «llemosina» la llengua dels catalanoparlants, dir «pàtria llemosina» esdevenia *ipso facto* un absurd desagraït. I la necessitat que tractava de satisfer-se amb el terme «pàtria llemosina» quedava oberta. Convé retenir que ja era simptomàtic que, a l'hora de donar un «cognom» a la «pàtria», els homes de la Renaixença triessin el de la llengua. Ningú no hauria tingut res a objectar-hi: resultava lògic que fos així, donat que la llengua constituïa el vincle que ells, homes romàntics, culturalistes exclusius, podien sentir amb una vivència més precisa. En haver de prescindir del «llemosinisme» era irremeiable tornar a la paraula vidriosa «català.» Tanmateix, a partir de la primera dècada del segle XX, ja hi hagué a les Illes i al País Valencià grups que professaven allò que començava a dir-se'n «pancatalanisme.» Més o menys, al Principat, entre alguns sectors dirigents del catalanisme polític, penetra la idea d'una reconstitució integral de la nostra personalitat col·lectiva. Pel que fa a la nomenclatura, la solució que millors assistències obtenia era la més natural també: dir «Catalunya» del conjunt del poble catalanoparlant.

És clar que la paraula «Catalunya» oferia, de moment, dificultats especioses. No mancava de precedents històrics il·lustres, en l'accepció que ara es volia revitalitzar. Quan Ramon Muntaner, en la seva *Crònica,* explica el seu retorn a terres valencianes, on acudia per casar-se amb una dama indígena, no diu que va «a València» o «al Regne de València» sinó a

Catalunya. Sant Vicent Ferrer, una vegada, s'adreça a la gent de la serrania valenciana —als «serrans»—, i els recorcla que viuen «entre Castella e Catalunya.» Però es tractava de precedents esporàdics i remots. Si el gentilici *catalans* havia tingut una acceptació planera durant segles, la forma «Catalunya» no havia pogut competir mai amb les de «Regne de València» o «Regne de Mallorca.» Hi faltava tradició, per tant, amb vistes a una reintroducció del nom de *Catalunya* amb l'abast a què ens referim. D'altra banda, l'amfibologia era ací encara més molesta. «Catalunya» és el Principat a seques. Un recurs per evitar-la va ser dir «Gran Catalunya» o «Catalunya Gran» al conjunt dels territoris de llengua catalana. «Catalunya» era el Principat; la «Catalunya Gran» era la totalitat dels pobles catalans.

Resultava encara prematur, això. Potser —si més no és el meu punt de vista—, l'ideal fóra adoptar, no ja la forma «Catalunya Gran», sinó senzillament *Catalunya,* per designar les nostres terres. Ara bé: aquesta aspiració ha d'ajornar-se *sine die.* Podem preparar les condicions materials i morals perquè, un dia, sigui ja factible. I és per això que en certs moments caldria recomanar una cautela esmolada en l'ús de la paraula «Catalunya.» Hauríem de fer els majors esforços per reservar-li en el futur aquella amplitud integral. És per aquesta raó que convé emprar sistemàticament la denominació «el Principat» per referir-nos a la Catalunya estricta: Principat o, si es vol, «Catalunya estricta» justament. Al cap i a la fi, en tot aquest problema del restabliment d'una terminologia col·lectiva apropiada, la victòria sobre els anacrònics prejudicis particularistes ha de ser guanyada a força de reiterar les fórmules escollides i procedents, i a força d'acostumar-nos i acostumar els altres a utilitzar-les d'una manera metòdica. No ens hem pas d'enganyar: es tracta d'una qüestió de rutines. Contra la rutina creada en els temps de la nostra disgregació com a poble, hem de crear-ne una altra que resumeixi la nostra voluntat de reintegració. No diré que el procediment serà veloç ni còmode. No podrà ser mai, tampoc, una maniobra artificial maquinada per unes minories. La nova rutina —l'hàbit— que propugno, ha de ser correlativa a una evolució social de gran envergadura, i quallarà en la mida que aquesta evolució es realitzo. El que interessa, ara com ara, és preveure i facilitar els recursos escaients, a fi que tot pugui acomplir-se d'una manera sincrònica i amb la més rigorosa eficiència.

Més apta que la forma de «Gran Catalunya» o «Catalunya Gran» és la de «Països de Llengua Catalana.» I millor encara, la de «Països Catalans», que tant s'ha estès en els últims deu anys, i que amb això mateix ha fet la prova de la seva viabilitat. _Països Catalans_ té, en primer lloc, l'avantatge de la concisió i de la «normalitat.» En té, de més a més, un altre, que provisionalment salva i acull les persistències dels particularismes tradicionals: és un plural. He dit abans que hi ha particularismes perquè hi ha particularitats. Negar que, dins la nostra radical «unitat de poble», no existeixen uns matisos regionals de perfil decidit, seria estúpid i suïcida. La història i les estructures sòcio-econòmiques ens han marcat, fins avui, amb un «caràcter» local lleugerament distint. La «unitat» que som abraça i tolera una _pluralitat_ perceptible. És lògic que el nom que pretenem imposar-nos reflecteixi aquesta _pluralitat_ alhora que afirma i aferma la nostra unitat. Per això _Països Catalans_ és el terme més oportú que hi podríem trobar. Estic persuadit que no sols és el més oportú; crec que és l'únic que, en les nostres circumstàncies actuals, pot servir-nos.

«Països Catalans.» I després «Principat», «País Valencià», «Illes Balears», «Rosselló», «Andorra.» És probable que hi hagi puristes que, en nom de la història i de les seves enyorances personals, miren amb disgust algunes d'aquestes denominacions. Per què «Illes» i no «Regne de Mallorca»? Per què «País Valencià» i no «Regne de València» o «València»? Per què «Rosselló» si el Rosselló «vertader» no és sinó una part de l'anomenada «Catalunya francesa»? I per què mantenir «Principat» quan deixem de banda els «regnes» de les altres regions? No puc demorar-me ara a justificar una pet una aquestes solucions —solucions que d'altra banda han entrat en l'ús comú escrit i fins i tot oral de molta gent. Diré només que són, tot ben sospesat, les solucions més útils, tant des del cantó local respectiu com des de l'angle de la comunitat. En el tema que ens ocupa, la primera exigència que cal satisfer és la de la claredat. Hem de preferir els termes inequívocs i superadors de tota mena de confusions. Avui, per exemple, dir «València» per referir-se a la totalitat de la regió valenciana té el perill de fregar la sensibilitat particularista que el provincialisme ha suscitat en «alacantins» i «castellonencs.» Perquè el particularisme és inesgotable, i no es limita a les regions... Hem de moure'ns, no hi ha dubte, en l'espai que ens deixen les determinants històriques i socials vigents. Però, dins d'elles, hem de procurar mantenir i reforçar el sentit integrador. Opino que, en aquesta direcció, el camí més natural i més adequat és el que vinc subratllant.

Sempre quedarà en peu, però, un extrem ambigu. Direm «Principat» en comptes de «Catalunya»: tanmateix, com distingirem els «catalans» del Principat, dels «catalans» de tots el Països Catalans? És el problema que sembla més insoluble: el que majors escrúpols ha despertat i desperta. Vicens Vives l'insinuava en una ocasió. I realment, no hi ha manera raonable d'eludir-lo. Cal descartar, per principi, qualsevol intent d'«inventar» un gentilici nou per a la gent del Principat; fóra ridícul. Fóra, ben mirat, la contrapartida de l'artificiós «bacavès», «cabarovès» o «rosalbacavès.» No hi ha més remei, doncs, que resignar-nos-hi. En tant que sigui imprescindible parlar de «catalans» per distingir-los dels «valencians», dels «mallorquins» i dels «rossellonesos», la dificultat subsistirà. L'historiador, l'economista, el polític, el geògraf, per més adherit que se senti a la idea de *Països Catalans*, ha d'enfrontar-s'hi cada dia. Si vol evitar la «regionalització» del terme «català», ha d'emprar circumloquis o bé ha d'afegir «estricte.» «Català estricte» o «del Principat» és tot el que pot dir. Això és un fet. Però, en última instància, tampoc no és un procediment massa penós.

Tenim dret a esperar —per molt llunyana que se'ns presenti aquesta esperança— que un dia serà suficient dir *català* per al·ludir a la nostra condició de poble únic, i agregar-hi una precisió comarcal per a localitzar la cosa o la persona de què es tracti. Les actuals «regions» poden esvair-se i només el fct radical de la comarca i el fet general de la comunitat idiomàtica i civil seran importants. Mentrestant, però, hem de treballar en les condicions que hem heretat i, a partir d'elles, ajudar a la seva transformació a través del nostre esforç. No som pocs els «catalans» que ens ho hem proposat i marxem ja en aquesta línia. De la voluntat de tots els «catalans» dependrà que aquest començ de reconstrucció autèntica, potser el més ambiciós que registra la nostra història com a poble, i també el més desarmat pels mitjans amb què compta, arribi a desplegar-se en totes les generoses possibilitats que conté. Confiem que estarem a l'altura de les necessitats i que sabrem fer-nos-en responsables.

9. Sobre els Països Catalans, encara

Països Catalans, 1876 *

Fèlix Cucurull, que és el qui més a fons ha investigat la qüestió, diu haver trobat per primera vegada la fórmula «Països Catalans» en un article de Josep Narcís Roca i Ferreras, publicat a «L'Arch de Sant Martí» el 1886.[1] Ara, gairebé per casualitat, puc afegir a la seva una altra notícia que retrotreu en deu anys l'ús d'aquella expressió. Figura, almenys dues voltes, en la introducció al volum primer de l'obra de Benvingut Oliver *Historia del Derecho en Cataluña, Mallorca y Valencia. Código de las Costumbres de Tortosa*, aparegut a Madrid el 1876.[2] En un lloc: «...*lo mismo en los países cataknes que en el resto de Europa...*»;[3] en l'altre: «...*la legislación de los países catalanes durante el siglo* XIII...»[4] Sense majúscules, naturalment. Com, suposo, sense majúscules sortiria en el text de Roca i Ferreras: no ho he pogut comprovar damunt l'original. De fet, «*países catalanes*», en l'escrit d'Oliver, és una alternativa a formes com «*los pueblos de lengua catalana*», per exemple. Però el detall que hi compta és el salt a què es veu sotmès l'adjectiu gentilici: de designar l'idioma a designar els «països».

No em sorprendria gens, encara, si això de «*países catalanes*» ho trobéssim en algun paper del mateix Benvingut Oliver anterior al 1876. Caldria

---

* Publicat a «Serra d'Or», núm. 226 (15 de juliol de 1978).

1. Fèlix CUCURULL, *Consciència nacional i alliberament* (Barcelona 1978), p. 101.

2. Vull agrair a Josep Palàcios la pista d'aquest llibre, que mai no havia tingut ocasió de consultar.

3. Benvingut OLIVER, *Historia del Derecho en Cataluña, Mallorca y Valencia. Código de las Costumbres de Tortosa*, I (Madrid 1876), p. 20.

4. *Ibid.*, p. 22.

indagar-ho.[5] Pràcticament, aquest senyor no sol ser esmentat en els estudis sobre la Renaixença, ni tan sols en els referents a la parcel·la valenciana de la Renaixença. Perquè don Benvingut Oliver i Esteller era valencià: de Catarroja, un poble de l'Horta.[6] Obsedits per la literatura i per la política, els historiadors de la nostra recuperació nacional no han prestat massa atenció a les figures presumptament subalternes d'uns altres camps. El personatge que al·ludeixo fou un dels iniciadors —si no l'iniciador: el peoner— de la investigació erudita sobre el nostre passat jurídic.[7] I no solament amb el llibre relatiu a les *Costums de Tortosa*, que acabo d'adduir. Són monografies que hem descuidat massa alegrement, sens dubte. I convindria mirar-se-les amb una mica d'atenció. Jo, ja des d'ara, aventuraria una connexió diguem-ne tècnica entre Oliver i Esteller i Prat de la Riba: Savigny.

Bé: aquest no és el meu terreny. Em limito a insinuar la incidència de Benvingut Oliver —directa o indirecta— en el procés de conscienciació «renaixentista», a través del Dret: ben entès, del Dret nacional. He citat Savigny, i la gent del ram prou podrà entendre què vull dir. Amb temps i amb calma, algú podria aclarir una curiosa sèrie d'interrogants entorn de don Benvingut —de don Bienvenido, com seguramentes va dir sempre—: com un valencià nascut el 1836 arriba a la «idea» de Països Catalans, i la manté tan netament?, i com tenint la idea tan clara mai no va escriure, que jo sàpiga, ni una sola ratlla en català?, i quina importància va tenir en la seva equilibrada concepció dels «*países catalanes*» el fet d'haver-se ocupat predilectament del

5. Abans de l'obra que ací ens ocupa, Oliver n'havia publicat d'altres, també sobre història del Dret català. Fóra possible –no ho sé– que en alguna d'elles ja manifestés la seva convicció «unitària».

6. No conec cap biografia una mica extensa del personatge. La més detallada és la nota necrològica publicada a l'«Almanaque de "Las Provincias"» (València 1913), ps. 305-306. Oliver va estudiar la carrera de Dret a València. Fou, uns anys, vice-secretari de l'Audiència de Barcelona, i seria durant la seva estada al Principat quan es dedicaria als estudis d'història jurídica dels Països Catalans. Va residir una temporada al Puerto Rico colonial, però el 1870 ja s'instal·là a Madrid, com a funcionari de la Direcció General dels Registres Civil i de la Propietat i del Notari, de la qual va ser subdirector vint-i-quatre anys. Elegit membre de la Real Academia de la Historia, el seu discurs d'ingrés es titula *La nación y la realeza en los estados de la Corona de Aragón durante la dinastía barcelonesa.*

7. Sobre això, veg. FERRAN VALLS-TABERNER, *Obras*, II (Madrid-Barcelona 1954), ps. 10-11.

«fet tortosí»?, i... M'agradaria, poso per cas, d'esbrinar les seves relacions amb tipus com Teodor Llorente, coetani estricte seu —tots dos van néixer el 36, i si Llorente va morir el 1911, Oliver s'extingí el 1912—,[8] i quina repercussió van tenir les afirmacions de don Benvingut entre la fauna ratpenatera de l'època, escrupolosament «llemosinista».[9] El d'Oliver i Esteller no és un nom que «soni» gaire al País Valencià llorentinament dirigit, i menys encara en els sectors no-llorentins...

La terminologia d'Oliver, avui, ens resulta confusa. Parla de «*los diversos pueblos que hoy constituyen la nación española*» —ell no era un Roca i Ferreras, ai!—, però subratlla la «*comunidad de usos, costumbres, legislación y tradiciones entre los habitantes de los territorios conocidos con los antiguos nombres de Principado de Cataluña y Reinos de Mallorca y de Valencia, que todavía mantienen como vínculo de unión la misma lengua de origen o de nacimiento, a la cual designaremos con el nombre común y más propio de 'lengua catalana'*». I agrega: «*Este hecho, que, si no somos los primeros en descubrir, nadie hasta ahora lo ha proclamado, arroja inesperada luz sobre toda nuestra historia y sobre el verdadero carácter de los pueblos que podemos llamar de lengua catalana, los cuales aparecen a nuestros ojos como partes de un todo, como miembros de una nacionalidad...*»[10] L'embolic entre una nació espanyola i una nacionalitat catalana continua vigent en els avantprojectes constitucionals del 1978: per què li n'hauríem de fer cap retret al pobre don Bienvenido?

Sigui com sigui, per a ell, «*todos esos pueblos, que como sello exterior e indeleble se valen de una misma lengua para expresar sus sentimientos y sus ideas,*

---

8. Que Oliver i Llorente van ser amics des de joves sembla demostrar-ho el to de les cartes que, adreçades per l'un a l'altre, vénen incloses als volums II i III de l'*Epistolari Llorente* (Barcelona 1930-1936).

9. És curiosa aquesta frase d'una carta d'Oliver a Llorente (Madrid, 11 febrer 1909): «*El movimiento regionalista de nuestra Corona de Aragón que va sintiéndose en esa ciudad* [València], *según me dices, ¿será salvador o apresurará la disolución* [d'Espanya]?» (*Epistolari Llorente*, II, p. 270). Evidentment, Benvingut Oliver, parlant amb Llorente, no gosa dir «*países catalanes*» ni tan sols «*pueblos de lengua catalana*»: opta per «*nuestra Corona de Aragón*», que no passa de ser un eufemisme. D'altra banda, la seva explícita preocupació pel caràcter que pugui adquirir aquell «*movimiento regionalista*» enfront de la unitat espanyola, bé revela el distanciament «polític» d'Oliver. ¿Simple conseqüència del pas dels anys?

10. OLIVER, *loc. cit.*, ps. v-vi.

desde los Pirineos al río Segura, y en las Islas del Mediterráneo, formaban y constituían la verdadera nacionalidad». I més: «*Poco importa que, merced a distintas causas, en unos países se mantenga más vivo que en otros aquel carácter común. El fondo siempre permanece idéntico.*»[11] Uns i altres, valencians, mallorquins, catalans estrictes, malgrat les erosions de la Decadència —això de «la Decadència» és meu— «*continúan formando todavía como un solo pueblo distinto de los demás que componen la gran familia española*».[12] Entre tots els vincles que aguanten la supervivència dels «*países catalanes*», Oliver en destaca dos: «*la lengua y el Derecho*».[13] I, a partir d'ací, abandono el senyor Oliver de Catarroja a les seves elucubracions. El que m'interessa remarcar és l'afirmació d'unitat nacional que «*si no somos los primeros en descubrir, nadie hasta ahora lo ha proclamado*». Historicista com és, Oliver no juga a la confusió, tan corrent en el XIX, d'invocar «la Corona d'Aragó». Ell té ben clar que, en la debolida «Corona d'Aragó», una cosa era l'Aragó i una altra els Països Catalans: dues nacionalitats diferents.[14]

No puc detenir-me en les derivacions polítiques que el mateix senyor Oliver, sense voler-ho, treia d'aquestes premisses: al cap i a la fi, ell tot s'ho mirava amb ulls de jurista, d'historiador del Dret, de catedràtic de l'«escola històrica», de Savigny.[15] La present nota, que ja no pot allargar-se més, es justifica en l'exhumació d'una primera veu —i valenciana!— que parla de «països catalans» sense timidesa. En escriure «*países catatanes*» en comptes de «*pueblos de lengua catalana*», Oliver i Esteller ho feia amb plena consciència, o només era un automatisme terminològic? Tant se val. És un precedent. Un

11. *Ibid.,* ps. 9-10.

12. *Ibid.,* p. 10.

13. *Ibid.,* p. 15.

14. *Ibid.,* ps. 8-9: «*Por no haber tenido presente la especial fisonomía, y el diverso carácter que dentro de la confederación de estados, titulada Corona de Aragón, ofrecen los pueblos de lengua catalana y el Reino propiamente dicho de Aragón, han incurrido en muchos errores reputados historiadores y doctos jurisconsultos…*»

15. En les pàgines que comento, Oliver mostra uns recels explícits davant les perspectives de la codificació del Dret civil, uniforme per a tot l'estat espanyol, i fins i tot alguna cosa més: «*aspiramos* […] *al emprender estos trabajos* [d'història jurídica] *a que se estudie, reconozca y proclame por todos cuantos han de influir en la gobernación del país el carácter peculiar de los pueblos de Cataluña, Mallorca y Valencia, a fin de que sirva de punto de partida y dato esencial para cuando haya sonado la hora de asentar en España sobre firmes y sólidas bases la construcción política y civil de nuestra desasosegada*

estrany precedent, redactat en castellà de funcionari. Llorente no hauria dit
mai «països catalans», i tots sabem per què: perquè era canovista, silvelista o
senzillament l'home de la inèrcia agrarista. I no diguem els altres. La
innocència històrica de Benvingut Oliver, i el fet de ser de Catarroja, el
convertia en un precursor... Un pas endavant era introduir-hi les majúscules:
passar de «països catalans» a «Països Catalans». És un altre episodi a precisar
cronològicament.

Països Catalans: entre el problema i el programa*

No cal dir que el «problema», a hores d'ara, tindria unes possibilitats de
plantejament i de solució molt distintes, si no fos per la incòmoda «qüestió
de noms». Circumstàncies històriques ben conegudes van impedir que, de
Salses a Guardamar i de Fraga a Maó, hi prevalgués un gentilici comú i un
corònim igualment unitari. Potser en el moment just «ja» ningú no en va
sentir la necessitat: quan arribà l'hora d'encetar el procés de constitució de
les «nacions modernes» —que a la llarga esdevindrien «nacions-estat»—, el
nostre poble ingressava de ple en l'àmbit de la monarquia espanyola, i ho feia
d'una manera espontània, subsumint-se en una denominació que el
sobrepassava i que havia de marcar perillosament el seu futur. A partir del

nación, con las gloriosas tradiciones jurídicas de aquellos países y con las nuevas doctrinas
y necesidades sociales de la época. Aspiramos, en fin, a que se conozca la enérgica y robusta
nacionalidad que en nuestra Península ha estado de antiguo acostrumbrada a unir
prácticamente y en todas las esferas de la vida la justicia con la libertad.» (Ibid., pàgines
11-12). O sigui: la «nacionalitat catalana». Però, com diu l'anònim redactor de
l'«Almanaque de "Las Provincias"», loc. cit., Oliver, «de ideas socialmente conserva-
doras y católico ferviente, no quiso nunca figurar en la vida activa de los partidos.» Resident
fins a la seva mort a Madrid, les seves possibilitats, en el sentit que parlem, tampoc
no haurien estat massa clares. Segons el mateix «Almanaque», quan Oliver tornà de
Puerto Rico a la Península, «los portorriqueños [...] quisieron elegirle para las Cortes
Constituyentes. Pidiéronle un programa, y a pesar de sus ideas conservadoras, consignó en
él la autonomía de las Antillas. Por pocos votos perdió la elección...». I això són tots els
caps que he volgut lligar.

* «Nous Horitzons», núm. 47-48 (Barcelona, octubre-novembre de 1978)

regnat de Ferran el Catòlic, hi hagué entre nosaltres tantes excitacions anticastellanes com es vulgui, però poques, ben poques d'antiespanyoles... I no m'oblido dels episodis del 1640 ni de la Guerra de Successió. Sigui com sigui, la instància unitària del nom ens va fallar, i encara en patim les conseqüències.

Tots havíem començat sent, com deia Ramon Muntaner, «vers catalans», i la noció, ètnico-lingüística per a l'època —principis del segle XIV—, avui tindria un abast «nacional». Però, amb el temps, ens dividírem en «catalans», «valencians», «mallorquins», perquè la diversitat dels «estats» medievals, en consolidar-se, hagué d'originar uns particularismes de nomenclatura bastant lògics, els quals, després i per unes altres raons, van accentuar-se. Que jo sàpiga, no disposem de cap estudi detallat que ens expliqui com es va produir la divergència creixent ni fins a quin punt s'hi mantenia el sentit —o sentiment— de la unitat. Caldrà que algú l'emprengui, algun dia. En tot cas, mai no vam perdre el sentit —o sentiment— d'unitat, a pesar de no saber com convenia denominar-la. El 1531 un valencià parlà de «pàtria llimosina»: era una opció, en efecte. Quan, amb la Renaixença, els vincles de relació culturals van fer-se més consistents, el «llemosinisme» aconseguí un èxit curiós, sobretot al País Valencià.

La fórmula «pàtria llemosina», aberrant des de tots els cantons que es miri, oferia tanmateix l'alternativa fàcil a qualsevol altra que comportés una determinada especificació «regional»: naturalment, «catalana». Un altre valencià el 1875, no sent cap escrúpol d'escriure «països catalans» per referir-se a la nostra comunitat nacional, però l'expressió resultava prematura al sud de l'Ebre (i a tot arreu, ai!). La suspicàcia de dir-se o sentir-se dir «catalans». Encara ara constitueix, això, l'esca de tensions polítiques totalment puerils i alhora virulentes. O no tan puerils. Les classes dominants al País Valencià i a les Illes, que, per motivacions diguem-ne «estructurals», han segregat unes «ideologies» sovint antagòniques a la de la burgesia del Principat, han atiat i atien un «patriotisme local» que pràcticament troba la seva justificació única en la presumpta amenaça de l'«imperialisme català».

L'anàlisi del fenomen a què em refereixo, centrada cronològicament, i incidida en la contraposició d'«ideologies» —i dels interessos de classe subjacents—, podria projectar molta llum sobre el tema. I un fet important a destacar són les temptatives desesperades que han sorgit, precisament al País Valencià —la zona més «hipersensible»—, per afirmar la unitat catalana sense anomenar-la «catalana»: per exemple, *Bacàvia* (*ba* de Balears, *ca* de Catalunya, *va* de València), *Països Catalànics* (com *hispànics*)... Jo no sé si «Països Catalans» resultarà viable, a la llarga. De moment, prospera. Al mateix temps suscita, és clar, irritacions i prevencions, sempre previsibles per la seva procedència «ideològica». Ara: d'una manera o d'una altra hem de designar «això». I això, en efecte, no és cap fantasmagoria, no és cap invenció d'intel·lectuals obsedits, no és cap estratagema de banquers —quins?— voraços. Es tracta d'una realitat social «identificable» heterogènia, confusa, discutible en les seves implicacions estrictament polítiques; però evident. I que demana «solucions».

*   *   *

D'uns anys ençà, el concepte de «Països Catalans» i —de retop— les seves implicacions polítiques, han estat objecte de polèmiques i de reticències sense precedents. En la història de les nostres reivindicacions nacionals, l'aspiració unitària només havia obtingut, fins ara, un lloc secundari més aviat teòric: figurava, sens dubte, en un racó o altre de les declaracions de «principis» —Prat de la Riba, Alomar, Rovira i Virgili— o fins i tot venia explícitament acceptada com a «tradició» en alguns papers doctrinals solemnes —Torras i Bages, posem per cas típic—; però res més. Mai no passà als «programes», almenys amb una mica de sinceritat ni de confiança. El *décalage* entre els moviments «nacionalistes» en cada una de les regions, intens, prou que ho feia inevitable, d'entrada. I, de més a més, ho imposava l'estratègia immediata dels partits, que havia d'ajustar-se a les coordenades concretes de cada àmbit regional. La situació ja no és la mateixa, i el reflex «ideològic» tampoc no pot ser-ho.

El «catalanisme» per antonomàsia, el del Principat, un cop la burgesia industrial va assumir-lo, es veia constret a les «quatre províncies», i encara no en cobria tota l'àrea. Al País Valencià i a les Illes, mentrestant, no hi havia una burgesia equivalent, perquè les respectives estructures de la societat eren distintes, i mal podia haver-s'hi produït l'aglutinació de classe oportuna. Rèplica al «catalanisme burgès» del Principat, i determinat per aquest, van ser els altres «catalanismes», ja que s'hi havien d'enfrontar d'una manera directa. La dialèctica dels fets em sembla clara. L'expectativa d'uns «Països Catalans», aleshores, resultava una simple invocació retòrica, ben intencionada però merament formulària. I ni tan sols en deien «Països Catalans», per cert. De la banda del País Valencià i de les Illes —deliberadament esquivo ací la peripècia, més complexa, del Rosselló o Catalunya Nord—, la resposta «nacionalista» era tan feble, que tampoc no se'n podia esperar sinó afirmacions radicals minoritàries.

Els nous factors en joc, generats sota el franquisme, han alterat notablement el vell esquema. D'una banda, la «resistència» culturalista, al País Valencià i a les Illes, en la seva càndida clandestinitat, hagué de ser més «catalanesca» que mai no ho havien estat els predecessors lletraferits. D'una altra, l'ambient provincià perpetuat per la Dictadura —perpetuat i agreujat— acabà provocant, paradoxalment, una represa de vocacions i de voluntats que adoptaven un signe «nacional» resolut, ja sense contaminacions dels vells prejudicis «catalanòfobs». Eren, tot plegat, iniciatives esporàdiques, aïllades, i d'escassa projecció popular: «intel·lectualoides», si es vol. Però també, simultàniament, el País Valencià i les Illes es «modernitzaven», i les arcaiques oligarquies rurals o mercantils experimentaven la competència dels neoburgesos de l'estraperlo i de la industrialització i l'impacte del turisme. Les «classes populars» n'havien d'acusar el canvi. I, encara, hi havia l'evidència de l'«enemic comú»: el franquisme.

En la mòdica, sorda i despistada lluita contra el règim, al País Valencià —i ara em limito a allò que he conegut de prop—, apareixia amb una innocent evidència el fet que «totes les llibertats són solidàries», i entre elles la «nacional». Poc o molt, el «problema nacional» dels valencians impregnà totes les tendències d'inspiració democràtica. I no és gens desdenyable que, avui, siguin acusats de «catalanistes» per l'ultradreta impertèrrita els homes i els partits que senzillament s'alineaven en l'esforç per treure el poble valencià d'una multisecular inòpia col·lectiva. Quan escric aquestes ratlles, veig als diaris la ressenya d'un discurs de Blas Piñar, l'1 d'octubre de 1978, a València: resumeixen el toc d'alarma feixista i espanyolista davant un panorama que insinua l'efervescència de les masses respecte a la seva postergació com a «poble» individuat. Per desgràcia, encara hi ha molt de camí a fer. La cosa indiscutible és que, a hores d'ara, no són pocs els valencians que han pres consciència de ser-ho, i que es demanen per la seva «identitat»... Països Catalans ?

*   *   *

Des de l'angle valencià, l'embolic és terrible. L'any 62 ja vaig publicar un llibre, *Nosaltres els valencians*, que pretenia denunciar-lo: s'hi apinyen, amb els clàssics i permanents antagonismes de classe, d'altres antagonismes d'idioma, de cultura, d'opció nacional. Les indecisions, les perplexitats —som un «país perplex», com diu exactament Josep-Vicent Marquès—, es palpen al carrer cada dia. Fa poc, des de les planes d'un diari municipal, algú ens convocava a ser «*valencianos y sólo valencianos*».

Per descomptat, el «*sólo valencianos*» anava dirigit als «catalanistes», als oprobiosos, nefands i merdosos «catalanistes». Però ara, al País Valencià, qui és només «valencià»? No ens enganyem: no hi ha cap valencià que sigui exclusivament valencià. Ser valencià és ser alguna cosa més que valencià; és ser dels «*Para ofrendar nuevas glorias a España*», o és ser «catalanista». Es tracta d'una tria «nacional». Naturalment, el senyor que ens comminava a ser «*sólo valencianos*», comença per no ser «sólo valenciano». Ell és un «espanyolista» en el mal sentit de la paraula. ¿Serà tan liberal que, als altres, ens faci el favor de continuar sent valencians, tan valencians com ell o com qualsevol altre, i al mateix temps «catalanistes» en el mal sentit —també— de la paraula? L'anècdota és ridícula, però il·lustrativa.

El fet és que ser «*sólo valencianos*» fora del folklore alienant i diàfanament ultra, no ho és ningú. Tant els valencians com els mallorquins, per unes rèmores ancestrals que no seria difícil explicar, hem de decidir-nos «nacionalment» per l'un cantó o per l'altre, i de l'opció, quan sigui possible de ser raonable i sospesada, sorgirà, un dia, un «País Valencià» decantat per ser ell mateix o per continuar sent la genuflexió provinciana i fiscalment colonial. I més que fiscalment. No tot consisteix a pagar la contribució. De moment, al País Valencià, proliferen els «catalanistes»: vull dir, augmenta el nombre dels valencians que nacionalment es desalienen. I, sense pecar d'optimisme, així serà. Així serà si les forces populars aconsegueixen alliberar-se de la llosa funeral que l'oligarquia financera «valenciana» ens promet. Quan don Santiago Carrillo es va permetre la frivolitat de dir que això dels «Països Catalans» era una trampa bancària de Barcelona, no solament demostrà que no havia entès el problema —mai no l'entendrà—, sinó que ja havia abdicat de la consigna de «l'anàlisi concreta de la realitat concreta». Demano perdó si això sona a massa «leninista». Personalment, crec que el «problema nacional» dels valencians, en la seva complexitat, és un problema de classe: de lluita de classes.

Deixo en l'aire, ja ho sé, moltes coses. La postulació dels «Països Catalans», en definitiva, molesta a Barcelona i a València: a les dues hipotètiques «pre-autonomies» fascinades pel Poder Central. Però els «Països Catalans» —i és una manera de dir-ho, tan convencional com es vulgui— es veuran forçats, a la curta o a la llarga, a «identificar-se». No té cap importància que l'honorable Tarradellas n'estigui en contra, o que n'estigui en contra el per què no «honorable»? president Albiñana. Les «polítiques» a curt termini són decisives; però, ben mirat, només resultaran eficaces si arriben a ser imaginades de cara a una «emancipació nacional». Si no és així, tot es diluirà en pura descentralització. Jo sempre he cregut que la descentralització pot ser pitjor que el centralisme.

Hi afegiré una altra remarca. Ningú, ni el més «separatista», no postula uns «Països Catalans» políticament articulats «ara mateix». Potser en un míting, l'emoció rapsòdica indueixi a certes exclamacions. No, no, tampoc no és això. Ara com ara, els «Països Catalans», entesos políticament —i no hi ha mil maneres d'entendre'ls en un terreny peparatori a la «política»?—, són una pura il·lusió de l'esperit. La imminent Constitució que totcristo votarà «sí», prohibirà la federació de «*comunidades autonómicas*». Catalunya serà una «*comunidad autonómica*» de seguida. Però i les Illes, i el País Valencià? I què ve a ser una «autonomia», segons els càlculs del *consenso*?... Tant se val. Si els «Països Catalans» no troben una encarnació política urgent, no per això deixaran de ser el que són. I no per això deixaran de ser el que haurien de ser. Quan un dia arribin a sentir-se igualment «catalans» un veí qualsevol de Xàtiva i de Palafrugell, d'Elx i de Manacor, de Perpinyà i de València, de Lleida i d'Alacant, de Barcelona i de Beniopa, i etcètera, tal vegada hi haurà una batalla guanyada. Unes quantes «condicions objectives» perquè així sigui, hi són.

II
QUÈ SOM ELS VALENCIANS

1. Com sorgí «Nosaltres els valencians»

«On n'écrit pas les livres qu'on veut». Si més no, a mi em passa una mica això: no escric els llibres que voldria escriure, i n'he escrit algun —més d'un— sense gens de ganes ni massa convicció. Certament, aquestes dissipacions intel·lectuals solen ésser un risc intrínsec en qualsevol «home de lletres», i no tinc dret a queixar-me'n. En la mesura en què m'he fet un ofici de la ploma, he hagut de resignar-m'hi. D'altra banda, estic segur que la meva petita posteritat literària no hi perdrà res. Però, amb el llibre que ara començo, el problema se'm planteja, ben mirat, en uns termes molt diferents. D'un cantó, és un llibre que m'agradarà d'escriure i que escric —ja— perquè vull. De l'altre, és, també, la mena de llibre que hauria preferit de veure escrit per altri: per algú, no sé qui, que hi posés en joc més competència i més intenció que jo no hi podré posar. Sobretot, en aplicar-me a la tasca, aquest últim escrúpol se m'apareix com una reprovació preventiva. I no ho dic pas per dir-ho: no acostumo a practicar indegudament la modèstia.

El llibre, en efecte, exigia un altre autor. Tal com caldria que fos, hauria d'haver-lo confeccionat un historiador, o un sociòleg, o, millor encara, un oportuníssim centaure d'historiador i de sociòleg. Això va implícit en la seva mateixa índole, en el seu propòsit, en la seva ambició: índole, propòsit i ambició que no m'invento jo sobre la marxa, pel gust de la hipèrbole, sinó que vénen definits en funció d'una necessitat tan objectiva com urgent. Necessitat: penso que la paraula no és exagerada. Hi ha una pregunta que tots ens hem fet en alguna ocasió, moguts per un motiu o altre: què són —què som— els valencians? Ens l'hem feta els valencians, i se la fan, també, els altres catalans. L'abast i el sentit del «què» inicial són obvis: miren d'aclarir, exactament, la nostra entitat de poble. I valia la pena d'assajar-ne la resposta. L'historiador i el sociòleg hi eren convocats: ells, amb les tècniques respectives, podrien aportar-hi descripció, notícia i dictamen, des dels angles més immediats i més vius.

Pocs valencians hi deu haver —valencians amb un mínim de consciència d'ésser-ho— que no s'ho hagin plantejat alguna vegada: què som, i per què som com som. Una crispació econòmica, una polèmica de cultura, una enyorança, un projecte polític, un reajustament social, molts fets i moltes inquietuds de la nostra vida diària, importants o anecdòtics, convergeixen a suggerir-nos aquell interrogant. Cada circumstància «crítica», per mediocre que sigui, ens aboca i ens acula indefectiblement a un sol i mateix punt: a fer-nos qüestió de la nostra existència com a poble. Ningú no tindria cor d'autoenganyar-se. Si hi ha res que tothom veu a la clara, és això: que «fallem» en tant que poble normal. Ni el més optimista dels indígenes no sabria fer-se il·lusions sobre el particular. Ens sospitem una deficiència obscura en la nostra constitució col·lectiva, en la nostra complexió de societat. No es tracta, ara, de mesurar la «normalitat» d'un poble pel grau de concreció institucional a part, jurídica i administrativa, en què viu: es tracta de dèficits més profunds.

No caldrà que jo faci ressenya, ací, de les manifestacions habituals d'aquest desballestament. Són un trist teixit d'abandons, de desídies, de timideses, de mimetismes estèrils; una barreja de localisme inútil i de conformitat provinciana, una progressiva depauperació social. Indiferents o mistificats, els valencians —els valencians en bloc— vivim presos en una espècie de passivitat confusa, que no encertem a superar: passivitat concertada sobre la nostra condició de valencians, més que res. Tota comunitat mitjanament sana manté, per damunt o per sota dels seus antagonismes interns, uns nexes de solidaritat bàsics, gràcies als quals continua afirmant-se en ella mateixa i és ella mateixa: són aquests nexes els que, entre nosaltres, van relaxant-se de mica en mica, es debiliten, s'esvaeixen. Encara el gentilici «valencians» vol dir alguna cosa, naturalment, i més que no sembla a primera vista: però la seva força vinculatòria i estimulant queda rebaixada, restringi-da, quasi ineficaç.

Tot això, considerat en abstracte, podria induir a conclusions desola-dores: podria interpretar-se com un senyal precursor, si no com una dada irrefragable, de la nostra total i definitiva despersonalització. Davant un observador foraster, fins i tot als ulls desatents d'algun d'autòcton, faríem l'efecte d'un poble a punt d'extingir-se, dimitit. La veritat és que la contrapartida d'aquell desistiment diguem-ne moral resulta prou menys tètrica.

El nostre gentilici encara vol dir alguna cosa: els valencians no hem deixat d'ésser una gent enèrgicament diferenciada, i l'atonia no és pas una de les nostres característiques col·lectives. L'aparença d'estar passant per una etapa d'assimilació a certes vagues superestructures estranyes es veu desmentida per les realitats més sòlides i vistents: els condicionaments materials estrictes del país i la sedimentació històrica que ens afaiçona en són la millor prova. I la mateixa —tan relativa com vulgueu— vitalitat econòmica que hem demostrat al llarg dels últims cent anys, sense comptar-hi de moment d'altres vitalitats no tan reditícies però igualment exuberants, ja revelen que no som ben bé un poble apàtic ni escarransit.

El contrast entre les dues facetes que acabo de subratllar és massa voluminós perquè no ens sorprengui a nosaltres mateixos, en el més ràpid instant de reflexió. Ens sorprèn, i ens torba —bon símptoma, al cap i a la fi—: ens torba de comprovar la distància o el desfasament que hi ha entre «allò que som» i «allò que hauríem d'ésser». L'«allò que som» hi queda reduït, segons una visió tota superficial, a l'aspecte positiu: una comunitat demarcada, potent pel treball i per l'enginy dels seus homes, i amb vida pròpia i tradició privativa. L'«allò que hauríem d'ésser» se'ns perfila més aviat d'una manera indecisa, però sempre assumint, per refusar-los, els oprobis de la situació visible: la societat valenciana «hauria d'ésser» qualsevol cosa que no fos la societat desarmada i subalterna que avui és. La comparació, doncs, té la seva vigència. No importa que, de vegades, la desvirtuï algun apassionament transitori. En el seu esquema, simplista i fàcil a les excitacions de l'amor propi local, s'inscriu la imatge completa d'una incomoditat —passeu-me el mot— o d'una insatisfacció col·lectives, que els valencians han de confessar-se ben sovint.

En general, aquestes reaccions prenen la forma trivial i primària de l'anticentralisme, i en això s'esgoten. Són rèplica improvisada a alguna inèpcia burocràtica o al desdeny agressiu d'algun visitant carpetovetònic. La seva ingenuïtat és evident. Té, en canvi, una correlació més vidriosa, que anomenaríem —per entendre'ns— moral o espiritual, i que ens porta a un altre ordre de constatacions. El valencià, quan pensa en la seva entitat de poble, es troba «incert»: pressent que no és carn ni peix. No és un atzar, per exemple, que no hagi pogut produir-se un «nacionalisme valencià» seriós, ni que els episòdics intents realitzats en aquesta direcció hagin estat flàccids i pintorescos. No obstant això, tampoc la perspectiva integradora en què venim inserits des de fa —almenys— dos segles i mig, no ha arribat a subsumir-nos del tot en una nova categoria global. D'aquí el «marginalisme» permanent dels valencians, en el pla de la consciència col·lectiva. Ni el més desarrelat ni el més insensible dels homes de la meva terra no acaba d'eludir aquesta sensació d'ambigüitat. I és una ambigüitat paralitzadora, enervant. No crec que sigui irremeiable, naturalment —si ho cregués no escriuria aquest llibre: fóra perdre el temps—; però cal reconèixer que constituirà una rèmora greu per al futur del país, en una etapa pròxima.

L'anàlisi d'aquest fenomen ens portaria lluny, massa lluny. La recensió i l'examen de més detalls i de més condicions de la mentalitat del valencià actual podrien ocupar-nos encara pàgines i pàgines. Ho deixarem córrer, però. El desconcert «nacional» dels valencians no és cap secret per a ningú. I seria pueril de voler-lo explicar amb la mitja dotzena de tòpics que són de rigor en tals casos. Sobretot, seria ridícul de transferir totes les responsabilitats —posat que «responsabilitats» sigui la fórmula justa— a l'«altre». Res més senzill ni més confortable, per a un poble com per a un individu, que considerar-se «víctima» i atribuir l'origen de les seves desgràcies o dels seus errors a una dolorosa interferència aliena. A casa d'algun il·lustre patriota *enragé*, i fins i tot en algun museu públic del País Valencià, hi ha severs retrats a l'oli de Felip V penjats cap per avall: la ira vernacla es projecta romànticament sobre el primer Borbó espanyol, i la inversió dels quadres és una venjança simbòlica ben significativa. La innocència i la falta de sentit històric que aquestes actituds suposen, resulten més còmiques que simpàtiques —i com a simpàtiques, ja ho són! Però la veritable qüestió és tota una altra.

No seré pas jo qui negui la transcendència dels factors «externs» que hagin penetrat de manera poderosa en la vida d'un poble. Les violències infligides des de fora —invasions militars o pacífiques, anul·lament dràstic de l'autogovern, coaccions pedagògiques, fissures territorials imposades, adulteració cultural, etc.— tenen sempre efectes decisius sobre la salut d'una comunitat. Tanmateix, no hem de perdre de vista que l'impacte nociu produït per aquelles pressions exògenes serà major o menor, segons la resistència espontània que el cos social afectat els oposi. És un problema de defenses orgàniques, si puc dir-ho així. Molts pobles han passat per avatars, també de procedència exterior, semblants als nostres, i han sabut o pogut «digerir-los» sense cap alteració essencial en llur personalitat. Si els valencians, al contrari, hem estat i som més tous, més dòcilment mal·leables davant l'acció d'aquest tipus d'esdeveniments, per alguna raó deu ésser: per alguna o algunes raons particulars. La nostra feblesa no depèn tant dels atacs i de les maquinacions d'un enemic hipotètic o real, com d'una predisposició pròpia, anterior, que no ens permet de contrarestar-los amb eficiència, i posterior, que ens impedeix de superar-ne els resultats desastrosos.

«*La gente desta tierra es blanda de suyo*», afirmava en 1582 un Ximénez de Reinoso, inquisidor de València, i en 1626, quan convocà les Corts de Montsó, atrevint-se a vulnerar uns principis clàssics de la legislació foral valenciana, el comte-duc d'Olivares confessà que ho feia perquè «*tenemos a los valencianos por más muelles*» que els súbdits del Principat i del regne d'Aragó. Les observacions concordes dels dos forasters eren dictades més per l'exactitud que no pel menyspreu. Un obscur dietarista de l'època, el vicari Joan Porcar, repeteix la idea i ens revela que l'opinió dels mateixos natius no era distinta: «... les mercès que el senyor rei havia fet en les Corts als molls i folls de valencians», escriu, com si es fes eco de les paraules del *valido* de Felip IV. «*Blandos*», «*muelles*», «molls» —«molls i folls», deia amargament l'indígena—: si hem d'ésser sincers, cal que acceptem aquests adjectius com un diagnòstic puntual i acusatori. La nostra «blanesa», la nostra trista, perillosa i pertinaç «blanesa» data de ben antic, doncs. No segueix, sinó que precedeix els pitjors atemptats contra la neta autoctonia dels valencians. No podia ésser d'una altra manera.

Som un poble anòmal, els valencians. Però les anomalies d'un poble mai no son fortuïtes; mai, tampoc, no vénen solament provocades per la crisi d'una generació ni per l'aleatòria deslleialtat d'unes oligarquies. Tenen llur origen en zones més internes i en mòbils més incisius de l'ésser col·lectiu, en els quals, altrament, atzars, generacions i oligarques també tenen llur part. Intento de dir, només, que la cosa no és simple, i que cal una investigació molt afinada de la societat, en l'espai i en el temps, per a poder treure'n l'aigua clara. La perquisició ha d'incidir sobre la realitat viva, i ha de remuntar-se a la seva genealogia. Per això he invocat, abans, les professions del sociòleg i de l'historiador. L'instrumental metodològic de què l'un i l'altre disposen seria l'únic apte i, per tant, indispensable, per a arribar, amb la solvència justa, en aquella «introspecció necessària». La nostra conformació demogràfica i econòmica actual, tant com les proclivitats de conducta i d'ideologia, són resultat d'unes determinants anteriors, successivament preparades per fets físics i morals que no sempre sabem tenir presents. Aclarir-ne l'entrellat, i evidenciar-ho en la seva influència per a l'esdevenidor, serà una tasca útil i terapèutica.

Jo no sóc ni sociòleg ni historiador, i heus ací que aquest llibre no serà el que hauria d'ésser. Però, hi ha ara, avui, un sociòleg o un historiador valencians que puguin encarregar-se de la feina? Sincerament: no els veig enlloc. Parlo sense petulància, amb una punta de melangia i tot. El nostre món intel·lectual és petit, i tothom sap qui és tothom: no hi ha més cera que la que crema. Tenim doctes erudits, és clar, i potser persones iniciades en l'estudi dels mecanismes socials. Ni als uns ni a les altres, no els nego la consideració científica que, sens dubte, s'han ben guanyat, Tanmateix, ja és simptomàtic que, fins en aquest moment, cap d'ells no hagi manifestat encara cap preocupació seriosa en el sentit que postulo. En la bibliografia valenciana recent —i també en la que no ho és tant—, abunden les monografies asèptiques, d'una neutralitat impàvida, i dignes: no hi trobem, en canvi, el conat de visió de conjunt, molt més que expositiva, amb la qual es despullés la contextura «problemàtica» del país i de la seva gent. Si res s'hi ha intentat, no pot ésser posat en el compte dels historiadors ni dels presumptes sociòlegs: ho han fet literats i polítics, amb el risc inherent d'unes conclusions frívoles o sectàries. Es veu que els tècnics indicats, o no s'hi atreveixen, o bé han patit d'una deplorable i indecorosa miopia «nacional».

En la inhibició dels altres pren estímul el meu propòsit. És un primer motiu: escric aquest llibre perquè ningú no l'ha escrit encara, i perquè ningú no sembla disposat a escriure'l. Una altra cosa puc al·legar, en segon lloc, a favor meu: el fet de compartir un apriorisme militant, sense el qual tota indagació seria un entreteniment sòrdid i gratuït. M'apresso a proclamar-ho apriorisme, o partit pres, o com li vulgueu dir. Entenguem-nos, però: no pas de cara al passat ni de cara a la circumstància immediata, sinó respecte a les possibilitats obertes al dia de demà. Dins les meves —i tan òbvies!— limitacions hauré de valer-me de la història i hauré d'acudir a les dades que el sociòleg es reserva: ho faré amb la més rigorosa objectivitat. De tota manera, estic convençut que una obra com aquesta no pot ésser concebuda sinó des d'una decisió de futur. I això que anomeno «decisió de futur» és un punt que fa temps que tinc ben clar. Si començo per denunciar la nostra malaltia o les nostres malalties col·lectives, és que sé que sense això mai no tindrem la possibilitat de sobreposar-nos-hi. Els valencians hem de defensarnos com a poble: tal és, reduït a afirmació incitant, l'apriorisme a què em referia.

I no caldrà fer-hi trampa. També n'estic persuadit. La veritat —els fets constatables i explícits—, un cop delatada, esdevé consciència, i una consciència desperta sempre revertirà en acció o, si més no, en remordiment. Per dir-ho abusant de la terminologia d'un il·lustre barbut: «explicar» serà una invitació a «transformar». És «transformar» el que ens interessa. Hem de decidir «què hem de conrear i què hem d'esbandir» per tal de refer-nos. I per a prendre-hi una resolució —l'única resolució salvadora—, hem de tenir a la vista els elements precisos del problema. Breument: conèixer-nos. «Conèixer-nos»: aquesta era la consigna que Jaume Vicens i Vives inscrivia al front de la seva *Notícia de Catalunya*. Les pàgines liminars del llibre de Vicens serien la millor introducció al nostre treball. Que si ja el titulo *Nosaltres els valencians*, calcant l'expressió primitiva amb què l'historiador gironí volia batejar la seva *Notícia*, és ben deliberadament. Hi busco un paral·lel, i perdoneu-me l'audàcia. Un paral·lel: no pas en el pla ni en el criteri, però fonamentalment en la intenció última.

Vicens ens ho reclamava, a valencians i a mallorquins —«catalans que l'expansió dels avantpassats féu créixer i perpetuar més enllà del territori estricte del vell Principat»—: ens reclamava una contribució complementària al seu tempteig. D'un costat, hauria volgut que diguéssim la nostra paraula sobre allò que a ell el preocupava aleshores: els catalans del Principat i llur «tarannà històric». D'altra banda, ens proposava de fer, damunt la nostra realitat privativa, una operació semblant a la seva. I encara ens demanava que declaréssim «com ens trobem ancorats en el port de la nostra mentalitat comuna». Només un altre Vicens i Vives —valencià, mallorquí— hauria pogut correspondre a la triple petició. En certa mesura, ell mateix ja hi responia quant a més d'un aspecte important. Serveixi d'advertiment, doncs: parlant del Principat, Vicens ha deixat dites, en la seva *Notícia*, moltes coses que tenen una vigència perfecta i incontrovertible respecte a tots els Països Catalans. El que hi exposa sobre el pactisme o sobre la inclinació delegacionista, per exemple, i una pila més de notes incidentals, és vàlid també per a valencians i mallorquins. El meu lector farà bé de llegir —si encara no l'ha llegida— *Notícia de Catalunya*, per arrodonir i assaonar les observacions que li oferiré.

I les hi oferiré, no pas amb l'àrdua envergadura que Vicens hauria volgut i que jo no puc donar, sinó senzillament com el fruit d'unes llargues i nervioses meditacions personals. No tinc altra autoritat que aquesta: la d'haver-me apassionat fins a l'obsessió per la vida i el destí del meu poble. Potser és l'única passió noble que reconec en mi. Em cenyiré a resseguir les línies generals del «cas valencià», en la seva faceta més privativa. Tot allò que hi hauria d'ésser marc previ —aquella «mentalitat comuna» unidora, amb la llengua, dels Països Catalans—, en quedarà descartat: podria ésser objecte d'un altre llibre, més ampli, distint. Tampoc no hi recolliré la primera suggestió de Vicens: descriure el «cas del Principat» des de l'angle valencià. El meu tema serà solament el que anuncia el títol: «nosaltres, els valencians», en la nostra restringida configuració, a part i definits. Sé per endavant que molts paisans meus hi reaccionaran, si em llegeixen, i confio que sí, amb una discrepància més o menys irreductible. Si amb això he aconseguit de dur-los, a ells també, a plantejar-se les qüestions que jo m'he plantejat, em donaré per satisfet. Sempre serà un bon començ.

2. Anatomia d'un llinatge

Acta de naixement

Pràcticament, entre el 1233 i el 1244 va acomplir-se la gran empresa militar i diplomàtica de la Conquista. València, la capital, es rendia a Jaume I en 1238, i per a la posteritat local, la data del 9 d'octubre —dia en què, segons creu la gent, el rei entrava a la ciutat amb una discreta pompa de vencedor— tindrà un particular valor simbòlic. Una coneguda tradició commemorativa, mig oficial mig folklòrica, marca al llarg dels segles l'abast especial de l'efemèride. Sense excepció, les successives generacions valencianes hi han vist el principi de llur estirp. De valencians, indiscutiblement, bé que n'hi havia abans de la vinguda de Jaume I: n'hi ha hagut sempre, sobre aquest tros de geografia on ara vivim —almenys d'ençà que apareix el topònim València. Però nosaltres, els d'avui, som uns valencians que datem del XIII. Potser el nostre dret a dir-nos valencians no serà major ni millor que el dret que, en llur temps, van poder-se arrogar ibers, romans, gots i sarraïns, establerts a la mateixa terra. El fet és, tanmateix, que entre ells i nosaltres hi ha una absoluta, o gairebé absoluta, solució de continuïtat. Som «uns altres», i tenim l'acta de naixement a la vista.

El record encomiàstic de Jaume I va lligat, en bona part, a un esdeveniment polític transcendental: aquell rei va erigir en «regne» les comarques conquistades, un «regne» distint i autònom, diríem «independent», dins el conglomerat d'estats que constituïa la seva Corona. Per al particularisme valencià ulterior, això és una fita solemne: significa la taxativa «creació» del país en els termes —ja que no amb els límits— en què avui subsisteix. No va anexionar-lo a Aragó ni al Principat, i així li conferia una virtual coherència interna, susceptible de les més diverses diferenciacions. Crec, però, que el fervor dels valencians per la figura de Jaume I tenia una altra arrel. D'una manera no sempre clara, i, això no obstant, segura, el nostre poble comprenia que la Conquista era el seu punt de partida d'«ésser valencians». Abans hi havia els moros; després hi hagué els valencians. I els valencians

—neovalencians, si voleu— eren una «nació» altra que els moros. Precisament els moros van seguir essent-hi moros —«els moros de la terra»—, comunitat segregada i ferma: aborigen. Els cristians venien de fora, invasors, i eren ells els qui adquirien, ara, el monopoli del nom i del domini: encetaven la condició de valencians, en el sentit actual de la paraula.

La fundació del País Valencià per Jaume I, en efecte, no era solament jurídica: era també, si m'és tolerat l'adjectiu, que trio amb totes les reserves, racial. Modernament, un cert *amateurisme* etnogràfic i arqueològic ha volgut negar o pal·liar les conseqüències traumàtiques que la Conquista va tenir en la demografia autòctona. Hi ha hagut interès a reduir la importància de la colonització cristiana iniciada al segle XIII, i hom ha mirat de provar que la massa substancial de la nostra població havia perdurat inalterada des de les èpoques més remotes. Segons aquesta teoria, entre els pobladors pre-romans i nosaltres no ha existit cap interrupció violenta, ni en l'ordre del llinatge, ni, per tant, en les determinants profundes de la mentalitat col·lectiva. Cada conquista sobrevinguda —la dels romans, la dels àrabs, la dels catalans i els aragonesos, per citar les tres més qualificades— no hauria influït sobre aquell grup humà permanent sinó amb una intensitat ben morigerada. La idea que la mateixa llengua és resultat d'una evolució cultural autàrquica s'intercala en aquest esquema interpretatiu. Però en tot això hi ha una bona dosi de fantasia. La creença popular, que s'aferrava al lleu mite del 9 d'octubre, tenia més justificació.

Si sembla probable que els colons romans instal·lats al País Valencià foren pocs en nombre, també és evident que la romanització —en idioma, en costums, en religió— va tenir una amplitud considerable. El dialecte dels mossàrabs, romànic, encara en donarà testimoniatge, segles després, dins la societat musulmana. L'impacte islàmic seria, a la llarga, prou més incisiu que el romà. Les incorporacions ètniques de procedència africana, intermitents però sovintejades, ja van pesar-hi amb una força decisiva. De més a més, la població indígena es va arabitzar totalment. L'esplendor dels petits estats musulmans en què van quedar repartides les terres valencianes era, sens dubte, obra i benefici d'una casta dominant, estrictament sarraïna. De tota manera, el poble sotmès no en restà al marge, i l'assimilació fou completa i, en la major part dels casos, irreversible. Només unes minories s'hi van resistir i no adoptaren les formes de vida —idioma, costums, religió— dels musulmans: eren els mossàrabs. La tònica venia donada pels altres: per l'adhesió definitiva a l'Islam i a tot el que l'Islam portava i comportava en la seva expansió sobre la Península Ibèrica.

Cal mesurar pulcrament aquest fet, perquè serà una premissa essencial del desenvolupament històric del País Valencià. En arabitzar-se fins al màxim possible, els valencians pre-islàmics es converteixen en «moros» i són «moros» per sempre més. Els nuclis mossàrabs, que podien representar una supervivència «nacional» anterior, van desaparèixer de mica en mica. Molts d'ells van seguir els castellans quan, en 1102, mort el Cid, abandonaren València; d'altres s'agregaren en 1125 a les forces d'Alfons el Bataller que atacaven València i Dénia, i es retiraren amb elles a territori cristià; bastants dels que van restar-hi foren exiliats al Marroc pels almoràvits. Jaume I ja no degué trobar al País Valencià massa mossàrabs. La població vençuda era unànimement musulmana. De raça dubtosa, compartia la fe, la parla i els hàbits generals d'al-Andalus. I enfront de l'atracció assimilista de la nova casta dominadora —els cristians—, els nostres «moros» van oposar una repugnància i una fortalesa recalcitrants. L'arabització, insisteixo, havia estat irreversible. Les conversions dels moros, després de la Conquista, foren escasses o precàries. Els valencians islamitzats van formar un bloc compacte, suspicaç, refractari a tota integració en la societat cristiana. I el «problema morisc», que tanta virulència aconseguiria en el XVI, n'era una aspra seqüela.

No —com romànticament hom ha volgut creure— per una mena de liberalisme generós, sinó per pura necessitat material, Jaume I va procurar que els moros no deixessin el país. El rei no estava en condicions d'intentar una colonització de repoblament. Els conquistadors —catalans, aragonesos— no comptaven aleshores amb un potencial demogràfic suficient per a realitzar-la. Pensem que en 1270 encara no hi havia en tot el nou regne més de trenta mil cristians. Una expulsió en massa dels moros hauria estat difícil de compensar, i les derivacions econòmiques que s'hi preveurien, calamitoses. Jaume I, en avançar sobre el País Valencià, evità tant com va poder l'extorsió i la batalla. Li convenia de guanyar súbdits —guanyar-se'ls. I va preferir les victòries diplomàtiques a les militars: així estenia els seus dominis sense eliminar-ne els habitants. Amb capitulacions més o menys oneroses, els moros obtenien dels cristians una àrea de respecte i de llibertat, i no desemparaven la terra. Per molt de temps la població musulmana fou numèricament superior a la cristiana dins el Regne de València. Els trenta mil cristians de 1270 hi devien conviure amb uns cent mil musulmans, aproximadament. En 1383 fra Francesc Eiximenis podia afirmar que la capital era «quasi morisca». A la darreria del xv, la xifra de moros no devia baixar de cent seixanta mil.

Les primeres tongades de repobladors cristians van assentar-se, sobretot, a les ciutats i en algunes comarques —com les més septentrionals— que havien estat desertades pels sarraïns. A la resta del país continuava predominant l'element musulmà. Santiago Sobrequés ha pogut escriure, i no sense raó, que, fins al final del Quatre-cents, els cristians no representaven, en l'àmbit valencià, més que una superestructura urbana dirigent. Però aquesta «superestructura» és la que determinarà, en eixamplar-se, el tremp nacional dels valencians. Els moros van mantenir-se'n a un costat. Hi quedaven desplaçats, en principi, per llur situació de classe servil: també, en última instància, per llur retracció irreductible. Van preservar-se la llengua —l'algaravia—, el credo, les lleis, els vestits, contra qualsevol mira absorcionista dels cristians. Quan, en 1609, eren desterrats per ordre de Felip III els altres valencians —els valencians per antonomàsia— no van sentir llur absència com una amputació del propi cos social. «*Hago gracias a Dios que en Valencia ya no se siente hablar en lengua arábiga*»: tal és el comentari que algú hi feia. O només ho lamentaren pel dramàtic daltabaix econòmic que va seguir-se'n. Els moros —els moriscos— eren l'autèntica prolongació del món ètnic i cultural valencià d'abans de la Conquista. Una prolongació que, a partir del xiii, tingué vida aïllada i que fou abolida bruscament.

Els valencians, de fet, eren els altres: els «no-moros». I amb ells s'articula la nostra història, la nostra societat, el poble que som —en la mesura en què ho som.

«Poble ajustadís»

«Aquesta noble ciutat», deia Joanot Martorell en una pàgina de *Tirant* referint-se a València, «vendrà per temps en gran decaïment»: «d'açò serà causa com serà poblada de moltes nacions de gents, que com se seran mesclats, la llavor que eixirà serà tan malvada...» Pronòstic a part, la preocupació del novel·lista reflectia, només amb un mínim d'exageració, l'estat de coses de la capital en el xv: la ciutat, certament, ja era «poblada de moltes nacions de gents». «Poble ajustadís», havia dit Eiximenis un segle abans. I els moros no entraven, de segur, en el còmput de l'un ni de l'altre. La cosa venia de l'endemà mateix de la Conquista. Els repobladors que Jaume I va poder acomodar a la ciutat tenien un origen ben divers: catalans, aragonesos, provençals, jueus, si més no. I no altrament s'esdevenia a les comarques. La preponderància dels uns sobre tots els altres decidia, a la fi, la identitat de cada zona. En primer lloc, però, sobresurt l'índole de barreja nacional que a la superfície presentava aquella «superestructura dirigent». El caràcter mestís de la nostra constitució és una dada a tenir en compte, si volem entendre'ns i entendre el fet històric valencià. Perquè, encara que la pluralitat de base es resolia sempre per la preeminència indubitada d'un dels elements, els residus al·lògens hi havien d'ésser, en el millor dels casos, un germen actiu de relaxació o de deixadesa comunitària.

Catalans i aragonesos foren el llevat primigeni del País Valencià. D'Aragó i del Principat va baixar el gros dels repobladors. En aquesta duplicitat de procedència s'ha trobat la raó del bilingüisme actual dels valencians. La distribució geogràfica de les llengües fa presumir la natura dels colonitzadors de cada comarca. L'Alt Millars, la Vall de Sogorb, els Serrans, la Foia de Bunyol, la Canal de Navarrès, que avui parlen castellà-aragonès, van tenir una aportació aragonesa predominant, si no exclusiva, en el repoblament inicial. Els Ports de Morella, el Maestrat, tota la faixa marítima, i algunes parts més interiors, com el Camp de Llíria, el Pla de Quart, la Costera, la Vall d'Albaida, les Serres d'Alcoi i la Foia de Xixona, van rebre colons del Principat i són idiomàticament catalans. I així començava a dibuixar-se la fisonomia més vistent del país, almenys fins a la primera frontera meridional, fixada pel tractat d'Almirra del 1244 en la línia Bussot-Biar. La dualitat catalano-aragonesa, en estabilitzar-se, havia d'afegir al mestissatge una altra desconveniència: frustrava potencialment la millor unitat possible de la regió. D'altra banda, les comarques aragonitzades s'establien, en general, sota un règim de feudalisme, per contrast amb les catalanes, on l'organització va tenir un fonament més aviat burgès, i aquesta discrepància social hagué de produir més conseqüències inquietants.

Si a Almirra Jaume I consentia al seu gendre Alfons X de Castella la possessió de les comarques del nostre sud actual, Jaume II, en 1305, les incorporava definitivament a la jurisdicció valenciana. Eren la Vall de Novelda, l'Horta d'Alacant, el Camp d'Elx i l'Horta d'Oriola. Aquestes terres, i les del Regne de Múrcia, havien estat poblades de catalans, tot i pertànyer a Castella: de llurs habitants havia dit justament Ramon Muntaner que «són vers catalans e parlen del bell catalanesc del món». Però la presència castellana no podia haver estat innòcua. La zona, doncs, restà també bilingüe. Una breu extensió de la Vall de Novelda i l'Horta d'Oriola cauen dins l'esfera del dialecte de Múrcia: un castellà farcit de catalanismes. L'Horta d'Alacant, el Camp d'Elx i la resta de la Vall de Novelda continuen parlant «del bell catalanesc del món». D'aquesta manera, al costat del factor aragonès, i enfront del català, apareixia ara un factor semicastellà. Castellà del tot —perquè castellans purs foren els seus colonitzadors— era el territori de la Vall d'Aiora, que s'integrava al País Valencià igualment al segle XIV.

Amb tot i això, no hem d'oblidar que els peoners de la repoblació no passaven d'ésser una minoria molt prima. Llurs posicions constituïen una malla fràgil, imperceptible, superposada al fons musulmà del Regne. Els moros continuaven ocupant-hi zones dilatades. N'hi havia una mica pertot, i eren especialment abundants a les comarques del secà —excepte als Ports de Morella i al Maestrat— i en els regadius de Gandia, de Xàtiva i d'Oriola. La consolidació del domini cristià no podia reposar solament en la força de les armes, i els reis hagueren de fomentar la immigració. En realitat, el repoblament del País Valencià a gran escala no comença sinó als darrers anys del regnat de Jaume I i, en certa manera, encara seguia en tràmit en temps de Ferran el Catòlic. Durant aquest llarg període van produir-se denses fugues de moros, que marxaven a Granada o al nord d'Àfrica, i les pestes insistents s'acarnissaven en moros i cristians. Les noves baixes en la població eren, per tant, un altre problema a afrontar. Les excitacions dels monarques, oferint avantatges i privilegis als qui volguessin establir-se al Regne de València, van tenir un bon acolliment. L'afluència de catalans del Principat fou constant, o gairebé constant, als segles XIV i XV. Els regnats de Jaume II i de Pere el Cerimoniós devien haver estat els moments de major aflux de repobladors, i en la segona meitat del Quatre-cents tornà a augmentar la correntia de catalans cap a València. Algun cronista antic subratlla la intervenció d'immigrants del Principat en la revolta de les Germanies, al principi del XVI.

Cal indicar que una gran part dels nous vinguts procedien de nuclis urbans i que trobaren assentament a les ciutats i viles reials. L'època era de dura tensió entre la noblesa i la monarquia, i els reis tendiren a enfortir les municipalitats lliures, en les quals buscaven suport contra la insolència dels senyors feudals. La prosperitat econòmica de la capital i de les contrades de la costa —el regadiu fèrtil— afavoria aquella absorció de gent, i se'n lucrava al seu torn. La ciutat de València havia tingut una majoria de repobladors del Principat, llavors del «repartiment» de Jaume I, cosa que determinà de seguida la llengua i els ressorts psicològics de la comunitat naixent. Un altre tant ocorria amb la resta de ciutats i viles reials. Les immigracions del XIV i del XV consagraren i accentuaren la catalanització de fet. Valencians són alguns dels més importants escriptors en llengua catalana d'aquestes centúries. Al final del XV el Regne de València arribaria ja —comptant-hi els moros— als tres-cents mil habitants, i ha estat calculat que la capital en devia tenir uns setanta mil. Pel que feia a les comarques catalanes —València inclosa—, el mestissatge cristià quedava reduït, en la mesura en què ho podia ésser. I l'hegemonia sobre les comarques aragoneses estava decidida: la decidien la major població, la riquesa superior, la capitalitat política i cultural.

L'assimilació interior

Hegemonia i irradiació. No hem de pensar que, davant una qüestió com la de la llengua, per exemple, els homes de l'edat mitjana reaccionessin com els d'avui, amb un criteri diguem-ne nacionalista. Però és lògic que d'alguna manera intuïssin la utilitat d'una orientació uniformadora. El prestigi polític, material i intel·lectual de la ciutat havia de repercutir, necessàriament, en una mena d'expansionisme unitari. Es tractava, com podem preveure, d'una gestió rudimentària i no gens sistemàtica; no coactiva, de més a més. València era el nexe vertebral del regne, sobretot, i la seva autoritat havia de desplegar-se amb efectes positius. Poso l'exemple de la llengua, perquè als nostres ulls representa l'aglutinant més patent i entranyable d'un poble. Les comarques no catalanes del País Valencià no van mostrar-se rebeques a la suggestió de la capital, i s'esforçaren per ajustar-s'hi. El català, idioma oficial de la zona hegemònica, fou acceptat com a tal, sense cap pressió coneguda, per tots, o almenys pels més importants llocs de parla aragonesa o murciana. La documentació municipal i eclesiàstica, la mateixa dels protocols dels notaris, hi fou redactada en la llengua dels valencians de nissaga catalana. Aquesta tendència, que s'inicia al segle XIV, perdurarà, espontània, fins al XVI, al XVII i —en algunes ciutats com Oriola— fins a la vigília de l'abolició del règim autònom per Felip V.

L'assimilació lingüística anava més enllà de l'òrbita burocràtica, i algun literat oriünd de les contrades aragoneses escriurà en català. I també podríem assenyalar, com formant part del mateix fenomen, la facilitat amb què algunes viles d'aquestes comarques adoptaren la legislació de València, renunciant a furs privatius o estranys que les regien des de la Conquista. Mentre la capital va conservar-se a l'altura del paper rector que li assignaven les determinants polítiques i socials del país, el procés d'unificació interna tingué una notòria viabilitat. Els enclavaments aragonesos i murcians podien haver estat absorbits, ja que llur feblesa demogràfica els hi abocava. No fou així. La zona no catalana del País Valencià, però, no va interferir-se en el predomini català. Més ben dit: només va fer-ho a través de les ambicions feudals dels senyors aragonesos amb possessions en el Regne. Sigui com sigui, el fracàs de l'assimilació «territorial» deixava subsistent una rèmora molesta: per sempre més seríem un país nacionalment heterogeni. Vull dir, en tant que el «país» coincidís amb les ratlles jurisdiccionals del «regne» medieval.

Però si les circumstàncies van impedir que el nucli català assimilés oportunament —i naturalment— les divergències aragoneses i murcianes, cal proclamar que, en canvi, reeixia en una altra assimilació, més àrdua, incessant. Amb el segle XVI comença una nova etapa en l'evolució de la societat valenciana. El País Valencià —que, com deia mossèn Gaspar Escolano a la darreria d'aquella centúria, era «*voceadora tablilla de mesón, que en todos los siglos ha llamado huéspedes de otras naciones*»— serà, a partir d'ara, terra promesa per a tota mena d'immigrants. Segueix havent-n'hi del Principat, però ja es fan notar els d'altres orígens en quantitats apreciables. Castellans i aragonesos, singularment. I també francesos o portuguesos. L'expulsió dels moriscos, en deixar un buit enorme en la humanitat local, obre més proporcions a l'accés de forasters. No és, però, sinó en el XVIII que s'accelera aquest nou «repoblament». Els aragonesos hi tenen una participació incrementada, la qual es prolonga durant el segle XIX. Des de la meitat del Set-cents l'economia valenciana experimenta una creixença bastant impetuosa a penes destorbada pel desgavell polític vuitcentista, i això havia d'atreure la gent de països veïns, habitants d'espais menys confortables. Les comarques meridionals d'Aragó donen el contingent més poderós.

La filtració humana a què al·ludeixo fou penetrant i escampada. Tres dels homes més representatius de la València del XIX tenen ascendència aragonesa recent: el marquès de Campo, Joaquim Sorolla, Blasco Ibáñez. En una llista de contribuents destacats que reunís la burgesia mercantil de la capital a la mateixa època, trobaríem també molts noms en idèntiques condicions. I si pogués puntualitzar-se en estadística, veuríem que la multitud aragonesa anònima, fosa amb el baix poble natiu, fou realment impressionant. El País Valencià ha estat un refugi afectuós, i permanent, per als aragonesos que defugien la desolació de llurs terres. Tots ells s'assimilaven, eren assimilats. Ells mateixos, o a tot estirar llurs fills, esdevenien ja —en llengua i en tot— «valencians». La capacitat que els pobladors de la zona catalana han demostrat, en els últims dos-cents anys, per a catalanitzar els incessants i inacabables nou-vinguts, ha estat sensacional. Pocs valencians dels nostres dies —sobretot en determinades contrades— no tindran un antecessor «xurro» relativament immediat.

I això que dic dels aragonesos pot ésser repetit dels castellans, que, arribats en un volum menor, tampoc no han d'ésser oblidats. L'energia social, la fortalesa de «poble» que suposa aquesta reabsorció continuada d'immigrants, no necessita ponderació. És un dels trets més admirables de la nostra història. Quan podem acusar-nos de tantes febleses, això resulta altament significatiu. I més encara perquè es tracta d'un fenomen de vitalitat elemental i inconscient. Cal afegir-hi que aquesta inesgotable voracitat vernacularitzant ha tingut una contrapartida pertorbadora. El procés assimilador no quedava mai cancel·lat. Els elements no «països» acabaven per ésser-ho; però sempre n'hi havia de nous, amb els quals calia recomençar. Per conseqüent, la societat valenciana dels dos segles darrers havia de ressentir-se d'una certa inseguretat «nacional». El to mestís no arribava a ésser anul·lat: a la capital, almenys. És a València on es concentra i es dissol la major part d'aquell corrent immigratori. A les zones rurals, i fins i tot als centres industrials incipients —Alcoi, Elx—, l'assimilació era més ràpida, i no oferia aquell risc. El cas de la ciutat d'Alacant era distint: ja en parlarem.

Un altre detall que no hem de negligir: l'assimilació de forasters es produïa així mateix en el camp cultural estricte. És el que passa a tot arreu, és clar, quan hi ha integracions d'aquesta espècie. Però hem de recordar que la Renaixença —el moviment cultural autòcton del XIX— no va tenir al País Valencià massa força ni gran crèdit. Si la majoria dels «valencians» estaven culturalment castellanitzats, no semblava previsible que els trasplantats sentissin la menor inclinació per adherir-se a l'impuls renaixentista. L'assimilació era natural en el nivell de la vida ordinària, però inconcebible en el pla literari. Tanmateix, l'assimilació cultural també compta amb exemples que mereixen d'ésser reportats. Hi hagué immigrants aragonesos —com els Iranzo i els Gómez, poetes menors— que van escriure en català. I oriolans —com Blasco Moreno i Pérez Sánchez— que igualment triaren la llengua dels «altres» valencians a l'hora de fer llurs provatures poc o molt literàries. Els noms citats són d'una mediocritat gairebé irrisòria: no els addueixo sinó en tant que reveladors d'una faceta més del fenomen assimilador, no gens desdenyable. En un altre pla, hem de recordar que el mateix Blasco Ibáñez, fill d'aragonesos, va estrenar-se en literatura escrivint en català. Podem conjecturar, doncs, que, amb una Renaixença més esponerosa —com la del Principat—, l'assimilació hauria estat integral. Amb tots els avantatges que això podia implicar: molts.

«Vers catalans», deia Muntaner

La diferència de llengua ens deixaria afirmar que hi ha dues classes de valencians: uns, els catalans, i els altres, que parlen castellà-aragonès, castellà net o murcià. Però la qüestió és una mica més subtil. La superioritat política i econòmica de les comarques catalanes, i el pes de la capital, havien de cristal·litzar en un exclusivisme de nomenclatura ben clar. Des d'un principi rep la designació de «valencià», i té la qualitat de tal, «només» tot allò que ha estat fet i pastat a la zona catalana. El nom de «llengua valenciana» queda reservat per al català local: les modalitats dialectals de les zones no catalanes no podien aspirar a aquell nom. I qui diu la llengua, diu qualsevol altra cosa: són estrictament «valencianes» les creacions i les adaptacions del litoral. Potser l'homonímia de la capital i del Regne va facilitar aquesta identificació. Però tampoc això no és una casualitat: la importància de València durant l'edat mitjana, en front de la resta del país poc poblat i molt islamitzat, havia de decantar a favor seu totes les primacies. No podem dir que els valencians no catalans se'n ressentissin: ans bé els semblava lògic —i ho era. D'això, en tenim proves: encara en 1681, el doctor Mares, natural de Xelva —de parla aragonesa, per tant— en el seu llibre *La Fénix troyana* es refereix al català en termes com «*nuestra lengua*» i es mostra orgullós de la seva bellesa i de la seva ductilitat.

La situació, a hores d'ara, no és ben bé diferent. Tot i que l'Administració espanyola, després d'haver dividit en tres províncies arbitràries l'antic Regne de València, decidí d'afegir-los algunes comarques —Requena, Villena— tradicionalment castellanes, el predomini català segueix incòlume. D'uns cinc-cents vint municipis que actualment tenen les tres províncies, quatre-cents dos són de llengua catalana. I encara el nombre d'aquestes demarcacions no n'és un índex honest, ja que les de parla no catalana disten molt d'ésser les de major densitat de població. Si gairebé tres quartes parts de la província de València —en quilòmetres quadrats— són de llengua castellana, aquest territori no és ocupat ni per una quarta part dels habitants que registra el cens provincial. L'interior muntanyós i estèril estava condemnat a una tal subordinació, i ni tan sols el reforç de les terres de Requena no corregeix el vell *statu quo*. El País Valencià continua essent un «fet català» en la seva realitat més radical. Sense que hi hagi hagut mai cap discriminació delibe-rada, els valencians no catalans han estat, en la pràctica, uns valencians secundaris o marginals.

No m'és lícit d'esquivar ací una primera al·lusió a l'enverinat problema del particularisme valencià. Hi ha valencians, primmirats en llur susceptibilitat localista, que troben incòmoda la inclusió del país en un denominador genèric de «catalanitat». Sense negar els factors afins que —és clar!— són innegables, posen un èmfasi insistit en la fixació d'un «fet diferencial». El «fet diferencial» hi és. No prové del matís dialectal de l'idioma ni de la circumstància d'haver existit un «Regne de València» a part del «Principat de Catalunya». Dialecte i autonomia política hi han influït, sens dubte —ho veurem més tard—; però les discrepàncies sorgien d'una disparitat d'estructures socials, que en la baixa edat mitjana distancia i dessincronitza el desenvolupament de la comunitat catalana a l'un costat i l'altre del Sénia —o de l'Ebre. Els valencians tenim la nostra personalitat regional privativa, dins el conjunt català. Una personalitat no fàcil de definir amb generalitzacions. Les temptatives habituals, en aquest domini, han pecat de parcials: han coincidit a declarar «característiques» de tot el país trets que només són específics d'unes poques comarques. Els tòpics segregats entorn de la capital i de la seva horta —alegria, barroquisme, opulència vegetal—, hom ha volgut predicar-los de la totalitat de la regió. I això és una fal·làcia insigne.

De tota manera, fóra ridícul de pensar que, en travessar el límit administratiu que separa la província de Tarragona de la de Castelló de la Plana, homes i ambient canviïn en alguna mesura. El canvi, si n'hi ha, és imperceptible. Escolano, quan parla de la gent dels Ports de Morella, diu significativament: «*en muchas cosas catalanean*». Era una forma d'expressar que la transició entre el Principat i el País Valencià és tènue i sense ruptura. El fet que el mot «català» hagi quedat restringit, per a molts usos, a referir només les pertinences estrictes del Principat, acostuma a produir confusions estúpides. Però, fins i tot en aquesta accepció esquifida, voler establir un «salt» entre catalans i valencians en la divisòria dels vells estats medievals seria un passatemps infantil. Hi ha menys —infinitament menys— dissidències entre les comarques «catalanes» i «valencianes» contigües, que no pas entre dues comarques valencianes de llengua distinta. I no solament per la llengua —per bé que principalment per la llengua. Serà inútil de dissimular-ho. Al capdavall, una unitat lingüística sempre és correlació d'una altra unitat subjacent, feta de societat viva o d'inèrcies no derogades.

Som «vers catalans», que diria Muntaner. Uns catalans descolorits i invertebrats, podria objectar-hi algú. Torno a subratllar que el nom de «catalans», amb la seva ambivalència, permetria aquesta última precaució reticent. Acceptant-lo, però, en el seu valor més ampli, que abraça tots els pobles de llengua catalana, l'equívoc ja no és possible. La nostra realitat regional hi té el seu lloc, com la del Principat i la de les Illes. Fill d'un empelt català en la faixa litoral del sud de l'Ebre, el País Valencià no desment aquest origen: més encara: «és» en tant que el perpetua en les seves concrecions locals. Dir-nos «valencians», en definitiva, és la nostra manera de dir-nos «catalans». Ni la sostinguda intrusió castellano-aragonesa, ni l'hibridisme ètnic, no han pogut desfigurar aquesta primera autenticitat. Voler-ho ignorar, o deformar-ho amb arguments capciosos, equivaldria a interceptar el camp d'una comprensió sincera del «cas valencià». Un dels més lúgubres errors dels polítics indígenes del XIX i del XX ha estat, justament, d'haver desconegut la gravetat d'aquest punt. Això era tant com pensar, parlar i actuar d'esquena als interessos més primaris de la mateixa societat.

3. La dualitat insoluble: excuses per a deformar-nos

Aragonesos, castellans, murcians

De fet, quan els valencians —els de llengua catalana— parlem del País Valencià, solem oblidar-nos dels «altres» valencians: les nostres generalitzacions no els tenen en compte. No hi ha en això cap menyspreu conscient. Hi ha, només, el reflex automàtic d'una realitat social irrefutable. El fenomen es produeix a tot arreu on, sota un sol nom, conviuen diverses comunitats nacionalment diferenciades: la que hi és hegemònica tendeix a fer coincidir amb ella mateixa el concepte i el valor de la «totalitat». És una mena d'equívoc difícil d'evitar. Les comarques catalanes del País Valencià representen als propis ulls —i també als dels forasters, sigui dit de passada— l'autèntica identitat de la regió. Les zones «aragoneses», «castellanes» i «murcianes», inscrites en la seva òrbita per la fitació medieval, són com un annex d'escassa importància. La consciència, ni que sigui primària, d'una «personalitat» col·lectiva, necessita recolzar en una visió clara de la pròpia unitat, i, per tant, sent una repugnància instintiva a prendre en consideració els factors heterogenis que, per una raó o altra, hagi d'abraçar. Les divergències de matís enriqueixen la idea de «personalitat»: les disparitats essencials la confonen o la impossibiliten. Els valencians-catalans no troben la manera de conciliar en la llur uns elements —aragonesos, castellans, murcians— que li són estranys. Solament la inèrcia històrica fa suportable la conjunció de grups tan dissímils.

Però la presència al·lògena no desapareix perquè no la vulguem veure. És un fet. Els atzars de la Conquista i del repoblament ens han deixat en terres valencianes aquesta «varietat» irreductible. Avui, més que «varietat» cal dir «dualitat». En els seus orígens, i encara ara en algun rastre dialectal o en les particularitats del folklore, els enclavaments responien a la procedència regional respectiva: aragonesos els uns, castellans els de la Vall d'Aiora, murcians els de l'orla del sud. Però a efectes pràctics, i per un lògic esmussament secular, tots tres són, per a nosaltres, «zona castellana». La determinant lingüística ho decideix. La «dualitat», doncs, queda definida així. Hi ha els valencians de llengua catalana i els valencians de llengua castellana, uns i altres geogràficament circumscrits. La frontera que els separa —una frontera impalpable, de formes de parlar, però també de mentalitat— no ha canviat gens al llarg dels segles. Quan l'hegemonia catalana disposava d'institucions polítiques i tenia expedit el recurs de l'assimilació de les comarques idiomàticament dissidents, la penetració no fou profunda: potser no ho podia ésser. Tampoc les modernes compressions castellanitzadores no han fet recular el català dels seus límits inicials. La «dualitat» es manté, sobre el mapa, en els mateixos termes que el primer dia.

Sis o set segles de compartir el nom i el destí de «valencians» haurien d'haver creat uns vincles ben consistents entre unes comarques i altres. Les dues comunitats formaren el «Regne» de l'edat mitjana, i segueixen articulades en les «províncies» actuals. Els vincles existeixen, és clar, però no són sinó de dependència administrativa o econòmica. Tot i que la zona castellana ha tingut dues ciutats episcopals, que de més a més eren centres urbans d'un cert volum —Sogorb a les contrades aragoneses, Oriola a les murcianes—, mai no ha representat una força substancial dins el país. La «dualitat» era, ja des d'un principi, desequilibrada. El nucli castellà no podia oposar-se —ni unir-se— al nucli català en un pla d'igualtat. Només durant el XIII i el XIV les comarques aragoneses arribaren a enfrontar-se amb la capital catalanitzada: els termes amenaçadors en què ho feien, però, no dimanaven d'elles mateixes, sinó del poder feudal que les asservia. Parlant en general, podem afirmar que els moments d'intervenció política del sector aragonès de l'antic Regne de València són, realment, meres intervencions de l'aristocràcia d'Aragó, i res més que això. Ni tan sols el cas d'Oriola no és una excepció. Durant l'època foral Oriola fou capital d'una «governació» semiautònoma, que comprenia els territoris meridionals del País Valencià: cap de bisbat, i d'economia potent —una agricultura afortunada—, aquella ciutat «murciana» podia haver-se sentit «hegemònica», en tant que «murciana», dins el seu radi d'influència. Tanmateix, fou ella, l'Oriola foral, que quedà supeditada —espontàniament supeditada— a l'influx català de la capital.

La relació no ha canviat en temps més recents pel que concerneix la diferència de potencial humà, econòmic i polític de totes dues zones. La «subordinació» de la castellana segueix igual. L'estat va reforçar aquesta zona amb dues comarques més potents. En 1851 una decisió del Govern central unia a la província de València l'altiplanície de Requena: terra de vinyes, bastant rica, que formava part de la província i de la diòcesi de Conca. En 1936 havia estat unit a la província d'Alacant el Marquesat de Villena, Manxa pura, també de camp profitós. Malgrat tot, l'equació restava inalterada. Dos trossos de Castella eren incrustats al País Valencià. Cal dir que aquests «valencians» d'última hora hi venien com a castellans, fins i tot en el mal sentit de la paraula. Quan, en 1907, els valencians de sempre —o, per dir-ho bé, uns grups nacionalistes— commemoraven el segon centenari de l'abolició del règim autonòmic del País Valencià per Felip V, data i esdeveniment considerats com a luctuosos, els republicans de Requena dedicaren una làpida d'homenatge al primer rei de la casa de Borbó: la làpida, naturalment, era una desafiadora afirmació de castellanisme inequívoca, i més provenint d'uns republicans. Però unes raons de tipus econòmic aconsellen als viticultors de Requena l'acostament administratiu a València. La pseudo-literatura comarcal parla de tot això i empra l'expressió de «*Castilla valenciana*» per referir-s'hi. Sigui com sigui, el centre de gravetat del país havia de seguir essent, com és, la zona catalana. Tant hi faria que li afegissin tota la província de Conca! És una qüestió de vitalitat social. Sense que això vulgui dir que a la zona catalana lliguin els gossos amb llonganisses.

Aragonesos, castellans, murcians —castellans, en definitiva—, en llur «variant» valenciana, no han sentit mai la necessitat de plantejar-se llur situació des de l'angle de la «normalitat nacional». Al cap i a la fi la tenen resolta dins els quadres oficials de l'estat. Ho haurien hagut de fer, si la zona catalana hagués projectat sobre ells una vertadera pretensió assimilista: però aquesta hipòtesi, com ja he dit, no arriba a ésser un fet ni tan sols en el moment de major plètora medieval. Per als valencians de la zona castellana, «País Valencià» no vol dir res, o vol dir ben poca cosa. Dins la comunitat regional ells se senten desplaçats i subalterns. La «província» ara, com abans el «Regne», és l'engranatge administratiu en què estan inclosos, i només això té per a ells alguna realitat. La resta ha de resultar-los inevitablement una cosa aliena: la zona catalana, amb la seva llengua i amb la seva manera d'ésser, amb uns altres interessos econòmics i una altra temperatura social, se'ls apareix com un món construït sense ells. I no deixen d'adonar-se que aquest petit món és «allò que és valencià». Si de tant en tant fan algun esforç per atansars'hi, sempre es queden en un punt distanciat: s'acontenten d'aprendre una festa o practicar una retòrica trivial. Ben mirat, és l'única cosa que poden fer.

Insoluble

El problema és més greu vist des de l'altre costat: des del cantó de la zona valenciana. Més o menys satisfactòriament, la zona castellana té a la seva esquena el seu cos nacional ja fet, que no és el valencià. Sentir-se valencians o no, serà per a la seva gent una qüestió secundària. Però els altres valencians —els valencians estrictes— han de completar-se com a «poble», i qualsevol intent que hagin fet o facin en aquest sentit vindrà obstruït pel llast que per a ells suposa la zona castellana del país. La «unitat» té exigències indefugibles: demana d'excloure o d'assimilar els elements radicalment heterogenis que subsisteixen en la seva àrea. L'actual i tradicional «dualitat» del País Valencià ens ha impedit de sentir-nos tranquil·lament «uns». Dins el clos regional ens priva de trobar-nos «idèntics» tots els valencians. Ens agradi o no a uns i a altres, el fet és que hi ha dues menes de «valencians» impossible de fondre's en una de sola. D'altra banda, això entrebanca els valencians de la zona catalana en la direcció que hauria d'ésser i és llur únic futur normal: els Països Catalans, en tant que comunitat supraregional on ha de realitzar-se llur plenitud de «poble». Ni «uns» amb nosaltres mateixos, ni «uns» amb els altres catalans: aquest és el balanç que imposa la «dualitat» valenciana.

Ben entès: la «dualitat» ha estat esquivada, a l'hora de les reflexions i de les actuacions, per aquell procediment que apuntàvem al principi: el d'oblidar-la. La majoria dels «valencians» que han pensat en la recuperació del país, i que hi han treballat, no han tingut cap escrúpol a prescindir dels altres valencians. D'una manera gairebé inconscient, quan deien «País Valencià» es referien exclusivament a les seves comarques catalanes. D'aquí que la idea d'una inserció del País Valencià en una comunitat de països catalans en sigui un corol·lari immediat. No cal repetir que això havia de produir-se fatalment. La condició predominant de les comarques catalanes, llur «hegemonia» moral i material, ho determinaven. I només des d'una perspectiva catalana ha estat, fins avui, enfocat el «cas valencià». No n'hi ha d'altra, en el fons. La mateixa migradesa de la zona castellana feia, i fa, que des del seu angle no hi càpiga la possibilitat de corregir aquella visió. Quan al principi del segle XX sorgeix un «valencianisme» polític, les seves directrius seran ben netes, des del primer dia: es limitarà a l'àmbit català del País Valencià i serà, com es deia aleshores, «pancatalanista». Si alguna vegada entraren en els seus càlculs les comarques castellanes, fou sense massa convicció.

És clar que el valencianisme polític era un moviment d'escasses esperances quant a l'obtenció de resultats constitucionals. Abans d'entrar en aquesta fase d'acció tenia molta feina per fer. Per això podia decidir-se aquella simplificació sense incórrer en riscos desagradables. De tota manera, no hi ha dubte que allò era un error: la «dualitat» existia, i no podia ésser posada entre parèntesis sinó a títol especulatiu. Més tard, cap al 1932, en obrir-se una remota escletxa a les consecucions institucionals, la «dualitat» va presentar-se amb totes les seves arestes al descobert. Els projectes d'Estatut —que mai no passaren de projectes— hagueren de tenir-la en compte. Però això no era problema. El problema era que la «dualitat» originava, si no una incompatibilitat, un distanciament en les reivindicacions. Totes les que afectaven l'ordre lingüístic i cultural de la zona catalana havien d'ésser mal compreses, incompartides, i fins i tot refusades, per la zona castellana. En el millor dels casos no podien suscitar-hi gaires entusiasmes. La mateixa idea d'una autonomia regional hi resultava excessivament seductora, i només intel·ligible en termes de descentralització. No cal dir res més, doncs. Si les circumstàncies ens haguessin abocat al correspondent plebiscit, hauríem pogut comprovar, sens dubte, que la zona castellana —per inert que fos— era, en si, un obstacle imperiós: una càrrega difícil d'arrossegar. La seva modesta demografia encara constitueix bon fragment del cens electoral. Els adversaris del recobrament valencià hi trobarien uns aliats maquinals infal·libles.

La veritat és que, en una redistribució utòpica però racional dels pobles peninsulars, les contrades no catalanes del País Valencià tindrien el lloc just en les demarcacions limítrofes amb les quals conserven una profunda afinitat: Aragó, Castella, Múrcia. L'afinitat, de fet, no solament és d'origen d'estirp: en molts casos es tracta també d'una vertadera continuïtat geogràfica i social. Contingències dinàstiques, feudals o administratives han aixecat uns dèbils envans de nomenclatura i d'esperit diferencial entre terres contigües, iguals en llengua, en paisatge, en formes de vida, en trama econòmica. La separació «provincial» d'ara, tant com la «regnícola» —en l'accepció que habitualment donem a aquest adjectiu tan divertit— d'abans, se'ns revelen en tota llur arbitrarietat quan les examinem amb una òptica «natural»: vull dir en funció de l'entitat «natural» dels «pobles» respectius. Ja sé, és clar, que cap «poble» no és una entitat «natural», sinó un producte històric. Però és la Història la que ha fet la «dualitat» valenciana, i la que determina les afinitats nacionals de les seves branques. Per això el País Valencià és una col·lectivitat inconnexa: perquè es perpetua en una absurda inadequació de fronteres.

Probablement, les nostres comarques castellanes, si les deixàvem triar, no optarien per integrar-se en els països correlatius. Ans bé, afirmarien llur voluntat de seguir essent valencians. Crec que no seria perquè sentin viva i aguda llur «valencianitat». He dit més amunt que una llarga convivència secular no podia no crear uns vincles o altres entre tots dos sectors nacionals de la societat valenciana. En algun punt, una xarxa d'interessos econòmics enfortiria —enforteix— aquella mínima vinculació tradicional. Però tot això no en seria una explicació suficient. Les contrades «aragoneses», «castellanes» i «murcianes» es negarien a incorporar-se a Aragó, a Castella, a Múrcia, almenys ara com ara, per una raó més elemental. Terol, Conca, Albacete, Múrcia no són, en llur constitució actual, unes «províncies» massa atractives. Una altra cosa seria si es revitalitzessin i oferissin a llurs filloles valencianes unes oportunitats més generoses. De moment, això no és previsible. I entre continuar en el graó accessori que avui ocupen dins les «províncies» valencianes, i ocupar-ne un altre d'igualment —i al mateix temps diferentment— accessori dins les «províncies» esmentades, l'elecció no és dubtosa. Les comarques valencianes de parla castellana podran continuar dient-se valencianes.

Per molt de temps, doncs, la «dualitat» que escindeix el País Valencià seguirà insoluble. El fet és aquest. Cal no donar-li més importància de la que té, però serà lleugerament suïcida de menysconèixer-lo. I, com qualsevol altre fet, ha de servir-nos de punt de partida. L'única manera de superar-lo serà buscar-li un enquadrament nou. No és de la meva competència formular-ne el caràcter i les condicions. La vella tradició de la terra potser ens hi seria útil. Vicens i Vives afirmava que el País Valencià —tal com naixia amb la Conquista— «fos el producte matemàtic, i segurament inconscient dels factors espirituals i polítics comportats per un segle de comunitat catalano-aragonesa». L'hàbit diguem-ne federatiu té, en efecte, tot l'aire d'una recepta encertada. Personalment, però, no hi crec gaire. Fa massa temps que l'hem perdut, aquell hàbit. I, més que res, hauríem d'inculcar-lo a gent que està feta a l'hàbit contrari, tan exitosament fomentat pel jacobinisme espanyol. Sigui com sigui, l'important és que els «valencians» no hàgim de veure'ns desviats ni destorbats de la nostra autenticitat de «poble». No sé com, però això és el que caldrà ensenyar —i fer acceptar— als nostres paisans «aragonesos», «castellans» i «murcians».

Excuses per a deformar-nos

Potser el lector pensarà que exagero. He deixat insistit, en més d'una de les pàgines precedents, que la zona castellana del País Valencià, si bé conté unes quantes comarques extenses, no suposa sinó un percentatge modest de població, ni representa un potencial econòmic considerable. Hauríem de concloure, per tant, que els perills que acabo de ressenyar són més aviat desdenyables. Comptat i debatut, poca cosa seran el dia que la zona catalana prengui plena consciència de si mateixa.

Una mirada retrospectiva, tanmateix, ens advertirà que la «dualitat» ha tingut sovint unes conseqüències que no depenien de la respectiva fortalesa dels seus elements. La condició fronterera de les contrades castellanes els atribuïa un valor estratègic ben insidiós. Foren el pont indefectible de les invasions castellanes i aragoneses fins al segle XVI, i gairebé sempre amb l'anuència de llurs habitants. Els senyors aragonesos de l'edat mitjana prou que saberen aprofitar-se'n, i Ferran el d'Antequera durant l'interregne del 1410 al 1412, i els virreis de Carles V en la guerra de les Germanies. Des d'un cert punt de vista era com tenir l'enemic dins de casa —o almenys un seu corresponsal.

Hi ha hagut historiadors que han volgut veure en les discòrdies internes dels valencians una constant d'antagonisme, que més o menys es correspondria amb la «dualitat» del país. Des de les primeres querelles medievals, fins a la guerra de Successió, asseguren que hi ha, sempre, un «partit» pro-català i un «partit» pro-aragonès —o pro-castellà—, els quals, de més a més, haurien estat, simultàniament, el «partit» democràtic i el «partit» aristocràtic. La interpretació peca d'evasiva, i sobretot de romàntica. Això no obstant, un fons de veritat, ja el té. El trobem clar i palmari en la lluita entre la ciutat i el nucli feudal en el XIII i el XIV; el trobem així mateix en l'oposició de

Vilaraguts, seguidors de Jaume d'Urgell, i Centelles, clients del Trastàmara, per l'herència de Martí l'Humà; es dibuixa un moment en les disputea de Carles de Viana amb Joan II, que també ací tenen una lleu repercussió; és obvi, novament, en la revolució del 1520, amb el poble agermanat, instigat —diuen— per provocadors vinguts del Principat i solidari amb els insurgents de Mallorca, d'una banda, i els nobles indígenes ajudats per la reialesa i l'aristocràcia castellana; i encara podríem suposar que cueja al principi del XVIII, quan el baix poble «maulet» cau vençut per la confabulació hispano-francesa i pels «botiflers» locals. En tots aquests episodis hi ha un punt o altre en què el «partit» no català, per tal d'esclafar el seu rival, fa ingressar al territori del Regne contingents militars castellans o aragonesos, i per a fer-ho es val de la porta oberta de les comarques castellanes, llocs de frontera, on ells justament tenen la força.

Tot això, si voleu, és història oblidada. Aquelles fronteres han desaparegut amb la formació unitària de l'estat espanyol, i els antagonismes de la societat valenciana moderna no admeten l'explicació d'un mecanisme tan ingenu i tan bonic. Però la «dualitat» segueix facilitant excuses per a operacions nocives a la personalitat autòctona. Ara es tractarà de desfigurar-nos. D'una banda, s'accentuarà la dicotomia interna a base d'afegir noves terres castellanes a la zona tradicionalment valenciana de parla castellana; de l'altra, hom mirarà d'incloure el País Valencià en alguna organització «regional» on també formaven territoris aliens a la seva contextura nacional. Tant l'una cosa com l'altra anaven adreçades a sufocar el nervi català de la regió, compensant-lo amb l'augment del sector castellà, o dissolent-lo en un còctel territorial més ampli. Seran els liberals del Vuit-cents els encarregats de procurar-ho. Ells també, jacobins, maquinaran la divisió «provincial». La monarquia unitària de Felip V havia deixat subsistents, com a simple ortopèdia administrativa, l'esquelet dels regnes medievals. Els liberals del XIX van estimar que la perduració d'aquelles reminiscències podia donar peu a un revifament dels antics particularismes, i es dedicaren a desmuntar-les. Els residus d'«unitat» local eren temuts com a obstacles a l'altra «unitat». El retallament en «províncies», calcat dels *départements* francesos, tenia, sens dubte, d'altres justificacions: l'aconsellava la necessitat de dotar l'estat unitari d'uns mitjans d'acció més elàstics i concisos. Però també em sembla evident que en el fons, hi havia una suspicàcia ja alertada envers uns «regionalismes» potencialment sospitosos.

A simple vista fa la impressió que una tal suspicàcia al principi del XIX, sigui impossible. Existia, però. El perill que flairava, no cal dir-ho, era més aviat il·lusori. La perifèria de l'estat començava, certament, a mostrar-se díscola i alterada: tanmateix, aquesta indisciplina no tenia un contingut nacionalista —ni el podia tenir. Però els jacobins sentien d'alguna manera que hi havia un risc en germen. La paraula «provincialisme» estava en circulació, i n'era un indici. L'estat «un i indivisible», que s'estava construint havia d'eliminar qualssevol larves de disgregació que albergués la societat. Les larves hi eren: el XVIII havia consumat el desfasament de l'evolució social i econòmica entre els diversos fragments de l'estat, i això no podia deixar de tenir, a la llarga, conseqüències polítiques. La perifèria s'oposava vagament al centre, o se'n desentenia. Els homes de la perifèria potser no se n'adonaven tant com els del centre. La fina sensibilitat del liberalisme jacobí es feia càrrec de la transcendència i de la gravetat de la situació. Els jacobins no eren simples i endevinaven una amenaça, llunyana, però no gens menyspreable.

No invento res. L'observador més imparcial del nostre XVIII ha de reconèixer que, sota la capa de servilisme borbònic que dominà la centúria, sota la castellanització absoluta de llengua general entre la gent de lletres del país, l'esperit autoctonista alçava el cap. El moviment historiogràfic del segle significa un «retorn a les fonts» indiscutible. El P. Teixidor, un dels erudits valencians més típics de l'època, recomanava en 1764 a un dels seus deixebles, el P. Lluís Galiana, que s'apliqués «*a ilustrar las cosas del reino, pues esto no hay que esperarlo de los extraños*», i afegia: «*Déjese de trabajos en favor de extraños, y estime el honor de su nativa patria y reino.*» Som ben lluny de la política, encara. Carles Ros, el mateix P. Galiana, i alguns altres escriptors setcentistes, emprenen un intent de rehabilitació cultural de la llengua indígena. Tot això, en desembocar en el XIX, despertarà profundes aprensions en els jacobins. En 1837, i a València, un anònim escriu una carta al setmanari «El Mole», que es publicava en el dialecte més vulgar de la capital, i li reprotxa que «*debe reputarse como pernicioso*» perquè estava redactat «*en lemosín.*» Com veiem, la data és reculada. Rubió i Ors encara tardaria dos anys a començar els versos de la sèrie del *Gaiter*, i l' *Oda* d'Aribau a penes havia transcendit. Qualsevol desconfiança suggerida per l'ús de la llengua privativa en paper imprès hauria de semblar demencial, a força d'ésser injustificada. Doncs a València, en 1837, aquesta desconfiança, ja la professa « *un español*» —és la seva firma— que polemitza amb una revista popular, la qual, d'altra banda, estava amarada de patriotisme espanyol. Aporto aquest detall —poc conegut, penso— perquè l'estimo ben simptomàtic. Simptomàtic, és clar, del recel jacobí.

Era un recel que no devia ésser estrany al fet de la divisió «provincial» del 1833 —ni al de la projectada pels napoleònides del 1810, ni al de la dels liberals del 1822. Al Principat, les noves demarcacions administratives no comporten cap conseqüència lesiva: només l'esquarterament de la unitat regional. Però la «dualitat» del País Valencià permetia als buròcrates del centralisme una major llibertat d'acció. Cal dir, en primer terme, que el simple desmembrament en províncies ja tenia per a nosaltres, i per raons de la mateixa «dualitat», una importància singular. En totes tres —Alacant, Castelló de la Plana, València— el nucli català conservava l'«hegemonia»: però només en la de València aquesta hegemonia tindrà, en el futur, la fortalesa de sempre. Una mica deslligats de la capital i de la seva potència, els trossos del sector català que formen les províncies d'Alacant i de Castelló de la Plana quedaran «paralitzats.» No és pas que les corresponents zones castellanes se'ls imposin: és, senzillament, que la pressió social catalana havia de trobar-s'hi sense la força i la vigència que li pervenien de la capital del país. Però això era encara un efecte secundari.

En 1822 l'antic Regne de València havia estat dividit en quatre províncies —Alacant, Castelló de la Plana, València i Xàtiva— i les noves demarcacions rebien pobles i comarques procedents dels països veïns: la comarca de Requena, a la de València, i la de Villena a la d'Alacant. En la divisió del 1833, la província de Xàtiva desapareixia, i les terres de Requena i de Villena es reintegraven, respectivament, a les províncies de Conca i Múrcia. Però l'annexió d'aquestes contrades a l'enderrocat edifici valencià degué ésser una idea que els buròcrates i els polítics jacobins devien reconsiderar repetidament. Jo no asseguraria pas que fos amb la intenció de desvirtuar expressament la fisonomia del País Valencià; però tampoc no gosaria negar-ho. En 1836, el Marquesat de Villena era unit a la província d'Alacant; en 1851 ho era la comarca de Requena a la província de València. I així continua. Els parcel·ladors de l'estat en províncies, naturalment, no sentien el menor respecte per les realitats històriques i idiomàtiques dels territoris que manipulaven des de llur *covachuela* cortesana. Encara que el País Valencià hagués estat una regió de coherència monolítica, ells haurien fet el mateix. Però es trobaven amb aquella «dualitat» valenciana que els autoritzava fer-ho amb més franquesa. Al capdavall es tractava d'agregar unes comarques castellanes a províncies que ja en tenien d'altres i des de sempre. Villena i Requena venien a reforçar la «dualitat» valenciana. Són un postís impertinent en el cos regional. No cal recordar l'anècdota de la làpida republicano-pro-borbònica del 1907 per a comprendre-ho.

L'altre aspecte de la qüestió ve donat pels projectes de reagrupació regional que foren preparats al segle XIX. Vista la deficiència del règim de províncies, i per a certes concentracions funcionals, alguns governs pensaren de crear unes noves formes de «regió» administrativa. El País Valencià tampoc no hi fou respectat en la seva entitat justa. Els moderats del 1874 imaginaren una «regió» que incloïa les tres províncies valencianes, més la de Múrcia i Albacete. En 1884 el propòsit encara era més absurd: una «regió» abraçaria les províncies de Castelló de la Plana i de València, amb les de Conca i Terol, i una altra la d'Alacant, amb les de Múrcia i Albacete. En 1889 hom ressuscitava el model del 1847. En tots els casos el perfil del País Valencià quedava destruït. També ací la «dualitat» donava ocasió, si no justificació, a la maniobra: al cap i a la fi, del cantó murcià o del canto aragonès, sempre podria ésser al·legat el fet d'una «continuïtat» entre terres afins. I de passada hom afegia més barreja a la barreja existent. Per sort, cap d'aquelles temptatives de distribució regional no va reeixir.

Nota sobre «Levante»

De tot això ha sorgit, últimament, una altra etiqueta deformadora: la de *Levante*. L'ús que se'n fa té una intenció incontrovertible. Ningú no ignorar que un dels designis que l'animen és, precisament, el de retirar de la circulació el terme «valencià» per a qualificar el país. Al mateix temps involucra en la seva ambigüitat més terres que les estrictament valencianes. Hom voldria restringir el gentilici comú a la sola província de València; ja hi tornarem més endavant. Però, sobretot, hom voldria acollir en la denominació *levantina* la província de Múrcia i no sé si també la d'Albacete. La cosa és injuriosament grotesca. Però no deixa de tenir la seva lògica: és una prolongació més, a gran escala, de la «dualitat» tradicional i dels perills que conté. Quan algú parla de *Levante* per referir-se d'una manera o altra al País

Valencià, no hi ha dubte que mira d'escamotejar l'única realitat pròpia dels valencians: l'oculta, l'enterboleix o la nega.

4. Atzars del particularisme valencià

Un mateix poble

«*Como fue poblado desde su conquista casi todo de la nación catalana y tomó della la lengua, y están tan paredañas y juntas las dos provincias, por más de trescientos años han pasado los deste reino debajo del nombre de catalanes, sin que las naciones extranjeras hiciesen diferencia ninguna de catalanes y valencianos.*» «*Por el nombre de catalanes se entendían los unos y los otros, por ser todos de una mesma lengua y nación desde los principios de la Conquista y por más de doscientos años.*» Aquests dos textos pertanyen a les *Décadas de la historia de la insigne y coronada ciudad y Reyno de Valencia*, que Gaspar Escolano publicava en 1611. I, almenys per aquells dos o tres-cents anys de què parla el cronista, la cosa resultava clara: érem «*todos de una mesma lengua y nación*», i el nom originari no podia deixar d'ésser l'únic comú, tant davant els altres com davant nosaltres mateixos. No solament per la població de la Conquista, sinó també, i més encara, per les contínues onades d'immigrants procedents del Principat que s'escalonen fins a la primera del XVI, el País Valencià era constitucionalment català. Malgrat el fet de quedar articulats en un «Regne» a part, els valencians se sentien allò que eren: «vers catalans», per dir-ho com ho havia dit Ramon Muntaner. Qui més qui menys, tothom, durant la nostra edat mitjana, tenia la seva ascendència directa en les terres del nord de l'Ebre.

D'entrada, doncs, la consciència de catalanitat seria una consciència de filiació. La nova estructura política en què immigrants i descendents d'immigrants s'integraven, havia de produir de seguida l'ús habitual del gentilici propi del «Regne». Els habitants del Regne de València havien de dir-se «valencians», inevitablement. Però, per molt de temps, això no volgué dir sinó que eren naturals o veïns del nou estat: no es tractava d'un nom amb intenció «nacional». La distinció entre «catalans» i «valencians», dins la Corona d'Aragó, es reduïa a indicar una pertinença jurisdiccional: una «ciutadania» en el sentit jurídic —de passaport— de la paraula. Des de fora dels territoris de la Corona, la duplicitat de gentilicis resultava supèrflua: «catalans» i «valencians» eren súbdits del rei d'Aragó, i la diferència entr Regne i Principat es feia imperceptible; en canvi, hi surava la identitat de la llengua i la unitat d'estirp. Per a un estranger, els valencians no eren sinó catalans: uns catalans més, com els del Principat, com els de Mallorca. Els italians, que tantes invasions militars i pacífiques de la nostra gent hagueren de sofrir en el XIV i el XV, no distingien entre uns i altres: tan *catalani* érem en llur nomenclatura, els valencians, com els del Principat i els de les Illes. «*O Dio, la Chiesa Romana in mani dei catalani!*», s'exclamaven els indígenes davant l'assalt dels Borges valencians a la seu pontifícia.

Tanmateix, el mot «català» difícilment podia resistir la càrrega amfibològica que les circumstàncies li imposaven. Era, alhora, nom nacional comú i nom específic per als homes i les coses del Principat. Internacionalment, «catalans» eren tots els catalanoparlants, i de vegades ho eren considerats també els mateixos aragonesos. Quan Calixt III, el primer papa de Xàtiva, proclama orgullosament l'esplendor de la «nació catalana» en la seva època —«*Magna profecto est gloria nationis catalanae diebus nostris: Papa catalanus, Rex Aragonum et Sicilia catalanus; uicecancellarius, catalanus; capitaneus ecclesiae, catalanus...*» deia—, empra el terme «català» en aquella accepció àmplia. Però de cara a l'interior, el nom era confusionari. No és pas que valencians i mallorquins el rebutgessin. Una frase de sant Vicent Ferrer fa de citació obligatòria en aquest punt: «Vosaltres de la Serrania», diu, adreçant-se a un auditori de comarca valenciana de frontera, «qui estats enmig de Castella e de Catalunya e per ço prenets un vocable castellà e altre català...» Anselm Turmeda, en 1417, s'autodefinirà com «de nació catalana i nascut a la ciutat de Mallorca». I ja al segle XVI, Baltasar de Romaní, valencià, en publicar la seva versió castellana dels poemes d'Ausiàs Marc, encara qualificarà el poeta de «*caballero valenciano, de nación catalana*». De tota manera, la distinció terminològica s'imposava.

S'imposava, però no podia «inventar-se». Aquesta petita manca d'un nom distint per al conjunt dels Països Catalans i per al Principat havia de tenir, després, unes conseqüències greus. «Catalunya» i «català», limitats al Principat, adquirien un valor purament regional, i mentrestant quedava vacant la denominació que hauria d'haver englobat el bloc total del nostre poble. A mesura que passarà el temps, els matisos regionals del País Valencià i de les Balears es faran més intensos, per relació amb el matís del Principat.

Això no hauria suposat cap entrebanc de cara a la nostra cohesió col·lectiva, si el conat de dispersió que implicava hagués tingut el contrapès d'un nom general i vinculatori. I aquest nom no podia improvisar-se, i menys encara en una època de relativa relaxació de la unitat nacional. Els «valencians» i els «mallorquins» començaven a covar llur particularisme, i en res no mostra tanta susceptibilitat un amor propi localista com en les qüestions d'aparença.

El nom de «catalans», que els valencians i els mallorquins havien assumit vivament en els dos primers segles següents a la Conquista, se'ls feia ja incòmode. Es manifestaven refractaris a acceptar-lo. Imaginaven que els minimitzava, o que els subsumia en el grup regional del Principat. Deixaven de dir-se «catalans»: eren «valencians» o «mallorquins». En les pàgines immediates analitzarem les causes que conflueixen a promoure aquesta actitud.

A pesar de tot, la consciència de la «catalanitat» del País Valencià no s'extingeix, ni de bon tros. Hi perdura amb una evident força. Només que ja no s'expressa en fórmules descarnades i massa rotundes: el particularisme en auge no ho permetia. Però subsisteix. Els passatges d'Escolano que encapçalen aquest capítol ho revelen. Abans, en 1557, quan Cristòfol Despuig fa intervenir un valencià en els seus *Col·loquis* de Tortosa li posa en boca la frase «la nostra Pàtria antiga» per designar el Principat. «Que los valencians d'ací de Catalunya són eixits», agrega en justificació de la fórmula. Els testimonis d'aquest tipus podrien multiplicar-se. Un n'hi ha de ben curiós —me l'indica, benèvolament, Josep M. de Casacuberta—, que data del segle XVIII i val la pena de reproduir *in extenso*. Són uns paràgrafs del sermó que el doctor Josep Climent va pronunciar en 1766 quan prenia possessió de la Mitra de Barcelona. «*Fuera de estos motivos, hermanos míos*», diu el bisbe Climent als seus diocesans, «*encuentro otro particular y muy poderoso para amaros, en el beneficio que vuestros mayores hicieron a Valencia, mi patria, librándola de la dura esclavitud de los mahometanos, y en la memoria de que la poblaron sus gloriosos conquistadores. De suerte que, si bien se mira, Valencia puede llamarse con propiedad una colonia de Cataluña, casi todos los valencianos somos catalanes en el origen, y con corta diferencia son unas mismas las costumbres y una misma la lengua de los naturales de ambas provincias.*» La historiografia del XVIII manté aquesta convicció, d'ésser els valencians «eixits de Catalunya», i més tard la Renaixença local la farà seva.

La manca d'un nom superior distint del de «catalans», empenyia uns i altres a adoptar formes de circumloqui que expressessin la unitat real, restada subjacent. La paraula «germanor» fou la preferida. « *Tan unidas y hermanadas en la lengua*», escrivia Escolano. «Un mateix cau tinguérem en la materna soca», dirà en vers Teodor Llorente. I la llengua quedarà als ulls de tots com el signe més net d'aquella fraternitat. De tant en tant, els esdeveniments polítics o les circumstàncies culturals fan que la «germanor» passi a ésser alguna cosa més que una clàusula d'estil. Però la «germanor», així mateix, quedava refredada per la divergència de trajectòries que caracteritza, a partir d'un cert moment, els tres grans fragments de la societat «catalana». Caldrà arribar al segle xx perquè de nou, al País Valencià, torni a ésser, en uns pocs nuclis minoritaris, una energia civil decidida. Aleshores el nom —«catalans»— és acceptat amb la naturalitat primitiva, potser amb una punta d'excitació il·lusionada. A falta de terminologia millor, de la nostra comunitat en diem Països Catalans. El plural és escrupolós, i serveix per a integrar-nos amb la plena tranquil·litat del respectiu matís regional.

Consciència a part

Paral·lela a la línia de consciència de catalanitat, n'hi ha una altra, al llarg de la història del País Valencià, que es congria entorn del particularisme local, el nodreix i impulsa. En tenim testimonis ben antics: testimonis que daten, precisament, de l'època en què la catalanitat dels valencians era un fet constatable —si m'ho deixeu dir en el vocabulari modern— al registre civil. En 1383 —és a dir, uns cinquanta anys després de la *Crònica* de Muntaner, i quasi (o sense quasi) al mateix temps que fra Vicent Ferrer deia als serrans allò de «estats enmig de Castella e de Catalunya»—, un gironí resident a València, Francesc Eiximenis, fa la primera manifestació literària de patriotisme localista. En la seva dedicatòria del *Regiment* als Jurats de la ciutat escriu aquestes paraules taxatives: «Per totes aquestes coses e raons, ha volgut Nostre Senyor Déu que poble valencià sia poble especial e elet entre los altres de tota Espanya. Car com sia vengut e eixit, per la major partida, de Catalunya, e li sia al costat, emperò no es nomena poble català, ans per especial privilegi ha propri nom e es nomena poble valencià.» Per venir d'un home del Principat, el passatge té més significació. És evident que la dedicatòria d'Eiximenis no passa d'ésser una hiperbòlica llagoteria a les autoritats municipals de la capital. Però la llagoteria resultava possible perquè aquella era la mena d'adulació que els destinataris esperaven. En un mot: la propensió particularista ja existia, i fra Francesc Eiximenis no feia sinó afalagar-la amb una habilitat admirable.

1383 s'escau a la darreria del regnat de Pere el Cerimoniós. València entrava, o havia entrat, en una etapa de jocuna opulència: els negocis rutllaven. I les seves classes dirigents començaven a sentir una pruïja d'emulació enfront de les altres dues capitals de la Corona, Saragossa i Barcelona, fins aleshores únics puntals «burgesos» importants de la reialesa. Mallorca, que en 1349 havia tancat —manu militari per part del Cerimoniós, és clar— la seva aventura independista originada en les vel·leïtats testamentàries de Jaume I, no era sinó una dependència del Principat. València esdevenia el tercer peu del trípode de la monarquia. Però, dels tres estats que integraven la Corona d'Aragó en pla de teòrica igualtat, el Regne de València era, encara, el més dèbil. Si els oligarques de la capital aspiraven a «ésser alguna cosa» en la política de la Confederació, no tenien més remei que «fer-se valer» com a grup amb «personalitat» indiscutible. Una rivalitat de capitals, a penes distingible en el terreny dels fets, quedava plantejada. València, desitjosa d'equiparar-se a Saragossa i a Barcelona, i de compartir amb elles la influència «burgesa» sobre la cort, es disposa a segregar el seu propi «patriotisme». Es tractava d'erigir un orgull «ciutadà» de València, per alinear-lo al costat de les altres dues capitals, més velles i assegurades, més consistents. L'handicap d'una incorporació tardana a la Corona havia de compensar-se amb una exacerbació localista. València ha de crear-se en pocs anys un «estat d'esperit» que Saragossa i Barcelona tenien sedimentat amb un avantatge de segles. La rivalitat era una rivalitat municipal. València, capital sense país —«hanseàtica», amb un hinterland musulmà i feudal—, centrarà en ella mateixa totes les possibilitats d'aquell procés: Barcelona compta amb un «poble català», i Saragossa amb un «poble aragonès», però ella sola serà el «poble valencià» —de moment, si més no.

I pel fet d'ésser «vengut e eixit, per la major partida, de Catalunya», aquest «poble valencià» es veu obligat a marcar el seu «fet diferencial» enfront del «poble català». No calia insistir respecte a la «independència» dels valencians en relació amb els aragonesos: era una obvietat. No ho era gens, en canvi, de cara als «catalans». «Valencians» i «catalans» eren tots «uns»: catalans. La repoblació del país i la creixença de la capital en el XIV i en el XV segueixen fent-se amb gent que baixava del Principat, i això accentuava més la identitat «ètnica». Per conseqüent, la «diferenciació» havia d'ésser també més pronunciada en el pla del «patriotisme»: calia fomentar-lo a totes passades a fi de poder parlar d'un «poble valencià» i en nom d'un «poble valencià». Els mateixos immigrants del Principat s'hi acomodarien de seguida: era una manera d'adaptar-se, fins i tot moralment imperativa, a la terra que els acollia i en la qual pensaven d'arrelar. Un Muntaner, establert a València a la primeria del XIV, encara no es veu constret a sentir-se «patriota» valencià; un Eiximenis, cap al final de la mateixa centúria, es feia portaveu del nou corrent localista.

Durant el segle XV, la voluntat d'intervenció política, i d'equiparament amb els altres estats de la Corona, ja s'expressa amb alguna cosa més que paraules. Els «burgesos» de València se senten més forts. La ciutat, d'altra banda, s'igualava —i superava— en població a les de Saragossa i Barcelona. El «patriotisme» local havia donat els seus fruits. I aleshores veiem els Jurats de València a reclamar clarament llur part, «com a tals valencians», en l'alta burocràcia de la monarquia. Ja en 1412 es queixen a Ferran el d'Antequera, el rei de Casp, perquè «en tota la nominació d'oficials creats no hi coneixem pus d'aquesta ciutat e Regne sinó mossèn Pujada qui lo dit senyor rei ha fet alguatzir; tot l'àls e de més abunda e redunda en catalans, qui tots temps han vetlat e obtengut ocupar-se e absorbir la Casa dels senyors reis». El text és doblement revelador: pel que suposa de demanda, i pel que té de protesta contra el monopoli «català» dels càrrecs més alts de la Corona. En 1419, els Jurats s'adrecen a Alfons el Magnànim amb un programa d'organització de la cúria reial en la qual la igualtat dels tres estats quedaria consagrada i regulada: volen que hom nomeni «tres vice-cancellers, tres majordòmens, tres camarlencs, tres algatzirs, e així dels altres, en los quals sia compatible haver pluralitat» i que «en cascun d'aquest n'hi hagués u de Aragó, u de aquest Regne e altre de Catalunya». En 1427, la ciutat de València aconsegueix que alternin els valencians amb els aragonesos i els del Principat en el rectorat de la Universitat de Lleida. I un jurista valencià del Quatre-cents, Pere Belluga, sol·licitarà que el País Valencià tingui lloc preferent al Principat en les reunions de les Corts generals de la monarquia, tot al·legant que el Regne de València és «regne», mentre que el Principat és «principat».

Tanmateix, ni el «patriotisme» local, ni la competència per les prebendes cortesanes, no van alterar el sentiment d'unitat catalana al País Valencià. Les coses canviarien a la darreria del XV. Torno a extreure unes línies del llibre d'Escolano, perquè les trobo exactes; perquè, de més a més, revelen una convicció ben antiga. Passaven «*por una mesma tierra y nación la de Cataluña y Valencia*», diu el cronista, «*hasta que de cien años o poco más a esta parte, que el rey católico don Fenando de Aragón unió su corona con la de Castilla, cada una de estas naciones ha tirado por su cabo, como sintiendo la ausencia de su cabeza, y así tenidas por diferentes*». L'orientació que prenia la monarquia dels Àustries agreujava allò que, en temps de Ferran el Catòlic, només era un conat d'«aïllament». La Corona d'Aragó deixà de tenir un rei propi, i en els dominis del sobirans espanyols quedava situada en un lloc subaltern. Fins aleshores, el rei i la seva cort itinerant havien estat un vincle actiu entre els estats de la Corona, i sobretot entre el Principat i el País Valencià. Les constitucions privatives de cada regió no coartaven l'autoritat «unitària» del rei, en els cercles acostats al monarca —consellers, funcionaris, eclesiàstics— la gent de tots els Països Catalans trobava ocasió de reunir-se i de relacionar-se. Ara, però, això desapareixia. El rei estava lluny i la seva cort es constituïa amb personatges castellans. Els estats de la Corona d'Aragó es veieren assignats uns virreis amb àmplies prerrogatives, i el govern interior de cada un d'ells es feia hermètic i insolidari. Era la dispersió. L'«*ausencia de su cabeza*» tenia aquestes llargues conseqüències.

D'altres factors s'hi conjuminaven. Al capdavall, les estructures sòcio-econòmiques dels Països Catalans eren bastant diferents, la qual cosa havia de fer, malgrat tot, que els problemes interns prenguessin camins també distints. La qüestió dels remences fou exclusiva del Principat, i la disputa de ciutadans i forans, pròpia de l'illa de Mallorca, per citar dos exemples. L'*imbroglio* dels moriscos era domèstic dels valencians. Resultava lògic, doncs, que aquestes determinants de tipus local donessin a la gent de cada regió un motiu més de consciència particularista. En certa manera, els individualitzava, els uns i el altres, en un confrontament mutu. I no era insòlit que, en una crisi regional, en què un dels països —més o menys en bloc— s'aixecava contra el rei, els altres fessin costat al monarca per apagar la subversió. Era una forma de contraposició, de topada, que s'establia. L'antagonisme no era de «poble» a «poble», sinó que es plantejava a través de la institució reial: un d'ells s'alça contra el rei i els altres ajuden el rei. Però també això havia de repercutir en la mentalitat de la població. És en aquest context que cal mesurar la importància que tingué la manca d'un nom nacional comú. De mica en mica, i a força de peripècies merament «regionals», la designació de «catalans» es feia més i més particular del Principat, i valencians i balears s'encarcaraven en llurs noms privatius. Potser si la Corona d'Aragó no hagués perdut la seva dinastia peculiar, o si els Països Catalans haguessin disposat d'una denominació supraregional, aquelles divergències de problemàtica político-social interna no haurien tingut tant de relleu.

No obstant això, mai no deixà d'haver-hi una altra sèrie de qüestions que ens afectaven a tots per igual i davant les quals quedava refeta —poc o molt refeta— la primitiva «unitat». Així passa en ocasió del Compromís de Casp: recordem els valencians urgellistes del Parlament de Vinaròs volent integrar-se al Parlament de Tortosa, on hi havia reunits els representants del Principat i de les Illes. Les Germanies valencianes van tenir llur correspondència a Mallorca, i —segons opinió dels consellers barcelonins d'aleshores— només la pesta que assotava el Principat va impedir que s'hi estenguessin. «Los oficials de la present ciutat se recorden que aquesta ciutat e Regne estan units ab aqueix Principat de Catalunya», escriuen els Jurats de València en 1521. Si la guerra de Separació del 1640 no tingué ressonància al País Valencià, no fou pas perquè no s'hi donessin les condicions justificadores de la revolta, sinó perquè l'expulsió dels moriscos, de primer, i l'extorsió tributària de les Corts del 1626, havien deixat exànime la societat valenciana. Al principi del XVIII, en el plet successori entre Àustries i Borbons, la «unitat» tornarà a sortir a flor, ni que sigui d'una manera incompleta, i elemental. Durant el XIX, el miratge de la confederació medieval servirà, en algun moment, de lleu incentiu —sempre frustrat— col·ligador: en 1835 amb Pasqual Madoz; en 1854 amb la política propugnada per Víctor Balaguer a les pàgines de «La Corona de Aragón»; en 1869 amb el Pacte de Tortosa promogut per Valentí Almirall. La dispersió no acabava d'esborrar la realitat i les seduccions del «fet antidiferencial».

El pes del dialecte

Aquell mateix fervor «patriòtic» local, de què parlàvem abans, va fer que, al segle XV, els valencians comencessin a designar el català, el català que ells parlaven i escrivien —i era l'època d'Ausiàs Marc, del *Tirant,* de Jaume Roig,

de Corella—, amb el nom de «llengua valenciana». Tampoc en aquest punt
el particularisme no era encara secessionista, per dir-ho així. No hi havia la
intenció —hauria estat tan còmica!— de proclamar l'existència d'una
«llengua valenciana» enfront d'una «llengua catalana». Una frase d'Antoni
Canals, del 1395 —afirma que tradueix un llibre del llatí a la seva «vulgada
llengua valenciana», «jatsia que altres l'hagen tret en llengua catalana»—,
podria fer-nos creure el contrari. Però l'asseveració de Canals és desmentida
pel seu propi escrit, redactat en un català absolutament normal i sense cap
interferència dialectalitzant. És ben probable que la parla col·loquial dels
valencians de l'edat mitjana presentés variants específiques. Eiximenis les
exagerava en dir que «aquesta terra ha llenguatge compost de diverses
llengües que li són entorn, e de cascuna ha retingut ço que millor li és, e ha
lleixats los pus durs e pus malsonants vocables dels altres, e ha presos los
millors». Eiximenis, que s'adreçava als Jurats de València en el més pur català
de Girona, volia ponderar així —una llagoteria més— la bellesa d'aquella
modalitat lingüística urbana. L'afluència de forasters, un romanent
d'aragonesismes potser, la freqüentació dels moros que parlaven l'àrab
vulgar, havia de deixar rastres en el català local. La immigració continuada
de gent del Principat, en canvi, n'asseguraria la incorrupció. Valencians són,
cal repetir-ho, una bona colla dels millors clàssics medievals de la llengua
catalana. I si podem pensar en una punta d'artificiositat en l'idioma literari,
els sermons de sant Vicent Ferrer —en tenim «reportacions» literals— ens
donen una mostra de l'idioma popular i quotidià, que era d'una catalanitat
total.

Però el nom particularista —«llengua valenciana»— resultava
escandalosament imprudent. A partir del 1500, el cultiu literari del català
sofreix en terres valencianes un col·lapse gairebé mortal. Els intel·lectuals del
país abandonen l'idioma propi i escriuen en castellà. El distanciament polític
i l'afluixament de relacions amb el Principat i amb les Illes produiran, al llarg
del XVI i del XVII, una acceleració en el procés de dialectalització. Els
castellanismes infecten la llengua diària. I aleshores l'etiqueta de «llengua
valenciana» pren un nou valor. Si en el XV no havia amagat cap propòsit
sediciós, ara ja voldrà designar una ramificació regional de l'idioma comú.
«Con ser la mesma que la catalana», escriu Escolano, «se ha quedado ésta
montaraz y malsonante, y la valenciana ha pasado a cortesana y gentil.» Els
valencians creuran això: que la seva modalitat és «cortesana y gentil», a diferència

de la del Principat, que es quedava en «*montaraz y malsonante*». Amb tot, continuen afirmant que és «*la mesma que la catalana*». Per ésser exactes: afirmaven que era la mateixa però una altra. Les diferències dialectals eren massa visibles, ja, perquè no fossin un al·licient més del particularisme. Hi havia, és clar, els testimonis literaris anteriors al 1500: per als valencians de la segona meitat del XVI i del XVII, el llenguatge en què eren escrits els resultava arcaic i fins a un cert punt «distint» del que ells parlaven. Aquella llengua antiga i remota, que tothom reconeixia comuna a la totalitat dels Països Catalans, demanava un altre nom: van dir-ne «llemosí». Era, des d'un punt de vista, un altre avenç de signe disgregador.

En el XVIII, sobretot, aquesta idea es fa obsessiva en els erudits locals. Ara s'afirmarà —copio una precisa formulació de Sanchis Guarner— que, en comptes d'ésser el «valencià» una variant regional del català, eren el valencià i el català variants germanes d'una antiga llengua mare, la que anomenaven «llemosina». El valencià —escriu un d'aquells venerables setcentistes, Marc Antoni Orellana—, «*aunque era rigoroso lemosín en su principio, empero por la agregación y adopción de nuevas, selectas y apropiadas voces, junto con la suavidad y dulzura de la pronunciación que influye en el idioma, llegó por sus particulares mejoras a reputarse por distincta de la lengua catalana*». Aquesta mateixa frase prou delata que, de tota manera, Orellana estimava que el «català» s'acostava més al «llemosí» presumpte, que no pas el «valencià». I en definitiva, la raó diferencialista patent no era sinó —segueixo de nou Sanchis Guarner— «la major penetració de castellanismes en el valencià, fenomen que justificaria més bé una depuració que no una emancipació». La literatura —infraliteratura— vulgar del XIX, recolzada en el dialecte i desproveïda del sentit «depurador» que calia, fomentarà el prejudici popular entorn d'aquestes qüestions. Els homes de la Renaixença, arcaïtzants en el vocabulari, afeccionats també —per mania particularista— al nom de «llemosí» per a designar el català literari modern, no van saber combatre el confusionisme.

Fóra un error de creure que, malgrat tot, els valencians es desentenien del sentit «unitari» que, per sota d'aquestes puerilitats dialectaloides, conservava el fet lingüístic. El record del «llemosí» ancestral, per bé que era una aberració històrica i filològica, si el terme era pres al peu de la lletra, venia a ésser encara una afirmació «unitària». La «germanor» de les dues «llengües» —valenciana i catalana— remetia a una instància anterior, comuna, que permet un punt de retrobament. Així ho veien, a mitjan XVIII, els precursors de la Renaixença

Carles Ros i fra Lluís Galiana. En projectar —o reconèixer la necessitat de— la publicació de textos literaris medievals, aquest parell d'entusiastes de la llengua autòctona pensen en les possibilitats, no solament del mercat valencià de llibres, sinó també en les del Principat i de les Illes, ja que, com escrivia Galiana a Ros —1763—, l'idioma de tots tres països era «*una en la sustancia y aun casi en el modo de hablarla si nos remontamos a fecha más antigua*». I veiem que Pérez Bayer, de València estant, es carteja en català amb Josep Finestres. I quan en 1828 la Societat Bíblica de Londres planeja l'edició d'un *Nou Testament* en català, i la mig encomana a un lletraferit del Principat aleshores exiliat a Anglaterra, dos valencians, Vicent Salvà i Jaume Villanueva, intrigaran per aconseguir l'encàrrec. Uns anys després, una mica a conseqüència d'una esllanguida tradició literària local, i una mica per influx directe del que es feia al Principat, la Renaixença pren impuls al País Valencià, i ara el sentit «unitari» serà lúcid i declarat. «La idea de versificar en valencià», escriu Llorente, «me la inspirà la lectura del "Gaiter del Llobregat", del senyor Rubió i Ors; estos foren els primers versos catalans que coneguí, i quedí tan enxisat d'aquella nova parla poètica, que no poguí traure-me-la del cap...»

Fracàs per dissolució

El «patriotisme» particularista valencià estava condemnat, pels seus mateixos orígens, a una vida més aviat precària. Era la capital que l'havia suggerit i animat. Podia i hauria d'haver-se difós per la totalitat del país. Del seu major o menor arrelament depenia que fos o no el que pretenia d'ésser: un sentiment cohesiu, capaç de donar als valencians un grau substancial de maduresa col·lectiva. Però, ben mirat, li faltava força estimulant. Era, en primer lloc, un «patriotisme» massa «modern»: no posseïa aquell fons de mitologia èpica, secular, que nodreix la tradició nacional de la majoria dels pobles europeus. Com que era de confecció «burgesa» i de data relativament recent, això se li esmunyia. Era un patriotisme «civil» i, per tant, poc persuasiu. No oblidem que aquesta mena de tensions psicològiques dels grups socials han de tenir un ressort agressiu, i d'aquí que tota «tradició nacional» es basi en memòries bèl·liques i es disposi a sustentar una forma o altra d'arrogància militar en últim terme. «Burgès» —ciutadà— en la seva font, el patriotisme valencià no trobarà, en el curs dels segles, cap ocasió per a prendre una densitat seriosa. A partir del XVI el País Valencià ja no compta internacionalment com a tal país. I dic «internacionalment» perquè un «poble» s'afirma enfront d'un altre poble, i no per relació amb si mateix. Des del 1500, l'única cosa que els valencians podien «al·legar» i «defensar» en aquest pla era llur condició de «Regne»: foteses forals. Ben poca cosa, doncs. En tot cas, només hi bullia un recel, mitjanament xenòfob, envers els castellans i els catalans estrictes. Tampoc no pot dir-se que fos una incitació massa considerable.

A més d'això, el patriotisme espanyol, que també a partir del XVI pren increment —i cada dia major— entre els valencians, havia d'esmorteir la duresa de qualsevol probable superexcitació particularista. La societat valenciana, després del 1609 —els moriscos, de nou—, ha de reposar la seva població, i el nombre d'immigrats tornarà a ésser-hi important. Aquesta gent no s'inseria en un clima nacional sòlid. Eren assimilats, sí. Però llur assimilació no es produïa amb una energia «patriòtica» suficient. Potser si l'altre patriotisme, de procedència castellana, que propagava la monarquia, no hagués tingut tanta seducció, el valencià hauria pogut imposar-se finalment. La situació, al principi del segle XIX, en aquest punt, no resultava gaire encoratjadora per al particularisme local. La lluita contra Napoleó, a pesar de la seva robusta consistència «regional», va tenir per efecte intensificar l'espanyolisme dels valencians. El fenomen es repetia en tots els altres territoris de l'estat, però entre nosaltres es presentava amb més força, justament per la debilitat prèvia del particularisme regional. I per això, quan en 1833 el País Valencià era dividit en tres províncies, l'esperit particularista era ja molt tènue, a penes una lleu coloració local del patriotisme espanyol. I la divisió provincial no tardaria a posar-lo a prova.

No va poder resistir-ne les conseqüències. El particularisme regional es va veure amenaçat pel particularisme provincial. Els lligams «patriòtics» regionals eren ben febles: en quedar desvertebrats amb la desaparició del «Regne», deixaven el camp lliure a la creació d'unes altres formes de sentiment col·lectiu. D'una manera lenta, però segura i progressiva, les «províncies» esdevindrien marc d'uns particularismes a llur mida. En un altre lloc miraré d'explicar aquest procés, singularment actiu a la província d'Alacant. I una qüestió de vocabulari —també ací— venia a afavorir-lo. «Valencians» ho érem i ho som tots: tanmateix, el fet d'existir una «província de València» —i una «ciutat de València»— predisposava a limitar l'ús del gentilici a les pertinences de la província central i de la capital. A partir d'ara, els valencians es distingeixen en «valencians», «alacantins» i «castellonencs». De Morella a Elx tothom se sent i es diu «valencià», és clar. Però l'empremta provincialista ha vingut a degradar més encara el patriotisme localista. El qual avui corre el perill d'esfumar-se per dissolució. La salut social del País València exigeix una rectificació d'aquesta tendència. Els valencians tenim una personalitat regional ben neta: no desapareixerà, per molt que hi maldin uns i altres. Cal, de tota manera, no mistificar-la. Una frontera administrativa, una jurisdicció de funcionaris, no pot introduir escissions profundes en el cos de la nostra societat: escissions que, més que cap altra serien insignement artificioses. Si ho mirem bé, aquest «provincialisme» és encara una maniobra jacobina. Perquè l'hidra jacobina, liberal —diguem-ne liberal— o anliberal, no sembla disposada a jubilar-se, en aquesta trista i inconcebible península en què vivim.

I, si cal reajustar i restaurar la nostra personalitat regional, ha d'ésser, naturalment, dins un conjunt més ample i consistent. Un País Valencià aïllat és una utopia i seria una traïció a la seva pròpia essència. Des de Salses a Guardamar, de Maó a Fraga, som un poble: un sol poble. Cada un dels nostres països n'és un fragment: o millor, un membre. La història i la geografia —la societat particular que formem— ens dóna una fisonomia matisada i complementària, i el conjunt té, i en un moment de plenitud normal el tindria amb admirable justesa, un perfecte equilibri en tots els ordres de la vida col·lectiva. Els Països Catalans no són solament un petit tros d'humanitat que parla una mateixa llengua. Són això, evidentment: però el fet de parlar una llengua, la mateixa, és resultat d'una altra unitat anterior i origen de nous llaços d'unitat. El «jacobinisme» al·ludit —d'alguna manera haurem d'anomenar-lo—, tant com fomentador de la histèria provincialista, ho és també del «regionalisme» ultrancer. Hi ha un interès explícit a dividir-nos com a valencians, i a dividir-nos com a catalans. És una forma de reduir-nos a la més inefable inermitat. De vegades, sots capa de «valencianisme», «valenciania» o «valencianitat», hom intenta de separar-nos de la nostra comunitat natural. L'home del carrer es deixa entabanar per aquesta monstruosa perversió, que tots sabem qui beneficia. Si el País Valencià —posem-nos en la perspectiva més localista— vol salvaguardar la seva personalitat ha d'ésser preservant-se fidel a la seva catalanitat bàsica. *Et le reste est littérature.*

He sentit contar una anècdota —no en garanteixo l'autenticitat— que
resulta prodigiosament adequada, ací. Diuen que una vegada Francesc
Cambó va intervenir en un míting, a València. Cambó hi va parlar en català:
en el seu dialecte, vull dir. Era, sembla, el moment de les prèdiques de
l'Espanya Gran i totes aquelles històries, entre les quals hi havia la de la Gran
Catalunya. Amb tota la seva *trastienda* classista, allò, al capdavall, responia
a una realitat i a una aspiració objectivament útil per als valencians. Doncs
bé: a les primeres frases de l'orador, un dels assistents a l'acte el va
interrompre amb un crit sorprenent: «¡*Viva Cervantes!*» Com que l'incident
el provocaven uns republicans tan burgesos com Cambó, no és des de l'angle
classista que cal valorar el fet. La irrisorietat del «¡*viva!*» era elemental. Però
el que em convé de subratllar és que la interrupció —la protesta
«anticatalana»—, en tant que valenciana, no es feia a base de dir «Visca Ausiàs
Marc!», ni tan sols «Visca Bernat i Baldoví!». El lector —confio— em
dispensarà de més comentaris, per raó de les circumstàncies.

«L'eximpli de la mata de jonc»

Ramon Muntaner, natural de Peralada —hi va néixer el 1265—,
«ciutadà de Mallorca» entre 1287 i 1300, es casava amb una dama valenciana
l'any 1311. En 1316 s'havia establert definitivament a València. També ací
va pertànyer a la categoria dels «ciutadans», i fou Jurat, i assistí com a
ambaixador de la ciutat a la coronació d'Alfons el Benigne. En 1326, a la seva
alqueria de Xirivella de l'Horta de València, començava a redactar la seva
Crònica. En algunes de les pàgines d'aquell llibre enorme i deliciós, els
valencians d'avui —i tots els catalans— trobem matèria de meditació
fructuosa. El cronista, més d'una vegada, amonesta lúcidament els reis de la
casa d'Aragó que, en el seu temps, dominaven el Mediterrani occidental
—el d'Aragó, el de Mallorca, el de Sicília—: els recorda el valor polític de la
unitat. «Estats ab bon cor e siats d'un voler e d'una voluntat», els diu. És
l'única manera de triomfar sobre els enemics. Ells, els dinastes medievals,
s'acollien al «senyal» de les quatre barres, «e ab aquell han a viure e a morir».
Això en principi, ja els obligava moralment a no trencar la cohesió «familiar».
Però no era solament aquesta «raó» que els predica Muntaner. L'«obligació
moral» té el més noble fonament: «sots descendents d'aquest sanct senyor rei

En Jaume», els diu, evocant la figura del Conquistador, és a dir, la suprema unitat de la nissaga. Una altra al·legació podia fer-los, i els feia, d'ordre pràctic. I la feia a l'estil del seu temps, amb un «eximpli»: «L'eximpli de la mata de jonc.» «E si negun me demana: "En Muntaner, quin és l'eximpli de la mata de jonc?", jo li respon que la mata de jonc ha aquella força que, si tota la mata lligats amb un corda ben forta, e tota la volets arrencar ensems, dicvos que deu hòmens, per bé que tiren, no l'arrencaran...; e si en llevats la corda, de jonc en jonc la trencarà tota un fadrí de vuit anys, que sol un jonc no hi romandrà»... Substituïm els reis pels pobles, i l'admonició de Muntaner —el més «complet» català que registra la història— perdura, per a nosaltres, amb tota la seva validesa. La idea dels Països Catalans és alguna cosa més que una flatulència romàntica com algú podria creure. És una «obligació moral», en principi. És, al mateix temps, una precaució salvadora: *in unitate uirtus.* La corda que lliga la mata de jonc —la unitat— és l'únic camí que ens queda, si volem subsistir com a poble: valencians, «catalans» i balears. «E si en llevats la corda, de jonc en jonc la trencarà tota un fadrí de vuit anys, que un sol jonc no hi romandrà.» I qui pugui i vulgui entendre, que entengui.

5. Esforç centrípet: històries de la castellanització cultural

Un intent de dimissió

L'any 1500, sembla, moria Joan Roís de Corella, l'últim gran escriptor valencià del Segle d'Or de la literatura catalana. Encara li sobrevivia un grup de notaris i eclesiàstics, metges i artesans, que, des de la darreria del Quatrecents, animaven les tertúlies intel·lectuals de València, fabricaven llibres i proveïen de versos els reiterats certàmens poètics que es feien a la ciutat. Ningú no hauria dit, en la primera dècada del XVI, que el cultiu literari del català estigués amenaçat de mort en terres vaiencianes. El llatí i el català havien estat els dos únics vehicles lingüístics normals de cultura per als valencians de l'edat mitjana. En aparença, la cosa no canviava. I, tanmateix, el canvi es produïa. En l'últim quart del XV ja hi havia hagut alguns poetes locals —Bernat Fenollar, Joan Escrivà, d'altres— que versificaren en castellà: eren assaigs esporàdics, intercalats en llur obra catalana, com purs jocs d'esnobisme. Ara començava a haver-hi alguna cosa més que esnobisme. Un d'aquells mateixos escriptors locals, assidu als certàmens i col·laborador de famosos poemes col·lectius —*Lo procés de les olives*—, Narcís Vinyoles, fa en 1510 un elogi de la llengua castellana —en castellà, és clar—, i diu que entre «*muchas bárbaras y salvajes de aquesta nuestra España, latina, sonante y elegantísima puede ser llamada*». Jordi Rubió ha destacat aquestes línies de Vinyoles com la mostra catalana més antiga de «desafecte a la llengua materna». Si el poeta considerava «*bárbara y salvaje*» la llengua en què habitualment ell escrivia —el català—, no hi ha dubte que la tria del castellà ja no podia atribuir-se a motivacions frívoles.

No seria Vinyoles l'únic a professar aquesta opinió. D'una manera gairebé brusca, els escriptors valencians del principi del XVI abandonen el català pel castellà. En uns pocs anys, la llengua de Castella desplaça el vernacle com a llengua de cultura. I la tradició literària medieval cau en l'oblit. En 1561, Onofre Almudéver acusarà els seus compatriotes valencians d'«ingrats a la llet que haveu mamat i a la pàtria on sou nats» per aquell abandó dels clàssics de l'idioma del país. Almudéver els exhorta a mostrar «a les nacions estranyes la capacitat de les persones, la facúndia de la llengua i les coses altes que en ella estan escrites»: «molts ignorants» afirmaven aleshores que el català —el «valencià»— era una llengua «falta de vocables o freda en si»... Però la protesta d'Almudéver no era destinada a tenir eco. La indiferència més sorruda acollia les seves paraules. Almenys en els medis on realment haurien d'haver estat escoltades: en els cercles literaris. Cada dia són més els escriptors valencians que cultiven el castellà. El negoci editorial s'encara al mercat espanyol, i la publicació de llibres castellans a València és abundant i variada, cosa que, de retruc, havia d'influir sobre els literats indígenes. El teatre castellà arrela ràpidament a València, i Lope de Vega hi deixa un atapeït estol de deixebles. L'aportació valenciana a les lletres castellanes del XVI i el XVII resulta, si no massa apreciable en la qualitat, aclaparadora en el volum. En literatura, la llengua autòctona és relegada a un lloc ben secundari.

Aquesta castellanització literària resulta particularment efectista: per ràpida, per voluntària i per total. No podem dir, sobretot, que hi hagués hagut cap pressió «central» per procurar-la. El fenomen s'acomplia d'una manera espontània. L'origen del procés és una mica fosc. Però és evident que el fet d'ésser castellans de llengua els reis de la casa de Trastàmara degué influir-hi molt. La cort, en la mesura en què podia tenir una irradiació cultural, no va tenir-la de cara al català. Pere Miquel Carbonell escrivia d'Alfons el Magnànim: «Ell ens ha despertats!» Era una gratitud d'humanista. De tota manera, el mecenatge i l'ègida del Magnànim no van beneficiar gaire la nostra literatura nacional. Més encara: el caràcter castellà de la cort havia d'acabar per castellanitzar més o menys profundament els seus clients catalans. Tot això va fer-se més intens durant el regnat de Ferran el Catòlic, i era lògic. Quan després de la guerra de les Germanies, Germana de Foix i el seu tercer marit, virreis de València, obren llur palau a l'aristocràcia local i l'acostumen a les seves festes, la castellanització de la noblesa, classe dirigent quasi exclusiva, s'accentuarà i repercutirà sobre els nuclis literaris de la ciutat. D'altra banda, el bilingüisme del país també havia de fer-se sentir, si més no com una remota predisposició. L'abundància d'immigrants aragonesos i castellans, en el XVI i XVII, completaria el quadre de factors que propiciaria la castellanització cultural. En la nòmina dels escriptors valencians més destacats d'aquell període, que van escriure en castellà, n'hi ha alguns, com el canonge Tàrrega, que eren de comarques valencianes de parla castellana, i d'altres, bastants, que eren —com Guillem de Castro, Rey de Artieda, Virués, Joan Timoneda— fills o néts de forasters aveïnats a València.

Els escriptors valencians adoptaven el castellà per a redactar llur literatura sense parar-se a pensar-ho: amb tota naturalitat. La llengua domèstica seguiria essent el català —amb poquíssimes excepcions—, i no trobaven gens estrany allò de canviar d'idioma per a escriure. Se'ls escapava, d'una part, el fet de la traïció a la pròpia llengua que així cometien; d'una altra, que el castellà manllevat que empraven distava molt d'ésser un castellà correcte. Alguns d'ells, però, sí, que en tenien consciència. I tracten de disculpar-se o de justificar-ho. Pel que fa a l'abandonament del català, hi ha qui, com Martí de Viciana —en el *Libro de las alabanzas de las lenguas*, publicat en 1574—, diu que opta pel castellà a fi de fer la seva obra «*comunicable a muchas otras provincias*»: serà la raó més difosa. D'altres hi afegiran algun argument més curiós. Pere Antoni Beuter, quan edita la versió castellana de la seva *Crònica*—1550—, l'exposa en aquests termes: «*Pues como el tiempo ha traído la diversidad de tantos reinos como en España se partieron por la venida de los moros, en un general y solo señorío, excepto el reino de Portugal, parece que el mismo tiempo requiere que sea en todos una común lengua, como solía en la Monarquía primera de España en tiempos de los godos.*» No ens ha de sorprendre, doncs, que un valencià, Josep Estévan, bisbe d'Oriola, quan en 1595 hom projecta un campanya contra la llengua dels moriscos, digui: «*Cuando los pueblos están sujetos a un mismo imperio, los vasallos tienen obligación de aprender la lengua de su dueño.*» El prestigi de la monarquia absoluta tenia aquestes conseqüències.

També hi ha escriptors que s'excusen de llur insuficiència en l'ús de la llengua literària forana. El mateix Viciana, en 1564, quan tradueix del català la seva *Crònica* —ell i Beuter havien escrit aquells textos històrics en la llengua del país—, fa observar que «*por ser yo valenciano no escribiré tan polido castellano cual se habla en Toledo*». I Escolano: «*Si en la frase castellana me conocieres extranjero, pasa por ello, que mi pretensión no ha sido ser imitado, sino solamente entendido de muchos en lengua universal, que lo es la castellana.*» Encara en el XVIII trobarem manifestacions d'aquesta mena. «*Servir al público y dar gusto con la verdad, no con el estilo, ni con las voces, que por ser mías no serán tal vez las más propias del idioma castellano*», escriu el bibliògraf Vicent Ximeno en 1747. És el drama del bilingüisme dels escriptors. De Blasco Ibáñez conten que, fart de sentir-se acusat pels crítics d'escriure en un castellà horrorós, va llogar un secretari —«un cagalló de la gramàtica», diu Josep Pla en comentar-ho— que li endrecés la sintaxi i el vocabulari. Azorín, fill de Monòver, un dels pobles del sud català del País Valencià, no ha amagat la seva preocupació personal: «*¿Cómo escribirá quien ha pensado, niño, adolescente, con otros signos que el castellano?*» «*¿Cómo escriben castellano los nativos de Valencia? Cuestión ésta conmovedora para el autor de estas líneas. Para el autor de estas líneas*», continua Azorín, «*tratar esta cuestión es como poner el pulpejo del dedo, todo lo delicadamente que se quiera, en una carne sensitiva, palpitante y dolorosa...*»

Amb la castellanització literària, els valencians dimitien la condició de valencians en l'ordre de la cultura. Era un intent de suïcidi. Cal dir, però, que el fil de la continuïtat mai no arribà a trencar-se del tot. En el segle XVI encara apareixen alguns poetes recordables —Valentí, Valero Fuster, Siurana, Andreu Martí Pineda, Guerau de Montmajor, Joan Fernández d'Heredia...—, i en el XVII la llengua es manté en textos devots o jurídics, hom registra la falsificació de les *Trobes* de mossèn Febrer, i hi ha la figura pintoresca del P. Mulet, un sub-Vallfogona passablement divertit. A un erasmista tan fi com Jeroni Conques, segons ha revelat Bataillon, devem una traducció cinccentista del *Llibre de Job*, avui perduda, i és possible que en arxius i biblioteques inexplorats quedin manuscrits inèdits d'aquells segles, que evidenciarien més vitalitat que els papers publicats no indiquen. En el XVIII, a més d'una curiosa floració de romanços o «col·loquis» destinats al públic popular, hi ha algun poeta com Baptista Escoriguela, no desproveït d'interès. El toc d'atenció d'Almudéver en 1561 tampoc no resta solitari. A mitjan XVII el reprèn Marc Antoni Ortí, i al llarg del XVIII, Carles Ros, el P. Galiana i Leopold Ignasi Piles. En 1820, Manuel Civera, autor d'unes «conversacions» per a instruir el poble «en lo nou sistema constitucional», escriu una ingènua i fervorosa defensa del català: «Que acàs no es poden esperar d'esta llengua idees altes, penetracions agudes i pensaments de sublimitat?» El caliu no s'havia extingit.

Llengua i societat

La castellanització literària, però, és un fenomen de superfície. No va acompanyada, al principi, de cap progrés considerable de castellanització social. Un observador llunyà, a la vista del canvi de llengua efectuat per les minories literàries del XVI i del XVII, podria concloure: que és tota la societat valenciana que es castellanitza vull dir que canvia de llengua també. En les mateixes defenses del català, que surten de plomes valencianes en aquella època, trobem lamentacions amb les quals seria possible de documentar aquesta suposició. Referint-se a la llengua castellana, Viciana escriu en el *Libro de las alabanzas*: «*Todos los valencianos la entienden, y muchos la hablan olvidados de su propia lengua.*» Poc més de mig segle després, en 1639, Marc Antoni Ortí diu que en el seu temps, «no sols se fa particular estudi en procurar saber la llengua castellana, però també en oblidar la valenciana, per la molta abundància que hi ha de subjectes que els pareix que tota la sua autoritat consisteix en parlar en castellà». Però aquestes afirmacions són exagerades. I són exagerades perquè la intenció vindicatòria dels homes que les fan obliga a carregar les tintes en la denúncia del perill, a fi de provocar la còngrua reacció saludable. Ortí mateix recorda que, en la joventut, «quan en les juntes de la ciutat, estaments i altres comunitats, algú dels valencians que es trobaven en elles se posava a parlar en castellà, tots los demés s'enfurien contra ell, dient-li que parlàs en sa llengua». Que hi ha un començ de castellanització social és evident. Tanmateix, va estrictament lligat a una situació de classe, i ni que només fos per això, ja no podia tenir un desenvolupament ràpid ni homogeni.

En el XVI assistim a la castellanització de l'aristocràcia. Acabo de dir alguna cosa a propòsit d'això: sobre la influència que en aquesta classe va exercir l'ambient cortesà dels Trastàmara i, sobretot, el de la cort local de la virreina Germana de Foix. Després, la penetració fou lenta, però continuada. La llengua habitual de les senyores valencianes que constituïen la tertúlia de Germana de Foix en l'alegre postguerra de les Germanies era el català. Joan Fernández d'Heredia pogué escriure en 1524 una espècie de comèdia —el *Col·loqui de les dames valencianes*, com l'han titulat els editors— en la qual veiem les aristòcrates indígenes aferrades al vernacle: ja s'acostumen al castellà —en castellà parlen a la virreina i a les criades vingudes de Castella—; però elles amb elles s'expressen en l'idioma autòcton. Això no hauria canviat gaire en 1535, quan Lluís del Milà escriu *El Cortesano*, inspirat també en la vida d'aquella gent: tanmateix, Milà no fa parlar en català sinó una sola dama de la noblesa. Vol dir, en tot cas, que el bilingüisme progressava. Bernat Català de Valeriola (1568-1608), un noble lletraferit, fundador de l'Academia de los Nocturnos —que reunia els escriptors castellanitzats de la València del XVI—, encara escriu en català la major part de les seves memòries autobiogràfiques. Però en 1599, Guillem de Castro, en *La verdad averiguada y engañoso casamiento*, fa que, quan una criada s'adreça a la senyora en català, la dama li'n faci retret: «*Habla siempre en castellano*», li ordena. En el XVII l'aristocràcia valenciana pren el castellà com a llengua de la llar.

La noblesa, castellanitzada, havia d'esdevenir un focus actiu de castellanització enmig de la societat. Després de la seva victòria sobre els agermanats —burgesos i cortesans—, la ciutat i el país restaven a les seves mans. Els nobles eren, de més a més, els qui sostenien la vida literària local. Amb aquests prestigis immediats —i els mediats, més il·lustres: l'esplendor de la monarquia, el de les lletres castellanes contemporànies—, la llengua importada adquiria, als ulls dels valencians, la dignitat de llengua culta exclusiva. Ni el poble ni la burgesia, de moment, no van cedir en l'ús de l'idioma autòcton. Però bé podia dir Ortí que «casi en totes les juntes se parla en castellà», perquè, d'una manera maquinal, per pur mimetisme, parlar en castellà es convertia en senyal de «distinció». La llista completa dels factors que en el XVI i XVII contribuïren a afavorir la castellanització lingüística del País Valencià seria llarga i complexa; no és tampoc, aquest, el lloc de fer-la. La presència dels virreis castellans i de la plaga de buròcrates forasters que els seguia no era un dels fets més innocus. A la Universitat de València —creada oficialment l'any 1502— alguns mestres ja ensenyaven en castellà. I l'Església valentina hi abocarà, finalment, tota la seva autoritat. La Inquisició, introduïda per Ferran el Catòlic, era des d'un principi regida per castellans, i en castellà redactà des del primer dia els seus documents. A partir del 1511 fins al 1700, tots els prelats que ocuparen la Mitra de València, amb una sola excepció, eren estrangers, els quals, quan compareixen per la pròpia diòcesi, hi actuaven d'esquena a la realitat lingüística del poble i d'acord amb la tendència de l'aristocràcia. La predicació, a la ciutat, es feia en castellà. En 1657 l'arquebisbe Pedro de Urbina publicà en castellà els formularis per als *Quinque libri*. Durant el pontificat del patriarca Ribera va haver-hi una forta immigració de clergues castellans, dirigida a la conversió dels moriscos, però que reforça l'actitud castellanitzant de la jerarquia eclesiàstica.

El XVIII dóna un diguem-ne «estat legal» a la castellanització. En ésser abolits els Furs, el català deixa d'ésser la llengua oficial dels organismes polítics i administratius del Regne: és expulsat, doncs, de l'últim reducte «públic» que li quedava. L'Església ja no s'amaga d'accentuar la seva castellanització, i cap a mitjan segle l'arquebisbe Mayoral l'ordena taxativament pel que fa als documents eclesiàstics. «*El idioma castellano es el que en este tiempo se usa regularmente en todos los tribunales*», diu, «*y para no dar lugar a interpretación de partida vertida en castellano, de bautismo, juzgamos por conveniente su uso; por tanto, mandamos que en adelante se escriban todas las partidas en lengua castellana.*» La política d'assimilació lingüística patrocinada pels Borbons tindrà el seu èxit. I tot això hauria conduït a una depauperació idiomàtica total, i potser sense esmena possible, si no hagués coincidit amb un fenomen compensatori. El Set-cents renova els quadres dirigents del país: hi ha els terratinents oriünds dels pobles i els industrials i comerciants de la capital, que mantenen la llengua. La vella aristocràcia castellanitzada, que després de l'expulsió dels moriscos havia anat malvivint a València o —les famílies més potents— emigrava a la cort i hi emparentava amb la noblesa castellana, ara és rellevada per uns equips lingüísticament sans. Sans per la procedència rural o per la seva extracció de les classes mitjanes fabrils o mercantils de la capital. La castellanització trobava aquest dic espontani i imprevisible. Si en aquell segle la castellanització cultural sembla acomplida —i tampoc no ho era: recordem Ros, Galiana, Planells i el renaixement dels estudis locals—, la castellanització social és frenada.

El poble s'havia mantingut incommovible en la seva llengua. Fins a ell no arribava, o ja molt atenuada, la influència dels nobles, els quals, altrament, no eren sants de llur devoció. A més d'això, la capacitat de xenofòbia dels valencians havia tingut, de sempre, un principal destinatari: els castellans. L'anticastellanisme, com ha subratllat Ferran Soldevila, no és freqüent al Principat medieval, però si que ho és al País Valencià: els valencians tenien frontera amb Castella i hagueren de sentir-ho en guerres i invasions: «*Suegra y nuera son entrambas*», deia Lluís del Milà en *El Cortesano*, parlant de Castella i València. «Oh que cosa tan bestial és lo castellà grosser!», exclama un personatge del *Col·loqui de les dames valencianes*. Si els mateixos nobles locals, fins i tot quan més castellanitzats estaven, sentien hostilitat als castellans, el poble encara els guanyava. Amb motiu de la vinguda a València de l'alta aristocràcia de Castella, per a la boda de Felip III en 1599, mossèn Porcar anota en el seu dietari: «Estos Grans de castellans», «tots los aposientos han emmerdat, i tot ho han derruït, i casi tots los panys de les portes han arrancat.» I un altre capellà humil del XVII expressa així un desdeny de distinta mena: «Si algun re-sabut dirà / Per què en castellà no escric, / Dic io que d'aquella llengua / Sols me'n valc per a mentir.» Aquesta predisposició, molt general, no resultava la més apropiada per a deixar-se castellanitzar. La profusió de «col·loquis» editats durant el XVIII en el català dialectal de València demostra que el poble conservava intacte l'instint de la seva personalitat col·lectiva, encara que només fos a través d'una manifestació literària tan banal.

És clar que aquesta «resistència» popular a la castellanització tenia molts punts dèbils. Però ni l'escola ni l'Església, ni cap altre instrument oficial de despersonalització, no aconseguiren de destruir-la. Mentrestant, el País Valencià rebia quantitats importants d'immigrants i les noves masses de forasters eren indefectiblement absorbides. Aquesta mateixa creixença demogràfica minimitzava la nocivitat dels sectors i dels esforços castellanitzants. Perquè l'assimilació dels nouvinguts es produïa sense obstacles. El català col·loquial dels valencians, naturalment, no deixava de ressentir-se'n. La proporció de castellanismes lexicals s'eleva d'una manera espantosa, per la ben explicable raó de la convivència amb els forasters que eren assimilats. Però quan al segle XIX l'«opinió» pública comença a pesar en la política, blancs i negres acudiran al dialecte per fer-se escoltar pel poble. Multitud de setmanaris es publicaran a la capital i als pobles —«El Mole», liberal, serà el primer, en 1837— i n'hi haurà de totes les tendències. Fins i tot n'hi ha un d'anarquista: «El Chornaler» del 1883. Per la mateixa època, «La Traca», republicà, feia un tiratge normal —diuen— de 12.000 exemplars, i «El Palleter», carlí, arribà a tirar-ne 50.000 d'algun número. Era un periodisme de libel, sistemàticament satíric, emanat sobretot dels més diversos cantons de l'oposició política i que les autoritats regimentals —les Monarquies d'Isabel II, d'Amadeu, de Sagunt— perseguiren sense clemència. L'idioma que emprava era el patuès més vulgar, i ortografiat a la castellana. Però testimoniava, amb la seva expansió, la importància que l'aferrament del poble a la seva llengua va tenir d'un cap a l'altre del Vuit-cents.

Disjuntiva actual

La història de la castellanització cultural continua en el XIX i el XX amb una orientació més aviat vacil·lant. Els intel·lectuals valencians del Set-cents havien promogut un retorn a les realitats directes del país: geografia, història, economia, llengua i tot. El Romanticisme hauria d'haver continuat i potenciat aquests corrents. Així va ocórrer al Principat, on la veta romàntica més cultivada fou la tradicionalista, d'origen germànic i anglosaxó, amb els fantasmes d'Ossian i de Walter Scott com a patrons. Els romàntics de València begueren en fonts franceses, i llur romanticisme fou més liberal i més cosmopolita. Tal és, almenys, la conclusió d'Allison Peers. De tota manera, romanticisme era, i això significava un reencontre amb el poble i amb la història. Amb la llengua. El qual es convertí, per dir-ho amb el terme exacte, en «Renaixença». Tomàs Villarroya, en 1841, publicava els primers versos catalans de la nova fornada —la romàntica. Sens dubte, li havien estat suggerits per l'*Oda* d'Aribau: «El Vapor» era una revista que arribava a València, i que fins i tot era llegida pels redactors d'«El Mole». En 1858, un mallorquí insigne, l'home més «renaixentista» de la Renaixença catalana, Marià Aguiló, ve de director de la biblioteca de la Universitat valentina. Teodor Llorente i Vicent Wenceslau Querol, llavors estudiants, reben el seu consell i el seu estímul: tots dos escriuran, més o menys, en català. En 1859 se celebren uns primers Jocs Florals valencians: Llorente i Víctor Balaguer hi obtenen premis. Un altre poeta valencià, Constantí Llombart, comença a publicar, en 1874, un almanac titulat Lo Rat-Penat, on col·laboren escriptors de tots els Països Catalans. Lo Rat-Penat serà el nom de la «societat d'aimadors de les glòries valencianes», que és fundada en 1878, i normalitza la institució local dels Jocs Florals. La Renaixença estava en marxa.

Però, mentrestant, el castellà —amb l'ajut de l'escola de l'Església, sobretot— havia esdevingut la llengua «culta» habitual dels valencians. Els setmanaris dialectals, amb llur èxit, de vegades —he citat xifres— fabulós, no resultaven «culturalment» satisfactoris: eren eficaços precisament per llur dialectalisme, però ningú no oblidava que eren dialectals, és a dir, marginals a la cultura. D'altra banda, la Renaixença, arcaïtzant i conservadora, «regimental» en bona part, no arribava al «poble», ni tan sols no obtenia audiència entre la burgesia de la capital. Enmig de totes dues posicions lingüístiques, un gran camp d'acció quedava ofert al castellà. Però València, al mateix temps, era una modesta capital de província, que no podia sostenir, tot i la seva esperançadora amabilitat econòmica, un «estament» intel·lectual seriós. D'aquí que l'escriptor valencià emigri. Emigra de llengua: escriu en castellà. I emigra a Madrid, sempre que pot. Ja he recordat que Blasco Ibáñez començà a escriure en català: hagué d'optar per l'altra llengua, perquè en la del país no se li obrien sinó possibilitats ben migrades. Azorín emigra; emigra Gabriel Miró. L'ambient valencià no permet el literat professional, ni tan sols en una mesura mínima. No el permet en català, per falta de base social. La «Renaixença» valenciana és esquifida i trista: «*Si oyen ustedes decir por ahí que la literatura lemosina ha renacido, no lo crean*», escriu Azorín en un pamflet —*Buscapiés*— del 1914; «*ésas son voces que hacen correr los pavos, como dijo el otro. Es decir, los pavos precisamente, no; los señores de "Lo Rat-Penat", una sociedad de bombos mutuos.*» Però València tampoc no arriba a retenir els seus escriptors en castellà. Madrid els atreu —i, bé o malament, els alimenta. El mateix Blasco, que va quedar-se a la ciutat per raons polítiques —ell era el nervi del republicanisme autòcton—, també emigra quan es desentén de la vida pública municipal.

Amb tots els seus defectes, tanmateix, la Renaixença valenciana obtenia un triomf indiscutible: trencava el monolingüisme cultural del País Valencià, centrat en el castellà després del 1500. Malgrat la seva timidesa política, i malgrat la seva inèpcia per guanyar-se la societat, els pocs jocfloralistes del XIX reintroduïen el català en els migrats costums literaris dels valencians. Al segle XX serà catalana la millor literatura feta al País Valencià. Això, parlant en termes absoluts, potser no vol dir res: vol dir, simplement, que la literatura en castellà que s'hi feia era pitjor. Els pocs escriptors indígenes que valien, i que s'adaptaren al castellà, donen l'obra pròpia fora del petit món cultural valencià. D'altra banda, algunes empreses realitzades pels intel·lectuals valencians de llengua catalana, a partir del 1920 —citem publicacions: «Taula», els llibres de L'Estel, «Acció cultural valenciana», «La República de les Lletres», l'obra editorial de la Societat Castellonenca de Cultura—, eren positivament estimables. No hi ha res en castellà, produït en terres valencianes, que els pugui ésser comparat. Al costat d'això, l'erudició, d'expressió bilingüe però —és clar— projectada sobre els homes i els fets de la història del país, era l'altra branca ferma de la cultura local. Els intel·lectuals castellanitzants hi feien, a l'altre cantó, un paper cada cop més desfibrat i provincià. Però hi eren. La indecisió perdurava, per tant. Tan insignificants com vulgueu, els representants de la tradició castellanista subsistien. I avui les coses no han canviat.

Evidentment, una «cultura», no sols la constitueixen els «productors» de versos i de monografies: també els «consumidors» en formen part. I això ens portaria a examinar l'estat de la castellanització social als últims temps. El segle XIX, que hereta l'estructura del XVIII, manté, en una primera meitat llarga, la situació lingüística anterior. El castellà a penes avança a la capital, i segueix sense penetrar als pobles. Més tard, la burgesia de València i d'Alacant l'adoptarà com a llengua sumptuària, i la introdueix en l'ús familiar. Era una burgesia —no pas burgesia industrial, em sembla que ja ho he indicat— que, sobretot a València, «sortia» de la classe mitjana, i que, per conseqüent, buscava de distingir-se'n: la manera de parlar —l'idioma— era un expedient «distintiu» de classe, com ho pogués ésser el luxe del vestit o la pertinença a un club restringit. Els mateixos burgesos que muntaven Jocs Florals i escrivien englantines en català, parlaven castellà a casa. El poble —les classes mitjana i obrera— dedicava els seus sarcasmes més àcids a aquells trànsfugues de la llengua. Una gran massa de literatura popular del XIX i del prin cipi del XX treu un excel·lent partit còmic de la burla adreçada als castellanitzants. Hi ha una paraula en el vocabulari de la capital, «coentor», que ve a ésser sinònima de «cursileria», però que al·ludeix particularment a l'afectació que suposava, en un valencià, de parlar castellà. Els graciosos sainets d'Eduard Escalante presenten una variada galeria de «coents», que feien les delícies de l'auditori teatral del nostre segle passat.

En una d'aquestes peces d'Escalante, precisament *L'herència del rei Bonet*, un dels personatges se sorprèn perquè el seu pare, un artesà que espera un llegat de milions, li parla de sobte en castellà. «Vegen a mi per què em parla en castellà!», diu. I l'ingenu velluter li contesta: «Perquè dec acostumar-me al mudar de classe...» *L'herència del rei Bonet* és del 1880. El mecanisme de la mutació idiomàtica hi queda exposat d'una manera ben gràfica. Més o menys, encara continua igual. Amb una particularitat: que la «classe» ja no és solament la «burgesia», sinó també les professions liberals, l'alta mesocràcia i els buròcrates d'elevada remuneració. Les dones, més sensibles a les fascinacions de la «distinció», hi han exercit un paper important. València, que en els últims cent anys ha vist créixer les seves capes de *parvenus*, fa la impressió al visitant d'una ciutat completament castellanitzada. No ho està tant com sembla. La *gente bien* —per dir-ho amb una al·lusió a Rusiñol— hi abunda. També les relacions quotidianes amb aquests nuclis castellanitzats fan que la resta de la població es deixi emportar, sovint, a promiscuar les llengües en la conversa de carrer. Però els sectors més amplis de la classe mitjana i del poble segueixen fidels a llur vernacle. De més a més, la capital es veu assaltada cada dia per una xifra considerable de gent de les comarques, que puja a treballar-hi o a fer negoci, i que hi puja amb la seva parla inabdicada. Als pobles, en efecte, i a les ciutats grans —Alacant n'és l'excepció—, el català conserva les seves posicions. Ni que només fos per així, València no arribaria mai a castellanitzar-se del tot.

Cal no oblidar que, en aquesta col·lisió d'idiomes, el català no ha disposat fins ara, en terres valencianes, de cap instrument sòlid de defensa. S'ha trobat sempre desarmat davant la pressió de l'altra llengua. La qual, és superflu de dir-ho, ha estat exercida a través de més conductes que la simple «distinció de classe». El castellà ocupa les trones i la premsa diària, l'escola i l'escenari, la tribuna política i la càtedra acadèmica. El català, en canvi, no ha tingut res d'això. La Renaixença local i les seves prolongacions noucentistes foren massa dèbils per a aconseguir, en aquest terreny, res que ni de lluny pogués comparar-se al que obtenien al Principat. Totes les tradicionals «molleses» dels valencians semblen fer-se més visibles en la qüestió de l'idioma. Per això, tot ben comptat, admira que encara avui el català mantingui tanta força al País Valencià com a llengua viva, i que sigui capaç de sustentar el petit treball intel·lectual de les seves millors minories. En un altre pla, hem de dir també que són pocs els valencians —els catalanòfons, que són els únics a què ara em refereixo— que no tinguin un mínim de consciència del que el problema de la llengua significa per a llur comunitat. Adoptaran, enfront d'ell, una actitud o una altra, però la consciència hi és. Entre dues llengües es planteja la disjuntiva del nostre poble. I s'hi planteja, no sols pel que la llengua suposa en ella mateixa —una història, una cultura passada i present, una forma d'ésser—, sinó igualment pel que representa d'opció civil de cara al futur. Vicens i Vives, parlant del País Valencià, es preguntava: «Tindrà la valentia —i àdhuc, si cal, la crueltat— d'inscriure's, en veritat, en una trajectòria única, cultural i històrica?» La «trajectòria» que se'ns imposa, la sola que pot salvar-nos com a valencians, no cal dir quina és. Hem de tenir la decisió —valentia?, crueltat? per què?— d'inscriure'ns-hi. O això, o el buit social més absolut, el desert, el no-res.

6. El desfasament entre centre i perifèria*

Un destí marginal

Cap idea no podia ésser tan grata com la d'Espanya a un peninsular format en la cultura del Renaixement. L'esplendor, si més no superficial, de la monarquia dels Àustries, i el seu sentit «unitari» —«un *monarca*, un *imperio y una espada*»—, havien de fer pensar en la Hispània romana dels textos clàssics, i també en la Hispània visigoda de sant Isidor, no menys il·lustre des del seu punt de vista: Hispànies unides i unitàries: «*Cuando todos los reinos de España, que andaban derramados debajo del gobierno de diferentes reyes, por grande suerte han vuelto a su antigua forma y conformidad*» —diu Escolano—, «*en señal de que todos ellos reconocen a un solo supremo monarca y señor*», els reis «*se intitulan reyes de las Españas, despertando el nombre que desde* ab initio *tuvo de llamarse las Españas toda esta nobilísima región.*» Per això, perquè la paraula Espanya tenia aquest valor antic, comprensiu de tot el territori peninsular, «*no puedo dejar de dolerme*», segueix el cronista, «*de la impropiedad de hablar del vulgo castellano*» «*llamando a sola Castilla España y a solos los castellanos españoles*». També els catalans érem espanyols, segons aquest concepte, i amb tant de dret com els castellans a ostentar el gentilici comú. En els segles XVI i XVII abunden els testimonis literaris, procedents dels Països Catalans, que coincideixen amb l'opinió de mossèn Escolano. El recel anticastellà no era un obstacle a l'«espanyolisme» de la nostra gent: ben al contrari, n'era un estímul. Es tractava de negar als castellans el monopoli d'Espanya. Espanya era alguna cosa més que Castella. Amb una mica d'orgull: «*Anch'io...*»

Però el problema no era un problema de nomenclatura. La monarquia dels Àustries es quedà a mig camí d'allò que estava en l'obligació d'ésser. Aquella fou l'hora de la constitució de l'estat «modern», i la monarquia absoluta resultava l'instrument indiscutiblement útil per a realitzar-lo. La

---

* El títol d'aquest capítol és, en l'edició original, *Costum de subversió*.

base plurinacional de l'estat havia d'ésser eliminada. Un estat «modern» no podia ésser sinó un estat unitari, i l'unitarisme seria sempre precari, si només s'aguantava sobre una «unitat» institucional mínima. Els Àustries, entretinguts amb les aventures polítiques europees i americanes, van creure que bastava el fet de l'autoritat reial única per a «relligar» els pobles que dominaven. Ells descansaven sobre Castella: sobre Castella i sobre l'or d'Amèrica. Els era suficient. Per això van deixar intactes les autonomies dels estats de l'antiga Corona d'Aragó: de la subsistent Corona d'Aragó, malgrat tot. Deixarem de banda tota hipòtesi sobre si un Carles V o un Felip II podien haver efectuat un «cop d'estat» que suprimís els règims autònoms del litoral mediterrani de la Península. La realitat és que aquells règims van sobreviure a la constitució i a la consolidació de la monarquia absoluta que, en bona lògica, hauria d'haver-los destruïts. Quan el comte-duc d'Olivares ho intentà, en el regnat de Felip IV, ja era massa tard.

L'estat «unitari» es frustrava. L'Espanya dels Àustries adopta una articulació al capdavall ben poc «unitària». D'un costat, s'hi aferma un «centre»: Castella, el poble-Atlas de la monarquia, la cort que s'hi instal·lava establement, les oligarquies locals que explotaven el poder. De l'altre cantó hi havia els pobles de la perifèria, els quals quedaven abandonats a ells mateixos. Perquè, en respectar les autonomies, els Àustries respectaven més coses: respectaven també uns sistemes constitucionals totalment incompatibles amb la monarquia absoluta. Els règims forals no solament eren una diferenciació diguem-ne «estatal» entre un «Regne» i el «Regne» veí: eren, al mateix temps, unes complicades barreres de lleis que travaven l'exercici de l'autoritat omnímoda del sobirà. En 1520 —les Germanies— Carles V expressava al comte de Mélito, virrei de València, la seva incomoditat davant els obstacles forals. L'emperador recorda a Mélito que «*hay tiempos y casos en que el sufrimiento y disimulación valen mucho*» per a l'èxit d'un governant —entenent-hi per «*sufrimiento*» concessions, i per «*disimulaciones*» maquiavel·lisme—: «*y es más necesario en esos reinos donde se ayudan de privilegios y libertades, que en otras partes donde el mando y poderío real es absoluto*». A Castella, sens dubte, el «*mando y poderío real*» era absolut. Ací, no. La perifèria mediterrània s'erigia enfront del monarca amb la seva cuirassa foral. El rei hi té les mans lligades, perquè els «regnícoles» «*se ayudan de privilegios y libertades*». Com a contrapartida deplorable, els «regnes» privilegiats ja no són autocèfals: no podran resoldre els problemes per ells mateixos. És el rei —el «centre»— que ha de resoldre'ls-els. Però el «centre» té altres coses a fer, ni ho podria fer amb els procediments a què està habituat —poder absolut— perquè els «furs» ho impedirien. El desfasament entre centre i perifèria serà constant, des de Carles V fins avui. Importa poc, ara, si el toc òptim ve d'un costat o de l'altre. L'important és que es tracta de dues zones politico-socials que la monarquia dels Àustries —Societat Anònima constructora de l'estat espanyol— no aconsegueix de fondre en una de sola. I com que la monarquia s'indentifica amb el centre, la perifèria queda condemnada a viure «al marge». La perifèria, doncs, ni fa ni deixa fer: no «fa», perquè, sense un cap propi, no pot fer; no «deixa fer», perquè, encastellada en el parapet foral, intercepta tant com pot el *«mando y poderío»* del rei absolut. Quan Felip V, amb la Nova Planta, assola l'anacrònic edifici medieval dels *«privilegios y libertades»,* la situació de fet no és alterada. L'estat borbònic és ja un estat unitari; però la perifèria segueix essent perifèria, i el centre, centre. La revifalla econòmica del XVIII accentua la diferència entre ambdues zones. Tot el centripetisme intel·lectual i polític dels perifèrics del Sent-cents, tots els lligams econòmics que aleshores s'estableixen entre els diversos pobles de la monarquia, no suprimiran ni tan sols atenuaran la divergència. Centre i perifèria han esclerosat les respectives posicions. El centre es creu la part suprema de l'estat; la perifèria es troba postergada dins l'estat. Entre l'un i l'altra hi haurà una tensió contínua. El centre esdevindrà automàticament autoritari respecte a la perifèria; la perifèria es fa sistemàticament protestatària respecte al centre.

Un estat unitari autèntic ho hauria evitat, tot això. Però potser l'estat unitari era una simple utopia. Perquè marxés bé calia que fos unitari en un pla més profund que la mera superestructura de l'organització jurídico-administrativa: hauria calgut que fos unitari en la base social, és a dir, uniforme en la seva complexió de «poble». La geografia i la història, i sobretot l'economia i els hàbits mentals que en deriven, impossibilitaven o, més encara, contradeien aquella uniformitat. El centre intentà de salvar l'inconvenient reduint la perifèria per assimilació i per coacció. Hi ha fracassat. En algun moment la perifèria ha semblat voler imposar-se al centre: imposar-li un rei —l'arxiduc Carles d'Àustria en 1705—, una revolució —la federal del 1873—, una reacció —la carlina—, un ideal qualsevol més o menys ben intencionat de reajustament de l'estat. Però tot inútil. La «marxa sobre Madrid» que en 1843 acomplien les tropes sortides de

València, i que derrocà la Regència d'Espartero, no fou ben bé un triomf de
la perifèria, sinó de Narváez. Si el centre fracassava en un sentit, la perifèria
ha fracassat en el sentit contrari. El centre s'ha aguantat fins ara amb les
inèrcies de l'estat: al cap i a la fi, l'estat era ell. La perifèria s'ha esbravat, en
canvi, a força de subversions. Només una part del XVIII té, en el terreny dels
fets, la calma feinera d'una treva. Però la subversió se li ha fet costum. Unes
vegades ha arribat a la vora del secessionisme, com el 1640; d'altres es justifica
en les més brillants afirmacions espanyolistes. Tant hi fa: en el fons, no és sinó
subversió, dissidència incurable.

El xix, un segle insurgent

Una primera revolta en 1801 inicia la trepidació sediciosa del XIX
valencià. Godoy havia promès un cos d'exèrcit a Napoleó, i una reial ordre
de Carles IV exigia al Regne de València el corresponent tribut de quintes.
La gent del país va revoltar-se —contra el decret i, de passada, contra certs
personajes de posición», com diu un historiador—, i Godoy hagué de derogar
la lleva. En 1808 el País Valencià s'enrola en l'aparatós «campi qui pugui»
que desencadenà l'alçament antinapoleònic. El crac de l'antic règim va tenir
per immediata conseqüència evidenciar la insolidaritat latent dels països
hispànics. En aquella ocasió, literalment, cada terra fa sa guerra. El patriotisme
espanyol i el monarquisme borbònic enlloc no entraren en crisi; però, més
que no aquests sentiments, era una necessitat d'insurrecció social que
encoratjava els combatents indígenes. Es tracta d'una vertadera rebel·lió
contra el centre representat per l'antic règim. Sovint, els erudits inclinats a
l'eloqüència s'han referit al «federalisme espontani» que aleshores va produir-
se en els territoris de la monarquia dislocats per la invasió. La tendència a un
reagrupament i a una entreajuda era innegable en les Juntes Provincials que
menaven la lluita popular contra el francès. Tanmateix, el «federalisme»
suposava una dispersió prèvia. I la dispersió hi fou més instintiva. No hi
havia, ni de bon tros, cap malícia contra la «*unidad nacional*». Era, senzillament,
que l'estat fictici i postís feia fallida, i la societat aprofitava l'emergència per
a destruir-lo: per a alliberar-se'n, si més no. Potser el «federalisme espontani»
hauria estat un bon punt de partida per a una reestructuració estatal. En tot
cas, el centre no tardà a reviscolar, amb una metamorfosi increïble: es fa

jacobí. Era lògic que fos així, si volia sostenir-se com a centre. Però el nou estat unitari, que fabricaven les constitucions liberals espanyoles del segle passat, era destinat a ensopegar amb els mateixos inconvenients de fons que la monarquia absoluta precedent.

En 1814 retornava Ferran VII. La sèrie de les insurgències locals, d'aleshores ençà, es faria més atapeïda i més accelerada. Els motius expressos vindran donats per les pugnes generals de la política espanyola: absolutistes contra liberals, moderats contra progressistes, republicans contra monàrquics, carlins contra tothom, proletaris contra burgesos, republicans ells amb ells. Tot això, al centre, eren disputes pel poder. A la perifèria era tota una altra cosa. Ací no hi havia cap poder que pogués ésser objecte d'una disputa. A part els mòbils ideològics i socials que animessin els contendents, i que no tracto d'oblidar, n'existia un altre, subterrani, però sens dubte més poderós que la resta: el «marginalisme». Els homes de la perifèria hispànica continuen sentint-se «al marge» de l'estat: d'un estat que no els inclou sinó d'una manera formulària en certs aspectes, i d'una manera soferta com opressiva en d'altres. Des de la «província» «no hi ha res a fer»: aquesta és una convicció sorda, a penes clara, que tothom comparteix. Hi cabia, com a resposta, la resignació. Hi cabia, també, la revolta. Una revolta estèril, és clar: però almenys alliberadora: «*Al catalán nada le importa tomar las armas, batirse en las calles y en los campos, consumir largos años de su juventud en medio de las fatigas militares; en una palabra: nada le importa ser soldado, con tal que no se le fuerce a serlo y no se te apellide con este nombre*», escrivia Balmes. No ésser soldat equivalia a negar-se a col·laborar amb l'estat, a integrar-s'hi. Les «*fatigas militares*» no feien por; es tractava de dir «no» a l'estat. Les paraules de Balmes em semblen molt reveladores.

Un tòpic «perifèric» del XIX seran els greuges rebuts del centralisme. «*Las provincias son nada, el centro es todo*», escriu Vicent Boix en 1867; «*los extremos languidecen y el centro se ahoga de hartura, y por lo mismo, la provincia va desfalleciendo, amortiguándose, y con la vitalidad pierde su importancia, su nombre y todo sv pasado.*» Que el centre s'ofegués «*de hartura*» sembla una afirmació una mica arriscada. La seva pròpia inèpcia va impedir que el centralisme del Vuit-cents fos beneficiós per a ningú. Ara: tampoc no era cert que «*los extremos languidecían*». No hi ha dubte que la política descentralitzadora de l'estat liberal no fou gens favorable als interessos morals i materials de la perifèria: no ho podia ésser, ni ho intentava, naturalment. Però aquella mateixa inèpcia que impedia al centre d'aprofitar-se del monopoli del poder era també la causa de la seva ineficàcia «assimilista». A França, i a tot arreu on l'estat jacobí ha estat en mans hàbils, l'aparell governamental fou un instrument «unificador» d'extraordinària penetració. El centralisme espanyol del segle passat no aconseguí, en aquest pla, cap avanç d'importància. La castellanització, que era la seva arma, no va obtenir al País Valencià, per exemple, uns progressos proporcionats als recursos de què disposava. Altrament, la vitalitat real d'un poble no depèn de la seva posició dins una arquitectura estatal. Quan Boix escrivia les línies que acabo de copiar, el País Valencià havia entrat ja en una etapa d'afortunada expansió econòmica. Una altra mena de vitalitat, la política, no resultava menys palmària.

Pel que fa a la vitalitat política, no cal dir que fou, d'una punta a l'altra del XIX, una vitalitat «insurgent». Tot allò que les terres valencianes aboquen a la superfície de la vida pública espanyola és rabiosa i tallant «oposició». Però, si ho mirem bé, no és una «oposició» a aquest o a l'altre partit que governa, sinó oposició radical a l'estat. Des de Ramon Cabrera —el tortosí que galvanitzà el Maestrat— fins a Blasco Ibáñez, passant pels revolucionaris de l'Alcoi del 1873, la característica és tan comuna com exacta. Indiscutiblement, sempre hi hagué valencians que avui en diríem col·laboracionistes: la «gran etapa moderada» i la Restauració van tenir, al País Valencià, bon suport. No era, però, allò que poguéssim qualificar de la part més «viva» de la nostra societat, i no hi ha dubte que sense l'apuntalament policíac i militar que l'estat els facilitava, les minories pro-regimentals no haurien tingut gaire força en els afers interns de la regió. Republicans i carlins eren «*los únicos que aquí cuentan con verdadero pueblo, con eso que en mal castetlano se ha dado en decir "masas"*», afirmava un líder tradicionalista, Polo y Peyrolón, en 1896. Als carlins i als republicans hauríem d'afegir els anarquistes. Per definició, tots tres grups, i cadascun des del seu angle, es trobaven inconciliablement «enfrontats» amb l'estat dels Borbons liberals. Tots tres grups, de més a més, i cal subratllar-ho, es manifestaven per la violència en llur actuació política. Guerres, avalots, conspiracions, atemptats: una infracció permanent de l'ordre públic i de la legalitat constitucional.

Si afinàvem una mica més l'anàlisi, veuríem que, en una mesura apreciable, aquestes actituds antiregimentals van dissipar-se en efusions infecundes. En tant que temptatives contra l'ordre establert, eren més aviat

anodines. Des de la «província» no podia imaginar-se un assalt al poder. I
això, els seus inductors ho sabien. No val a dir que, en definitiva, els
moviments subversius valencians s'entrellaçaven amb uns moviments
d'idèntic signe ideològic, sorgits a les altres zones de l'estat, centre inclòs, i
que, per tant, l'acció local no era tan «aïllada» com jo vull insinuar. Aquestes
relacions existien, és clar. Però una simple recapitulació de les seves incidències
i dels seus resultats demostra que no foren massa efectives. Tothom es movia
dins la revolta incoherent. Es tractava de formes d'irritació col·lectiva que
troben en la pròpia vehemència la millor satisfacció. En el quadre del seu
destí «marginal» de poble perifèric, els valencians no poden fer una altra cosa.
O més ben dit: encara en podien fer una altra, i la feren. Que era: desviar
l'antagonisme arnb l'estat cap a un antagonisme exclusiu entre les faccions
antiregimentals. Carlins, republicans i anarquistes —sobretot en l'últim terç
del XIX i en el primer del XX— van esmerçar llur fogositat, més combatent-
se els uns als altres, que no pas combatent les institucions estatals a què
s'oposaven. És clar que ells amb ells havien d'ésser adversaris a mort, enemics
irreductibles. Però el fet d'acabar malgastant tantes energies en una lluita
petita, tampoc no podia conduir-los a res ni enlloc. Tancats en llur àrea
«provincial», allò no tenia més significació que la de prolongar la revolta
perquè sí, perdut el nord, en un estricte canibalisme domèstic.

D'altra banda, la qualitat subversiva del nostre Vuit-cents, per
eminentment popular, no encaixa amb els *pronunciamientos* que, al mateix
temps, practica l'exèrcit espanyol. L'exèrcit, sempre díscol a l'Espanya del
segle passat, no hi té part sinó per coincidència. Al capdavall els *pronun-
ciamientos* són episodis gestats sovint en inquietuds professionals dels
militars, i quan tenen un específic contingut polític és a través dels partits i
de les peripècies àuliques o parlamentàries de la capital de la monarquia. Les
revoltes que tenen per escenari el País Valencià, rarament recolzen en
inspiracions indígenes. Des del 1822, en què es produí la rebel·lió absolutista
dels artillers de València i a seguit de la qual fou executat el general Elío, fins
al 1876, en què Martínez de Campos proclamà rei Alfons XII al camp de
Sagunt, i ulteriorment, els disturbis castrenses són cuinats d'esquena al
poble. Alguna vegada el *pronunciamiento* s'imbrica amb l'aventura espontània
local, sorgida independentment. Però això és tot. Les revoltes autòctones són
més limitades, i obeeixen unes altres determinants.

Parèntesi de la mesocràcia

Estudiosos i polítics que han volgut aclarir l'entrellat de la desastrosa vida política de l'Espanya contemporània, solen destacar-hi, com un factor d'«estabilitat», l'estructura social de certes zones de la perifèria peninsular. El problema a debatre és el del fracàs de l'estat parlamentari, de la democràcia burgesa. Una tesi que té bastants seguidors l'explica per l'absència d'una sòlida «classe mitjana», que és la que, en d'altres estats europeus, ha servit i serveix de base a aquell règim. En dir «classe mitjana» volem dir així mateix burgesia. Una gran part del territori espanyol —Castella, Andalusia, Extremadura— reposa encara sobre una economia agrària de latifundis, semifeudal. La lògica polarització de classes que es produeix en aquestes regions, no podia ésser un pressupòsit gaire apte per a la democràcia liberal. Les societats d'alguns països de la costa, en canvi, més complexes i matisades, ja donaven un percentatge de «classe mitjana» esperançador. Una major industrialització, i una distribució de la propietat rústica relativament equilibrada, les preparaven a una «normalitat» política de tipus europeu. El País Basc, el Principat i el País Valencià són considerats, pels comentaristes al·ludits, com els fragments d'estat espanyol que presenten un grau d'«estabilitat» social més respectable. La circumstància que algunes de les grans ciutats fabrils basques, i extenses comarques dels Països Catalans, haguessin mostrat una preferència majoritària per les ideologies liberals venia a confirmar aquella explicació... I potser sí, en últim terme, tot això té un fons de veritat. El predomini d'unes «classes mitjanes» acceptablement sòlides era, en tot cas, la millor oportunitat que la Península Ibèrica podia oferir al sistema parlamentari burgès. Tanmateix, els fets històrics provaren que, malgrat tot, alguna cosa fallava entre nosaltres, i que no acabàvem d'ajustar-nos còmodament al mecanisme de la democràcia liberal. El caciquisme, els «roders» —trabucaires al servei dels polítics rurals—, les batusses endèmiques entre la gent dels partits rivals, la més desenfrenada picaresca electoral, el pistolerisme urbà, i tantes altres delicadeses de la vida política local del XIX i del XX, eren la negació de qualsevol «normalitat» democràtica. No seria admissible d'explicar aquest «caos» per una pressió proletària. Ben al contrari: aquell clima de violències públiques era creat i sostingut pels mateixos partits «burgesos». L'«estabilitat» existia, certament, però donava aquests resultats paradoxals. I com havia d'ésser, si no? El plantejament «subversiu» de la vida col·lectiva dels valencians feia inservible el legalisme d'una constitució parlamentària. De més a més, els tres grups polítics valencians de més força —carlins, republicans, anarquistes— coincidien a denunciar la monarquia liberal com una ficció insultant. Els tradicionalistes l'atacaven pels seus principis liberals precisament; els republicans, per la seva realitat sofisticada, que qualificaven de burla al poble; els àcrates, simplement perquè era un estat. Llibertaris a part, que no participaven de l'«estabilitat» de classe, els altres s'estimaven més la revolta que no la convivència constitucional. Els monàrquics isabelins i alfonsins tampoc no eren, a l'hora de la sinceritat, més «liberals» que els altres. S'avenien al parlamentarisme en la mateixa mesura —i per les mateixes raons— que els oligarques de la Restauració: és a dir, ben poc.

L'altra insuficiència

L'«insurgentisme», en tant que manifestació «perifèrica» de la política espanyola del XIX, hauria d'ésser relacionat amb una altra qüestió: la del *soi-disant* anticentralisme dels sectors «insurgents». No deixa d'ésser curiosa, aquesta coincidència. Potser també era inevitable. Enfrontats polèmicament amb l'estat jacobí, per unes raons o altres, llur oposició havia de reflectir-se en una concepció de l'estat des del punt de vista «regional». Els carlins parlaren de «furs». La vaguetat amb què usaren el terme «furs» no desvirtua gens el sentit «descentralitzador» que sempre van voler donar-li: en temps de Carles VII arribaran a emprar la fórmula «monarquia federal». Federals eren els republicans majoritaris del País Valencià. En l'evolució de l'extremisme liberal —progressistes de primer, demòcrates després, republicans finalment—, Pi i Margall fou el polític que en recollí la clientela més extensa. El radicalisme social de Pi i Margall fou, sens dubte, l'al·licient que li guanyà l'adhesió del poble. Però també hi havia el fons proudhonià d'una idea de l'estat als antípodes de la versió jacobina. Blasco Ibáñez es limitarà a repetir la lliçó més o menys ben apresa en els llibres d'En Pi. I quan els seguidors de «don Vicent», ja aburgesats del tot —en el sentit pejoratiu de la paraula—, hauran oblidat els principis del vell federalisme vuitcentista, encara es diran «autonomistes». El comunisme llibertari de la Primera Internacional era apolític; però en la seva organització també es proclamava federal. La fòbia a l'estat els hi impulsava. De manera que, en el pla teòric, les forces polítiques «insurgents» del XIX, que eren les úniques que tenien sincera vitalitat popular, afirmaven un designi de rectificació de l'estat unitari.

D'entrada, sembla previsible que aquestes posicions «descentralitzadores» haguessin de prendre consciència de la seva arrel nacional, única cosa que podia atorgar-los plenitud de valor col·lectiu. Fins a un cert punt en tingueren, en una primera etapa. Carlins, republicans, i fins i tot anarquistes, van muntar-se llur mica de premsa en la llengua del país i cultivaren la mitologia local del partit, com calia. Però mentrestant la Renaixença anava per un altre camí. A les mans de Teodor Llorente i dels seus amics, gent afiliada als partits governamentals de la Restauració, Lo Rat-Penat, l'entitat cultural valencianista representativa, va convertir-se en un feu conservador. Malgrat que en les files de la Renaixença figuraren homes destacats de totes les tendències, el prestigi literari de Llorente hi era decisiu. Això fou una circumstància castradora per al moviment literari autòcton. Donades les condicions locals, la seva base «burgesa» fou més reduïda que la que tingué al Principat. D'altra banda, els personalismes polítics, i la mediocre intel·ligència dels dirigents dels partits, feien que l'oposició al conservadorisme esdevingués, més d'un cop, oposició a la Renaixença. Era una transferència d'odis polítics bastant ridícula. Però existia, i cal ressenyar-la.

El conservadorisme de Llorente i dels seus «felibres» fou funest. Els homes de la Renaixença, justament pel fet d'ésser escolans d'amén dels partits de la Restauració, havien de negar-se a donar una projecció civil al moviment renaixentista. Llur «valencianisme» fou un valencianisme exclusivament literari, ni tan sols plenament culturalista. Jugulaven així les possibilitats d'una «renaixença» política. Però, de retop, provocaven llurs enemics de partit a adoptar una actitud reticent davant el to «valencià» a adoptar. D'aquí que fos un blasquista el proferidor del «¡*Viva Cervantes!*» que interrompia un discurs de Cambó. D'aquí, encara, que hi hagués al País Valencià, durant dècades, un partit de configuració ben local, que es deia «autonomista», i que mai ningú no ha sabut aclarir quina autonomia demanava si és que en demanava cap, ni per a qui! Pel costat carlí, la cosa tampoc no queda clara. Al Principat, l'evolució del carlisme fou més precoç: d'ella va sortir el «catalanisme històric», en part. El carlisme valencià, en descarlinitzar-se, origina la Dreta Regional Valenciana, que va transformar el *fuerismo* en «regionalisme». Això ocorria ben entrat el segle XX. Era massa tard per a improvisar una «Lliga», que sobre l'anacronisme hauria tingut l'handicap d'una base purament rural. El «regionalisme» dels homes de la Dreta Regional Valenciana fou tímid, i no tingué temps de perfilar-se. La fúria dels esdeveniments s'ho emportà tot a la quinta forca.

Però, des d'un altre angle, l'important, en el XIX, no era pas que el carlisme reivindiqués uns «furs» que els seus militants desconeixien, ni que el republicanisme es proclamés «federal» en uns termes lamentablement indecisos: l'important era la «insurgència» que carlisme i republicanisme —i anarquisme, en un altre estadi— representaven. La revolta implicada en llur actitud, constituïa una afirmació «localista» més neta que qualsevol declaració de principis. La terminologia —«furs», «federació» (fins i tot l'anarquisme)— fa pensar en una «autonomia». De fet, revoltar-se ja era, en si, una manifestació d'«autonomia». Era la discrepància radical amb el jacobinisme: amb l'estat unitari —amb l'estat. Tanmateix, tot això no es desplegava en el buit: es desplegava dins un marc «provincià». Després parlarem del provincianisme. Diguem, de moment, que el provincianisme és, essencialment, una mentalitat de «sucursal». La paraula «sucursal» — espero que el lector ho recordi— ha aparegut ja alguna vegada en aquestes pàgines. Tota la discrepància «perifèrica» dels valencians no arriba, al segle XIX, a desbordar el condicionament «provincià». Potser perquè se sentien «poca cosa» davant el pseudo-Leviatan de l'estat borbònic, necessitaven «aliances» més enllà del clos regional, i l'orientació centrípeta, natural pel mateix fet de l'existència de l'estat unitari, els induïa a sotmetre's als clans del centre amb els quals trobaven alguna afinitat. I així, la «insurgència» autòctona passava a ésser «sucursal» d'una posició política que li era pràcticament heterogènia. En una fase avançada del procés trobarem contradiccions espantoses, filles d'aquest malentès. Pensem, per exemple, que la dreta agrària valenciana —propietaris rurals i comerciants que miraven, per inflexible llei de mercats, de cara a l'exportació— va solidaritzar-se amb els cerealistes castellans. Potser la defensa de la propietat privada explica aquestes aberracions. La manca de sentit nacional contribueix a explicar-les, també.

I «no en dic pus», com escrivia el clàssic: perquè aquest no és un llibre de solucions, ni tan sols de consells, ni un programa... De més a més, l'autor i el temps s'inclinen, ara, a pensar en un altre enfocament dels problemes.

7. Provincianisme i provincialisme

Mentalitat de sucursal

El País Valencià esdevé «província» molt abans que l'Administració donés aquest apel·latiu a cada una de les tres parts en què va dividir-lo en 1833. És «província», pràcticament, des de l'hora en què pren consciència de la seva condició de «perifèria». I això pot ésser datat al segle XVII. La primera meitat del XVI encara havia tingut una certa dignitat «metropolitana». València —la capital, perquè el país hi compta ben poc— és una «gran ciutat» dins la monarquia espanyola. La castellanització cultural té només la transcendència d'una «moda», i la refracció del «centre» és ambigua i dèbil. València té la seva cort: una cort amb una reina i tot, la vídua de Ferran el Catòlic, Germana de Foix. Després només tindrà «virreis», i la clara realitat dels problemes locals farà que els valencians comprenguin que viuen en una «dependència» política indiscudble. En el mateix XVI podien haver-se'n adonat. En el XVII, consumada l'expulsió dels moriscos, l'aristocràcia, classe dirigent del Regne, comprova en la pròpia cam que ella —i «ella» havia de considerar-se encamació del país— no era «res». Les altres classes de la societat valenciana tenien més motius per a suposar-ho, quant a llur pròpia projecció civil. A les Corts de Montsó del 1626, Felip IV venç, amb un gest melodramàtic de despotisme, la darrera resistència nobiliària. El fervor «insurgent» de la València del Barroc pertany a l'esfera del *fait divers*: assassinats, baralles de frares, bandolerisme, tumults piadosos, querelles de protocol entre autoritats, sacrilegis. La guerra de Successió és una primera i ben formal «rebel·lió de les províncies». I quan la pau borbònica reforça la posició del «centre» i al mateix temps deixa treballar la «perifèria», els valencians es lliuren moralment a la més completa submissió.

Si els valencians del XVII ja s'havien fet càrrec de llur condició «provincial», Felip V, en arrabassar-los els Furs «*por justo derecho de conquista*», els obliga a acceptar-la com un fet irreversible. En aquella època l'estat era, en definitiva, la institució monàrquica, i la relació súbdit-rei equivalia a la més moderna de ciutadà-estat. El monarquisme dels valencians mai no havia fet crisi: ni tan sols en el moment «republicà» de les Germanies. Ara, en el context polític que crea el Decret de Nova Planta, el sentiment de fidelitat al rei es convertirà en ressort eficaç de «provincialització». Vulneades les trinxeres forals, derruït el sistema de defensa «privilegiada», entre súbdit i rei el camí queda lliure: el rei mana i el súbdit obeeix —això és tot. L'absolutisme del «centre» —de la monarquia, del rei— no troba cap oposició. La realitat local conserva intacta la seva consistència: l'aferma i tot, gràcies al nou impuls econòmic. Però ha perdut tots els seus límits polítics —els que li donava el règim foral—, i se sotmet sense restriccions a l'autoritat reial. «*La variedad de los tiempos y mudanza de las costumbres*» ho imposaven. No solament Felip V era absolutista: ho eren els seus súbdits. I ho eren devotament.

Mai com en el XVIII els valencians no s'han esforçat tant per «integrar-se» en la proposta «nacional» que els era feta des del «centre». De la cultura a les reaccions populars, tot queda fascinat pel nou prestigi de la monarquia. Espanya ja no és solament una idea d'erudits. Ni tan sols els erudits no faran protestes escrupoloses com en el XVII en feia Escolano, a propòsit del monopoli castellà de la significació d'Espanya. Per a tothom Espanya és la monarquia, amb una identificació total. I sense reserves, tothom se sentirà espanyol. L'esclat del 1808 posarà en evidència la penetració del nou patriotisme. Sobre ell operarà, francament desimbolt, el clan jacobí del XIX. Les dèries unitaristes dels liberals del Vuit-cents no haurien prosperat gens —o no haurien prosperat tant— sense aquesta predisposició col·lectiva que s'havia anat congriant en el segle anterior. Tota iniciativa «localista» que es produeix en aquest ambient queda paralitzada pel prejudici consagrat. Quan, en 1820, Manuel Civera escriu la seva defensa del «valencià», s'apressa a afegir-hi: «en lo que va dit» «no pretenc oposar-me a les sàvies òrdens de la Superioritat, que mana es faça la instrucció pública en llengua castellana». Al País Valencià, això perdura fins al principi del XX, i marca la Renaixença local amb un matís ben particular. «Qui siga més valencià, serà més espanyol», escriu Teodor Llorente. De manifestacions com aquesta, també en trobem en els homes de la Renaixença del Principat, però en el cas valencià tenen tot un altre aire, i fins i tot una intenció ben distinta.

L'estat jacobí del Vuit-cents fou una pròtesi inadequada que la bona voluntat dels liberals espanyols va aplicar, si us plau per força, a la complexa i incandescent societat hispànica de l'època. No va servir de gaire cosa, ja ho sabem. L'oposició a l'estat fou ferma i aïrada a les zones de la perifèria. Tot allò que hi tenia «vida», és a dir, que responia a problemes «reals», va optar per la revolta. La «insurgència» crònica del XIX és desafiant i descarada. Tanmateix, es veia forçada també a entrar en el joc general de l'estat. Fenòmens tan «locals» com el carlisme, el republicanisme i l'anarquisme havien d'articular-se amb les concrecions de signe afí, i també «locals», que es produïen als altres països hispànics: era natural. Però també havien de fer acte de presència a Madrid. En la mesura en què no perdien del tot l'esperança d'un triomf, Madrid —el centre, l'estat: la possibilitat d'un estat nou— els era una meta imprescindible. D'altra banda, els partits regimentals estenien pertot llur xarxa de corresponsalies polítiques, i sempre trobaven algú, a cada lloc, que volgués assumir-les. Aquesta simbiosi política entre centre i perifèria no comportava cap risc per al centre, és clar. Però creava a la perifèria una mentalitat de «sucursal» empipadorament tossuda. A la realitat autòctona se sobreposaven noms, consignes i jerarquies que no hi responien. Era el «centre» —radiqués al Madrid oficial, al Vevey de l'exili carlí, o fins i tot a l'Alcoi anarcoide, seu de la Internacional en alguna època— el qui prenia l'«autoritat». El moviment indígena queda així mediatitzat pel «sucursalisme».

Sucursalisme que, cal repetir-ho?, és un tret intrínsec de tota situació «provinciana». La condició «satèl·lit» de la província es caracteritza per això: pel fet de girar entorn d'un centre sense poder incorporar-s'hi. La província mai no serà centre, i viu moralment —mentre es manté provinciana— d'allò que el centre li envia. Un centre tan deplorable com el que sustentava l'estat liberal no era precisament un gran negoci: ésser provincians a l'Espanya del XIX resultava un destí més aviat trist. Si un centre constituït per *espadones*, papagais parlamentaris i poetes desnodrits era, ja en si, un espectacle poc decorós, les seves «sucursals» provincianes encara ho havien d'ésser més. La província se salva en tant que es rebel·la contra la seva situació de província. Des de Cabrera fins a Blasco, passant per Llorente, si res «digne» ha produït el País Valencià del Vuit-cents ha estat fet malgrat el propi «provincianisme». Cito a posta aquests tres noms justament perquè foren, cadascun d'ells en el seu ram, ben representatius de l'actitud de «sucursal»: la superaven per un cantó o altre, dissentint-ne a força de reunir-se amb alguna realitat autòctona original. Però l'hàbit «sucursalista» anava penetrant en els valencians, i se'ls convertia en un mecanisme mental més. Al costat de la «insurgència», el «sucursalisme». La contradicció sembla finament engalzada, i funciona com la cosa més lògica del món. I la mentalitat de sucursal donarà el to —el baix to— de la vida valenciana dels últims temps. En l'ordre de la cultura, els seus resultats han estat depriments i, sovint, còmics; en el de la política, tèrbols i enervadors.

Complex d'inferioritat

Però un «provincià» és, per definició, un home ressentit: d'un ressentiment una mica estrany, borrós, subjecte a intermitències especials, estèril. D'entrada, el provincià ja se sent vexat d'ésser-ho. Ell és una mena de ciutadà de segona, i ho sap. Tanmateix, el seu «sucursalisme» el lliga d'una manera automàtica al centre: o li referma la situació de «dependència» a què està sotmès, la qual es colora amb tot el caràcter d'una acceptació espontània. La vexació, doncs, té una punta de remordiment. Aquest mecanisme psicològic potser no seria tan generalitzat, si entre província i centre no hi hagués, sempre en peu, una forma o altra d'antagonisme d'interessos, interessos palpablement materials en la majoria dels casos. És en la defensa dels seus que el provincià es troba desconcertat. Comprova que la solució «depèn» —com ell— del centre: voldria encara, per «sucursalisme», que fos el centre qui la hi donés. I rarament la «solució» de què el proveeixen li sembla satisfactòria. Quan dels interessos passem a un altre pla, al pla de les meres relacions anodines de ciutadà a ciutadà, el ressentiment persisteix: adopta maneres més atenuades, però persistents. El centre representa totes les possibles magnificències del conjunt, i aquest acaparament molesta. Escolano, en escriure allò ja reportat, de «*la impropiedad de hablar del vulgo castellano llamando a sola Castilla España y a solos los castellanos españoles*», prou enuncia el disgust provincià.

No sé si dir-ne complex d'inferioritat fóra just. Es tracta d'una sensació d'inestabilitat «nacional», que no és fàcil de guarir. El provincià és «provincià»: ex-cèntric. Vaga pels afores de l'estat i pels afores de la mitologia estatal. Ha intentat d'assimilar-s'hi, i ho ha aconseguit en part. Però els fets de cada dia li demostren que l'altra part d'ell segueix inassimilada: inassimilable. No li val res d'apropiar-se la llengua, la cultura, l'estil que li brinda el centre; ni l'abandó «sucursalista» no li val de res. Mentre viurà a la província i formarà en la seva ciutat, serà un provincià. La seva reacció, en general, és l'anticentralisme: anticentralisme administratiu, és clar. Protesta contra l'aparell burocràtic de l'estat jacobí. És una protesta limitada, no cal dir-ho. Ell està infeccionat per la retòrica patriotarda de l'estat: se'n sent «patriota». No és això el que posarà en qüestió. Si li repugna el centralisme, no és pas pel que té —o amaga— de coacció nacionalista, sinó pel seu mal funcionament com a sistema de govern. La «protesta», per tant, no la fa en nom del seu «poble»: del cos social, històricament i culturalment determinat, a què pertany; la fa en nom d'una inquietud episòdica. L'anticentralista s'excita per una fricció econòmica o per un desencant pseudo-polític: per res més. Hi ha valencians que, anticentralistes rabiosos, serien feliços amb una descentralització castellanitzant. Aquesta és la posició conseqüent del «sucursalisme». Allò seria per a ells un remei al complex d'inferioritat. La cosa és estúpida, però inevitable.

Una altra projecció del ressentiment provincià dels valencians recau sobre els altres «pobles» provincians. És un ressentiment que podem observar ben net en aquells paisans nostres que manifesten alguna fòbia contra el Principat i els seus homes. La veritat és que resulta una mica penós de definir, i no hi ha dubte que també oculta un complex d'inferioritat. Quan, en 1626, Felip IV convocà a Corts els valencians, i en comptes de fer-ho en un lloc del Regne, com preceptuaven els Furs, les citava a Montsó, en terra aragonesa, els nostres avantpassats van posar el crit al cel. Mossèn Porcar profereix el seu en les pàgines secretes del dietari que escrivia, i amb aquestes paraules: «... en quant menys té lo dit senyor rei als valencians que als aragonesos i catalans, que ab los valencians se ha tractat ab grandíssima potestat absoluta». Notem que Porcar no es lamenta de l'exabrupte antiforal tant com de la diferència de tracte entre uns i altres. La «grandíssima potestat absoluta» era deplorable, sí; però més ho era el fet que el rei no l'hagués aplicada igualment al Regne d'Aragó i al Principat. O per precisar-ho amb una puntualització millor: deplorable —per al valencià «provincià»— era, sobretot, el fet que Aragó i el Principat escapessin a l'arbitrarietat, i nosaltres, no. És ressentiment: no hi ha altra paraula. Ressentiment de veure que una altra «regió» similar a la nostra en la seva situació dins l'estat, arriba a esquivar d'una manera o altra el pes del postergament. Les comparacions es fan, no pas respecte a tots els «súbdits» de l'estat, sinó solament amb els súbdits de la nostra «espècie»: no amb els castellans, sinó solament amb els catalans estrictes, i, en tot cas, amb alguna altra comunitat perifèrica. El valencià es veu unit als altres pobles «excèntrics» en una mateixa subordinació civil. I s'irrita en comprovar que aquests, alguna vegada, semblen burlar-la. Creu que el centre els distingeix amb consideracions «privilegiades». Els tals «privilegis» són il·lusoris: l'estat jacobí s'estarà molt de concedir los. En el fons no és sinó una enveja palmària de com provar que algú altre escapa a la nostra sort —a la nostra dissort—: enveja que mai no s'adreça als castellans, els quals, per antonomàsia, són ciutadans de primera.

Ressentiment, complex d'inferioritat: suspicàcia. Res no és tan «suspicaç» com el localisme que, al seu tom, és segregat per l'actitud provinciana. El sucursalista presenta aquesta altra cara: la seva vil devoció centrípeta té el revers d'una exacerbació de l'amor propi local. Això és una reacció superficial i barata, però es dispara de seguida que, per un motiu o altre, el provincià es creu ferit en la seva «vernacularitat». Ho veiem sempre que un valencià se sent «desbordat» per qualsevol presumpta arrogància provinent de Castella o del Principat. Com més «provincià» és un valencià, més engallat i rupestre és el seu localisme. Els castellanitzats de València són, precisament, els defensors més entusiastes de l'*idioma valenciano*, de la *literatura valenciana*, de les *glorias valencianas*, quan troben que algú els qualifica de «catalans», cosa que ells consideren una usurpació. Són també ells els qui salten amb la més ardida impetuositat quan un castellà denigra el *dialecto* o alguna altra manifestació *levantina*. Això no falla mai. I encara: a més d'ésser predominantment verbal, aquest localisme es limita, de fet, a les tendres insignificances del folklore, de la rivalitat esportiva i de la ponderació del paisatge familiar. És una petitesa d'horitzons bastant grotesca. Els alacantins diuen de la pròpia comarca —ni el més castellanitzat adopta el castellà per a dir-ho— que és «la millor terra del món»; el partidari del València F. C. es pegarà amb l 'hincha del Real Madrid, el mateix orgull «patriòtic» que el Palleter oposà a Napoleó; tothom posarà les mans al foc per jurar que la paella sobrepassa les més sumptuoses fantasies palatals d'un Brillat-Savarin: *et sic de caeteris*. El provincianisme té aquesta cua monstruosament vernacla.

D'altra banda, el «provincià» viu en un permanent estat d'estrabisme moral. Amb un ull mira al centre, amb l'altre fita les realitats immediates que l'envolten. Que mira al centre, és indiscutible: això és l'essència del seu provincianisme. Però hi ha també allò altre. Ni tan sols l'emigració material no evita que un home es desprengui de les seves arrels més primàries en la terra. La «valencianitat» d'un Azorín, d'un Gabriel Miró, es fa visible en la brunyida làmina de llurs proses. I ells són els valencians més «desprovincianitzats» —a força d'admiració— que conec. Els que no s'assimilen del tot —que són pràcticament tots— tenen, a més d'unes arrels sentimentals vives, les arrels materials de la convivència i dels interessos. Són coses que no podem perdre de vista. I, al mateix temps, resten pendents del centre, en el qual posen totes les esperances i totes les complaences. El mimetisme madrilenyista els domina. L'ideal del bon provincià seria no diferenciar-se gens del model central. I això és el que mai no arribarà a aconseguir. El resultat és un hibridisme fatigós: un altre dels molts que pesen sobre la vida valenciana. Estràbic o híbrid: com vulgueu dir-li.·Provincià.

Afortunadament, el provincianisme no sempre és tan intens com acabo de descriure'l. Hi ha una vasta gamma de provincians, i els més decidits no són pas els més abundants. Són, potser sí, els més estentoris. Els nostres màxims «provincians» es recluten en l'alta «burgesia», compten amb la nòmina completa dels residus aristocràtics, són els escriptors assimilats que desconfien de l'èxit madrileny i coven la gloriola municipal. Els he penjat l'adjectiu d'«estentoris» perquè són els «figurons» de la «vida local». Pel fet d'ésser-ho, semblen més i més importants que realment no són. Però el provincianisme hi és: com un càncer ridícul.

El cas d'Alacant

La «provincialització» dels valencians no sols ha produït el provincianisme: ha creat així mateix uns «provincialismes» de perill no menys amenaçador. Ho he indicat pàgines enrere. El «patriotisme» valencià, que la ciutat improvisava a partir del segle XIV per enfrontar-se amb Saragossa i amb Barcelona, no va tenir temps de convertir-se en un lligam efectiu. El patriotisme espanyol, sorgit a la seguida de la unió amb Castella, i sobretot sota la monarquia dels Àustries, l'absorbiria, o almenys li restaria fortalesa. Quan apareix la «província» vuitcentista, amb totes les seves formes de vinculació a part, aquella primera —i prima— consciència d'unitat regional fa crisi immediatament. La província, sens dubte, era una contecció arbitrària, artificial. Però, per necessitat, les comarques reunides en cada demarcació havien de coordinar-se amb unes connexions particulars, centrades en les capitals de nova creació. El «Regne» quedà dividit en tres províncies: cada província, a la llarga, tendirà a procurar-se un diguem-ne «patriotisme» a la seva mida, un «provincialisme». Dins l'àrea hispànica, allà on un «patriotisme» d'estat medieval subsistia, el «provincialisme» el minarà. Així passa, també, al Principat. Amb una enorme diferència, però, respecte al País Valencià. La del nom comú. Cap de les quatre províncies en què fou dividit el Principat pels jacobins del 1833 no reté en exclusiva el nom de «catalans»: «barcelonins», «lleidatans», «gironins» i «tarragonins», avui, poden seguir dient-ne «catalans» —bé: catalans estrictes. Al País Valencià tot ocorre, en això, d'una altra manera. València —Regne de València— era el nom tradicional de la regió: ara ho serà solament d'una província. L'amfibologia resultava d'una malignitat angoixosa.

Potser per aquesta confusió de nomenclatura la qüestió del provincialisme té entre nosaltres una importància tan singular. Gallecs, bascos, aragonesos, «catalans» —en el sentit «regional» de la paraula—, són, segueixen essent això: gallecs, bascos, aragonesos, «catalans», malgrat les respectives escissions provincials. El nom del vell país se sobreposa al de les províncies, i les uneix en una instància superior. Els provincialismes sempre hi trobaran aquest fre. És el fre que ens manca, als valencians. Ara hi haurà uns valencians que no són ja «valencians»: són «castellonencs» o «alacantins». Hi ha uns valencians que, legalment, són els valencians per excel·lència —el veïnat de la província de València—; els altres valencians, per conseqüent, miraran d'accentuar llur denominació diferencial. Com que això s'esdevé en unes condicions locals ben determinades per la geografia i la història, el provincialisme no progressa sincrònicament a les tres províncies, ni a totes tres pren la mateixa direcció. A la de Castelló de la Plana a penes té conseqüències. Les comarques del terç septentrional del País Valencià eren les menys propenses al secessionisme provincial. Castelló de la Plana, com a ciutat, és, de les grans, la menys «provinciana» de tot el país, i, per tant, les vel·leïtats provincials no podien tenir-hi sinó un predicament mínim.

El cas d'Alacant és ben distint. Avui hi ha un «alacantinisme» d'una certa tossuderia. No deixa d'ésser curiós que no afecti tota la «província» per igual. Els «alacantins» vertaders —els que volen distanciar-se o, si més no, diferenciar-se, dels altres valencians— són els de les comarques més meridionals: *grosso modo*, les que s'estenen al sud del riu Montnegre o riu de Xixona. Un home d'Elx o de Monnòver, d'Alacant o de Guardamar, es diu i se sent valencià —i tant!—: però cau fàcilment en la temptació de professar un «alacantinisme» provincial. Un home d'Alcoi o de Dénia, de Benidorm o d'Altea, se sent i es diu solament valencià. L'«alacantinisme» de la gent de la Marina o de les Serres d'Alcoi és administratiu, i encara gràcies. Hi ha hagut moments, al ple del segle xx, en què aquestes comarques han arribat a reclamar del poder central llur desglossament de la província d'Alacant i la correlativa incorporació a la de València. Podríem pensar que aquest desafecte al provincialisme «alacantí» és una simple querella de ciutats rivals: al capdavall, Alacant —ciutat «senyoreta», parasitària i turística només, mercantil i burocràtica— no compta amb gaires simpaties, ni al nord ni al sud del riu Montnegre. Però el fet que aquesta divisòria sigui tan marcada, ha d'induir-nos a pensar que les causes del fenomen són més profundes. I ho són.

La línia indicada —riu Montnegre o de Xixona— ve a coincidir amb la línia Bussot-Biar que fou objecte del tractat d'Almirra del 1244 entre el nostre Jaume I i Alfons X de Castella. Jaume I havia conquistat les terres sud de Bussot-Biar, però en aquell conveni volgué o hagué de cedir-les a la sobirania del rei castellà. Va haver-hi després una revolta dels moros indígenes d'aquestes comarques —que formaven part del Regne de Múrcia, unit a la Corona castellana—, i fou Jaume I qui va reprimir l'alçament musulmà, perquè el seu gendre, Alfons X, era incapaç de fer-ho. Alfons X havia estat també incapaç de repoblar els territoris que el rei català li conquistava per dues vegades. En la pròpia *Crónica* confessa, «*porque no podía haver gentes de la su tierra que los poblasen, vinieron e poblaron muchos catalanes de los que eran venidos poblar en el Reino de Valencia*». Els nostres reis no podien oblidar aquest doble antecedent: bèl·lic i demogràfic. El tractat d'Almirra interrompia la seva expansió territorial cap al sud. Era una hipoteca intolerable sobre el futur de la Corona. Els successors de Jaume I no s'hi resignaven. Quan la política interior i exterior de Castella presentà un punt flac, Jaume II l'aprofità: en 1305, Jaume II, després de vèncer Ferran IV de Castella, annexiona al Regne de València les comarques de l'Horta d'Oriola i del Camp d'Elx, de la Vall de Novelda i de l'Horta d'Alacant, més la vila de Capdet. Els castellans, per llur compte, tampoc no s'avenien a renunciar a aquella zona. Durant la guerra entre Pere el Cerimoniós i Pere el Cruel de Castella, el castellà exigia, com a condició per a la pau, la devolució de les terres obtingudes per Jaume II. Però, després de tot, el sud de l'actual País Valencià va restar definitivament valencià.

Era, tanmateix, una incorporació tardana. Els reis van articular aquelles comarques en el «Regne», i ho van fer mantenint-les en un *status* especial, com d'annex. En primer lloc van constituir amb elles una «govemació», com si diguéssim una «província«, dins l'estat valencià. Era, però, una «província» lleument autònoma. Hi havia també —per exemple— una «govemació» de la Plana, que podria haver estat un antecedent «provincialista» per a l'actual província de Castelló de la Plana. La «govemació» de la Plana depenia dels organismes centrals de la València foral, mentre que la «govemació d'Oriola» —la del sud neovalencià— tenia una major «independència». Amb el temps, una diòcesi amb seu a Oriola donava versió eclesiàstica al petit «fet diferencial» de les comarques del sud. La ciutat d'Alacant, amb la seva prosperitat que arrenca —potser— de l'època de Ferran el Catòlic, hi afegia un nou estímul singularitzador. Alacant acaba «desbancant» Oriola. Com que els ports pròxims i competitius —València i Cartagena— estaven gravats, des de temps anteriors, per un excés tributari especial, el d'Alacant va absorbir un tràfic que, en altres circumstàncies, hauria d'haver estat repartit entre tots tres. Alacant, de més a més, era ja en el XV, la millor sortida mediterrània de Castella: comercial, és clar. La ciutat disposa del millor moll de pedra de la costa hispànica del Mediterrani. En 1519 tenia 600 cases; en 1562 en tenia 1.100. Com a conseqüència de l'expulsió dels moriscos, Oriola perd habitants; Alacant, en canvi, és de les poques ciutats valencianes que, després d'aquell esdeveniment, augmenten de població. El seu progrés es fa encara més brillant en el XVIII.

Cabanilles, al final del Set-cents, registra 5.000 «veïns» —famílies— per a la ciutat d'Alacant. Era un creixement ràpid, que no podia explicar-se sinó per una immigració potent. El comerç el facilitava. «*El trato familiar continuo con hombres de todas las naciones de Europa que frecuentan el puerto*», escriu el venerable geògraf, «*ha comunicado a los alicantinos trajes y costumbres que apenas se conocen en lo interior del reino; la contratación y sus provechos han traído multitud de familias nacionales y extranjeras que mezcladas al presente forman un pueblo en gran parte nuevo, como lo evidencian los apellidos*». El bullici mercantil hi havia portat, en el XVI i en el XVII, pètites colonies de francesos i d'anglesos; els italians no hi foren estranys. Era gent que acabava arrelant a la ciutat. Alacant es convertia en «*un pueblo en gran parte nuevo*»: les classes dirigents, la burgesia local, sobretot, es consolidaven amb aquesta incorporació de negociants forasters, rics i emprenedors. Desaparegut el règim foral, allò que abans fou la «govemació d'Oriola» gravità naturalment entorn d'Alacant: Oriola, mitrada i rural, aristocràtica i lenta, cedia el seu lloc capdavanter a l'àgil i metec Alacant. Si fins aleshores la capitalitat d'Oriola —ciutat de parla castellana— no havia imprès a les comarques del sud «caràcter diferencial», perquè en últim terme Oriola queia dins l'àrea d'influència de la capital del Regne, ara tot serà una mica distint. L'Alacant del XVIII, ètnicament barrejat, pot parlar a València «de tu a tu». Quan, en 1785, Carles III crea el Consolat de Mar alacantí, l'obliga a donar part dels seus ingressos al de València, que té una vida prou menys activa. L'Alacant pròsper i ambigu del Set-cents estava ben preparat per a forjar-se un provincialisme clar.

Ni el poble de la ciutat d'Alacant, ni especialment el de les seves comarques, no perdia ni ha perdut la seva «valencianitat». El bilingüisme tradicional, té base geogràfica; les relacions sovintejades amb Castella, per raons de comerç; la continuïtat geoeconòmica amb les comarques de l'Horta de Múrcia: són factors que contribuïen a donar a aquelles terres un caràcter de «transició», desfibrat i indefinit. Malgrat això, l'element català s'hi mantenia hegemònic. Ho he dit ja respecte a Oriola, que va conservar el català com a llengua oficial fins a l'abolició dels Furs. En català parlava aquell *pueblo en gran parte nuevo* que es congriava a l'Alacant del XVIII: fins i tot les minories d'ascendència estrangera. Només les recents allaus d'immigrants murcians i manxegos, no massa assimilades, han donat a Alacant la fesomia d'una ciutat altament castellanitzada. Elx ha sofert també, en els darrers anys, una fabulosa invasió de forasters, instigada per la seva eufòria industrial. Però el poble —tant a la capital com a Elx, i no cal dir a la resta de la zona catalana d'aquelles contrades— es manté «valencià»: català. L'èxit del setmanari dialectal «El tío Cuc», abans de la guerra, n'era un baròmetre curiós. En dialecte s'aireja la festa popular de «les fogueres de Sant Joan», espècie de falles de la ciutat d'Alacant, i en català antic es canta encara el *Misteri* d'Elx, una «òpera» litúrgica, de fons medieval, l'espectacle més esplèndid de la cultura consuetudinària dels valencians. L'afluixament de les relacions entre aquest sud vacil·lant i les comarques centrals del país —València, la capital, sobretot— crea equívocs pintorescos. En 1885 apareix a Elx un setmanari satíric —redactat per un oriolà assimilat, Josep Pérez Sánchez—, «El Bou», el qual, diu, «s'escriurà en valencià»; «però no en valencià de València, perquè si açò férem necessaríem dominar tres o quatre-cents diccionàrios d'eixa llengua per a podé-mos aclarir, sinó purament en el valencià de la terra dels dàtils»...

Al segle XIX, en efecte, la «província» cossifica tota la vaga dispersió del sud valencià: del sud de la línia Bussot-Biar, tan antiga i tan il·luminadora. El «sucursalisme» dels alacantins de ciutat hi contribueix força. Alacant aspirarà a ésser la «platja de Madrid», i el ferrocarril directe amb la capital de l'estat ho farà possible: una platja subalterna, però, perquè la cort i els *paniaguados* s'estimaran més Sant Sebastià. De tota manera, el nou «alacantinisme» no podia aguantar-se tot sol. Hi havia la temptació de Múrcia per l'altre costat. Comarques tan importants com la d'Oriola són francament «murcianes». I amb el temps, la murcianització d'Alacant comença a deixar-se sentir. L'«alacantinisme» oficial no hi trobava més inconvenient que el nom. N'han trobat un, molt divertit: el *Sureste de España*. Amb aquesta etiqueta, tan bèstia com la de *Levante*, es tracta d'abraçar la província d'Alacant i la de Múrcia. El «secessionisme» hi és patent. Però la seva viabilitat és també més que dubtosa. Lògic en zones com Oriola, nacionalment de Múrcia, el «sudestisme» resulta una idea hilarant propugnada a Alcoi o a Dénia, a Benidorm o a Pego: ho és, igualment, predicada al poble d'Elx, de Xixona, de la Vilajoiosa, de Monòver, d'Alacant. «*Cataluña es Valencia, y es Alicante y es Mallorca*», havia escrit en *Una hora de España* Azorín, l'home de Monòver. Això és un fet, que el «sudestisme» no aconsegueix d'esborrar. En el fons d'aquesta maniobra contra la «valencianitat» —la catalanitat— d'Alacant i dels seus voltants només hi ha uns mediocríssims interessos financers. La seva falsedat es delata per ella mateixa. Però, com que opera sobre uns ferments de dissolució indiscutibles, i sobre un provincialisme tosc i cert, pot resultar i resulta nociu.

El cas de València

Mentrestant, la província de València filava també el seu provincialisme. Sorprèn una mica, això. Perquè, quin sentit hi tindria un provincialisme «restringidor», si l'única conseqüència que pot comportar és la reducció de l'àmbit d'influència de la vella capital del Regne? I, tanmateix, hi és. Els valencians de la ciutat de València estaven acostumats, de segles, a considerar-se ells mateixos com la «totalitat» del país. La seva situació «hanseàtica» ho fomentava. Realment, la capital «era» el país, perquè, a excepció de les altres ciutats i viles reials, ben poc potents en definitiva, la resta del Regne era domini senyorial, i les classes dominants de València van haver d'assumir el paper de «dirigents» exclusius de la política regional. Calculo que si la Diputació de la Generalitat, pesa de l'organització foral valenciana, no aconseguí entre nosaltres les atribucions polítiques que va tenir al Principat, i es quedà reduïda a un mer centre de recaptació tributària, és perquè no calia una institució d'abast supraciutadà: els Jurats de València, simples autoritats municipals, podien complir les funcions d'una «Generalitat» del Regne. En el XVIII les comarques aflueixen sobre València, i, per primera vegada, el país sencer hi compta. Però això dura poc: la provincialització ho interromp. Castelló de la Plana i Alacant atrauran la porció del país que respectivament els pertoca en el repartiment provincial. I València no ho lamenta, no ho considera com una mutilació de la seva esfera d'irradiació capitalícia. Estava habituada a no veure gaire més enllà de les seves muralles.

D'aquí que els valencians de la capital, en els darrers cent anys, quan parlen de «València», continuïn referint-se exclusivament a llur ciutat. A la ciutat i a la rodalia típica i crematística de l'horta: a la província, la d'ells només, després. Hi ha un pseudo-folklore «valencià», una profusió de tòpics literaris «valencians», que, per inferència, queden emmarcats en aquell nou localisme. La nomenclatura confusionària, repeteixo, ho embolica tot. Segons això, «València» és una estampa fixa i única: el Miquelet urbà, el camp feraç, la barraca, la «llauradora ab aspecte de regina», etc.: tot de coses que són solament pròpies de la ciutat i del seu terme municipal. És un clixé incompatible amb el Maestrat i amb les Serres d'Alcoi, amb el Camp d'Elx i amb els Ports de Morella: però també amb el Camp de Llíria, eixut i auster, i amb la Ribera de Xúquer, d'un altre tremp i un altre paisatge, i amb la Vall d'Albaida... El localisme «valencià», per tant, venia a donar excuses als altres provincialismes: els valencians d'un extrem i de l'altre del país no s'hi sentien representats. Si «València» era «allò», ells haurien d'ésser una altra cosa: alacantins, castellonencs o el que fos. I així, la capital renunciava a consolidar-se com a capital. El «sucursalisme» de les classes dirigents de València s'acontentava d'aquestes limitacions. Si la cosa no ha adquirit proporcions perilloses és perquè el País Valencià conserva les seves estructures unitàries, de tipus social i econòmic, bastant fortes, i València continua essent la «capital» malgrat ella mateixa: un punt inevitable de relació i de concentració.

Però li manca la capacitat directiva. No «fa seu» el país ni l'encama o el representa en la mesura que caldria.

Seria sobrera qualsevol reflexió més sobre el particular. El lector se la farà pel seu compte. No hi ha dubte que el provincialisme és debilitador: per al país com a totalitat, i per cadascun dels seus membres que en el provincialisme troben un miratge d'autosatisfacció localista. No sé si mai hi ha hagut al «centre» cap confabulació per dividir-nos: però és el sinistre furor jacobí que la nostra divisió ha de beneficiar. La unitat del País Valencià, intacta en el seu fons econòmic i cultural, no té sinó un reflex insuficient en el pla de la consciència. O el reenfortim, o caurem en la més insoluble de les disgregacions. Deformant lleugerament unes paraules de Maragall, i aplicant-nos-les, podem imaginar un viatger que ens contempli i que digui de nosaltres: «Ací hi ha una gran població; però per cert que no hi ha un poble.» La «població» passa a «poble» per un acte de consciència. I aquest és un pas que no tots els valencians han donat. La superació dels localismes únics i destorbadors ens és necessària com el pa que ens mengem. Començant pel localisme de la capital. Si no ho fem, els valencians estarem condemnats a esdevenir cada vegada més «provincians». Volem dir: més inerts, més despersonalitzats, més ensopits.

8. Consideracions sobre la Renaixença

Les causes profundes

La Renaixença valenciana fou, socialment, un fracàs. Deixarem ara de banda tota valoració del seu costat literari: poc o molt important, era, en definitiva, un intent de recuperació cultural del País Valencià fet des de premisses autòctones i inserit en el quadre natural dels Països Catalans. Però una «renaixença» com la nostra no podia quedar-se en l'estadi d'un simple moviment llibresc. La represa literària en la llengua pròpia responia a un desvetllament col·lectiu més pregon, i, al seu torn, havia de convertir-se en estímul i consciència d'un desvetllament ja total. Així s'esdevé a tot arreu de l'Europa del XIX i del XX on hi ha un problema de minories ètniques i lingüístiques. Així s'esdevé, igualment, al Principat. La Renaixença valenciana va sorgir, en efecte, d'unes circumstàncies locals ben determinades: la mateixa «ex-centricitat» de la seva condició, en vitalitzar-se una mica, feia que el País Valencià —la seva gent, els grups sensibles a les realitats bàsiques— s'afirmés d'alguna manera de cara al «centre». El Romanticisme, en redescobrir el «poble» i la «història», conduïa a tonar-ne una versió cultural, o almenys literària, i això comportà de seguida el retorn a l'idioma vernacle. Els intel·lectuals del XVIII havien preparat el camí. L'hora dels romàntics, però, coincidia amb l'esclat de les «insurgències» político-socials del Vuit-cents. Si la nostra Renaixença no se'ns apareix fixada fins que Teodor Llorente i Vicent Wenceslau Querol s'hi incorporen, una pila de precursors s'allarga i omple completament la primera meitat del XIX. Una primera fornada de romàntics —Jaume Vicente, Joan Arolas, Pasqual Pérez, Vicent Boix, Tomàs Villarroya— romp el foc. Del 1841 són els versos de Villarroya que generalment solen indicar-se com la primera manifestació plenament renaixentista del País Valencià. En 1859 se celebren uns Jocs Florals a València, presidits per Marià Aguiló. En 1874, Constantí Llombart comença a publicar l'almanac «Lo Rat-Penat»: quatre anys després es funda Lo Rat-Penat i s'instauren regularment els Jocs Florals. Però tot això, que podia haver-se trasmudat en un corrent revulsiu i reconstructor alhora, per a la societat valenciana, va evaporar-se en la més anodina insulsesa. He dit fracàs. I ho fou en un doble sentit. En primer lloc, perquè ni tan sols com a simple «fet literari» la Renaixença valenciana no aconseguí d'atreure's la societat. Mai no li ha faltat un públic, a la literatura catalana, al País Valencià. Ha estat, tanmateix, un públic minso i disseminat. El «sucursalisme» cultural era fort, i la tendència castellanitzadora anava progressant: això, és clar, entre les classes benestants, que eren, al segle passat, la clientela «normal» de la literatura. La major part dels homes de la Renaixença estaven intoxicats pel «sucursalisme», ells també. I no sols en l'ordre polític —com veurem de seguida—, sinó en el mateix terreny en què s'erigien com a «renaixentistes». La llengua autòctona no arribà mai a ésser per a ells l'idioma cultural «exclusiu». Tota la Renaixença catalana fou bilingüe, és clar: però al Principat, el bilingüisme dels renaixentistes era conseqüència només d'una inèrcia i d'unes condicions socials objectives, mentre que al País Valencià, de més a més, era un acatament centripetista. Milà i Fontanals —escriptor bilingüe— no va tolerar que fossin bilingües els Jocs Florals de Barcelona: els Jocs Florals de València naixien bilingües per decisió espontània dels propis fundadors. L'adopció d'ambdues llengües com a vehicles «renaixentistes» de cultura abocà, immediatament, a un repartiment de gèneres literaris entre elles: els escriptors valencians del XIX usaren el català només per a fer versos; la prosa —erudició, narrativa, etc.—, l'escrivien en castellà. I amb versos —vull dir, únicament amb versos— era difícil de crear-se un públic estable. Més que més quan cap poeta local no va tenir sobre el poble una suggestió tan difosa com la d'un Verdaguer o la d'un Guimerà. Els Jocs Florals eren la sola, o gairebé la sola manifestació «pública» de la «poesia valenciana». Es publicaven pocs llibres. En un mot: els renaixentistes del Vuit-cents a penes es crearen uns lectors.

D'altra banda, allò que «poetitzaven» tampoc no arribava a seduir de veres la gent. O bé repetien incessantment els tòpics jocfloralescos —Pàtria, Fe i Amor— en termes d'una retòrica buida i absolutament prevista, o bé cultivaven una altra mena de tòpic, el rural, reduït a la visió «localista» característica del provincialisme de València. Llorente fou un virtuós de totes dues inanitats. Els altres es limitaven a imitar-lo. Al País Valencià, escriure versos en català, durant aquesta llarga etapa renaixentista, equivalia a reiterar bajanades d'una buidor inefable, unes vegades a propòsit del rei En Jaume

—Pàtria—, de sant Vicent Ferrer —Fe— i d'Ausiàs Marc —Amor—; unes altres a propòsit de la barraca i de l'horta. Els auditoris, tan «sucursalistes» com els poetes, ho acceptaven de bona gana, però no s'hi entusiasmaven. A l'hora de llegir, de més a més, ells se'n tornaven al castellà: a Núñez de Arce, a Campoamor, a Zorrilla, a Bécquer. Llorente, per exemple, era un home format en la millor poesia europea: va traduir —al castellà, cal dir-ho?— poemes de Heine i de Verlaine, de Goethe i de Baudelaire, dels millors i més subtils romàntics francesos. Res d'això no es reflecteix en els seus versos catalans, o ben poc. Hi predomina l'estolidesa dels tòpics esmentats, que molt rarament —La barraca, per citar un cas— se salven de les ires de la posteritat. Els renaixentistes valencians no fabricaven prosa catalana: llur poesia, per a acabar-ho d'espatllar, era insípida i enutjosa, com una llarga tautologia.

El «sucursalisme» cultural dels valencians va seguir còmodament el seu curs. Al Principat, on la provincialització de la cultura no era menys intensa que al País Valencià, els renaixentistes van saber-la desbaratar en poc de temps. Certament, entre ells hi hagué escriptors d'una talla excepcional, cosa que no es dóna entre nosaltres. Però també hi havia, en el conjunt dels literats, una intenció més definida i resoluda: del bilingüisme passaren a l'ús sistemàtic del català; del conreu dels tòpics floralescos o rurals, a la pruïja europeïtzant; de la poesia, a totes les diversitats de la prosa. La situació valenciana era estancada, i, per estancada, regressiva —ja que l' élan «sucursalista» i castellanitzant prosseguia la seva penetració. Hom podia pensar que, al capdavall, tractant-se d'una mateixa llengua, la producció literària del Principat hauria suplert la deficiència local. No fou així: hi havia el particularisme «regional», que s'hi oposava. Ja n'arribaven, a terres valencianes, de llibres catalans escrits i editats al Principat; a les publicacions valencianes renaixentistes sovintejaven les firmes dels escriptors més coneguts de l'altra banda de l'Ebre i de mallorquins. Però tot això era en una petita escala, sense cap repercussió efectiva en el gran públic burgès. Els burgesos llegien en castellà. El poble, per la seva banda, quedà abandonat als escrits dialectalitzants: els inesgotables setmanaris satírics i el teatre còmic eren la seva alimentació de lectura vernacla. Setmanaris i teatre creixien al marge de la Renaixença.

No arrelant en la seva societat, la Renaixença valenciana fracassava. Obra de burgesos mediatitzats pel «sucursalisme», mal podia donar la batalla

—i vèncer— al «sucursalisme» del públic burgès. Mig castellanitzats els uns i mig castellanitzats els altres, la conclusió havia d'ésser la que fou: el marasme. Només un home, de tota la Renaixença valenciana, sembla tenir una intuïció més fina dels problemes i de les solucions: Constantí Llombart. Autodidacte i artesà, republicà federal i bohemi recalcitrant, Llombart estava en contacte amb el poble, en formava part, i podia haver obert a l'ideal renaixentista el millor camí per a la seva consolidació: l'assistència majoritària, la vinculació a l'esquerra, la saba de les extenses capes socials que no s'havien castellanitzat. Entorn de Llombart van aplegar-se una colla d'escriptors procedents de la clase mitjana i del proletariat: Iranzo i Simon, Cebrian Mezquita, Puig i Torralva. Per dir-ho amb la irònica i afectuosa denominació d'Antoni Igual i Úbeda, ells eren els «poetes d'espardenya», ben distanciats dels altres, dels «poetes de guant», com Llorente, Querol, Fèlix Pizcueta, Ferrer i Bigné. Si els «de guant» no captaven la burgesia, els «d'espardenya» només molt superficialment van calar en el poble. Llombart —que tantes coses va fer: diccionaris, gramàtiques, revistes, etc.— i els seus amics i deixebles tampoc no eren uns escriptors massa atractius. Un d'ells ho era, però: Blasco Ibáñez. Blasco, que militá de ben jove en la Renaixença per inducció de Llombart, podia haver tret la «literatura valenciana» de la prostració en què malvivia. Un Blasco escrivint en català de cara als valencians hauria estat una basa formidable. No fou així. El «sucursalisme» també se'l va guanyar.

L'altre fracàs

«*Llorente se cree un Júpiter capitolino, y es un Ganimedes... de Silvela.*» La mordacitat és de l'Azorín del 1894. En *Mare Nostrum*, Blasco Ibáñez descriu un tipus característic de «renaixentista», Carmel Labarta. «*Su inspiración no admite otro ropaje que el verso valenciano*»: blasmava ardorosament Felip V perquè «*había suprimido los fueros de Valencia*»: «"*¡Borbón, maldito seas...!*" Pero lo decía en verso y en lemosín, circunstancias atenuantes que le permitían ser partidario de los sucesores de Felipe el Maldito y haber figurado por unos meses como diputado mudo del gobierno.*» Potser l'acritud «republicana» del retrat exagera una mica. Quant a la intenció del moviment renaixentista valencià, Teodor Llorente l'expressa explícitament: «*Esta nueva poesía vuelve los ojos a* *las pasadas grandezas, reconstituyendo el particularismo valenciano, pero no lo opone a la unidad española»*, diu. «*Hay a veces tonos elegíacos en sus versos; nunca anatemas ni maldiciones.*» Però només és una part de la qüestió. L'altra part és que, de fet, Llorente era «*un Ganimedes... de Silvela*», i que diversos Carmels Labarta, rítmics detractors de Felip V, militaven en els partits dinàstics i fins i tot feien de «diputats muts» dels partits de la Restauració. Si tenim en compte el paper que Lo Rat-Penat va exercir fins al 1907 dins la Renaixença valenciana, trobarem ben significatiu que la majoria dels seus dirigents foren, en aquella etapa, peons declarats del «sucursalisme» polític local, amb un predomini marcat dels conservadors —influència de Llorente, amo de la casa. «El regionalisme intermitent i estantís de Lo Rat-Penat...», escrivia una vegada Lluís Nicolau d'Olwer.

I aquest fou l'altre fracàs de la Renaixença al País Valencià. Els seus homes van practicar l'abstencionisme polític. Vull dir que el practicaren en tant que «renaixentistes»: perquè de política, ja en feien, Ganimedes com eren de qualsevol prestigi parlamentari madrileny. Al Principat, la Renaixença es polititzava. Era una politització lligada a la mateixa evolució de la consciència col·lectiva i al tomb que prenien els problemes econòmics regionals. Però potser una fugaç reflexió estrictament «culturalista» ja ho hauria aconsellat. Si volien almenys salvar la llengua en què escrivien els versos, si aspiraven a donar-li alguna seguretat cultural, és evident que havien d'acudir a la política per a aconseguir-ho. L'estat jacobí no farà mai cap concessió *motu propio* a les llengües no oficials dels pobles que enclou. Les concessions en tal sentit, caldrà arrencar-les-hi, i així ha d'ésser a través d'una acció civil coordinada i lúcida. Altrament, renunciar a aquesta acció era tant com renunciar a la supervivència cultural de l'idioma. La cosa em sembla elemental. Potser no serà mai viable un moviment polític encaminat estrictament a obtenir unes simples garanties lingüístiques: però això és un altre problema. Els homes de la Renaixença valenciana havien de pensar que llur abstencionisme polític era suïcida. No ho pensaren. Els espantava la política: exactament, qualsevol política que no fos la «sucursalista». En 1880 Víctor Balaguer, des de la tribuna dels Jocs Florals de València, incita els renaixentistes valencians a polititzar-se. Abans havia polemitzat amb Ferrer i Bigné sobre el mateix punt. Els valencians s'hi negaven. Els poetes «de guant», afiliats als partits governamentals, tímids a força de «sucursalisme», s'hi negaren. Frederic Mistral, amic dels versificadors burgesos valencians, va recomanar-los que desoïssin Balaguer. La Renaixença valenciana, lírica i apolítica, esdevingué així una rèplica del «felibrisme».

Els poetes «d'espardenya», per llur compte, tampoc no podien fer-hi res: també a ells arribava la suggestió del «sucursalisme». Adherits o militants als grups republicans, llur influència no era massa gran dins aquelles organitzacions, dominades pel sector progressista de la burgesia mercantil. Més tard, Blasco Ibáñez faria més confusionària la situació «nacional» d'aquest sector de l'opinió pública. Blasco, com Pi i Margall, va dir-se «federalista», però el seu federalisme pecava d'un desvinculament total de les realitats concretes de la regió. El dia que serà examinada desapassionadament la conducta política de Blasco, veurem que ha estat clarament funesta per al País Valencià i per a totes les seves classes. De cara al proletariat, perquè va desviar-lo del seu destí lògic i l'enrolà al seu partit petitburgès —o més aviat burgès. El seu radicalisme obligà la burgesia de dreta —la dels poetes «de guant»— a llançar-se als braços dels partits centrals, ben sovint contra els propis interessos. I els republicans mateixos, els condemnà a un «sucursalisme» molt més servil del que calia esperar: l'evolució del blasquisme, en definitiva, és la mateixa del lerrouxisme. De més a més, fou propulsor d'un matonisme obscenament inútil, que tenia tant de revolucionari com jo de cardenal. Tot això, en última instància, pertany al capítol del «provincianisme» més descordat. Des del punt de vista que ara ens ocupa, Blasco va significar un obstacle per a la Renaixença política, quan ben bé podia haver-se'n apoderat de les regnes. La seva herència pesarà sobre una part del republicanisme valencià del segle XX: aquells còmics «autonomistes» que sistemàticament combateren o boicotejaren les autèntiques aspiracions autonòmiques locals. Si dins el blasquisme tampoc no faltaren homes més o menys conscients del problema valencià, i fins i tot noblement preocupats per una solució digna —Vicent Marco i Miranda, entre altres—, sempre foren contrarestats o cohibits.

La diferència de trajectòria entre la Renaixença del Principat i la del País Valencià, quant a la respectiva consolidació social —en el pla literari i en el polític—, hauria d'examinar-se a la llum de consideracions molt concretes i complexes, que escapen al propòsit d'aquestes planes. Pel que fa al País Valencià —al doble fracàs de la seva «renaixença»—, no podríem prescindir d'evocar, ara, tot el que porto dit sobre les diverses «incoherències» que regeixen la vida valenciana. Un poble, a cada moment, és allò que l'ha fet la seva història: el seu passat íntegre gravita en la seva actualitat, la condiciona. És en això que cal pensar, i sobretot en una de les seves facetes: la sòcio-econòmica. Tota la nostra «insurgència» del XIX i del primer terç del XX no és sinó una manifestació de l'agudesa dels problemes locals irresolts. Les etiquetes ideològiques dels contendents amb prou dificultat ocultaven les vertaderes qüestions. Potser al Principat la campanya dels industrials en pro del proteccionisme fou, en el moment crític, un factor decisiu per a la coagulació de la «renaixença». Entre nosaltres, la pugna aranzelària, per exemple, no podia ésser tan neta ni assumir tant de vigor: també teníem industrials proteccionistes —recordem, de passada, que en la ruïna de la indústria sedera valenciana intervé, tant com l'epidèmia dels cucs, l'orientació lliurecanvista presa per l'estat en 1841—, i la rama cerealista del nostre camp —l'arròs— era així mateix proteccionista; comerciants i colliters de fruites i d'hortalisses eren partidaris del lliurecanvi. La discrepància amb el centre era variada i dolorosa: el que ens fallà fou el catalitzador oportú, que la transformés de «revolta» anàrquica en propulsió ordenada i ferma: «renaixentista». Érem massa «provincians» per a aconseguir-ho. No ens podem autoacusar d'apatia, perquè bé que ens hem «bellugat». Però ha estat una permanent dissipació d'energia sense cap resultat positiu.

Ni el «furisme» ni el «federalisme» vuitcentistes no van desembocar, com era lògic, en un «regionalisme», de primer, i en un «nacionalisme», després. La «burgesia» autòctona, miop, sucursalista, no està a l'altura de les circumstàncies —potser perquè no és una burgesia a la moderna. Dels terratinents tampoc no podia esperar-se res. I les classes mitjanes i el proletariat —que és ben poc «proletariat» en l'accepció marxista del mot— van a remolc de la desorientació dels altres, tant si la segueixen com si s'hi oposen. Un balanç final no resulta precisament afalagador. I el que té de curiós el cas és que, sota la docilitat o la desviació «nacionals», roman, intacta, carregada de virtualitats explosives, la matèria primera d'un «autoctonisme» fort i efusiu. Ja queda inventariat tot allò que l'obstaculitza: provincianisme i provincialisme, particularisme i centripetisme, i tota la resta. Hauria bastat un sol polític realista i intel·ligent per a posar-lo «en marxa». No crec en els miracles polítics, però sí que crec en l'eficàcia d'una o d'unes poques persones sagaces, quan les circumstàncies són propícies. Al País Valencià fa cent anys que les circumstàncies socials i econòmiques són «propícies»: propícies per a fer-hi alguna cosa positiva, tan parcial com vulgueu, i tan classista com vulgueu —d'una classe o d'una altra—, però positiva. Ens han fallat els homes. La Renaixença valenciana no ha tingut un gran polític, ni tan sols un polític discret. Certament, els partits marginals a la Renaixença tampoc no l'han tingut. El País Valencià no ha donat cap polític útil en els temps moderns. Diputats muts o xerraires, una sèrie de ministres grisos, i un tal senyor Samper —«autonomista», *hélas!*— de cap de Govern per unes setmanes, és tota la nostra aportació al regiment de l'estat: no ens hem pas lluït. Un bon polític, hàbil i convincent, hauria arrossegat el poble valencià a un destí més digne.

1907 i següents

En 1906 hi ha alguna cosa que comença a canviar. Són uns petits grups de joves; és, també, el moviment general de la política espanyola. Els joves de València —quantes dotzenes?— creen una societat, València Nova, que es converteix de seguida en Centre Regional Valencià. Ells no tenen res a veure amb Lo Rat-Penat, feu conservador de Llorente: són gent de classe mitjana i del poble, que connecten amb la tradició liberal de la Renaixença, la de Constantí Llombart, però amb un signe nou. No són ja literats —i n'hi ha que fan versos, és clar!—, sinó polítics: Miquel Duran, Eduard Martínez i Ferrando, Vicent Tomàs i Martí són els tres més destacats. Aquell any, també, és l'any del debat de la Llei de Jurisdiccions i de la «Solidaritat Catalana». La monarquia de Sagunt, el «jacobinisme» conservador de la Restauració, fa crisi. El «país real», com se'n deia llavors, planta cara al «país legal». I l'estremiment arriba al País Valencià i tot, i gairebé arriba a imposar-se al «sucursalisme» resignat. Els joves de València Nova volen aprofitar-lo. L'any següent, el 1907, s'escauria el segon centenari de la batalla d'Almansa —«quan el mal està en Almansa, a tots alcança», diu la dita—: la derrota dels valencians per Felip V significà l'abolició del règim autonòmic foral, i la data es prestava a una commemoració intencionada. L'ambient «solidarista» i l'emotivitat primària del centenari podien ésser una combinació aparatosa. València Nova convocà una Assemblea Regionalista. Les ponències eren més aviat acadèmiques, i molts dels personatges que havien d'intervenir-hi, ineptes: els joves, en efecte, havien d'acudir als vells desacreditats però «representatius» —o, si més no, decoratius—, a fi de donar una certa pompa social a l'acte. Els partits polítics «solidaris» van adherir-s'hi.

La bèstia blasquista va dir que no, tanmateix. Els blasquistes, com els lerrouxistes, dissentien de la «Solidaritat». Però, de més a més, els blasquistes d'aleshores odiaven, sobre totes les coses d'aquest món i de l'altre, els rivals republicans que capitanejava Rodrigo Soriano. Blasquistes i sorianistes anaven a trets pels carrers de València des de feia anys. Soriano va adherir-se a la «Solidaritat». I els carlins, l'altre adversari a mort del blasquisme. La *chulería* dels hereus de Blasco es posà en funcionament. El Centre Nacionalista Republicà de Barcelona havia organitzat una expedició de catalanistes a València a fi de sumar-se a l'Assemblea. Aleshores els blasquistes amenaçaren amb desencadenar tota mena de violències, si els del CNR gosaven venir-hi. El Govern se n'alegrà moltíssim, naturalment. Aquell rebrot «solidari» al País Valencià no li feia gens de gràcia, i la perspectiva d'uns disturbis li permetia de desbaratar-lo. Les autoritats de Barcelona miraren de fer desistir del viatge els del CNR amb una coacció elemental: a la més lleugera pertorbació de l'ordrc públic el Govern trauria la força armada al carrer i la reprimiria sense contemplacions. L'Assemblea fou celebrada. L'expedició de Barcelona, reduïda a fi d'evitar incidents, arribà a València. Els blasquistes, també una mica espantats, limitaren llur agressió. «*Sonaron algunos pocos tiros y hubo mucha gritería; pero la cosa no pasó a mayores*», diu una crònica del moment, en ressenyar la recepció dels visitants. El Govern tampoc no gosà llançar els seus esbirros a la via pública. Hi hagué un míting «solidari», i, com era de rigor en l'ocasió, un republicà i un carlí s'abraçaren entre les ovacions de la concurrència. Res més.

Però ja era un començ. Del 1907 al 1909 hom publica els primers setmanaris polítics «valencianistes», que, com era natural, són més o menys declaradament pancatalanistes. La Joventut Valencianista fa les seves primeres actuacions sorolloses. 1909 és l'any de l'Exposició Regional Valenciana. L'Exposició, obra de la burgesia conservadora i regimental, centrà, per un instant, tots els defectes i totes les virtuts de la deixatada societat valenciana d'aleshores. Fou una manifestació de la vitalitat econòmica del País Valencià, però també de la «coentor» i del provincianisme més delirants. L'*Himno* de Maximilià Thous i del mestre Serrano —peça digna de la col·laboració dels autors d'aquella amena *zarzuela* d'ambient valencià que es titula *Moros y cristianos* (i inferior a la *zarzuela*, per cert)— dóna la mesura de la carrincloneria «patriòtica» dels valencians. Un dels actes de l'Exposició fou, exactament, la «coronació» de Llorente: les *fuerzas vivas* de la localitat li plantificaren al cap, al pobre don Teodor, una braçada de llorer, enmig de discursos capciosos, xim-xims de xarangues i ingenus aplaudiments de la ciutadania. Hi ha una foto inefable, en la qual es veu Llorente, amb la seva millor cara de *patriarca de las letras valencianas*, barbut i amb *quevedos*, panxudet i respectable, sofrint la «coronació» de les mans d'una senyoreta relativament grassa i disfressada amb el vestit típic de «llauradora». Llorente, malgrat tot, representava alguna cosa seriosa. Ell estava tot cofoi de rebre el barret vegetal i simbòlic del llorer: la carn és flaca, ja se sap, i Llorente tenia llavors setanta-tres anys, que és una edat reblanidora. Però, en definitiva, ell era el màxim poeta valencià, el restaurador més distingit de l'idioma, una «institució». I els joves catalanistes no suportaren la pantomima que el provincianisme muntava a costes de la senectut de don Teodor. I protestaren. Van fer un «contrahomenatge» a l'homenatge oficial. Victorejaren Llorente i València amb una mala intenció insultant, i les *fuerzas vivas* hagueren de contestar amb visques oficials i centrípets. La cosa tenia ben poca importància. Era un aldarull insignificant: era també un repte.

La història posterior és ja curta, i té alternatives ben marcades. Però el camí quedava encetat. La Renaixença —la qual, en termes correctes, ja no mereix aquest nom, que té un abast històrico-literari concret— es politizava. La rèmora conservadorista quedava liquidada. Un nou període s'enceta. Hi ha molt a fer, i cal cremar les etapes que els senyors del Rat-Penat vuitcentista es negaren a acomplir. Primer que res, en l'ordre cultural, bàsic. És imprescindible, per a començar, una neteja dels residus «provincians» encastats en el camp «renaixentista»: reajustar l'idioma literari, restablir els vincles normals i regulars amb la cultura del Principat, intentar els gèneres literaris que el bilingüisme anterior havia deixat al castellà, acostar-se al poble. La labor era àrdua. Els homes de la primera Renaixença, immobilitzats pel «sucursalisme», havien complicat bastant les coses, i ara resultava costós de rectificar les conseqüències de llur actuació. Al mateix temps calia accentuar la politització del moviment cultural. Una repetició de l'abstencionisme ratpenatista hauria estat fatal. D'aleshores endavant els progressos de «normalització cultural» són cada dia més apreciables: la revista «Taula», literària, entre 1927 i el 1930, «Acció Cultural Valenciana» entorn del 1931, i «La Republica de les Lletres» en 1934, en són tres manifestacions ben característiques. La iniciativa de la Societat Castellonenca de Cultura, en 1932 d'adoptar sense reserves l'ortografia de l'Institut d'Estudis Catalans, cancel·lava una absurda dissensió gramatical, més anacrònica que localista. La producció literària autòctona s'eixampla i guanya en qualitat. Dins les limitacions que el lector pot imaginar pel que porto dit al llarg d'aquest llibre, el moviment cultural «renaixentista» —catalanista— aconseguia cada dia una solidesa i una major amplitud. Les circumstàncies el van degollar de cop.

Igualment en l'aspecte polític. Ací, el camp d'acció era immens, i no foren pocs els avantatges almenys aparents, que s'hi van obtenir. De tota manera eren ben poca cosa en proporció a les necessitats, i sobretot en proporció a les dimensions del país. Els grups «valencianistes» proliferaren, i els setmanaris. Massa sovint eren tan efímers, que no val la pena que ara jo m'entretingui fent-ne la llista. Era molt difícil que poguessin somoure el «sucursalisme» que dominava la vida pública valenciana. En el terreny electoral només fou obtinguda alguna victòria en termes municipals. Si un valencianista arribà a les Corts espanyoles de la II República fou perquè va sortir elegit per una circumscripció del Principat. És trist, però és així. El col·lapse posterior va impedir l'expandiment lògic del reivindicacionisme valencià. Una anàlisi de les activitats realitzades fins al 1936 demostra que la bona intenció era de bon tros major que el sentit de la realitat. En aquest any hi havia en exercici una gamma molt matisada de grupets valencianistes que anaven del dretisme més reaccionari al marxisme més o menys ben digerit. Hi havia, de tota manera, un excés d'ideologisme mal enfocat. El País Valencià era un tros de l'Espanya histèrica de la II República, i el «valencianisme» no n'era una excepció. Per minoritari, la seva histèria era més accentuada. Ben sovint, l'exacerbació desqualificava l'intent. Al capdavall tot s'esvaí enmig del vertiginós remolí. El dia que podrem escriure la petita història d'aquells anys, hi trobarem detalls curiosos i sorprenents. He dit abans que no hem tingut homes dotats per a les maniobres pròpies de la cosa pública: de vegades les circumstàncies poden suplir aquesta falta. Així va ocórrer en alguns sectors de la València immediatament posterior al 1936. Però això excedeix els límits d'aquest paper.

* * *

La Renaixença ha estat, socialment, un fracàs. Ha estat, de tota manera, un èxit. Si jo puc escriure avui aquest llibre, no és perquè els poetes «de guant» i els «d'espardenya» van fer llur feina, més bé o més malament, però positiva? I encara: jo, i els qui vénen darrere meu, no som el testimoni d'una perduració i alhora d'una renovació «important»? No pas nosaltres, però tot allò que ens ha fet fer com som, és el que ara mereixeria d'ésser analitzat: deixem-ho per a la gent de les pròximes generacions.

III
NACIONALISME I NACIONALISMES

1. Nacionalisme*

El *Diccionari Aguiló* registra una paraula diguem-ne precursora: «nacionista». Don Marià la documenta amb una frase procedent d'un llibrot titulat *Lumen Domus*, que per a mi és un text desconegut i de data vaporosa. Sens dubte, els nostres eximis erudits saben què és això del *Lumen Domus*, i fins i tot és ben probable que si ara recerqués jo mateix en la meva biblioteca, hi trobaria alguna precisió en qualsevol monografia impensada: no ho sé, i tant se val. El petit fragment de *Lumen Domus* reportat per Marià Aguiló diu: «Si los frares predicadors de Catalunya gozan quexarse y parlar ab lo degut zel de los de sa nació, al punt són tractats de nacionistas i bandolers.» Una prèvia: «bandolers», ací, vol dir «parcials»; no hem d'exagerar les coses! Per l'aire general de l'idioma i pel to privativament clerical de la citació, crec que podem situar la referència abans del XIX. Aixo és evident: no cal, doncs, que m'aixequi i vagi a consultar cap bibliografia aclaridora. Ni que només sigui del XVIII, el text —el mot: «nacionista»— resulta d'una precocitat important. *Nacionista* equival, amb una aproximació que contorba, a *nacionalista*. La particularitat notable, el tret a subratllar, és que els catalans apareguin *acusats* de «nacionistes» molt abans que el «nacionalisme» aparegués sobre el mapa ideològic d'Europa. No té gens d'interès el fet que el *Lumen Domus* restringeixi la seva al·lusió al clos de l'orde dominicà: són en tant que catalans, que els frares de Sant Domènec reben el mot com un dicteri. I heus ací que en llengua catalana aquest derivat de *nació* —el sufix *ista* s'hi fa plenament significatiu— s'anticipa, n'estic segur, a totes les altres llengües europees. No puc donar cap garantia de la meva asserció: és una pura sospita. Però si em demostressin que m'equivoco, em quedaria parat. Perquè, ben mirat, pocs pobles d'Europa estaven en condicions d'esdevenir nacionalistes —*nacionis*tes— com ho estava el nostre, abans que el «nacionalisme» sorgís com una doctrina i una decisió a principis del Vuit-cents. En aquest punt, ens avancem a tothom. D'ençà de l'edat mitjana som un poble

* Publicat a *Diccionari per a ociosos* (Barcelona, Editorial AC, 1964), ps. 115-121.

providencialment —excuseu-me l'adverbi— predestinat a una mena de vocació «nacionalista» implacable. El bon frare que escrivia aquelles línies del *Lumen Domus* adduïdes per l'*Aguiló* ho delatava d'una manera fosca i instintiva. Ara hem de prendre el terme «nacionalisme» —el frare hauria dit, en tot cas, «nacionisme»— amb una descarada deliberació anacrònica. Hem de reduir-lo, també, en el seu abast, a allò que realment indicava el dominic del *Lumen Domus*: «gosar queixar-se i parlar amb el degut zel» de les pertinences de la pròpia nació. *Queixar-se*, d'una banda; *mostrar-se zelosos*, d'una altra —i zelosos, és clar, fins al *trop de zèle*. Tot «nacionalisme» és això: lamentació i reivindicació. En el fons de tot «patriotisme», sigui de la «pàtria» que sigui, hi ha una suspicàcia vigilant, erigida enfront de les «pàtries» veïnes: no hi hauria «patriotes» si no haguessin d'encarar-se amb uns «patriotes» rivals. Però potser l'ús que fem del mot «nacionalisme» ens permet de pensar que és una forma de «patriotisme» una mica especial: un «patriotisme» vexat i, per això mateix, més agressiu. Per vexat, *es queixa*; i el *zel* que l'acompanya no és sinó una explosió agressiva. I, com deia, el nostre poble tenia més motius, més naturals —i dramàtiques— propensions a practicar el lament i a engegar la reivindicació, l'una cosa i l'altra en defensa «de los de sa nació», d'ell mateix, que tots els altres pobles de la seva àrea. Una simple reflexió, un examen lleuger, projectats sobre això que anomenem «pobles» en l'Europa posterior al segle XV, en justificaria el perquè. Els altres «pobles» europeus, entre aquesta centúria i Napoleó, o bé són pobles excel·lits —complets o en via d'acomplir-se en el seu destí *normal* de poble—, o bé són pobles frustrats en un grau gairebé letal —i, en conseqüència, incomplets, inacomplerts. Per fer-ho gràfic amb un exemple: França és un poble *excel·lit*, mentre que els Països Occitans són un poble *frustrat*. Més o menys, tot el conjunt ètnic i cultural del continent podria repartir-se en aquesta classificació, fins a les vigílies del Romanticisme. Hi havia uns pobles que ascendien, que consolidaven la seva personalitat, que s'implantaven amb una hegemonia viva enmig dels pobles del seu *entourage*. N'hi havia d'altres —aquests últims, i més— que no assolien la maduresa col·lectiva implícita en les seves arrels, i que començaren a desdibuixar-se, a perdre perfil i vèrtebres, a confondre's amb el poble dominant. Quan el «nacionalisme» pren volada, quan el vertader «nacionalisme» —de càtedra o de revolta, centrípet o centrífug— exalta la societat europea, les dues sèries de pobles que acabo d'apuntar entraren en una nova fase de consciència política: nosaltres, també. Però nosaltres, abans d'això, abans de l'autèntica embranzida «nacionalista» del XIX, no havíem estat ni un poble excel·lit ni un poble frustrat. Que no érem un poble *excel·lit*, salta a la vista: el darrer Trastàmara, volent o sense, tallava als Països Catalans tots els camins d'una plenitud a part, en inserir-los dins una òrbita estranya. I si no érem aleshores un poble *excel·lit*, tampoc no vam ser un poble *frustrat*: tampoc no vam ser una comunitat destruïda o apagada. Els nostres historiadors acostumen a conferir l'etiqueta de «Decadència» al període que s'obre amb els Trastàmara —a tot estirar, amb l'emperador Carles— i es tanca amb els versos de l'Aribau i l'inici de la Renaixença. De fet, la cosa és massa complexa perquè pugui ser sumida en una qualificació tan expeditiva. Hi hagué, en aquells temps, és cert, unes quantes dimissions fonamentals, que es veuen patents en la renúncia lingüística, en l'equívoca submissió al mite de la reialesa espanyola, en moltes altres actituds desistides. Tanmateix, no pot pas dir-se que ens diluíem com a poble. No ens diluíem com a poble, almenys, en proporcions semblants —i torno a l'exemple d'adés— al cas de les terres occitanes. No hi *excel·líem* però igualment no ens *frustràvem*. En aquests últims anys hem vist que la historiografia catalana ha revaloritzat el segle XVIII autòcton: hi ha descobert unes energies morals i materials que el tòpic simplista de la «Decadència» ocultava, i que són a l'origen de la represa restauradora del Vuit-cents. L'estampa d'un XVIII borbonitzat, àton, dividit entre la derrota i la defecció, en surt corregit: la represa econòmica i l'esperit *il·lustrat* dels nostres setcentistes hi representen una contrapartida enorme, poderosa. Però encara caldria recordar les Germanies, i l'alçament del 1640, i la guerra de Successió, que són també espasmes de vitalitat, i no els únics. En llibres i en documents, en moltes petites incidències de la vida diària, els catalans d'aquells segles demostraren, de manera intermitent, si voleu, que no es resignaven a morir del tot com a poble. I és aquesta resistència instintiva, aquesta reserva de possibilitats, el que els feia ser «nacionistes», o els permetia de ser-ho. Un poble excel·lit no sentia la necessitat de ser «nacionista»; un poble frustrat, tampoc. El primer no té res a lamentar ni a reivindicar; el segon, en canvi, està massa afeblit per a arribar a fer-ho. El «patriotisme» dels pobles forts i saludables se sustentava d'orgull i de memòries heroiques, i si de vegades es dispara amb injeccions polèmiques, és de cara a un altre poble fort i constituït, en un tuteig d'igual a igual: les guerres internacionals del XVI, del XVII i del XVIII —lluites entre les Monarquies nacionals que encarnen la força expansiva dels pobles excel·lits—

ho fan veure ben clarament. No es tracta, doncs, d'un «nacionisme» com el que, segons el dominic del *Lumen Domus*, distingia els catalans d'aquell temps: més que no pas *queixa* i *zel*, allò que hi ha és arrogància —arrogància de vencedor o de vençut, tant hi fa. Alguns escrits de Quevedo contra els francesos són una bona mostra d'això. Els altres pobles, els pobles adormits en la frustració, ni tan sols tenen «patriotisme», si no és a escala municipal. Els catalans, a diferència dels uns i dels altres, estaven en condicions d'esdevenir *nacionistes* amb una facilitat quasi premonitòria. Podem imaginar sense dificultat què és el que hauria provocat el comentari del *Lumen Domus*: una disputa de frares de diverses nacions, en la qual els nostres paisans destacaren pel fervor amb què es lliuraven a l'autodefensa en qüestions d'amor propi «nacional». L'escena —i un comentari similar— serien previsibles en qualsevol altre pla, en ambients ben distints, sempre que els catalans es confrontessin amb gent d'un altre poble. L'estranger que presenciava aquelles explosions de particularisme, no podia deixar d'admirar-se'n: sens dubte li semblaven excessives. Per això ens titllava de *bandolers:* de sectaris. Un sectarisme de nació: *nacionisme*. Els catalans de la «Decadència» sentien el dolor o la inquietud de saber-se postergats quan encara es creien amb forces d'assegurar-se un lloc honorable entre els pobles *fets*. Era una creença que no s'ajustava del tot a la realitat, però tampoc no era massa arbitrària. D'aquí que la reacció *nacionista* hi fos no solament explicable, sinó fatal i tot. Els catalans *gosaven queixar-se* i parlaven amb el *zel* pertinent, quan contemplaven la seva situació de poble alhora no reeixit ni fracassat. En una certa mesura, doncs, el nacionisme venia a ser un nacionalisme *avant la lettre*. De tota manera, no sé si, al capdavall, el nacionisme era la millor preparació possible perquè el nacionalisme hi tingués, més tard, una fluència esponerosa. Comptat i debatut, probablement el catalanisme polític no ha aconseguit mai el tremp nerviós i embalat del nacionalisme. Fa l'efecte d'haver-se quedat sempre en l'estadi «nacionista»: la premonició, abans incidentalment al·ludida, no arribà a consumar-se. No puc aturar-me, ara, a analitzar les moltes i contradictòries repercussions que el nacionalisme ha tingut en els pobles europeus. És indiscutible, però, que entre nosaltres es produïen unes circumstàncies propícies, hipotèticament propícies, a la inflamació nacionalista. La idea de la nostra *normalitat* com a poble podia haver-se convertit en un incentiu tant més vigorós com més àrdua era la perspectiva d'un recobrament integral. Però el nacionalisme català, contra el que podrien fer sospitar els escarafalls dels seus antagonistes carpetovetònics, mai no fou un nacionalisme virulent i resolut. La vocació nacionalista, prou que la tenim: l'adversitat ens hi empeny i obliga. Ara bé: és una vocació que no arribem a satisfer. Com els frares del *Lumen Domus*, ens queixem i parlem amb «lo degut zel» pel que fa als nostres greus problemes privatius. D'aquí no passem. I el nacionalisme és, precisament, el pas següent, decidit i una mica exasperat. No diré que no hi hagi hagut nacionalistes entre nosaltres: al Principat sobretot, uns quants al País Valencià, ben pocs a les Illes, dos o tres enllà dels Pirineus. Numèricament no suposaven gran cosa. El *nacionisme*, per contra, és un sentiment difús i constant, a tot arreu de les nostres terres. No hi tinc res a dir: els fets són els fets, i jo en sóc sincerament respectuós. Però hi veig un senyal exacte d'anacronisme. Ser *nacionista* era una conducta explicable, lògica, en el XVII o el XVIII. No ho era gens, ja, en el XIX. Ser nacionalista, avui, també és un anacronisme. Només que, en el fons, hi ha «pobles» que *encara* no poden ser res més que això. És absurd. Tristament absurd.

2. La cancel·lació dels nacionalismes?*

Si hem de jutjar pel que diuen els diaris, les ràdios i els nostres contertulians que s'acontenten de repetir-ne les bestieses, sembla que ha arribat el moment de la cancel·lació dels nacionalismes. Poques idees, o pocs ideals, heretats de les generacions anteriors, es veuen, com el nacionalisme avui, sotmesos a una desestima tan palpable i insistida. No em vaga d'entrar, ara, en conjectures sobre si s'ho té ben merescut o no. Una opinió generalitzada dels darrers temps li atribueix la culpa de les guerres més doloroses de la centúria, oblidant que potser en comptes de ser-ne la causa n'és l'efecte, i callant sobretot que molt sovint ha servit de pretext a mòbils prou més obscurs i inconfessables. Sigui com sigui, allò que importa —o que m'importa— és, només, destacar la campanya verbal desencadenada en contra d'ell, unànime entre sectors heterogenis i contradictoris del món que vivim. El fenomen presenta facetes d'estupenda suggestió. En l'antinacionalisme actual coincideixen, efectivament, els europeistes de professió, els figurins cosmopolites i els afiliats a les Internacionals més o menys vives. Cadascú, com és lògic, hi diu la seva, té el seu propi argument, fa la seva acusació particular. L'europeista a l'ús, home que sobtadament ha descobert els avantatges de la pau, li reprotxa la bel·licositat, el caràcter agressiu, la virulència provocadora de conflictes. El cosmopolita, animal d'encantadores displicències, sibarita del desdeny, el troba localista, tancat, díscol als criteris i a les fórmules que passen per universals. I el revolucionari, no cal dir-ho, li retreu la tara de burgès. Tots tres concorden, des de la seva superioritat, a qualificar el nacionalisme d'anacrònic i superat.

Fóra idiota de negar la veritat d'aquestes incriminacions: el nacionalisme —el nacionalisme dels països europeus— ha estat positivament bel·licós, localista i burgès. Ho ha estat: no tant, però, com ens voldrien fer creure els seus detractors. I encara, sent-ho, hauríem d'aclarir fins a quin punt això era inevitable, per fatalitat històrica, i fins a quin punt es tracta de vicis

* Publicat a *Diari 1952-1960* (23 d'abril de 1952), *Obres completes* II (Barcelona, Ed. 62, 1969), ps. 232-238.

corregibles o d'adherències circumstancials. En tant, doncs, que reacció contra aquells tres defectes, la repulsa, vingui d'on vingui, serà justa. Només que s'hi corre el perill que insinua la frase alemanya: per llençar l'aigua bruta de la tina, ens exposem a llençar l'infant que hi rentàvem —perquè no tot és aigua bruta, en el nacionalisme. Bé. Tampoc no és això el que ara em preocupa. El que jo voldria comentar en aquesta nota, i subratllar, és la maniobra que s'oculta en les virtuoses manifestacions antinacionalistes sorgides pertot. En certa part, és clar, hi ha una voluntat càlida i de bona fe, que desitjaria desintoxicar els pobles europeus d'aqueix sentiment, de vegades sentimentalisme, malaltís, que és l'exacerbació patriòtica. Però, en major mesura, l'antinacionalisme que veiem estendre's al nostre entorn no té un tan lloable fonament, ans al contrari, sembla no ser sinó una astúcia pròpiament nacionalista: l'astúcia d'un nacionalisme que se sent amenaçat per un altre, en la seva subsistència o en la seva expansió. Darrere l'antinacionalisme de l'europeista, del cosmopolita i del revolucionari segueix, a penes emboscada, en peu de guerra, la mateixa obsessió nacionalista de sempre. Conscientment o inconscientment —això és un altre problema. El fet a destacar és aquest: en un grau important, l'actitud antinacionalista es *encara* un instrument del nacionalisme, d'alguns nacionalismes.

Ho podem comprovar cada dia. En la petita i atribolada àrea on es belluguen els europeistes, per exemple, veiem amb massa freqüència que, quan un francès blasma el nacionalisme, no pensa en el nacionalisme en si, sinó en el nacionalisme alemany, sense adonar-se —posem-nos en el millor dels casos— que ell, en fer el blasme, no abdica el seu nacionalisme, i que el fa, precisament, perquè continua sent nacionalista. Suposo que, si hi ha algun alemany decidit a confessar-se antinacionalista, es mourà per una inquietud semblant respecte de França. L'esquema es repeteix en gent d'altres contrades. D'altra banda, en moltes publicacions europeistes —italianes, franceses, alemanyes— trobem mal dissimulada, i sovint candorosament exposada, la intenció dels seus redactors de presentar els projectes d'unió continental com una oportunitat d'hegemonia per a l'estat —o la nació— a què pertanyen. Aquests antinacionalistes formularis coneixen per experiència la força estimulant que per als pobles és el nacionalisme: i tot i conservant-la per a si, tractarien de suprimir-la o d'adormir-la en el possible rival. I no sols això: fa de mal creure l'antinacionalisme d'un francès quan aparenta mostrar-se inofensiu davant

Alemanya, però al mateix temps opera com un nacionalisme vulgar i opressor, amb les pitjors armes estatals, contra les reivindicacions bretones o algerines. La resistència italiana a resoldre la qüestió de la minoria de l'Alt Adigi no s'adiu amb les protestes d'antinacionalisme que profereixen les patums europeistes de la península veïna. Els exemples podrien multiplicar-se en aquest i en d'altres sentits. El nacionalisme continua funcionant perfectament, i no ens hem pas d'enganyar, ni de deixar enganyar, per les seves abjuracions externes i declamatòries.

El cas del cosmopolita no és distint; potser sí més subtil. El cosmopolita, l'universalista cultural i els altres tipus afins, afirmen, per principi, que el seu país de naixença, o el seu país d'adopció, és ja l'encarnació suprema i intocable dels mòduls i de les intencions ecumèniques; a tot estirar —es tracta sempre de nacions importants—, estenen el privilegi a d'altres països igualment grans; però la resta del món, que no entra per definició en el clan de la cosmòpolis preestablerta, és menyspreada com si fos pura tossuderia agresta, rural, obcecada. Hi ha un patriotisme vigilant en el fons de cada cosmopolita: si molt convé, el cosmopolita arriba a sentir-se patriota de tres o quatre llocs alhora, però per a ells és tan rabiós i tan intransigent com qualsevol altre patriota. I és curiós: indubtablement, en la conformació de la cultura universal —problemes, estils, ànsies—, són els quatre o cinc països poderosos els que hi han intervingut més i amb major solvència; però la indignació dels cosmopolites no es posa en marxa sinó quan un altre nacionalisme cultural, o ni tan sols nacionalisme, petit i fins aleshores arraconat, pretén abandonar el seu aïllament i vol aposentar-se en una línia d'universalitat. Mentre que es resigna a vegetar en la modèstia del folklore, en el clos dialectal, el cosmopolita li perdona la vida, perquè sempre és bo de tenir colònies: ara, només que es proposi de normalitzar-se, de viure universalment pel seu compte, el cosmopolita s'irritarà i clamarà consternat en nom de vés a saber quins interessos sagrats. En realitat, allò que el cosmopolita defensa és un monopoli nacional. En establir-se, fa uns anys, la —per altra banda ineficaç— llei que admetia a França l'ensenyament de les llengües «regionals», un grapat d'intel·lectuals il·lustres van protestar-ne en nom de la universalitat de l'idioma oficial: per a ells, és clar, l'important no era la possible universalitat que els provençals, els bascos o els gascons poguessin assolir a través de les parles respectives; l'important era només el nacionalisme lingüístic francès. I no diguem ja dels casos estrafolaris: com el de Julien Benda, que es pensava —o es pensa: no sé si és viu o és mort— que la universalitat coincidia exactament i exclusivament amb les fronteres nacionals de la seva pàtria (i fins i tot, a estones, amb les fronteres intel·lectuals de la seva pròpia ideologia). Els simulacres dels cosmopolites tampoc no enganyen ningú.

Pel que fa al revolucionari, la motivació és prou més complexa. La identitat entre nacionalisme i burgesia té una arrel històrica evident: la consciència nacional, i sobretot la seva actualització política, es produeixen a tot arreu, almenys a Europa, sota l'ègida de la burgesia. L'ús del nacionalisme com a excitant bèl·lic, també, ha estat cosa de les oligarquies dominants, que així han disposat d'un ressort emotiu per arrossegar les multituds al sacrifici, tapant amb la bandera uns objectius estrictament classistes. No vull ni tan sols excloure la possibilitat que el mateix sentiment nacionalista fos aprofitat, en alguna ocasió, per sofisticar, aigualir o desviar la consciència de classe del proletariat. Fins ací, doncs, els fets més o menys discutibles: els fets que jo m'avindria a acceptar com a certs. Per un altre costat, hi ha el plantejament de la situació política última: com que l'antagonisme de les grans potències actuals queda vinculat a l'antagonisme capitalista-socialista, sembla que per a la tàctica de la revolució, per al triomf dels seus propòsits, convé que l'estat avui oficialment revolucionari sigui fort i s'imposi com a tal estat, i compensi i obstaculitzi l'expansió dels estats contrarevolucionaris. Partint d'això, qualsevol nacionalisme polític —o cultural— que vulgui resistir-se enfront de les exigències de l'estat soviètic, fa el joc, ni que sigui per omissió, als propòsits de la burgesia. Doncs, si més no, amb aquest abast, hi ha nacionalismes que encara continuen sent burgesos. I no solament en el pla internacional o interestatal: per retornar a l'exemple francès, és previsible que si els comunistes bretons tinguessin l'aspiració d'erigir-se en partit nacional a part del PC francès, la jerarquia superior del comunisme no ho consentiria, al·legant, naturalment, raons d'eficàcia, i acusant aquells de «vel·leïtats» nacionalistes, burgeses per tant. Res de tot això, en abstracte, no seria reprovable, si no amagués així mateix uns interessos nacionalistes sota la capa internacionalista. S'ha vist de seguida que la influència de l'URSS en els països que anomenen satèl·lits va prou més enllà d'aparèixer-hi com a poble capdavanter del socialisme: ha esdevingut, com no podia ser d'altra manera, una modalitat d'imperialisme polític, econòmic i, el que és més delicat, cultural. Potser les informacions que en tenim, de font tendenciosa, ho exageren. Però el risc és innegable. I la hipòtesi francesa, novament, ens el confirmarà: el PC de França, deliberadament o no, i en aquest punt, opera com qualsevol dels altres partits burgesos, unitaris, oriünds dels jacobins; la seva propaganda parla en francès i de la nació —i la pàtria— francesa, del poble francès, de la cultura francesa, amb les mateixes intencions amb què ho fan els redactors de «Rivarol». La condemna, per part dels comunistes, de tot intent de rectificar això en benefici dels drets polítics i culturals de les minories no franceses de França, és inevitable: condemna que, en l'esquerra comunista, no té altre qualificatiu que «burgès». I no hi ha dubte que, en aquesta actitud, hi trobem la perduració d'un tret específicament burgès, com és l'unitarisme de l'estat nacional: amb textos del propi Lenin ho podríem corroborar....

Vull repetir, però, que les acusacions al·ludides, adreçades contra els nacionalismes, són en bona part certes. No pretenc dissimular-ho, i molt menys si prenem com a base els punts de vista des dels quals són formulades. Únicament tracto d'assenyalar que en les posicions antinacionalistes subsisteix i dura el nacionalisme, amb els seus defectes característics. L'antinacionalisme avui en voga a penes cobreix la bel·licositat, l'esperit localista i el fons burgès, clàssics en els nacionalismes de la pre-guerra. Potser la bel·licositat, ara, ha esdevingut sorda i a força de pactes mal girbats i a repèl, malda per derivar a camins incruents; o s'esmerça contra nacionalismes colonials o inermes. Potser el localisme, en prendre substància en una extensió geogràfica o en una demografia més amples, o fins i tot en una tradició més eminent, es disfressa d'innocència, es presenta amb fesomia d'universalitat justificada, es fa més capciós. Potser la «burgesia», en això, és, no tant una desigualtat entre els individus, com una desigualtat entre els pobles (que implicarà, també, la desigualtat entre individus), i, més que l'explotació de l'home per l'home, l'explotació d'un poble per un altre. Però la bel·licositat, el localisme i la burgesia hi són, diguin el que vulguin els mateixos antinacionalistes. Ben mirat, no hi hem guanyat res. Si tot això fos confessat, no tindria un aire tan infame ni tan oprobiós. La política ha estat, en tots els temps, l'art de dominar uns homes als altres, uns països als altres, i no ens hem d'escandalitzar, ni ens escandalitzaríem, perquè continuï sent-ho. El nacionalisme d'abans era franc, quasi cavalleresc a còpia de franquesa, i no s'amagava de proclamar-se agressiu, exclusivista, i imperial o classista. Ni enfront de l'enemic —del nacionalisme enemic—, ni enfront de la víctima —del nacionalisme que, sense arribar a enemic, es queda en víctima—, no fingia. I pensem, encara, en un detall revelador: els antinacionalistes, els típics antinacionalistes d'avui, procedeixen de les nacions potents, de les nacions que tenen el nacionalisme més arrelat perquè l'hi inciten i treballen les enormes maquinàries estatals. I el seu antinacionalisme, nacionalment, no exhorta al desarmament del nacionalisme dels seus compatriotes, sinó més aviat al dels nacionalismes que li són adversos, interns, veïns o colonials.

De tota manera, preferiria eludir qualsevol comentari que pogués suposar una valoració —desvaloració— ètica del fet pseudoantinacionalista, perquè sempre se'm podria discutir la licitud dels principis en què gosaria basar-la. Serà més pràctic d'enjudiciar-lo en vistes a les seves repercussions efectives, en l'ordre polític i en el psicològic. Perquè jo no comprenc com hauria d'esperar-se que un nacionalisme —gran o petit— deixi de ser nacionalisme, si els nacionalismes que el rodegen, i que per impuls espontani —per ser nacionalismes— li són hostils, no deixen de ser nacionalismes simultàniament. Mal pot esperar un francès que els alemanys es desprenguin de la histèria patriotarda, naturalment gal·lòfoba, si ell continua sent nacionalista, i per tant germanòfob. Mal pot queixar-se el revolucionari que els burgesos esgrimeixin contra la revolució els sentiments nacionalistes, si ell, en comptes de fer-se'ls seus, els coerciona o combat. Mal pot confiar el cosmopolita que els pobles postergats es posin a l'altura de la seva exigència, si ell mateix es dedica a fomentar-hi ressentiments o a endanyar-ne el complex d'inferioritat. En realitat, un nacionalisme només es crispa i arbora enfront d'un altre nacionalisme que l'amenaça. O millor: una nació només té necessitat —de vegades necessitat biològica, d'instint de conservació— d'exaltar-se en nacionalisme, quan es veu en perill davant les ambicions d'una altra nació. Som molts els homes del món —i, ai!, a la mateixa Europa i tot— que ens sentim nacionalistes perquè els altres no ens permeten deixar de ser-ho...

3. Sobre el nacionalisme espanyol[*]

Tema d'història[**]

De qui en seria la culpa? No encara d'Américo Castro, és clar: qüestió de cronologia, i no d'una altra cosa. De Menéndez Pidal? De don Antonio Ballesteros? De Lafuente?... Del P. Mariana? O bé, reculant a les fonts, d'algun d'aquells bisbes visigòtics que redactaven cròniques, en les estones lliures, entre batalla i pontifical? No ho sabria dir. El cas és que Manuel Azaña, quan teòricament encara era cap de l'estat, s'hi deixava endur, i l'embranzida venia de lluny. Don Manuel, en *La velada en Benicarló* (p. 106), resumeix els fruits d'una intoxicadora tradició historiogràfica: els resumeix en forma d'indignació. Amb una particularitat, però: que l'indignat era, o havia estat, detentor de la màxima magistratura de l'estat, i, en tant que home públic d'una tal categoria, la intoxicació es demostrava descoratjadorament perniciosa. Azaña constata que, durant els primers mesos de la guerra dels Tres Anys —per emprar l'etiqueta de Vicens Vives—, l'estat espanyol, l'estat que ell regia, o sigui els territoris rebels al Govern de la II República, saltaven a trossos en una dispersió incoercible. «*El cabilismo racial de los hispanos ha estallado con más fuerza que la rebelión militar*», constata Azaña, i el lector no pot evitar de témer que, en el fons, don Manuel sentia més pànic i més fàstic davant el *cabilismo* que davant la *rebelión*. Tot i que aquestes paraules, com la resta del llibre —*La velada de Benicarló* és un diàleg entre personatges ficticis—, semblen escrites amb la voluntat de reflectir «opinions generals» del moment, jo sospito que traeixen més aviat les «opinions personals» d'Azaña: en tot cas, devien ser, aleshores, opinions sinceres d'homes com ell. I, si no «opinions», almenys la mescla de ressentiments mal països, de desconfiances tàcites, d'aprensions inconscients, de prejudicis ancestrals, de

---

[*]   Publicat a «Revista de Catalunya» (Mèxic, setembre de 1967), amb el títol *D'una «agenda pública».*

[**]   Datat a Sueca, el 27 d'abril de 1963.

manies anecdòtiques, que, convertida en escrúpol histèric, es conjuminava en el cap de don Manuel i de *tutti quanti.* La perspectiva de la derrota accentuava les tintes. El *cabilismo racial de los hispanos* —la frase val un Potosí— era, segons Azaña, una de les ferides que més debilitaren la resistència de la II República . «*Cuando empezó la guerra, cada ciudad, cada provincia, quiso hacer su guerra particular*», diu. El fet, doncs, era aquest: ningú no defugia la lluita, ningu no es desinteressava de l'enemic comú, però tothom tractà de defugir i de desinteressar-se del Govern central —del Govern de la República, en la mesura que encara era Govern, i que encara era «central»—. Un centrifuguisme espontani es produeix a tot arreu. I el que cal prendre en consideració és que gent com Azaña —intel·lectuals espanyols d'upa i polítics de primeríssima fila— no s'ho esperessin. Si era tan previsible!

La llista de greuges, de la part d'Azaña, és extensa. «*Barcelona quiso conquistar las Baleares y Aragón, para formar con la gloria de la conquista, como si operase sobre territorio extranjero, la Gran Cataluña.*» I ara! La *Gran Cataluña* amb l'Aragó i sense el País Valencià? És clar que Azaña ni tan sols havia llegit Prat de la Riba: per a què, veritat? Potser havia llegit, això sí, *La España del Cid* i *La España invertebrada,* fins i tot la *Defensa de la Hispanidad* i *Genio de España,* o havia sentit discursos de don Santiago Alba, de don Antonio Royo Villanova, de Víctor Pradera, de don Miguel de Unamuno. Quina *Gran Cataluña!* I segueix, aïradament: «*Vasconia quería conquistar Navarra. Oviedo, León. Málaga y Almería quisieron conquistar Granada. Valencia, Teruel. Cartagena, Córdoba. Y así otros. "Conquistar": no menos que "conquistar", "como si operasen sobre territorio extranjero".*» Aquesta decisió de «conquesta» era una elucubració d'Azaña, un malson de polític desconeixedor de la realitat. Però tant se val. Ell qualifica de *provincialismo fatuo* la caòtica defensa de la República intentada per les *provincias,* i era comprensible que amb dirigents com don Manuel, que vivien als núvols, la República quedés més indefensa encara. Bé: no és això el meu tema. Continuo citant La velada: «La Generalidad se ha alzado con todo. El improvisado gobierno vasco hace política internacional. En Valencia, comistrajos y enjuagues de todos conocidos partearon un gobernito. En Aragón surge otro, y en Santander, con ministro de Asuntos Exteriores y todo...» I Azaña acaba acusant uns i altres de desertar l'obligació de l'ajuda mútua —acusant tothom d'egoïsme: de *cabilismo*—. «*En Valencia, todos los pueblos armados mostraban grandes guardias, entorpecían el tránsito, consumían paellas, pero los hombres con fusil no iban al frente cuando estaba a 500 kilómetros. Se reservaban para defender su tierra.*» I encara: «*Valencia estuvo a punto de recibir a tiros al Gobierno, cuando se fue de Madrid. Les molestaba su presencia porque temían que atrajese los bombardeos. Hasta entonces no habían sentido la guerra. Reciben mal a los refugiados porque consumen víveres. No piensan que están en pie gracias a Madrid...*»

No importa la veracitat dels fets que hi denuncia el darrer president de la II República. Exagera la nota, és clar. Qualsevol que hagi viscut aquells anys al País Valencià, per exemple —i jo en servo un nítid record—, recusarà les apreciacions transcrites. Ara: la dispersió era certa. En això, Azaña tenia raó. I el *cabilismo* venia a afegir-se a tota una pul·lulació d'incoherències i d'insolidaritats que es produïa en l'esfera dels partits, del sindicats, dels equips tècnics i castrenses, de l'economia. Els quadres de l'estat es desballestaven: era l'anarquia, en el pitjor sentit de la paraula. Les esperances de victòria en sortien defraudades No ha d'estranyar-nos, doncs, que Azaña se'n queixés: el desgavell vorejava el suïcidi. Però Azaña —intel·lectual, polític— no podia limitar-se a queixar-se'n: hauria d'haver intentat de comprendre-ho. I voler explicar-s'ho com un simple espetec de *cabilismo* racial equivalia a negar-se a un diagnòstic serè. La mateixa fórmula *cabilismo racial de los hispanos,* tan olímpicament desdenyosa, no és sinó una deslleial imbecilitat. En última instància, en digui *cabilismo* o no, la cosa resta ben definida. Si dient-ne *cabilismo* i *provincialismo fatuo* Azaña es pensava devaluar el fenomen i reduir-lo a les dimensions d'una molèstia folklòrica, s'equivocava de mig a mig. Ell estava obligat a plantejar-se el problema en uns termes més rigorosos: hauria d'haver-se preguntat si la desbandada del 36 no era la conseqüència d'un fosc i secular desig d'alliberació, que per fi trobava l'oportunitat d'esclatar. Els residus d'estat que la rebel·lió militar i la revolta proletària deixaven en peu, i que eren ben pocs, quedaven encara compromesos pel *cabilismo.* Ningú no es desentenia de la guerra, ningú no abandonava el seu veí en perill. Però els vincles «unitius» travats per mediació de l'estat, els vincles de la «societat» amb l'estat, sí que van afluixar-se. La «societat», de sobte, davant l'espantada estupefacció dels Azaña, es «dispersava». Allò no era un simple «campi-qui-pugui» provocat per l'emergència bèl·lica: era tot un clar intent de liquidació de l'estat unitari.

Ben mirat, hauria de sorprendre'ns l'amargor despectiva amb què la qüestió apareix tractada en *La velada en Benicarló.* Azaña no havia llegit Prat de la Riba, però hagué d'enfrontar-se amb les pretensions polítiques del catalanisme durant l'etapa constituent de la II República, i no n'ignorava l'abast. «Radical-socialista», jacobí del més pur estil carpetovetònic —una mica escurialense, una mica afrancesat—, defensà l'Estatut de Catalunya en les Corts del 31. Amb quant de dolor al fons de la seva ànima va fer aquella defensa, ell s'ho devia saber. Donada la seva mentalitat, la migrada autonomia de l'Estatut devia repugnar-li tant com al més rupestre dels seus detractors. El seu gest era diligentment oportunista. Postulà l'Estatut, no pas per satisfer els drets —uns drets elementals del poble del Principat—, sinó per evitar un mal més gros: el separatisme possible. Obrava encara, aleshores, com un jacobí: com un jacobí intel·ligent, que prefereix «perdre» a «més perdre». L'autonomia impedia la «fuga» de Catalunya; impedia, també, el federalisme i, per tant preservava en bona part les estructures unitàries de l'estat. Aquesta actitud ens obliga a preguntar-nos si Azaña havia arribat a mirar-se de prop la problemàtica nacionalista. Cal reconèixer que no: ni en el moment de màxima complaença parlamentària, quan es discutia l'Estatut, mai no deixà de creure que tot allò era *cabilismo racial* i *provincialismo fatuo* —ganes de fer la guitza, comptat i debatut—. No hi havia més remei que fer-hi concessions: la República aspirava a erigir-se en règim liberal i democràtic, i el catalanisme hi era no sols un sector dinàmic i numèricament estimable, sinó —de mes a més— un dels escassos suports ferms en què la República podia descansar. Però Azaña no passà d'aquesta condescendència, en el seu fur interior. Per a ell, com per a tots els jacobins espanyols —i per als ultres de la part antiliberal, no menys ultrancers en això—, Espanya era una unitat ja indiscutiblement constituïda: *cabilismo* o *provincialismo*, la indocilitat perifèrica els semblava una mera esquerperia anacrònica, que el temps i l'educació cívica s'encarregarien d'eliminar.

L'error de visió era grotesc. Espanya no és França, i els jacobins especulaven amb categories polítiques franceses: les lectures històriques que haguessin fet, sectàries en els enfocaments, no els ajudaven a corregir la deformació doctrinària. «Espanya» no era «França», en efecte. Ni les dinasties dels Àustries i els Borbons havien estat ací tan eficients com els Capets a l'altra banda del Pirineu, en la forja d'un estat unitari, ni els governants del segle XIX van ser tan hàbils a Espanya com els seus col·legues de França, en la tasca d'acabar la feina concentradora de la monarquia absoluta. França ha reeixit —fins ara— a ser França. La seva heterogeneïtat nacional, no dissipada del tot, s'emmotlla en l'encasellat unitari. A Espanya, fins i tot abans de l'explosió dels nacionalismes dissidents, un episodi com el «cantonalisme» de la I República ja venia a denunciar el fracàs d'una temptativa d'aquella mena. Les «renaixences» literàries i polítiques dels pobles marginals, després més accelerades, ho corroboraven. El 1936, la divergència esdevenia estentòria. En un altre lloc del seu llibre (p. 122), Azaña diu, o fa dir, dels bascos: «Ahí los tiene usted, peleando por sus leyes propias, no por España...» Podia esperar-ne una altra cosa? I encara aquí trobem això de *leyes propias,* que és una expressió d'infecta mala fe: emancipació o llibertat eren paraules més adequades. Però el procés d'integració havia estat tan dèbil que no són únicament els grups «direrenciats» els qui n'escapen: hi ha uns particularismes menors, tènues peculiaritats regionals, que tampoc no s'hi resignen. Si a Santander haguessin arribat a formar un *gobiernito* i «con ministro de Asuntos Exteriores y todo» —com en el 1873 Cartagena va ser «cantó» refractari a la submissió—, els Azaña ho haurien trobat excessivament còmic. Des del seu punt de vista, no deu ser gens còmic. Dubto que hi hagi cap estat unitari, de base ni que sigui sufocadament plurinacional, que no es vegi sota l'amenaça contínua dels corrents desintegradors. Però a Espanya el mal sembla més endanyat.

Contra el *cabilismo racial de los hispanos,* l'estat ha esgrimit les armes usuals en aquests casos: l'escola i la policia. L'estat no és més que una ortopèdia sobreposada al desconjuntament de la seva «societat»; amb l'escola, des de fa més de cent anys, procura inculcar als súbdits la mitologia patriòtica necessària per a soldar els *disjecta membra* que el constitueixen; amb les forces de repressió, sempre a punt, ha maldat per acoquinar les «cabiles» desficioses. En les èpoques d'atonia general, les «cabiles» s'hi han sotmès sense massa rebequeries: la seva resposta a l'estat, però, es reduïa a la més total de les indiferències. La «província» apàtica, grisa, servil, víctima del caciquisme electoral, de les lamentables «forces vives» parasitàries, desistiment cívic, dóna l'altra cara del *cabilismo racial:* el *cabilismo* domat. Quan, per una excitació econòmica o d'amor propi, de gallardia civil o de voluntat nacional, el *cabilismo* es fa díscol, el panorama canvia. La «província» es desperta, s'espavila. Allò que podrà derivar-se'n dependrà de les possibilitats locals i temporals, en cada cas: la Solidaritat o la Bernat Metge, el 6 d'octubre o «Serra d'Or», la Setmana Tràgica o l'Institut; o el *cantón* de Cartagena, o el *gobiernito* de Santander. L'estat, llavors, no sap què fer-hi: autoenganyat, no s'esperava que el *cabilismo* arribés a un tal extrem de gosadia. Si en aquell instant és un estat feble, calla i deixa fer, o protesta tant com pot i destorba tant com pot. Tanmateix, la perspectiva se li fa clara, i la veu tan temible, que no triga a reaccionar: s'endureix, en tant que estat. Dues vegades almenys, de principis de segle ençà, l'enrobustiment sobtat i agressiu de l'estat ha tingut per incitació, de manera apreciable, el designi d'ofegar el *cabilismo* que s'insolentava. L'enravenament autoritari s'alimenta d'altres motius — classistes, religiosos, etc.—; però la prevenció enfront de les «cabiles» moralment o materialment insurrectes no hi és el factor més insignificant. Un cop l'estat s'ha posat en guàrdia —*manu militari*—, les pressions pedagògiques i de gendarmeria s'han accentuat automàticament. La maniobra, no acostumen a fer-la els jacobins: més aviat, els jacobins també en solen patir les conseqüències, perquè l'extrema dreta, quan obté el poder, no respecta gaire els seus correligionaris d'anticabilisme. La «mà forta» cau, cega, sobre tothom.

I ells, els Azaña —els jacobins? Naturalment, passen a l'oposició, a l'exili, al banc dels acusats, a la mort. Davant el tema del *cabilismo racial*, mentrestant, la seva posició no varia. És comprensible que no variï: en aquest punt, els uns i els altres coincideixen, i ni els uns ni els altres no s'abstindran de ser recíprocament còmplices per guanyar una batalla. Els qui pertanyem a la «cabila» en tenim una llarga experiència. He sentit contar una anècdota d'exiliats, recent, molt representativa de la situació. No m'atreviré a escriure ací el nom del seu protagonista, prohom d'un liberalisme autentificat per un historial emfàtic: la incidència és infame, i jo no voldria pecar de lleuger amb una atribució que potser seria titllable d'apòcrifa. Però *se non è vero è ben trovato*. Hom comentava en privat, a París o a Mèxic, tant se val, l'evolució dels esdeveniments, com se'n sol dir. El to de la conversa era deprimit i elegíac. Els interlocutors, figures que trenta anys enrere exercien la política a l'interior, es manifestaven desanimats davant els revessos de la fortuna: criticaven acerbament les notícies que venien de la «pàtria». I l'il·lustre jacobí al·ludit, escriptor de cotització elevada, exclamà, en un passatge de pessimisme frenètic: «*¡Si por lo menos resolviesen el problema catalán!*» *Resolver*, en la seva intenció, era extirpar per mitjans violents: cap altre sentit no podien tenir les paraules, en aquell context. La idea és fàcil d'intuir: ja que hi ha d'haver un règim de força, perquè no podem remoure'l ni subvertir-lo, que serveixi almenys per a anihilar el *cabilismo racial!* El que el «liberal» no hauria fet, podria fer-ho l'«antiliberal», i el «liberal» se'n beneficiaria: el jacobí s'ho trobaria fet demà. La sinceritat de la frase posa pell de gallina: l'home de l'exili se solidaritzava amb el seu més detestat enemic precisament respecte al *cabilismo*. I és que tots són uns. De fet, en vint-i-cinc anys d'anticabilisme sistemàtic, dictatorial i aspre es poden assolir uns resultats més efectius que en un segle de jacobinisme vergonyant. Els fantasmes jacobins se'n «regossitgen», com diria —castellanitzadament— el rector de Vallfogona...

Misèria del liberalisme*

Sempre he sentit una instintiva desconfiança envers don Salvador de Madariaga: «sempre» vol dir d'ençà que vaig llegir un qualsevol dels seus llibres. Pla diu que Josep Pijoan detestava Madariaga: és un testimoni a prendre en compte, perquè, tocant a les persones, Pijoan era un home de judicis precisos. Don Salvador disposa d'un gran prestigi internacional. Aquests darrers anys ha explotat a profit seva una vaga condició d'«exiliat», que no mereix massa respectes. De fet, Madariaga s'exilià d'Espanya abans del terrabastall del 36: pràcticament, fugí del Front Popular. Després s'ha manifestat virtuosament enemic de la dictadura. Tot això és correcte, d'altra banda: don Salvador és un liberal. Liberal *a la antigua usanza*, afegeixo jo. Es posà ell mateix l'aurèola de màrtir i, pretextant la seva condició d'intel·lectual il·lustre, ha circulat per Europa i Amèrica amb unes ínfules literàries i polítiques bastant discutibles. Les novel·les i els textos d'història de don Salvador són d'una inanitat que esborrona. Les seves publicacions són abundants i li han guanyat molts respectes enllà de les fronteres espanyoles. De fronteres endins, Madariaga no compta amb més admiradors que els que li proporciona l'equívoc, la inèrcia i la contrapropaganda regimental. A fora, en canvi, el tenen molt ben considerat, segons sembla. No hi ha «comitè» relacionat amb Espanya, o on Espanya —l'*Espanya liberal*— deuria ser representada, que don Salvador no presideixi o hi faci, almenys, de vocal... No hi tinc res a dir.

Datat a Sueca, el 3 de juliol de 1963.

4. País Valencià, una singularitat amarga*

Tant en la polèmica com el simple examen, les referències habituals solen ser Catalunya, Galícia, els bascos, més o menys en contrast amb una Castella executiva i decisòria. De vegades el bloc «castellà» fins i tot rep anàlisis de matís, i Andalusia, o Extremadura, o les Canàries, són objecte de consideració especial, econòmica, política o literària. Però gairebé mai no es parla del «cas valencià». Ni tampoc, i tot sigui dit, del cas de les Illes. La literatura sobre el tema de la «complexitat» ibèrica, tan abundant com demencial, comporta aquests buits... A tot estirar, i per una mera inèrcia culturalista —la de l'idioma—, valencians i mallorquins solem quedar implícits en un plantejament general català. Però la llengua, amb tot i ser un component molt important i molt bàsic, no ho és tot. És més: la llengua, en el seu valor intrínsec de «component» social, té problemes diferents al País Valencià i a les Illes dels que pugui tenir al Principat... Sigui com sigui, l'evidència resulta escandalosa: ni als llibres ni als pamflets, i encara menys als programes, no ens té en compte ningú. Com si aquest tros de mapa que ocupem no tingués entitat pròpia: com si la gent que l'habita —ni «catalans» ni «castellans», en principi— no arribéssim sinó a una identificació purament administrativa, o geogràfica.

Em refereixo al que em toca de prop: als meus, que, des del llit de la Sénia al del Segura, hem heretat el gentilici de «valencians». De fet, amb prou feines se'ns distingeix amb la lleu i malintencionada connotació de «llevantins», arran d'una festa folklòrica o de qualsevol peripècia —generalment trista— de caire agrari o mercantil, o, sobretot, combinat amb el negoci jovial del turisme. I això mateix de «llevantins» queda penjat quan el «*Levante*» ha d'encaixar la competència d'un «*Sureste*» maquiavèl·lic i confusionari... Darrere d'aquestes coses hi ha, no cal dir-ho, una sèrie estranya d'embrolles de «divisions territorials» a què està sotmès l'espai de l'estat espanyol és tremendament curiós: cada *covachuela* va traçar la seva, i si coincideixen és

---

* Publicat a «Cuadernos para el Diálogo», núm. 37 (novembre de 1973).

per casualitat. Particularment aquí. I les bromes de la burocràcia no són mai innòcues... La cosa resultaria fàcil de pair —i, a empentes i rodolons, ho és— a Catalunya, al País Basc, a la mateixa Galícia. No ho pot ser a l'àrea valenciana. Falla el suport: un suport de difícil adjectivació, en termes de sociologia miserablement acadèmica. En última instància, i a fi d'obviar, convé formular-lo així: la «despersonalització» col·lectiva entre nosaltres és palmària.

I ho és tant, que ens singularitza: la resta de la població peninsular, i la de les illes adjacents, se sap «autodefinir» de manera espontània; els valencians, no. En el fons, «som alguna cosa» —no sé quina—, perquè «no som això ni allò». Un veí de Morella, un altre d'Elx, i el de Xàtiva o el de Borriana, tot el cens d'Alacant, de Castelló de la Plana, de València, què tenen —a consciència: en consciència— de comú? El nom tradicional flaqueja: es provincialitza, es comarcalitza. Morella, Borriana, Xàtiva, Elx, i València, Alacant i Castelló de la Plana, tenen encara una genealogia homogènia: catalana de llengua. Però Segorb, i Aiora, i Oriola, queden al marge d'aquesta arrel. Blasco Ibáñez, Azorín, Gabriel Miró, escrivint en castellà són «valencians»; no se li acut a ningú de pensar que Miguel Hernàndez, per exemple, ho fos. L'embull és considerable, i demana molt de paper i molt de temps per a puntualitzar-lo. Ben mirat, i en un resum dràstic, allò que perdura a la superfície és un «no ser», acorralat pel «ser» limítrof de «catalans», «aragonesos», «castellans», «murcians». Apreciats globalment, els valencians no som res de tot això. Ni res «en si», segons que sembla. Som el buit de l'Espanya establerta.

Sense ser res de l'altre món

No cal dir que no té cap importància el fet que no «sortim» en les pàgines de la *España invertebrada*, ni en *La realidad histórica de España*, ni en *España como problema*, ni en *España sin problema*, ni en la *España* a seques de don Madariaga, o que només siguem esmentats molt de trascantó en aquestes i en altres filigranes malabars del sadomasoquisme intel·lectual celtibèric. No hem vingut en aquest món —homes, pobles— per a ser tema de llibres, encara que els professionals de l'escriptura tinguem tendència a pensar el contrari. No hi fa res, no hi faria res el silenci dels papers, o el dels seus doctíssims cal·lígrafs, si la «realitat» immediata fos sana i plàcida. Una vella dita assegura que «els pobles feliços no tenen història». Es tractava d'això? Deixo de banda l'amenitat de l'aforisme: que «història» i «felicitat» siguin concebudes com a incompatibles és cosa digna dels millors sarcasmes. Per definició, i no es pot demostrar el contrari, qualsevol poble és «infeliç» i té «història», a part que trobi o no els historiadors pertinents. La rudesa de les opcions no admet discussió. La pregunta, aleshores, s'afina automàticament: per què els valencians no entrem a la «història d'Espanya»?

No faig el ploramiques, ara. Insisteixo: tant se me'n fot, com a valencià, que el meu país aparegui condecorat en les competicions «nacionalistes» de la retòrica en voga. Un cert patriotisme local, eminentment babau, i fals —per no dir hipòcrita— de més a més, es va dedicar a explotar la dubtosa mina de les «primícies»: el primer llibre imprès a Espanya era de València, i el primer manicomi, i el primer pirulí... Després ha resultat que no: ni el llibre, ni el manicomi, ni el pirulí. El desengany no ha estat massa dramàtic, tampoc, perquè el joc es jugava, a mitges, entre l'analfabetisme i la indiferència. Els valencians som una comunitat «recent»: vam començar al segle XIII, i això vol dir que havíem perdut el tren de l'Èpica empolainada i marcial, «*polvo, sudor y hierro*», amb cids, berenguers i tota la patuleia heroica. No ens va faltar l'empremta castrense, però el gòtic local el trobem, més que en les fortaleses de Morella, de Biar, de Xàtiva o d'Onda, en les «llotges» humilment mercantils de València o de Catí, en algunes drassanes escadusseres, en casalots de nobles aburgesats. Vam passar unes quantes guerres, vam donar un contingent discret de capitans i d'almiralls, i pràcticament això és tot. No estem en condicions de reclamar un «lloc al sol» als escalafons sublims.

Ni ens fa cap falta. Personalment, no ho trobo a faltar. I sospito que —potser amb altres motivacions— la majoria del veïnat ho sent de la mateixa manera. No ignoro que les «glòries passades» constitueixen una droga eficaç, tant per a enardir com per a endormiscar els ciutadans, segons les conveniències. Aquí, la «història» ha estat fonamentalment domèstica: de races, de religions, de classe, en col·lisió permanent, com és lògic, però cenyides al perímetre «regnícola». De vegades, l'embolic autòcton coincidia amb un d'aparentment semblant a la cantonada, la revolta de les Germanies és sincrònica amb les Comunitats de Castella, i només tenen en comú alguns trets secundaris. L'oposició a Felip V, paral·lela a Catalunya, Aragó i el País Valencià, no tenia tampoc orígens idèntics. Les guerres carlines ja van ser més semblants en el plantejament, i l'èxit de la Internacional anarquista. De fet, l'esquema de la situació valenciana era tan peculiar que no ens ha d'estranyar que les «històries d'Espanya» olímpiques prefereixin descartar-lo. No és que se'ns «oblidi»: és, senzillament, que no encaixem en la «maqueta». És la nostra fatalitat.

I el més curiós és que, tant si agrada com si no, els valencians, des de Vinaròs a Guardamar, representem una parcel·la ben poc menyspreable de l'anomenat «conjunt hispànic». Jo no sabria improvisar, ara, una reducció a percentatges: de territori, de població, d'aportació al sacrosant Producte Nacional Brut o a la inquieta Balança de Pagaments, i fins i tot de palmarès cultural, amb la tirallonga d'Ausiàs Marc, el *Tirant*, Lluís Vives, el *Spagnoleto*, Comes, Maians, Cabanilles... Però la peremptorietat de la dada «quantitativa» no ha aconseguit mai, ni aconsegueix, gaire atenció. Els professionals del ram —don José amb la *Invertebrada*, don Américo *passim*, els juliverts de Madariaga, etcètera— ni tan sols es van molestar a obrir un atlas de la Península Ibèrica abans de posar-se a redactar. Si ho haguessin fet, s'haurien hagut de fixar necessàriament en aquesta llenca mediterrània inclassificable. No ho van fer: per a què ho haurien d'haver fet? Els obsessionava el solo de cornetí, que era el que els interessava. La mandra mental, l'ofuscació «autista» i la mitologia imperial i imperant decidien l'actitud... Recordo que, quan, de jovenet, vaig llegir la *Invertebrada*, la meva reacció va ser contundent: «Vejam, què té a veure amb mi i amb la meva gent?»... I tant, si hi tenia a veure, per descomptat! Encara que no ben bé per tot allò que hi deia Ortega...

Moros i cristians

La «peculiaritat» valenciana no té cap paral·lel a tot el «conjunt hispànic». És cert que en qualsevol moment un valencià catalanoparlant ha pogut i pot afermar-se en la seva condició de català: per la llengua i per tot allò que la llengua implica, que és molt i decisiu. Amb tot, això no fóra suficient. Dins l'òrbita catalana, el nostre fet diferencial és notori. No ho podria negar ningú. Si no fos així, la situació local amb prou feines seria una variant de la del Principat i hauria tingut un procés més o menys semblant. I no hi ha tampoc una gran semblança —en realitat, cap— amb el que ocorregué i ocorre a les regions castellanes l'estabilització de les quals data aproximadament de la mateixa època —el segle XIII—, i que permetrien una comparació raonable. El mateix factor idiomàtic ja introdueix una dissimilitud essencial. Però hi ha més que tot això. Les circumstàncies de l'«acte» fundacional han condicionat enèrgicament el desenvolupament ulterior, a tots els nivells col·lectius. Les societats actuals de la Península «neixen» amb i en la Reconquista. Américo Castro no s'equivocava en això. Per al País Valencià, la «partida de naixement» és clara.

Potser es pot discutir si a Catalunya, a Lleó, a Navarra, fins i tot a Castella, van perdurar reminiscències o vetes de continuïtat visigòtica, o tal vegada més antigues. Al País Valencià, la Reconquista va suposar, inexorablement, la instauració al territori «valencià» d'una població nova: amb Jaume I comença, per mitjà d'una colonització esforçada —colonització de «colons»—, una nova comunitat. La van conformar unes lleis i un aparell de poder. Els «neovalencians» del XIII van haver de conviure amb uns «paleovalencians» previsibles: els moros que ocupaven les comarques guanyades amb els pactes o amb les armes. Ni Catalunya ni Aragó no disposaven de potencial humà per a omplir el buit que hauria produït l'expulsió absoluta dels musulmans, i calia que algú cultivés la terra o confeccionés artefactes. En una primera etapa, els cristians vencedors procuraven eliminar l'infidel, i així ho van fer a la meitat nord —o poc menys— de la Península. Després hagueren de resignar-se a acceptar la permanència d'indígenes, mà d'obra imprescindible. Al País Valencià, aquest fenomen adquirí una configuració estranya, d'efectes enormes.

De primer, els reis catalano-aragonesos van ser tolerants amb la multitud islàmica que ingressava a la seva jurisdicció. I també l'aristocràcia. A diferència del que succeí a la Corona de Castella, els moros valencians no es van emulsionar en la demografia cristiana. Es van mantenir concentrats en llocs «seus», generalment de domini senyorial, i van continuar vivint com sempre: practicant la seva religió, parlant la seva llengua —un àrab brut i depauperat, però àrab al capdavall—, vestint a la seva manera, regint-se pels alfaquins i els seus manaments trets del Profeta. De tant en tant, els veïns batejats els causaven alguna molèstia feroç. Quan, el 1519, es produí la revolta de les Germanies —una guerra civil, relativament popular, contra la noblesa—, els moros van combatre al costat dels seus amos contra la menestralia i la pagesia cristianes. Els revolucionaris del moment, així que capturaven un moro, li administraven el sagrament del baptisme i de vegades el mataven. Són coses de la vida. D'aquell merder sorgia un terrible desconcert teològic —moltíssims mahometans cristianitzats per força—, i els assessors de Carles V aconsellaren una solució: que tot el món es «convertís». I es van convertir. De mentida, no cal dir-ho. I la fal·làcia es prolongà fins al 1609.

Dit sense anècdotes: des de més enllà del 1230 fins al 1609 el País Valencià va ser habitat per dos «pobles» diferents, si la confessió val com a tret d'«ètnia». Moros i cristians componien el veïnat. Els moros, els «paleovalencians», descendents potser de les primitives tribus ibèriques, que havien anat canviant de llengua i de credo segons els atzars de les successives administracions, van ser majoria durant molt de temps. Quan Felip III els va expulsar, encara constituïen un terç de la població. No menys d'un terç, que es diu de seguida. I el 1609 és, pràcticament, abans-d'ahir. Els van expulsar sense contemplacions. No s'havien assimilat —ells, tan dúctils sempre en matèria de déus i de parles— a la proposició dels «neovalencians». La seva resistència inflexible els dugué a l'exili: allà continuen els seus besnéts, al Magreb, i només Al·là sap si amb enyorança de recuperar el bé perdut... Això no es repeteix a cap altra banda d'Espanya. És l'aspre i aberrant condicionament valencià. Els manuals d'història no ho expliquen. Els valencians d'avui ni tan sols tenen una idea justa de l'assumpte: a l'escola, als instituts, a la universitat, només els han ensenyat el romancer del Cid. I «*Sagunto, Cádiz, Numancia, Zaragoza y San Marcial*», és clar...

L'origen del magma

No pretenc reduir tot el «cas valencià» a l'episodi moro o morisc. Amb tot, ningú no sabrà negar les conseqüències que va tenir. Intentaré improvisar una enumeració de les més aparatoses. El lector ja s'adonarà que el «país» deu molt de la seva anèmia material i moral a aquella inflexió del començament.

Passo a esbossar unes quantes fites dignes d'atenció:

a) El Regne de València, entre la seva constitució per Jaume I i la seva incrustació a la monarquia espanyola amb Ferran el Catòlic o el seu nét emperador, no es va poder homogeneïtzar en la seva estructura nacional. La duplicitat catalano-aragonesa no presentava dificultats: la comunitat cata-

'lana, més densa, més dinàmica —incloïa les grans ciutats, començant per la capital, i les classes àgils del comerç i el treball—, hauria acabat per imposar-se a l'aragonesa, numèricament menor, subjecta a un feudalisme fòssil, i reclosa en els secans de l'interior. Però el bloc islàmic intercalat no solament impedia aquesta absorció lògica, sinó que creava un buit d'identitat difícil de cobrir. Encara arrosseguem el problema.

b) L'existència inexcusable del grup musulmà contribuí a reforçar les estructures senyorials del país. Al costat dels grans aristòcrates aragonesos, proliferaren els d'origen català que tenien als seus dominis una quantitat considerable de vassalls circumcisos i reverenciosos. Això, a la llarga, ha resultat determinant. Fins al 1500 es tradueix en una debilitat constitucional de les ciutats «neovalencianes» —catalanes—, que amb prou feines disposen d'altres recursos que la seva embranzida urbana, per dir-ho d'alguna manera. No tenen «*hinterland*». València —apuntà un innocent erudit vuitcentista— va ser una «ciutat hanseàtica». Un petit empori provisional, sense autèntica vinculació amb les comarques circumdants, de feu i de morisqueria. Com Alacant, a la seva manera, a partir de Ferran el Catòlic. Les burgesies corresponents van ser d'abast curt i aïllat.

c) Els «neovalencians» eren una mena de *pieds-noirs*, si se'm tolera la vel·leïtat expressiva, *avant la lettre*... Però el plantejament per referència a l'ex-Imperi francès fóra grotesc. Els *pieds-noirs* de categoria —aristòcrates— defensaven efusivament els seus moros, i els seus moros els dedicaven un mínim de fidelitat admirable. Un Cardona, gendre de Cristòfol Colom —o una cosa així—, poderós a Guadalest i rodalies, va caure en mans del Sant Ofici per haver sufragat l'erecció de mesquites per als seus súbdits, i això molt avançat ja el segle XVI. Els enemics més furiosos del moro auster i laboriós van ser els cristians sense patrimoni: gent que veia en el musulmà, tant com un «pagà», un rival en els beneficis dels camps que donen collita. No era únicament un odi de religió: era un odi de classe, entre individus teòricament de la mateixa classe. Els cristians eren l'etern «petit blanc» colonial. Amb la particularitat que els Àustries no estaven disposats, des de Madrid, a acceptar un Regne de València tan perillosament confús. Madrid decidí d'alliberar el país de la infame seqüela de Mahoma. Ja he insistit sobre això: va ser el 1609.

d) Felip III no podia deixar els seus millors servidors a l'estacada, i l'aristocràcia local obtingué compensacions. Els nobles valencians no eren partidaris d'expulsar els moriscos, per la senzilla raó que n'obtenien uns beneficis monumentals. Es resignaren a l'ucàs dels bisbes i dels oligarques centrals, i no tenien altre remei que fer-ho. El País Valencià sofrí la sagnia humana apuntada: una tercera part, o quasi, dels pobladors, que, a més, eren pobladors rendables. El decret de 1609 va tenir unes incidències econòmiques consternadores per al clero i la petita burgesia urbana, a causa d'hipoteques, censos i altres filigranes usuràries. Els senyors, que es van veure privats d'un peonatge servil tan eficaç com era el moro, van ser indemnitzats amb generositat discreta o reberen permís reial per a no pagar als seus creditors. I en repoblar els seus dominis amb llauradors cristians, els imposaren condicions oprobioses. Un conat de revolta agrària, a finals del XVII, delata el malestar que imperava. La guerra de Successió, en la qual la ruralia valenciana fou hostil a Felip V, va ser, en el fons, una guerra social: camperola, contra el feudalisme.

e) De més a més, la recuperació demogràfica hagué de ser lenta i difícil. De primer, hi hagué un trànsit de gent d'unes comarques a unes altres. Més endavant, la immigració castellano-aragonesa ajudà a omplir les vacants. En certa manera, la societat valenciana —la definitiva— hagué de tenir una estructura d'indecisió permanent. Els acabats d'arribar s'assimilaven, en llengua, en mentalitat, en hàbits; però, alhora, introduïen elements de desajust que, en ser reabsorbits per la comunitat, afegien al conjunt nous factors d'incertesa. No hi va poder haver, per això, un «patriotisme local» tan sòlid com a altres indrets. Ni tan sols en la seva refracció folklòrico-sentimental. Enfrontant-nos amb les manifestacions escolars i administratives del jacobinisme del XIX i del XX, els valencians havíem d'oferir menys resistència. El resultat final ha estat un magma nacionalment ambigu i socialment inconnex, o, més que inconnex —tota societat ho és, encara que els antagonismes interns acaben articulant-se dialècticament—, debilitat. Etcètera.

Sense una burgesia tal com déu mana

No caldrà dir que, a partir d'un supòsit ideològic tan precàriament fix, la nostra acomodació al «món modern» va haver de ser àrdua i anòmala. I ho va ser. Durant el segle XVII l'economia es reviscolà, la Il·lustració indígena donà uns resultats amables, i fins i tot apuntava la perspectiva somrient que la classe dominant compliria el seu deure, la seva «missió històrica». Tot se'n va anar per avall després de la Guerra del Francès. M'esforcaré a reduir el tema a poques ratlles, com un guió de conferència per presentar a censura.

Vet ací el comprimit:

1. Les possibilitats d'industrialització es frustraren. Va pesar més la inversió agrària, amb oneroses implicacions de descapitalització relacionades amb les lleis desamortitzadores. Per rescatar —«fer seves», propietat privada— les seves terres, els valencians van haver de pagar molts diners, que naturalment van ser diners emigrants. La introducció del conreu de la taronja, i les seves possibilitats de comerç internacional, decidí, a més, un plus d'«agrarisme» ruc a les comarques més riques i àgils. Encara avui, la situació agrícola del País Valencià és anacrònica. Els nuclis industrials són esporàdics i, sovint, colonitzats per capital estranger o simplement foraster.

2. D'aquí no sorgí, no en podia sorgir, una «burgesia» tal com Déu i Karl Marx manen. Els botiguers de ciutat —a València i a Alacant— eren de poca talla i no tenien gaires vinculacions reals entre ells: d'aquí neixen els recels mutus, perquè aquests dos grups són inesperadament municipals i es barallen per foteses miserables. Algun brot de burgesia industrial, com el d'Alcoi, i com els que després han aparegut a Elx, Elda, Ontinyent, Banyeres, queden igualment cohibits. Si sorgí algun home eixerit —com el marquès de Campo, o don Ignasi Villalonga del Banc Central—, es dedicava a les Altes Finances, que, com és sabut, no tenen arrelament nacional. La propietat rústica es mantingué ferma. A les Corts de Cadis, els diputats valencians ja van iniciar la batalla contra els senyorius: es tractava de desfeudalitzar el país, que era la zona més feudal d'Espanya. Els terratinents que procedien d'aquesta mobilització immobiliària van ser els cacics de la Restauració, i, bé que molestos per les incidències aranzelàries —proteccionistes els de l'arròs, lliurecanvistes els de la taronja—, van ser fidels als seus Silvelas, als seus Sagastas, als seus Gil Robles. La massa subalterna, bracers del camp, obrers industrials, dependents de botiga, callava o esclatava, segons les oportunitats.

3. La política va ser el que havia de ser: pur caos. En un estat ben construït, i centralitzat, no és possible la política des de la perifèria: no hi ha manera de «prendre el poder». Tot queda en exasperació inútil: rebel·lia absoluta. Cabrera, Cucala i el tossut carlisme complet n'és una dada; els liberals, des d'Ayguals de Izco —sí: el de *María, la hija de un jornalero*, que era de Vinaròs,

i alcalde de Vinaròs— a don Vicent Blasco Ibáñez, no van ser més efectius. I no parlem ja de la clientela de la I Internacional, que va ser tenaç i agressiva, amb episodis com el d'Alcoi el 1873 o el de Cullera el 1911. Manar, allò que es diu «manar», era l'oportunitat de la mediocre pseudo-oligarquia terratinent. Els vots republicans s'imposaven a les ciutats —l'Ajuntament de València va ser alegrement blasquista, a temporades—, però l' *encasillado* va funcionar a les comarques. Els homes de la Restauració, a estones perdudes, escrivien versos en vernacle per als Jocs Florals; però, de debò, eren escolans del centralisme. A penes hi va haver «nacionalistes valencians» mereixedors de gratitud. D'altra banda, les «províncies» s'endurien. Els triomf del Front Popular va ser massa breu per a fer-ne comentari a part.

4. Pel que fa a la cultura... València, del xv al xviii, havia estat una ciutat perfectament «europea»: amb dispositius intel·lectuals internacionalment vàlids. No m'entretindré en la ressenya. Mentre els homes de lletres i de ciències vivien de les seves rendes, o de les de l'Església, o gaudien de mecenatges, tot va funcionar bé; en «professionalitzar-se», o fer-se necessària una professionalització, ja no hi hagué lloc per a ells en una societat petita, provinciana i sense burgesia opulenta. La «fuga de cervells» es convertí en urgència regular. Blasco Ibáñez encara residí a València; Azorín ni tan sols va pensar que pogués quedar-s'hi. En l'aspecte lingüístic, la dicotomia s'hagué d'aprofundir. Castellanitzada la classe alta, i castellanitzant per mimetisme la petita burgesia, l'abandó de l'idioma autòcton resultava inevitable. La Renaixença, hivernada per Llorente, no assolí un arrelament massa notable. Només es van mantenir lleials els escriptos subalterns, de clientela popular o cenacular, arraconants respecte a Barcelona, heroics en la seva obstinació... L'aparador d'una increïble *intelligencijia* nativa, però evadida, roman obert a Madrid, amb plomes tan disperses com Garcia Sánchiz, López-Ibor, Calvo Serer o J.A. Maravall...

La resignació quasi sistemàtica

Per arrodonir aquestes notes precipitades hauríem d'entrar en detalls concrets que excedeixen la meva assignació d'espai. Fóra inevitable parlar de l'actualitat, de més a més: de la postguerra immediata; de l'evolució econòmica subsegüent; de la inapetència política que se'n deriva; de les inquietuds més urgents d'avui. Faré un nou esforç de síntesi. Amb una cautela, però: és molt més complicat parlar de les coses d'ara que de les de fa dos o tres segles, per falta d'una informació tamisada i coherent. Em cenyiré a unes observacions indiscutides.

A aquestes:

I) A partir del 39, l'Administració local queda a disposició de la propietat rústica i de persones lligades a aquesta, com una reviviscència de la Unió Patriòtica. Un repàs a les llistes d'alcaldes i presidents de Diputació ho certificaria, bé que de vegades algun nom de significació marginal sembla alterar l'asseveració. Aquestes excepcions disten molt de ser-ho. No hi ha hagut canvis reals en els trenta i tants anys darrers. En el fons, es tracta de la «gran propietat», a la mesura dels costums locals.

II) La burgesia liberal s'esvaeix: no en tant que burgesia, però sí en tant que liberal. S'amplia amb les xambes de l'estraperlo, primer, i amb les temptatives industrialitzadores i turístiques, després. La nova lleva de burgesos és pusil·lànime i no es polititza: no «mana» directament. Si bé es vincula al món dels interessos agraris —a través de l'adquisició de tarongerars a certes comarques—, ni tan sols ha pesat en els moments de problemes gruixuts: el del transvasament del Tajo al Segura, el de la possible entrada al Mercat Comú, etc.

III) En algunes zones hi hagué una descongestió relativa de la propietat de la terra, arran de l'eufòria de preus en els productes agrícoles durant l'etapa de les dificultats. Augmentà el minifundi, i hi hagué de nou un dispendi d'estalvis important, dissipat en la compra de terra, a expenses d'inversions més oportunes i útils. El retrocés dels avantatges agraris produí una situació d'ofec, que va ser pal·liada amb l'emigració a Europa de grans masses de gent. La insuficient industrialització local no permetia que la mà d'obra desplaçada dels pobles fos ocupada en fàbriques o serveis del país.

IV) L'aparició del capital foraster ha anat creixent, i, fent-se més incisiva, ha sumat un nou «provincianisme» a tots els precedents i ha afegit un plus d'insolidaritat entre els diversos sectors de l'economia. De tota manera, el diner estrany no s'ha convertit tampoc en un increment de la riquesa fèrtil. Una bona part del seu tripijoc es limita a mantenir sucursals de *stock* i de repartiment per al mercat regional, i quan no és així tendeix a ingerir-se amb aspiracions de monopoli. El seu correlat evident és la debilitació de la classe dominant indígena, en allò que encara li pugui restar d'«indígena».

V) La ideologia difusa ha estat, doncs, el que no podia deixar de ser: una mena de còctel de *pétainisme* i de *poujadisme* mal lligat però palpable. Des de *Alma y tierra de Valencia* fins al tendres exabruptes de don Agatàngelo Soler o don Adolfo Rincón de Arellano hi ha una continuïtat més seriosa i segura que no podria semblar a primer cop d'ull. S'hi intercalen les timideses dels ex-liberals que procedeixen d'un republicanisme que ja era ultraconservador el 1933. Els mitjans de comunicació de masses, en el seu radi local, han vehiculat aquesta resignació sistemàtica, només alterada esporàdicament per curts instants d'alarma. El context de la inèrcia general sobrepassa els límits del País Valencià, per descomptat. És un context que no es limita a ser-ho —que ja seria molt—, sinó que intervé diàriament amb vigilàncies, vetos, tancaments...

Futur

El panorama és negre. Ho és: no ho podria posar ningú en quarentena. Però, de les seves mateixes contradiccions, s'hagué d'originar, i va néixer, un gest de rèplica. La seva procedència és la que es pot suposar, perquè coincideix amb la de casos semblants: el desassossec intrínsec de la classe treballadora, la impaciència —sectorial i transitòria, però vàlida— de la joventut, i l'escrúpol d'alguns intel·lectuals que no es mamen el dit. Llibres, pamflets ciclostilats, avalots, presons, quitrà a les parets, vagues, conciliàbuls, molta esperança i molta voluntat ingènuament ofertes, podrien servir de menció indicativa per a insinuar-ne el procés i l'eficàcia. No és per a fer-se il·lusions. Res de tot això no té cap relació amb la «política», no cal dir-ho. És una altra cosa.

O la mateixa, però d'una altra manera. No és possible fer política des de tan lluny del centre del Poder: és el que va entendre Llorente i no va entendre Blasco. Però, la ciutadania en la seva petita obligació diària, el que pensi i el que faci en la seva condició de «valencians» i com l'entenguin i la practiquin, és l'únic que compta: l'única política que serveix o que pot servir. Per a nosaltres, almenys...

5. Franco i l'espanyolisme*

El llibre que el lector té ara entre mans és potser la primera aportació documentada a la història d'un tema importantíssim: la del nacionalisme espanyol. Certament, es tracta d'una monografia, i l'àmbit que explora es redueix, de fet, a l'etapa de la dictadura franquista i, més en concret, a les manifestacions oficials, la majoria de les quals procedents del mateix Caudillo. Però ja és un començ. Amb un al·licient suplementari: ens presenta la «matèria» en un dels seus moments de màxima crispació retòrica, i som molts els qui els hem viscuts i n'hem estat víctimes. En aquestes pàgines queda enregistrada, només, una parcel·la del fenomen. L'obra gairebé exhaustiva de Josep Benet, *Calalunya sota el règim franquista*, les havia precedides amb notícies i textos d'una procedència més àmplia, centrats sobretot en l'aspecte «repressiu». Esperem que, en un futur immediat, es multiplicaran les indagacions en aquest sentit, i que seran intentades, com la que ací prologo, no amb un propòsit lacerat de «memorial de greuges», sinó en termes tan objectius com la «ciència històrica» permet. I pensant sempre que qualsevol temptativa d'«història total» —sigui «història d'Espanya», sigui «història de Catalunya» o «dels Països Catalans», sigui qualsevol altra «història» de nacionalitats ibèriques, i fins i tot una «història d'Europa»— no podrà ser ni tan sols mitjanament «total» si escamoteja o posterga la «ideologia nacionalista». Avui encetem un camí llarg i complicat. Cal assumir-lo amb paciència i tenacitat.

Pel que afecta el «nacionalisme català», millor dit, el «catalanisme», tan tímidament reivindicatori al capdavall, i d'una genealogia curta, que no sobrepassa el segle XIX, existeix una relativa abundància de papers, no sempre massa «científics», que d'alguna manera volien explicar el procés de la nostra frustrada recuperació nacional. N'hi ha que, procedents de casa i amb un utillatge conceptual pseudo-marxista, únicament resulten curiosos en la

* Pròleg a *Franco i l'espanyolisme* de Xavier Arbós i Antoni Puigsec (Barcelona, Curial, 1980), datat a Sueca el 9 d'octubre de 1979.

mesura que tradueixen un cert masoquisme, no sé si individual o de grup, però encantadorament idiota. I n'hi ha d'emanació forastera que són, en si, uns magnífics exemples de com el nacionalisme espanyol perpetua les seves intoxicacions sota l'aparença de la «història». També hi hauríem de comptar més d'un cas —moltíssims casos, sospito— d'historiadors que, de bona fe o no, en referir-se al «catalanisme» obliden alegrement l'«espanyolisme», sense el qual l'altre seria inintel·ligible. Tanmateix, i amb les aberracions apuntades, un català conscient pot saber fins a quin punt el seu nacionalisme és o no és una maniobra classista. Mai, en canvi, ni catalans ni espanyols no han sentit parlar de l'espanyolisme com d'una «ideologia de classe».

I fóra simplificar molt la cosa si ara volguéssim interpretar el nacionalisme espanyol en funció d'allò que, fa vint o quinze anys, els hipotètics marxistes espanyols solien designar amb la tirallonga de «*la oligarquía latifundista semifeudal castellano-andaluza*». I no perquè no fos exacta aquesta al·lusió. Ben al contrari. Responia a la veritat dels orígens. Però amagaven les conseqüències diàries —i multiseculars— del predomini d'aquella «oligarquia», que continuen vigents avui, quan són unes altres les oligarquies que manen, sense descartar-ne la clàssica. No havia dit Herr Marx que «les idees dominants són les idees de la classe dominant», o alguna cosa per l'estil? Doncs això. L'«oligarquia» espanyola inicial, disposant de l'aparell de l'estat, s'imposava a través d'una vasta capil·laritat administrativa tremendament eficaç: mestres d'escola, autoritats buròcratiques, catedràtics d'universitat, guardiacivils, escalafons, servei militar obligatori, capellans d'alta i baixa graduació, notaris, partits polítics... Com els «espanyols» hem arribat a convertir-nos en «espanyols»? I com i per què s'ha produït un «dubte» sobre el particular?

Aquest seria el problema a dilucidar, històricament. Ningú no s'ha pas d'enganyar: la investigació hauria de comprendre, en primer lloc, el «concepte d'Espanya». Un gro s volum de J. A. Maravall —un valencià espanyolista—, publicat en plena postguerra, i ja s'entén que penso en la «guerra d'Espanya», proclamava que Espanya, durant l'edat mitjana, era una «idea» viva i conjunta, a la qual s'adheria tothom. El doctor Maravall hi feia moltes trampes, no sé si a consciència, i probablement no s'ha penedit mai d'aquell patracol. És el seu dret. Ara: allò era un pamflet polític —espanyolista— adobat amb una erudició vasta i iridescent. Maravall, aleshores, ni tan sols era liberal, ai! Però no crec que avui, que ja és liberal, s'atreveixi a admetre que escrivia al dictat del «nacionalisme» militar: pretenia justificar «Espanya», concretament l'Espanya de Franco. Havien fet alguna cosa diferent els de la *generación del 98*, abans de Franco? La *generación del 98*, bàsicament perifèrica —Azorín, Baroja, Unamuno, Maeztu, Valle-Inclán— fou d'un espanyolisme rabiós: dir-ne «castellanisme» seria fer trampa. S'acarnissaren amb la Castella ex-imperial i pobra, que «*envuelta en sus harapos desprecia cuanto ignora*». Després, el senyor Ortega y Gasset, amb les delícies del seu èmfasi, ho acabà d'embolicar, amb allò de l' *España invertebrada* i algunes perorates incidentals...

M'adono que divago, però no gaire. Intentava dir que, d'entrada, caldria que els historiadors —alguns historiadors— s'apliquessin a puntualitzar el «concepte d'Espanya» al llarg del temps, però no com el doctor Maravall, no per demostrar que Espanya és una creació paleolítica i providencialment prevista per Déu Nostre Senyor, sinó per aclarir-ne els factors político-socials que la propiciaven. També caldria veure per què alguns historiadors d'esquerra han jugat l'ambigüitat de l'espanyolisme, a partir de la noció de «mercat nacional». Si hi ha «un» historiador indígena que admiro és Josep Fontana: és l'únic que em mereix confiança. ¿No s'ha embolicat en una terminologia «nacional» per tot això d'un «mercat» que ho és, si arriba a ser-ho, de fa quatre dies? Un «mercat» —una classe dominant— difon una «ideologia»: un «nacionalisme». Avui és el nacionalisme espanyol; demà, probablement, hauria de ser un nacionalisme europeu, quan les duanes afluixin. Ni Cervantes, ni Descartes, ni Shakespeare, ni Ausiàs Marc, ni el Petrarca, ni... No hi compten per res. O sí: una mica. El «mercat» ho decideix tot?

L'estudi del «nacionalisme espanyol», de tota manera, hauria de centrar-se paral·lelament a l'estudi dels altres «nacionalismes estatals» europeus. El francès resultaria modèlic. Tenen la seva font en els projectes de la monarquia absoluta: la dels Capets, poso per cas. I la dels Àustries espanyols. I la cosa de les illes Britàniques, que se m'escapa. Són, en el fons, unes lluites d'hegemonia continental, vagues al principi, però finalment resoludes. «França» contra «Espanya», «Espanya» contra «Anglaterra», «Anglaterra» contra «França»... I no existien ni França, ni Anglaterra, ni Espanya: les dinasties corresponents i els seus feudals n'eren els protagonistes. Els nacionalismes estatals, com s'han configurat en el ple del segle XX, tenen dos enemics: els exteriors, i la xenofòbia hitleriana no era més criminal que la dels holandesos, la dels belgues, la dels francesos, la dels italians, i paro de comptar, els uns contra els altres, «nacions» contra «nacions»; i els interiors, que som la merdeta afligida dels catalans, dels occitans, dels bascos, dels gallecs, dels del Tirol, de les infinites «minories» balcàniques, o un petit grup de poblets que no parlen l'idioma oficial. Els nacionalismes estatals han tingut la missió històrica de fer-se la guerra els uns als altres, d'una banda, i, de l'altra, la de suprimir dràsticament les reminiscències «nacionals» discrepants. L'obligació de l'estat espanyol —i del «mercat» corresponent— era d'ensenyar-nos a parlar i a escriure en castellà.

El nacionalisme espanyol, quan comença? M'agradaria trobar-ne precisions. A l'època dels nostres pares —dels meus— eren sarsueles com aquelles que segregaven la *Marcha de Cádiz*, el *Banderita tú eres roja, banderita tú eres gualda* o el *Soldadito español, soldadito valiente*. Més encara: les ràdios actuals imparteixen hores i hores d'emissió amb *Y ¡viva España!* o l'*España cañí*, i mil discos més, d'un patrioterisme «populista» que fa angúnia. Els partits polítics d'esquerra —de l'esquerra espanyola— no protesten. Per què n'haurien de protestar, si ben sovint semblen estar-hi d'acord? Manolo Escobar podria ser tan vàlid per a la UCD com per al PSOE o el PCE. I per als capitans generals... Les cançonetes patriotardes han estat i són vehicle fluid d'espanyolisme. I els *himnos regionales*. I comèdies, i drames, i films, i novel·les, i assaigs, i estudis filològics més o menys seriosos...

En pla de broma, podríem dir que Espanya —no l'estat, la «ideologia»— és una invenció de don Marcelino Menéndez Pelayo. La preocupació ve de més lluny. Del *conde-duque* de Olivares? I què era Olivares sinó la famosa «*oligarquía latifundista semifeudal castellano-andaluza*», a què es referia don Santiago Carrillo abans de les divertides propostes de la «*reconciliación*» i de la «*ruptura*»?... Tant se val. Tot això ho hauríem d'escorcollar: delicadament, seriosament, tècnicament. I que ningú no tingui escrúpols a denunciar que l'«esquerra espanyola» fa la impressió que ha estat i és un instrument nacionalista de la dreta, i de l'extrema dreta...

Jo no puc allargar-me en anècdotes ni en categories sobre el particular. Escric aquestes ratlles amb una pulcra intenció «catalana», no «catalanista», i des d'un racó del País Valencià, per a major *inri*. Pràcticament, hi ha «catalanistes» perquè hi ha «espanyolistes». Si en el fons es discuteixen «interessos» grossos, els «catalanistes» i els «espanyolistes» s'uniran animosament. I tot serà «espanyolisme». En un esquema que no abandoni la venerable noció de la «lluita de classes», la burgesia catalana està condemnada a ser tremendament «espanyolista». Prat de la Riba era «espanyolista»: defensor de l'«Espanya Gran». Però no tan «espanyolista» com alguns partits d'esquerra posteriors, si bé es mira. Prat tenia l'excusa de la seva «classe». Els moviments populars, marxistes o no, al Principat, als Països Catalans, per què han de ser «espanyolistes»? No cal que siguin «catalanistes». Tan repugnant és un nacionalisme com un altre, i només hauríem de fer una concessió a favor del nacionalisme dels oprimits: de les nacionalitats oprimides. La «ideologia» espanyolista necessita una anàlisi profunda. No solament les «dretes» han estat evidentment espanyolistes: també les presumptes esquerres. Si esquerres són. Que no ho sé. Una divertida digressió podria recaure sobre els espanyols «liberals». Unamuno, Ortega, Menéndez Pidal, Américo Castro, Sánchez Albornoz, Perico el de los Palotes...

Tots són uns i els mateixos. Giménez Caballero —llegiu, si podeu, *Amor a Cataluña*—, el difunt don Américo, que propugnava militarment la introducció del castellà en els més catalanescos circuits de les muntanyes, don Claudio, tots els ministres de Franco i del pseudo-postfranquisme, i Umbral i la Real Academia Española. I don Ramón Menéndez Pidal. I don Juan Aparicio. És l'«*España Una Grande y Libre*»... La historia del nacionalisme espanyol no és, ai!, exclusivament, la història del feixisme o del pre-feixisme. Hi ha un espanyolisme «liberal». Per dir-ho exactament, hi ha un espanyolisme que es professa «liberal». O fins i tot «d'extrema esquerra». És un espanyolisme solidari de qualsevol altre espanyolisme. Castro, Pidal, Albornoz? No seran ni Laín ni Tovar, ni Marías, l'alternativa. I això que el professor Tovar continua tan nazi com quan era jovenet. Laín comença, i molt tard, a comprendre què és ser liberal. Marías és una colossal proposició a riure. Tots ells, i més, ens indueixen al bilingüisme. No calia, però. Ja sabíem que, per tirar endavant, hem de ser bilingües, com a mínim. Però, de més a més, volen que siguem nacionalistes espanyols, com ells. I no solament ells. Una certa quantitat de polítics espanyols que es diuen d'esquerra, i que cal molta imaginació per acceptar-los com d'esquerra, ens afligeixen amb el seu espanyolisme.

Aquestes són les coses que passen. Les que han passat, les que probable-mente passaran?... Esbrinar les tèrboles giragonses del nacionalisme espanyol, a través de la retòrica dels Ortega, dels Castro o dels Albornoz, i dels González, dels Carrillo, de la Montseny, és un repte suggestiu. La fantasmagoria de l'espanyolisme d'esquerres —quina?— fa plorar. La dreta, militantment espanyolista, disposa del poder, del «revisionisme», de la socialdemocràcia i de les *Hijas de María,* que tot és un bloc unànime. L'«esquerra» intel·lectual ha de ser una opció crítica. I crítica, primer que res, «contra» l'esquerra. De cara a la dreta no cal perdre el temps. Ja la van fer com convenia Marx, Lenin, Stalin, La Rosa, i fins i tot Trotski i Mao, i Marcuse, i Adorno. Una esquerra crítica, en l'espai de l'estat espanyol, no la veig possible. I si ho fos, hauria de començar per això: per desmitificar el nacionalisme espanyol. L'espanyolisme no és una simple confecció de la dreta: és una confecció «espanyola». Amb l'aval de don Salvador de Madariaga, «espanyol professional», per entendre'ns. I amb més ajudes: Besteiro, Negrín, Durruti. L'esquerra «espanyola» s'ha caracteritzat sempre per la seva innocència, i pel seu «espanyolisme» rabiós. Entre Calvo Sotelo i el doctor Negrín hi havia més afinitats que diferències...

Potser, ara, en aquesta divagació, sóc injust. No m'ho acabo de creure. Però potset sí. Sigui com sigui, queda en peu la perplexitat davant els plantejaments «nacionals». Si Calvo Sotelo i Negrín coincidien en allò de «*antes roja (o azul) que rota*», l'anècdota, avui, pot induir a reflexions pessimistes. Tant se val. Una projecció aproximativament «científica» hauria d'enfrontar-se amb la mola dreto-esquerrana de l'espanyolisme, i delatar les complicitats que una determinada dreta i una determinada esquerra, no són ni dreta ni esquerra... La versatilitat sindical és un afegit discutible... Convindria que, des d'Euskadi, des de Galícia, des dels Països Castellans, provinguessin dades, reflexions i pertinàcies contra l'«espanyolisme». Contra aquesta «ideologia» dreto-esquerranoide que, històricament, ha estat i és i serà amargament decisiva. Això que anomenem «Espanya» necessita uns detergents «ideològics»: precisament perquè és, bàsicament, una «ideologia». Però és també l'estat...

6. L'altre dia a Madrid[*]

Vaig anar a Madrid, l'altre dia: el 5, exactament. No era un viatge senzill, per a mi. Molts milers, potser centenars de milers, de ciutadans de la perifèria han d'acudir necessàriament a la capital del Regne per evacuar problemes administratius, polítics o acadèmics, cada mes, i em quedo curt. Els que no hi van utilitzen el telèfon. Que és la mateixa genuflexió, però més barata. El meu trist jornal, tanmateix, no m'obliga a l'excursió. Però no hi havia més remei: en Raimon cantava a Madrid, i valia la pena d'observar què passava, què podia succeir o no succeir. A mi em costa molt de sortir de casa: començo a ser vell, dec estar malalt d'alguna cosa, i ja vaig perdent la meva millor i potser única virtut, que és la paciència. En arribar a la Villa y Corte vaig observar múltiples compareixences: «periodistes» de —pel cap baix— una quarta part del món, enviats expressament per informar de la «reaparició» del nostre cantant. No n'hi havia ni un del País Valencià. He de confessar que em vaig avergonyir? Doncs, sí. Perquè, carat!, en Raimon és de Xàtiva. Mentre no es demostri el contrari, i el divertit búnker de la catalanofòbia local —i de les altres fòbies— no ho sabrà demostrar.

L'acte, d'entrada, era impressionant: de sis o set mil assistents és, si no m'erro, el còmput de la Dirección General de Seguridad. La majoria eren xicots i xicotes, «en edat de merèixer», que es deia abans. Vociferaven i aplaudien amb un entusiasme entendridor. La «democràcia» promesa, si no consisteix, com a mínim, que un bocí de multitud vociferi i aplaudeixi, què serà? Espero que algú m'ho digui. Els crits i els aplaudiments foren, això sí, molt concrets. Més ben dit: contradictoris. El clamor, en un passatge, demanava «unitat» —«*u-ni-dad*»—, quan entrava un dirigent socialista no comunista, i al cap de pocs minuts sincopava la seva demanda pel Polisario, per doña Dolores o el difunt Xile del més difunt Allende. Era el plany de les «causes perdudes», i em sorprèn que s'hagi errat el blanc de manera tan innocent, paralitzant la sèrie de recitals del cantant valencià. ¡Si fins i tot

* Publicat al diari «Tele/exprés» de Barcelona el dia 9 de febrer de 1976.

—a aquestes altures, Déu meu!— recitaven a cor el fado d'allò de «*el pueblo unido jamás será vencido*»! Van sorgir unes quantes banderetes...

Aquest altre tipus d'ovacions ja em va deixar més parat. Vaig pensar: «Alto! Aquí hi ha alguna cosa que falla.» Jo sóc de la perifèria, i la cosa no m'afecta: tant com a Gandhi l'heràldica britànica o a un algerí el «drapeau» dels jacobins. No sóc entusiasta de les banderes, ni dels visques, ni dels himnes. Ho he dit més d'un cop. Però l'eufòria que Madrid apliqui a qualsevol emblema oficial —d'ara o d'abans— em fa venir pell de gallina. Els aplaudiments a la tela suposadament subversiva em van confirmar els meus prejudicis: la meva desconfiança. La Marianita Pineda que es va posar a cosir —no pas brodar— el llenç resultava tota una invitació al vòmit.

—Escolta, estem tal com estàvem...

—Si fa no fa... No ve d'un morat...

Creixien els refilets a favor de la llibertat i de l'amnistia: «li-ber-tad, am-nis-tía.» Una noia de Barcelona que tenia al costat em va incordiar:

—I per què no demanen l'Estatut d'Autonomia?

Era una pregunta candorosa.

—Ells ja el tenen, tenen el supraestatut, l'estat... Els d'esquerres i els de dretes, que, en això, són uns i els mateixos... Com vols que reivindiquin una cosa que no entenen?... Ni els concerneix...

—No els concerneix?

—Ja ho veus...

Em van assignar una cadira a la segona fila: a la primera van ser col·locats els prohoms de l'anomenada «oposició», i els vaig poder observar de prop. No els havia vist la cara fins aleshores. Aquell era Marcelino Camacho, el de més enllà Garrigues-Walker, o Morodo, o... No estic al corrent del catàleg, ni m'interessa el detall. Eren uns individus que aplaudien a cegues, si aplaudien. No tenien ni idea d'en Raimon, d'allò que en Raimon cantava, ni que en Raimon és una «català» de Xàtiva (com jo ho sóc de Sueca, si no us fa res...). La fauna, fisiognòmicament, no era massa encoratjadora. Un cop d'ull global a l'«oposició» de Madrid convoca al desànim.

—Tenen la cara lletja...

—No exageris...

—No sé... En comparació, el senyor Solé Barberà, don Jordi Pujol, tota l'Assemblea de Catalunya, i el meu estimat Vicent Ventura, semblen veritables efígies de premi Nobel d'alguna cosa...

En Raimon es va esgargamellar aquella nit. No havia estat mai tan just i enèrgic en les seves cançons «programàtiques», segons la meva manera de veure (o d'escoltar). Els versos de Salvador Espriu ingressaren en la palpitació col·lectiva. Fins i tot un poema líric de Joan Timoneda... I els xicots li van respondre. Algú, algun dia, recollirà, en fer història, l'insòlit, increïble episodi d'uns quants milers de goles carpetovetòniques acompanyant Al vent i multiplicant el Diguem no! Semblava l'enunciat d'una esperança. Ho és? En això dels conflictes lingüístics, l'extrema dreta emergent, estrictament feixista —don Salvador de Madariaga, don Ernesto Giménez Caballero, don Antonio Tovar...—, acusaria el cop. I no ho farà. Té guanyada la primera batalla: la de la paella pel mànec. En Raimon cantava en català, i hi obtingué un eco. Era un eco «conscient»?

Eliseu Climent, que era unes quantes butaques més enllà del meu seient, va encreuar unes paraules amb no sé quina eminència de l'«oposició» de Madrid.

—*Muy bien este chico, Raimon, tiene garra... Ya os concederemos la autonomía a los catalanes...*

En Climent assegura que va ser una cosa així: quatre paraules pròpies d'un dèspota il·lustrat en boca d'un imbècil que es creu socialista. «*Os concederemos...*» Abans de la petardada, i les espurnes ja ens han socarrat. Cal prendre'n nota.

—Però en Raimon és valencià, i els valencians... Jo...

—*Hombre, no; más líos de esa especie, no... Con una Cataluña tenemos de sobra...*

Amb aquesta «*oposición*», *Dios nos coja confesados*.

En Raimon podia cantar dos i tres dies més. Li'n van negar el permís... Era massa perillós per a tots...

7. Contra el nacionalisme*

És curios d'observar com es mantenen tan obcecades, encara avui, les actituds hostils a qualsevol reivindicació diguem-ne perifèrica, quan algú la planteja en termes una mica clars. I no ho dic precisament pels exabruptes que provenen del costat de sempre: aquests són ben previsibles i no tenen remei, em sembla. Penso en la reticència que sol disfressar-se d'«esquerra» i que, sovint, tendeix a escudar-se amb uns o altres principis autodefinits com a «internacionalistes». Podríem esperar que el problema tingués, ja, una acollida objectiva, serena, desintoxicada d'«ideologismes». Però no. Tot continua com fa quaranta, seixanta, vuitanta anys. O pitjor. De fet, molt pitjor, perquè la fauna política de l'interior i les sucursals del litoral —insisteixo: les de l'oposició— han disposat de temps i de llibres per reflexionar sobre el tema durant la Quaresma passada. Es veu que no l'han aprofitada. En el fons, el líder X, i el líder Y, i el Z, d'aparent etiqueta marxiana, per exemple, respiren igual que Núñez de Arce, Romanones, Calvo Sotelo o Ledesma Ramos, pel que fa a la qüestió. Si en res se'n diferencien és, a tot estirar, per l'aire demagògic amb què decoren les seves flatulències nacionalistes.

Exactament això: nacionalistes. Amb una innocència que fa de mal creure —no és cap «innocència», en efecte—, aquests senyors es treuen de la mànega l'acusació de «nacionalista» a la voluntat emancipatòria, i hi afegeixen de seguida una sèrie de connotacions oprobioses: «petitburgesos», «maniobra de la burgesia tal o tal altra», i tot el que vostès vulguin. Com si ells no fossin tan «nacionalistes», o més! Per una estranya ofuscació mental, i moral, s'obliden, no solament de la seva situació «nacional», sinó també del «nacionalisme» epilèptic, fastuosament agressiu, que professen. El porten en la massa de la sang: heretat a través de la llar i de l'escola, convertit en retòrica automàtica, alimentat pels telediaris i per les exigències del mercat dels escalafons. El d'ells és, de més a més, un nacionalisme pre-burgès: deriva de

* «Avui», any I, núm. 23 (Barcelona, 19 de maig de 1976).

les ambicions d'una determinada oligarquia, originàriament aristocràtica, que va encunyar mites, nocions i llocs comuns dòcilment assimilats per la multitud subalterna. La ideologia dominant ha estat sempre la de la classe dominant. Si cal una menció històrica, grotescament emblemàtica, el nom del *conde-duque* de Olivares hauria de ser suficient. La paradoxa actual és que algú pot invocar Lenin o Stalin o Mao, sense adonar-se que està repetint Menéndez Pidal, i valgui la broma.

Els «nacionalismes» no emergeixen en el buit. Cada «nacionalisme» s'articula com a tal en funció d'un altre «nacionalisme»: conflictiu amb ell. Seria inimaginable un «nacionalisme» sense un altre enfront. El famós «*2 de mayo*» —«*Oigo, patria, tu aflicción*...»— s'erigeix davant els francesos, i allò, tan suat, de la «*pérfida Albión*», contra l'imperialisme britànic, que disputava a l'imperialisme de Madrid les mars i les terres més rendables. Ben mirat, no eren dues «nacions» que s'hi llançaven, al combat: eren uns antagonismes d'interessos entre uns clans molt nítids. L'«estat modern», post-maquiavèl·lic, manipulat per les forces feudals i els monarques absoluts, en el començament, i pels tenors del jacobinisme, després, inventaren un «nacionalisme» enèrgic: el nacionalisme estatal vigent. L'eterna guerra «franco-prussiana» n'il·lustra un moment ben llarg. De cara a fora, les dinasties i les repúbliques volien condensar un «patriotisme» eficaç per aguantar l'enemistat amb el «patriotisme» de l'altra banda de la frontera. Els grans conceptes «nacionals» a l'ús, amb himnes i banderes, són, en última instància, el reflex d'unes lluites entre grups d'interessos geogràficament contraposats. En el XVI, en el XVII, en el mateix XVIII, i fins en el XIX, les «multinacionals» encara no havien trobat el desllorigador. Ni tan sols els Fuggar.

L'altra projecció d'aquests «nacionalismes» es proposava destruir les resistències que, per entendre'ns, podríem designar amb l'adjectiu d'«ètniques»: àrees socials que s'apinyaven, poso per cas, en una llengua distinta, en una voluntat de viure a la seva manera i segons les seves necessitats immediates, en una irritada consciència de protesta. Qualsevol resum d'història dels actuals grans estats europeus podria informar els seus lectors que, junt a les guerres «exteriors», han hagut de fer-ne moltes d'«interiors» igualment nacionalistes. Confeccionar un «nacionalisme» estatal ha costat molta sang. Ha costat molts mestres d'escola —França no seria França sense els *instituteurs*—, molta aflicció administrativa, molt «*ordeno y mando*». El resultat final ha estat devastador. França és una indicació modèlica. Seria poc correcte de dir que el «vandalisme» no-arquitectònic és culpa d'aquella intel·ligent i sinistra bèstia que fou l'*abbé* Grégoire. Grégoire ampliava i corregia una antiga instigació dels Capets. Totes les repúbliques i tots els imperis francesos han estat «nacionalistament» coincidents. I Thorez. I Marchais. I Sartre, no ens enganyem. Que ho diguin els occitans, els bretons, els bascos, els catalans, sotmesos a l'Hexàgon.

Al sud dels Pirineus, l'embolic fou una còpia de l'esquema francès, però fracassà la temptativa «unitària». El fet que jo escrigui aquest miserable article n'és una confirmació explosiva, i aquest article no és res. El senyor Cambó? Molt bé: encara que Cambó no entra en la meva personal participació en el debat, posem-hi Cambó. Però, què s'oposava al tímid i elegant regionalisme de Cambó? Maura, La Cierva, Romero-Robledo? Royo Villanova, Víctor Pradera? Cambó, Prat, la sencera burgesia catalana, mai no ha estat «nacionalista» com Déu mana. En canvi, sé que era, i sé que ha estat furiosament nacionalista allò que fa uns quants anys certs papers clandestins denominaven «*la oligarquía latifundista semifeudal castellano-andaluza*»... D'ella són tributaris don Carrillo, el Felipe González, don Joaquín Ruiz: tant com el *tinglado* oficial... No n'hem d'esperar res: no hem d'esperar res del seu «nacionalisme», que els ve de les mamelles ancestrals del *conde-duque* de Olivares, i que els fa «objectivament» solidaris de Maeztu, dels Primos, d'Onésimo Redondo. O «ells» renuncien al seu «nacionalisme», o els altres haurem de ser «nacionalistes». El circ de l'altre «nacionalisme», amb els seus *clowns* i els seus prestidigitadors, s'ha animat últimament amb les llàgrimes senils de don Claudio Sánchez i amb el descarat feixisme de Madariaga.

Tot «nacionalisme» és «nacionalitis»: una inflamació de ser allò que un és, en determinades reclamacions. Seria molt agradable que uns i altres deixéssim d'esgrimir la «nació» com una arma —sentiment o ressentiment—, i denunciéssim el joc o contrajoc de «classe» que s'hi amaga. Si un dia els Carillos, els Felipes —incloent-hi els venerables «felipes», amb minúscula, que passaren per la presó—, i els trotskos i els àcrates supervivents, arriben a desprendre's del nacionalisme que han mamat de la «classe dominant», el futur començaria a ser fluid. La *soi-disant* oposició «espanyola» hauria de repensar-se el seu «nacionalisme», pur Menéndez y Pelayo. O pur Lerroux a sou de Moret. Un dia, algú haurà de puntualitzar, eruditament, que Negrín i Franco estaven més pròxims que no s'ho imaginaven. Tots dos encarnaven un mateix «nacionalisme», i emanat d'unes mateixes fascinacions «ideològiques»: procedents de la secular matriu de l'oligarquia... Amb un «nacionalisme» depravadament contorsionat com és el que ens acolloneix, qualsevol rèplica, per pintoresca o revulsiva que sigui, és lògica. Cada «nacionalisme» en segrega més: més «nacionalismes» eriçats, de rèplica... En un instant d'eufòria arribo a suposar que tot funcionaria millor si ells —«elles»— renunciessin a ser «nacionalistes», i no ens obliguessin a ser «nacionalistes» als altres... Una il·lusió passatgera, ai!...

8. Ara m'agradaria escriure...*

Ara —un 15 de setembre— m'agradaria escriure aquest article sobre política. Com que hi ha unes eleccions imminents per al Parlament espanyol, la temptació és tan clara, tan suggestiva, que jo, almenys, no sabria resistir-m'hi. I com que no sé resistir-m'hi, diré algunes impertinències, que ja procuraré que siguin suaus, però que no puc aguantar-me de dir-les. M'avanço a insinuar que les diré com a valencià. O sigui: com un català més del País Valencià. És una posició incòmoda, i ja ho sé: fa moltíssims anys que ho sé. Ho és de cara al nord de l'Ebre i ho és de cara al sud d'aquest riu merament simbòlic. Entre els valencians «desnacionalitzats» jo, i els qui pensen com jo, som, naturalment, «catalanistes», i tota la fauna nacionalista espanyola, de dreta o d'esquerra, empra aquesta designació com un dicteri. Al País Valencià, tots els partits parlamentaris —i alguns d'extraparlamentaris— són «nacionalistes», i tant! Nacionalistes espanyols: el PC, el PSOE, i la cua més reaccionària... Des del punt de vista del Principat, i sobretot de Barcelona, què som? Quan unes mòdiques multituds s'han manifestat l'11 de Setembre amb l'eslògan de «Som una nació!», què pensaven dels valencians, dels insulars, dels rossellonesos?

Som o no la mateixa «nació»? I de seguida es desencadena un doll de preguntes: i què és una «nació»?, i què vol dir això de «nacionalitat»?, i quines conclusions n'hem de treure?... La literatura sobre el tema, posterior al senyor Prat, és escassa i poc consistent, i la del senyor Prat també era poc consistent. De fet, i per pura exigència dels fets, la Catalunya de les quatre províncies s'afirma com a «nació». Caldria mirar-s'ho bé; en la majoria dels casos només és «regionalisme». Ho podeu comprovar llegint l'Almirall o llegint Cambó. Ni el País Valencià ni les Illes, ni menys encara la Catalunya Nord, no entraven en els seus càlculs. I és ben comprensible. En aquests territoris perifèrics, el grau de «consciència nacional» catalana ha estat ben poca cosa. Ben mirat, el «catalanisme» tradicional, que amb prou feines

* Publicat l'octubre de 1982 a «Serra d'Or».

arribava —i arriba— a Tortosa, i a certes comarques de la província de Lleida, és més aviat flàccid i descolorit. És la vida. O és la història. La societat, vaja. El «Som una nació!», si filem prim, no passa de ser «regionalisme», mentre no abraci la completa «formació històrica» a què al·ludeix.

I que consti que això de la «formació històrica», un subproducte teòric dels marxians vergonyants, no m'acaba d'agradar. Però «¡vale!», que diria el professor Lluch, de la LOAPA. El problema és «què és una nació»? Només la «consciència de nació»? Una «classe» és només una «consciència de classe»? Jo no diré que sí ni que no. No sóc especialista en la matèria. Si el proletariat dels Estats Units, posem per cas, no té «consciència de classe» (i no en té), per això deixa de ser «proletariat»? És clar que jo sóc una mica tossut en les meves lectures, i penso encara en el «Manifest». El «Manifest» és un paper gloriosament perfecte, però inaplicable, com a explicació, als EUA. Als EUA, llevat de quatre gats, tothom és de dretes: negres i xicanos inclosos. ¿Potser per allò que assegurava un dels directius del Pla Marshall: «L'antídot del comunisme és la prosperitat»? Jo no diria que no: la «prosperitat» (quan n'hi havia i on n'hi havia) és també una «ideologia». Mai no hi ha hagut, a través de la història, cap «prosperitat» que no hagi produït una «ideologia» favorable a la classe dominant. I la «prosperitat» sempre és relativa.

Torno al meu tema: què és una «nació»? Recordo vagament una frase de l'Ors castellà: «*Ni el papa, ni Paul Valéry ni usted ni yo sabemos qué es una nación...*» A Madrid sí que diuen que ho saben, per la identificació nació = estat. Com a París. I la cosa ve de lluny. Però, i com no evocar aquella broma de don Eugeni respecte al Congo? En un trosset del *Glosari*, l'Ors es burlava dels colonialistes belgues que ràpidament parlaven de la «Mare Pàtria», i no feia ni nou mesos que els territoris africans havien estat incorporats a Brussel·les. Xènius venia a dir: «Home!, espereu-vos el període normal de la gestació!» I això ens duria a divagar sobre la *négritude*: del postís colonial francès, i dels horribles versets de Senghor. Què és una «nació»? Insisteixo. A banda la diversitat d'accepcions que, en els papers històrics, té el terme «nació», què pot ser una «nació» ara? I parlo d'una «nació» antagònica a l'estat que la inclou. Potser el concepte de «nació» de Stalin —que era idèntic al de Prat de la Riba, per cert— ja no resulta vàlid. Sigui com sigui, la «nació» és una figura sociològica que reclama una teoria especial, a la qual són insensibles la majoria dels doctrinaris que en parlen.

Tota la «sociologia» nord-americana, i la imaginàriament esquerrana i tot, no entendrà mai la problemàtica de les «minories» europees. Un ianqui té clavat en el cap que hi ha, allà on viu, molts «estats», però una sola «nació», sense que l'una cosa i l'altra siguin incompatibles. A Europa, dins un «estat», les «nacions» són diferents: són «nacions» antiquíssimes. Colonials també, però antiquíssimes. Amèrica, de nord a sud, és tota una altra aventura. O unes altres «formacions socials», a base d'exterminar pells-roges i d'importar negres. Una «nació» com la catalana, que s'estatueix entre el segle x i el segle XIII i que després es dispersa per testaments reials i per interessos feudals, és massa complicada per a ser commemorada l'Onze de Setembre. De Salses a Guardamar, i de Fraga a Maó, tothom és català, i molts no saben que ho són. La majoria. I no saber que ho són, vol dir que no ho són? La pregunta és delicada. Quants catalans del Principat se senten primer espanyols? I si això passa a la Catalunya estricta, què voleu que passi a les Illes, al País Valencià, a la Catalunya «francesa»?... «Som una nació»? Quins i quants? I no oblidem aquella pintada —amb quitrà— de la Guerra d'Espanya, en un raval de Barcelona, que deia: «¡*Viva Cataluña sin catalanes!*» «Som una nació»? Parlem-ne.

IV
EL NACIONALISME ESPANYOL I LA TRANSICIÓ POLÍTICA (1977-1981)

1. El nacionalisme i la nova democràcia

La manifestació del 9 d'octubre de 1977 *

La gran manifestació «pro Autonomia del País Valencià», celebrada a València la tarda del 9 d'octubre, ens ha sorprès a tots. Ni el més optimista dels observadors de la vida política local no s'esperava una tal afluència de gent, com tampoc no era de preveure un clima d'entusiasme tan aparentment unànime i vigorós. De fet, la reivindicació estatutària, inscrita en el programa d'alguns partits que es presentaren a les eleccions de l'actual Parlament espanyol, no semblava haver estat un factor decisiu a l'hora d'atreure vots. D'on eixia, doncs, aquella multitud aclamatòria, d'on procedien els milers de senyeres i de pancartes, d'on sorgia la súbita energia diguem-ne «nacionalista» que saltava al carrer? Els valencians, des de la Sénia al Segura, mai no s'havien globalment destacat —ni tan sols despús-ahir, a les urnes: ho acabe d'insinuar— per una particular insistència en aquest sentit, i ni tan sols per tenir-ne les idees clares. Quina explicació té el «miracle»?

A la premsa indígena no he sabut llegir cap paper d'anàlisi, cap comentari que no sigui una mera declamació d'eufòria, sobre l'episodi del 9 d'octubre. La tradicional flatulència de la dreta «anticatalanista», fotuda pel recompte de les banderes amb blau o sense blau, s'ha exasperat pintorescament, però això no té importància. I tanmateix, caldria puntualitzar fins on sigui possible el joc d'estranyes coincidències que s'hi van produir. Hi havia, sens dubte, el corrent d'opinió cada dia més ampli, bàsicament canalitzat pels partits minoritaris de l'esquerra radical, i sempre encarnat en les generacions joves, que sí que sap el que vol, i ho vol tot. Hi ha també, l'actitud reflexiva dels macropartits igualment d'esquerra, per als quals el «problema nacional» és, amb un grau variable de convicció, una exigència tàctica inesquivable, perquè o el fan seu o es desqualifiquen. Hi hagué, de més a més, el fenomen

* Publicat a «Reporter» (País Valencià), any I, núm. 25 (Barcelona, 10 de novembre de 1977).

—a nivell de la «massa neutra»— del mimetisme o del contagi: si a tot arreu de l'estat espanyol flueixen les reclamacions d'autonomia, per què els valencians no demanarem la nostra? La tribu feixista, el «búnker-barraqueta» i Alianza Popular —tots són uns i els mateixos, al capdavall— s'hi van sumar. Per què no?

Com totes les aglomeracions «unitàries», la valenciana del 9 d'octubre s'assentava damunt un *quid pro quo*. Podia haver nascut d'un «pacte»; però no hi hagué «pacte». La convocatòria funcionà a partir d'unes quantes paraules iridiscents: «autonomia», «estatut», «nació», «llibertat». Paraules sense un contingut precís. Em comuniquen que alguns —i no tots— els organitzadors de la festa consideren positiva aquesta ambigüitat: és, per expressar-ho en termes folklòrics, l'«embolica, que fa fort» i el «com més serem, més riurem»... És una estratègia que en el pecat portarà la penitència, i ja ho veurà qui ho pugui veure. Els «polítics» que l'han tramada s'equivoquen. O no serà que tenen un concepte ignominiosament desdenyós de la democràcia? Em fa la impressió que això és enganyar la ciutadania amb «cacauets i tramussos»... «Autonomia», «estatut», molt bé: però quina «autonomia», quin «estatut»? Jo, que em vaig quedar a casa, feia els meus càlculs: quina l'«autonomia» de don Ramon Izquierdo i la falleria dòcil i quina la del PSAN o la del Moviment Comunista, i quina la del PCPV i quina la de la Unión del Centro Democrático, i, encara, quina la que pensa el senyor Burguera i quina la que voldria el senyor Attard, i quina la dels anarcos i quina la dels residus ratpenateroides? La que propugna Vicent Álvarez s'assembla a la que propugna Consuelito Reyna?...

Cal ser «unitari», naturalment. Ja ho comprenc. M'he passat la vida fent d'«unitari». Però dins d'uns certs límits, dins d'uns límits diàfans: els del pacte, no els del *quid pro quo*. Un «pacte» suposa unes premisses —mínimes— comunes. Sense unes «premisses comunes» ben sospesades i segures, qualsevol operació mancomunada és una bestiesa. El 9 d'octubre, confús i contradictori, va ser un acte d'afirmació «valenciana» sense precedents. Qui ho negaria? Però confús i contradictori. No tots els qui diuen «autonomia autonomia!» diuen realment «autonomia!». Ni la ficció d'una «autonomia» equival a les necessitats viscerals —perdó per l'adjectiu— d'un autèntic «nacionalisme».

Una multa contra els Premis Octubre*

L'any passat, en la sobretaula pública d'aquests Premis Octubre, vaig emplaçar-vos a la festa d'enguany amb unes paraules de confiança. Crec que vaig dir que hauríem de tornar a reunir-nos «amb més impaciències de llibertat». «Impaciències» nostres, és clar. De moment, ja ho sabeu, les «impaciències» que jo demanava es van convertir en una altra cosa: en renecs, literalment renecs, davant una estúpida sanció governativa basada en si ací algú havia cantat *La Internacional* i *Els Segadors*. Que sí, que s'hi van cantar. Però la «democràcia» acabada de parir encara no havia après les regles del joc, i els organitzadors de l'acte en patien les conseqüències. La multa de mig milió de pessetes que van infligir als Premis Octubre era una injúria política, a nosaltres i a tothom, i era, sobretot, una mala passada —per dir-ho així— infligida a la precària economia de «Tres i Quatre». Espero que les últimes disposicions parlamentàries a favor de l'amnistia seran aplicables a Eliseu Climent. En aquest sopar tenim alguns comensals del Congrés i del Senat. L'amnistia per als Premis Octubre també té la seva importància.

Però les «impaciències de llibertat» s'han produït: s'han produït al carrer. No entraré ara a comentar l'episodi del Nou d'Octubre a la ciutat de València. No per falta de ganes, sinó perquè no és el moment adequat. Vull confessar, i ho confesso sense vergonya, que jo em vaig abstenir de sumar-me a la manifestació, o a les manifestacions. D'acudir-hi a alguna, ho hauria fet a la de les Torres dels Serrans, però la convocatòria era a una hora en què habitualment estic dormint, si puc. Les aglomeracions dites «unitàries» sempre m'han fet por. Jo no estava disposat a ser «unitari» amb els representants del búnker ni amb la fauna que entona el «*Para ofrendar*». Em vaig quedar a casa. Però un estimable sector del poble, del poble del País Valencià, s'apunta a la gran cerimònia reivindicativa. Ingènuament. El clima confusionari ho admetia tot. Deixo l'anàlisi de la Diada a persones més perites. Em sembla, de tota manera, que fou una afirmació multitudinària, contradictòria però significativa, que reflecteix uns signes d'esperança. El problema valencià ha saltat al carrer. I «amb impaciències de llibertat».

No em pertoca a mi parlar de política. El meu propòsit és, únicament, subratllar una vegada més la clara, claríssima significació dels Premis

---

* Text del parlament pronunciat en l'acte de concessió dels Premis Octubre de 1977.

Octubre: la seva voluntat d'assumir un front de «resistència». Contra el feixisme, contra el franquisme, hi ha hagut molts nivells de «resistència». Al País Valencià, i a escala intel·lectual, la decisió no podia no identificar-se amb unes reivindicacions populars encara no ben definides però evidents. Els esforços han tendit a precisar-ne els plantejaments i a explicar-ne les circumstàncies. Es tractava de «fer cultura», en principi; però la cultura que anàvem fent havia d'adquirir, per necessitat, un caràcter de militància civil inexcusable. Ens havíem trobat amb una pila de carències fonamentals, i calia posar-hi remei, d'una manera o altra. Som molts els qui hem contribuït amb més o menys fortuna: i alguna cosa sí que hem aconseguit. Perquè, al capdavall, els reductes minoritaris de la «cultura», a la llarga sempre acaben revertint en una eficàcia multitudinària positiva. Prou em quedaré de sobrevalorar el pes dels intel·lectuals en els processos col·lectius. Ningú no sabrà negar-li, tanmateix, una importància incisiva i estimulant.

De fet, entre nosaltres, la lluita antifranquista passava per la recuperació d'unes «senyes d'identitat» nacionals, que la Dictadura havia procurat destruir i adulterar. Tots recordareu els episodis de repressió, de censura, de terrorisme, de què han estat víctimes les iniciatives més útils; tots sabeu, també, la modèstia de mitjans materials amb què comptàvem —i comptem—, degut a la indiferència o la maligna hostilitat de les corporacions públiques i de la major i més considerable part de la burgesia indígena. Certament, això havia de ser tal com ha estat: no ens hem d'enganyar, «ells», «ells», no es mamen el dit, i eren i són ben conscients del perill que implica qualsevol represa nacionalitària. Perill per a ells, vull dir. Ara mateix ho estem veient. La campanya «catalanòfoba» que fomenten i subvencionen els *tinglados* oficials o privats del «búnker-barraqueta», no és sinó una maniobra «antivalenciana». S'agafen a l'eterna «qüestió de noms». Una innocent frase d'un vell llibre meu feia: «Dir-nos valencians és la nostra manera de dir-nos catalans.» Podríem capgirar-la i afirmar que «dir-nos catalans és la nostra manera de dir-nos valencians». Al cap i a la fi, en el sentit més autèntic dels «mots», quan els hem restaurat en la seva accepció real, no hi ha cap diferència que no sigui un malentès ignominiós.

Els Premis Octubre s'insereixen en aquesta trajectòria, límpida, descarada, de rescatar un poble de les alienacions a què l'havien condemnat. La seva convocatòria no és solament una convocatòria per a escriptors: és, tant o més que això, una presència emblemàtica davant els valencians, davant tots els catalans, a través de la qual enunciem i anunciem la nostra permanent, insistida tenacitat de proclamar-nos nacionalment el que som. I que conste que no desdenyo l'aspecte estrictament literari, o cultural, d'aquests premis. Al contrari: justament perquè la intenció del concurs va contra el provincianisme, contra la rutina folkloritzant, contra el localisme espasmòdic i autosatisfet. Els Premis Octubre són una temptativa de «normalització», amb un abast tan ampli i resolut com ho permet la societat valenciana actual. I per això mateix, i sense voler, esdevenen una manifestació política. La nostra situació d'ara ens obliga a unes opcions elementals i definitives. Es tracta de ser o de no ser. Aquesta és la qüestió, com deia el Hamlet. I no és exactament una «qüestió de noms»...

*Demòcrates per a una democràcia**

Això ja havia passat durant el franquisme quan a Madrid es produïa algun canvi d'aparença més o menys «liberal»: les noves orientacions dels governs no es feien sentir pràcticament gens als nivells bàsics —administratius, per exemple— del País Valencià. Però ara la cosa té tota una altra importància. Els resultats del 15 de juny van ser ben eloqüents, i, d'alguna manera, les «altes esferes» semblen interessades en la liquidació de la Dictadura. Ara: ací tot continua igual, o quasi. Hi mana la mateixa fauna de sempre. «Ells», la franquisteria residual, s'aferren a la partícula de poder que van rebre del dictador, i no estan disposats a amollar-la. Se saben condemnats a desaparèixer, sí, amb les pròximes eleccions municipals, però aprofiten la seva interinitat per emmerdar més —*pro domo*, és clar!— una situació ja de si confusa i penosament grotesca. Les forces polítiques de signe demòcrata no han aconseguit ni tan sols intimidar-los o frenar-los. I cada dia els veiem, fantasmes com són, exercitar una arrogància o altra contra el poble, o infligir-li manipulacions miserables. Potser el cas no és exclusiu del País Valencià: estic segur, tanmateix, que al País Valencià té més virulència i més mala bava que enlloc de l'estat espanyol.

El *premier* Suárez ha preservat intacte el muntatge franquista de

---

* Publicat a «Reporter» (País Valencià), any II, núm. 32 (Barcelona, 28 de desembre de 1977).

l'Administració local, no sé si per necessitat o si per conveniència. Probablement per conveniència: «*pas d'ennemi à droite!*». Sigui com sigui, l'hipotètic «trànsit cap a la democràcia» té mala peça en el teler, condicionat pel caciquisme de la Dictadura i per l'exasperació de la púrria feixistoide que no ignora el seu destí. I els alcaldes fan tantes «alcaldades» com saben i poden, i algun president de Diputació es dedica a fomentar certes desgraciades formes de masoquisme civil entre els ajuntaments addictes, i qualsevol regidor rural s'afanya a decidir sobre gramàtiques, sobre banderes, sobre solars, sobre subvencions, sobre monuments... Les anècdotes a reportar serien inacabables. El panorama és caòtic. O no: més aviat és lògic. Què podria esperar-se d'aquesta gentola, hostil per definició, visceralment hostil a les esperances obertes a un futur de recuperació nacional i democràtica? «Ells» obren, i obraran fins al final, com els pertoca fer-ho. No ens hem d'enganyar sobre el particular. Faran tant de mal com voldran abans d'abandonar els càrrecs. El general, talment el Cid, guanya batalles després de mort. De veres.

I si només fos un problema de «corporacions locals»! Però no. L'obstrucció a la democràcia —i, per a nosaltres, els valencians, la democràcia s'identifica amb el procés de re-identificació nacionalitària— provindrà de més trinxeres. Quaranta anys de franquisme han hagut de segregar quantitats considerables de franquistes, que avui estan instal·lats —precisament perquè eren, i són, franquistes— en els més diversos i més decisius racons de la buròcracia. I no solament de la buròcracia pública: també de la privada. La veu de les urnes serà la que serà, i ja ho veurem a cada consulta que faran. Però els escrutinis, si es decanten mínimament a l'esquerra, entropessaran amb la sorda i sòrdida renuència del franquisme militant, la «caverna» pura i sistemàtica. Que funcionarà des d'una redacció de periòdic, o des d'un consell d'administració de Caixa d'Estalvis, o des d'una càtedra universitària —i des de les múltiples tarimes dels mestres d'escola— o des d'una dependència d'Hisenda, d'Obres Públiques, de Comerç, de Belles Arts... Hi ha el «franquisme sociològic», com diuen els sociòlegs: sovint, franquistes que no saben que ho són, com *monsieur* Jourdain parlava en prosa sense adonar-se'n...

Conec molts franquistes que, ingènuament, es proclamen antifranquistes: són el que són. No poden evitar-ho: objectivament franquistes, i fins i tot feixistes. Es diuen «republicans», «radical-socialistes», «demòcrates-cristians», «social-demòcrates», inclús «socialistes». I m'abstinc de referir-me a la «dreta» hereditària i, no cal dir-ho, a la «classe dominant». Que l'Ajuntament de València —el de don Ramon i don Pasqual— hagi tardat més d'un any a retirar el retrat de Franco de les sales més sumptuoses de la Casa de la Vila (de la Ciutat, perdò), no ha de sorprendre ningú. En quantes oficines secundàries, municipals, provincials, provincials, estatals, perdura encara la iconografia de l'«Antic Règim»? I en quants domicilis dels dirigents de l'economia, de la cultura, de l'Església? I en el «cor» de tots ells?... El poble, les masses, la joventut desperta i jovial, han oblidat Franco. S'han precipitat a oblidar-lo. Franco i tot el que Franco ha significat, en un plantejament de lluita democràtica, nacional i de classe, és un tumor a extirpar. Com? No sabria dir-ho. Si ho sabés, em dedicaria a la política, i no a escriure articles sobre política.

El fet és que o els partits democràtics, sincerament democràtics, parlamentaris, extraparlamentaris, fan saltar dels seus caus els franquistes impertèrrits, o no hi haurà democràcia en aquest país. Per no haver-n'hi, ni tan sols hi haurà un simulacre de «democràcia burgesa», o «formal», o com se'n vulgui dir. La batalla no ha quedat resolta. Tenim la dictadura incrustada en els mecanismes quotidians: de municipi, d'escola, d'oficina, de barriada, de bancs i d'empleats de banc, d'acadèmies —fòssils, això sí— , de festes programades, i fins m'arriscaria a sospitar que dins els mateixos partits «democràtics». Al País Valencià, sobretot. El criptofranquisme, còmplice excels del franquisme descarat, té ara la seva oportunitat. La tindrà encara després de les eleccions municipals que anuncien? De moment, penso que cal «desintoxicar» el poble: desfranquistitzar-lo. És una obligació dels partits democràtics, a escala catequística. No tots els partits que es diuen «democràtics» són demòcrates. La dreta governamental fa trampa. O no en fa: és el «*refugium peccatorum*» del franquista que es resisteix a no ser-ho. Però els altres... L'esquerra, globalment, hauria d'emprendre l'ofensiva. La de fumigar els complicats i absurds reductes del franquisme: netejar-los. Vull dir: privar-los de poder en la mesura que sigui factible. Si la presumpta esquerra reunida, al País Valencià, no pren decisions ràpides, tot se n'anirà a fer punyetes. Calcant una frase apodíctica i cèlebre, jo diria que «el País Valencià serà d'esquerres, o no serà», i viceversa, al País Valencià, una qualsevol «esquerra» serà plenament «nacional» o esdevindrà automàticament dreta... És una opinió...

Renau i Estellés, dos símbols*

Prou sabeu, els qui poc o molt em coneixeu, que no sóc gens aficionat a parlar en públic. I això de «parlar» encara és una manera de dir-ho: ja veieu que estic llegint un paper, i un paper redactat a casa, tranquil·lament, amb les precaucions i els càlculs propis de qui té l'ofici d'escriure i sap —o creu saber— el valor de les paraules. Però aquí ho faig de bona gana: amb il·lusió i tot. Ens hem reunit ací en un modest, senzill acte de companyia mútua. Tu, Josep Renau, i tu, Vicent Andrés Estellés, naturalment, en sou alguna cosa més que un pretext, perquè volem manifestar-vos la nostra admiració conjunta i l'alta estima personal que us professem, i aquest és el propòsit bàsic. Ara: les estranyes circumstàncies polítiques que vivim al País Valencià en aquests moments, sobretot a la ciutat de València, suggerien la necessitat urgent d'una primera afirmació col·lectiva, si més no, de la gent vinculada al món de la cultura. Una afirmació col·lectiva enfront del clima d'histèria, d'enganys i de claudicacions que intenten crear «els de sempre». Com és lògic, la plàcida eufòria d'un sopar d'amics no constitueix una rèplica adequada: no és la rèplica que hi cal. De fet, la lluita plantejada, el combat a ventilar, sobrepassa els límits d'uns plantejaments a nivell de «superestructura», que són els que tendim a adoptar quasi automàticament els «intel·lectuals», i dic «intel·lectuals» en el sentit gramscià del terme. Però també és cert que, en la dialèctica quotidiana d'un esforç de «transformació» de la societat, nosaltres hi tenim assignada una funció de revulsiu, de clarificació racional —exactament, racionalista— i d'avantguarda reivindicatòria. Tu, Renau, i tu, Estellés, hi figureu entre els primers. I la cultura que encarneu, no demana el qualificatiu, i torno al meu Gramsci, de «nacional-popular»?

La part d'homenatge estricte, de comentari elogiós a la vostra obra respectiva, la deixo a Tilbert D. Stegmann. Ell sabrà parlar-ne més bé que jo, i ho farà, de més a més, des d'una perspectiva desapassionada i remota. Jo em reservo la glossa des d'un altre cantó: el de la vostra decisió militant, posada de relleu, anecdòticament si es vol, en les últimes setmanes. Tu, Renau, has exposat el teu treball al Madrid oficial: la pre-democràcia vigent s'ha vist

---

* Text del parlament pronunciat en l'homenatge que els fou retut, a València, el 8 de juny de 1978.

obligada a exhibir no solament l'«artista» que tu ets, sinó també tot el teu historial de revolucionari. I a tu, Estellés, t'han atorgat el Premi d'Honor de les Lletres Catalanes, i te l'havies ben guanyat a còpia de poemes increïbles, d'una virulència insòlita i alhora d'una tendresa palpitant. En realitat, no calia res d'això. No calia ni que Renau exposés a Madrid ni que Estellés fos premiat a Barcelona. Nosaltres, ací, a casa nostra, els valencians, hauríem d'haver-nos-hi avançat: hauríem d'haver instal·lat els noms de Renau i d'Estellés en el lloc eminent que els correspon. Alguns ho fèiem, com podíem. Els altres, «ells», no. I encara es resisteixen a fer-ho. En les ardoroses i precipitades «defenses de la cultura valenciana» que s'han produït darrerament, ni Renau ni Estellés no hi compten. I tant com no! Hi farien nosa. El Premi d'Honor de les Lletres Catalanes a Vicent Andrés Estellés i l'exposició expiatòria que de Josep Renau ha muntat el Ministerio de Cultura, han obtingut en la premsa local un espai miserable de ressonància. Els han silenciat al màxim.

Però per què ens ha de sorprendre això? Si és la cosa més natural del món! Per a la classe dominant del País Valencià, Renau i l'Estellés són una mena de pústules —això sí, valencianíssimes— que «ells» voldrien extirpar. I precisament els incomoden més perquè són tan «valencians»: tan «nacionals-populars». Com collons aqueixa classe dominant podria acceptar un Renau que l'ha combatuda des de la seva adolescència àcrata i, després, des d'uns criteris marxians taxatius? En absolut! I la poesia de l'Estellés? La poesia de l'Estellés és, en el fons, una furiosa denúncia de la merdeta estraperlista-clerical de la llarga postguerra: de la fam, del sexe sufocat, de l'idioma sotmès a les vexacions més iníqües. Renau va haver d'exiliar-se el 39, i els versos de l'Estellés només han circulat, fins ara mateix, en edicions breus i gairebé clandestines. El poble valencià es veia defraudat de dues de les més insignes aportacions de la seva cultura en el segle xx. No et diré, Renau, que tu ets «l'artista» valencià més important dels nostres dies; no et diré, Estellés, que tu ets un poeta excels. Això ja ho dirà, potser, el professor Stegmann. Però sense vosaltres dos, absents i presents al mateix temps, no s'entendrà, a la curta o a la llarga, aquesta precària vaguetat que és la «cultura valenciana» actual. Algun dia ho explicaran els historiadors pertinents, si són objectius.

Tampoc no vull santificar-vos. No heu estat els únics a patir la conspiració agressiva del franquisme i del pseudo-post-franquisme d'avui. I del pre-franquisme, també! Perquè l'episodi ni comença ni acaba amb la peripècia del Generalísimo. Abans de la Guerra d'Espanya, tu te'n recordaràs, Renau, la teva València —t'ho he comentat en un altre lloc— era una combinacio de marquès de Sotelo i de Sigfrido Blasco. Després de la guerra famosa, la situació es va fer més frenètica. I ara mateix, amb les mòdiques llibertats que ens atorguen els senyors del *consenso*, veiem com rebrota la vella ignomínia. Les recents violències de què ha estat víctima el professor Sanchis Guarner, per exemple, bé demostren a quin extrem d'«alienació» nacional ha arribat un sector de la societat valenciana. Evidentment, les idees dominants són les idees de la classe dominant: així ho enunciava, exactament, un dels teus clàssics, Renau. Que és també un dels meus clàssics. Els botiguerets de València que l'altre dia es concentraren a la plaça de bous, i els qui ni tan sols eren botiguers però que hi acudiren, què saben de tu, què saben de l'Estellés, què de Sanchis Guarner? Continuen sota la influència fascinant dels «de sempre». Els poderosos fantasmes de la teva joventut, Renau, són encara avui els enemics a envestir. No han canviat massa. Tu saps qui son; nosaltres, també.

Podríem anomenar-los, globalment, amb la designació prevista: «la burgesia». No és ara l'ocasió de discutir sobre «la burgesia valenciana». De vegades, trobo en les monografies erudites dels nostres historiadors, dels nostres economistes, dels nostres sociòlegs, expressions com «burgesia agrària». Em pregunto si la fórmula és tècnicament adequada. D'una manera brutal i ràpida, estem parlant dels rics. I el ric rural és el «terratinent», i el terratinent, encara avui, al País Valencià, es un tipus, sociològicament parlant, distint del «burgès». Però la societat valenciana, dels anys 50 i sobretot dels 60 ença, s'ha industrialitzat. Ja tenim «burgesos» com Déu mana. Els pocs que, dins l'esquema de la classe dominant, apareixien abans del 36, no van assumir la seva condició de «burgesia nacional». Les excepcions, dignes de reconeixement, van ser tan escasses que només podem evocar-les com això: com excepcions. Però la burgesia actual, tardana al País Valencià, ja no podria ser la «burgesia nacional» de les definicions marxistes. S'ha convertit en «burgesia antinacional». Hi ha, novament, excepcions; però fan la impressió de ser perplexes, cagadubtes, avares. Són els altres, la «burgesia antinacional», els qui manen i paguen. I la incidència de les multinacionals no serà gens favorable a qualsevol proposta «nacional-popular». Ben al contrari.

Històricament, la burgesia valenciana hauria d'haver encapçalat el «nacionalisme», si algun nacionalisme era factible al País Valencià. Fa cent anys, aproximadament. Però aquella falsa burgesia valenciana ni tan sols va donar suport a una coseta tan trista com eren els Jocs Florals. I ara, davant aquesta dimissió cronològica, la bandera de la reivindicació nacional passa a mans de les «classes populars». No solament del proletariat: de tot allò que Gramsci —i perdoneu-me la reiteració— solia designar amb el terme «classes populars». Però les nostres classes populars, sí han de ser el que cal que siguin, han d'alliberar-se de la hipoteca permanent dels prejudicis espanyolistes, inculcats en l'escola de la classe dominant, en els diaris de la classe dominant, en les ràdios de la classe dominant. Tenim un poble magnífic, però manipulat. Quan en la plaça de bous cridaven «Volem valencià!» hi havia una novetat positiva. En reclamar el «valencià» contra un «català» no explicat i confusament distorsionat, l'incident era ridícul; però si de veres «volien valencià» enfront del castellà imperial, el saldo de la festa anticatalanista seria admirable. Seria finalment catalanista. I jo crec que ho serà.

I ja que m'ha vingut rodolat això tan emprenyador del «catalanisme», voldria aprofitar l'ocasió per donar-vos les primícies d'una notícia curiosa. Si ara jo dic que l'Estellés és un dels grans poetes vius dels Països Catalans, o que Renau és l'únic «artista» autènticament revolucionari dels Països Catalans, tots pensareu: i què ha de dir Fuster? Països Catalans!... Molt abans que a Barcelona ningú gosés parlar dels «països catalans», o sigui de la unitat nacional de Catalunya, del País Valencià i de les Illes amb aquest nom, ja ho feia un senyor de Catarroja, don Benvingut Oliver, que ni era tan sols valencianista i que mai no va escriure, que jo sàpiga, una ratlla original en vernacle. Això data del 1876 pel cap baix. Un dia o altre publicaré els detalls de la qüestió. Deixem-ho córrer... Avui mateix, els pocs, ai!, que parlem de «Països Catalans» som, sobretot, valencians i mallorquins: alguns valencians i alguns mallorquins, si voleu. I menys, molt menys, des de Barcelona. La Barcelona absorbent i centralista no existeix. Barcelona se'n fot del País Valencià quasi tant com Madrid. O més, per desgràcia. I el problema nostre és que hem de continuar sent valencians, tant si des de Barcelona no ens ajuden a ser-ho com si des de Madrid pretenen que no ho siguem. I això ho hem de fer nosaltres: nosaltres sols. El poble. Tu, Renau, tu, Estellés, i tots els que ací ens hem autoconvocat i tots els qui no han pogut venir-hi. La «personalitat valenciana», tan airejada últimament, som nosaltres: nosaltres i no ells. Tu, Renau, tu, Estellés, i tu, Sanchis Guarner. I tots els altres.

De tota manera, el problema és més profund. Amb l'excusa de la llengua, d'un tros de percalina blava, de si Ausiàs Marc, de la Safor, és o no un poeta català, hi ha, latent, el perill d'un neofeixisme armat i provocador. Sense aquestes excuses, és clar, la ràbia ultra s'hauria desencadenat igualment. Que ningú no s'enganyi. El feixisme local vol justificar-se amb uns presumptes motius d'exasperació particularistes; però, si aquestes qüestions a què em refereixo no fossin conflictives entre nosaltres, se n'haurien inventat unes de diferents. Perquè el problema és d'ací i de tot arreu d'allò que Pere Quart anomenava «la Sagrada Àrea del Dòlar». Ells són «ells». Els de sempre. I ja ho han demostrat, arrossegant la innocència del veïnat a través d'una demagògia truculenta i encegadora. Potser no ens n'adonem, i les conseqüències d'uns incidents trivials en si corren el perill de degradar-se fins al punt d'anar deteriorant, i no lentament, alguns dels guanys més clars que havíem aconseguit en els temps sinistres de la Dictadura, en la tasca sostinguda i perseguida de l'oposició democràtica. Jo no sóc massa pessimista, ja ho he dit. Però convé que no ens adormim en unes confiances «resistents» o «testimonials», les quals, ara com ara, podrien semblar una retirada. Pensem que «ells», malgrat tot, no són sinó una minoria i que el País Valencià s'estén molt enllà del camí de Trànsits. Contra la maniobra enterbolidora i violenta, contra l'irracionalisme sistemàtic i fomentat, contra la tergiversació de la identitat nacional dels valencians, tots plegats hauríem de fer alguna cosa: els erudits i els artistes plàstics, els músics i els poetes, els científics i els actors, els arquitectes i els periodistes, els filòsofs i els cantants... No sé què podria ser. En qualsevol cas, la nostra passivitat esdevindria una estafa al poble. I aleshores sí que podrien dir-nos «traïdors» amb raó.

Sigui com sigui, tu, Renau, i tu, Estellés, sou, per nosaltres, avui, uns emblemes immediats. I m'agrada ser jo qui ho proclami. Hem procurat, en organitzar aquest sopar, que no hi hagués interferències de partits ni de representacions oficials. Els partits, els vostres, segons tinc entès, sembla que ja us preparen la festa corresponent: no poden deixar de fer-ho. Quant al Consell Pre-autonòmic del País Valencià... Entre els comensals hi ha un parell de consellers i un pròxim conseller... Però no sé si el Consell, en corporació o com a corporació, s'atreviria a prestar-vos l'atenció deguda: és possible que tu, Renau, els resultessis excessivament «roig», i tu, Estellés, excessivament «catalanista», o tots dos, a la vegada, excessivament «rojos» i «catalanistes». Tant se val, i ja s'ho apanyaran. Açò d'aquesta nit havia de quedar tot entre amics: entre amigues i amics, com insistia Renau que fos. I entre valencians que sabem el que som. Si no tots, la majoria dels ací presents som valencians que, com Renau i l'Estellés, confiem en l'opció que ells comparteixen: una opció alliberadora, política, nacional i de classe. Si això és una utopia, no ho sé: en tot cas, sempre serà un programa vàlid i obert. Un programa que ens vindrà expressat amb un fotomuntatge o amb uns versos. I que serà una esperança incitant a mantenir-nos units per la llibertat. La llibertat és el que ens han negat sempre, i el que no deixen de negar-nos encara. Hi ha tantes maneres de negar-nos-la! Tots les coneixeu tan bé com jo, perquè tots les hem sofertes i les sofrim. I no a nosaltres, especialment: al nostre poble, al qual li han segrestat la història, li estan extorsionant la llengua, li han ocultat la seva cultura pròpia, l'han emparedat entre interessos econòmics forasters, l'han abandonat eternament a les decisions del govern central, l'han vençut i l'han escarnit en els seus intents de revolta heroica, tracten de sotmetre'l a la trampa electoral...

I perdoneu-me, tu, Renau, i tu, Estellés, si he divagat una mica a costa dels vostres noms. Però, en vosaltres veig l'angoixa no callada, rebel, del nostre poble. I jo, com vosaltres, sóc poble amb el poble.

Salut!

Autonomia i paciència*

Sembla que, en la Constitució que els parlamentaris espanyols pensen encolomar-nos, hi haurà una disposició transitòria relativa a les autonomies, segons la qual determinades zones de l'estat podrien accedir immediatament a un règim privatiu i les altres haurien d'esperar anys i tràmits per aconseguir-lo. Les «*nacionalidades o regiones*» —no se sap mai!— beneficiàries serien el Principat —Catalunya, vaja—, Euskadi i Galícia. En aquests territoris abans de la Guerra d'Espanya, la reivindicació autonòmica ja havia estat plebiscitada amb resultats positius, el precedent justificaria l'actual condescendència, tot i ser tan remot. És com allò que, en el meu temps, feien constar en els fulls de reclutament dels quintos: «*valor: se le supone*». La resta hem de demostrar

* Publicat a «Valencia Semanal», núm. 31 (9 de juliol de 1978).

el «valor»: hem de demostrar que volem una autonomia, i ens posaran a parir. Sí: els altres haurem de donar proves clares d'una voluntat d'autonomia que fins ara, i encara poc, no hem evidenciat com cal. Injust, el plantejament? Convindria discutir-ho.

D'entrada, l'excusa dels parlamentaris és falsa. El govern Suárez i els seus «consensuals» atorgaran ràpidament una suau autonomia a Catalunya i al País Basc, no perquè fa quaranta-i-tants anys els catalans estrictes i els bascos van votar-la, sinó perquè avui són focus conflictius, que demanen un remei urgent. El cas de Galícia deu ser tota una altra cosa. Fa la impressió que entra en l'esquema per un simple joc de simetria. Catalunya, Euskadi, Galícia serien les tres «nacionalitats» diàfanes contraposades al nacionalisme centralista. Galícia actualment no és «conflictiva», però s'imposa per raó del tríptic maquinal. El País Valencià, no, ni tampoc les Illes. No hi comptem. Els parlamentaris —els del País Valencià i els de les Illes inclosos— han considerat que el nostre problema és el mateix que el d'Aragó, el d'Andalusia o el d'Extremadura. I que el de Castella! I no. El nostre no és un problema de «regió»; és un problema de «nacionalitat». Només que no hem sabut o no hem pogut injectar-li la virulència oportuna. Ni durant la II República ni ara.

No ens enganyem, per l'amor de déu. La reclmació autonomista de la II República, entre nosaltres, al País Valencià, no va ser precisa ni unànime. Ni de bon tros! Podem especular sobre si, de no haver esclatat la Guerra d'Espanya, uns mesos més tard hauríem formalitzat en les urnes la demanda d'autonomia. Potser el Front Popular d'aleshores, majoritari, l'hauria decidida. És una hipòtesi. El fet palpable és que, avui, la població del País Valencià, d'un cap a l'altre —de Vinaròs a Oriola—, no sent un gran entusiasme per l'autonomia. I parlo de la gent del carrer. Els grans cacics de sempre —la «classe dominant»— s'han apuntat a la broma de la «preautonomia» sense escrúpols: a ells, tant se'ls en fot la «qüestió nacional» dels valencians, i han estat els primers a boicotejar-la, a negar-la, a afligir-la; però s'han afanyat a ocupar els tímids llocs de poder que la situació present brinda. Per a ells, l'autonomia serà, si cau en les seves mans, i ja hi ha caigut, la perduració del *tinglado*.

Al País Valencià, l'autonomisme del 31-39 va ser un fracàs. No era ni carn ni peix: per no ser res, ni tan sols era. En la dècada dels 50, en la dels 60 sobretot, hem fet un cert camí. Hi ha, en peu, un valencianisme que ja no és «*para ofrendar*», sinó per a exigir. Les polèmiques idiotes sobre el nom de l'idioma i sobre la bandera han servit, si més no, per delimitar els camps. D'una banda, hi ha l'opció «nacionalitària», que, en tant que valencians, hem de reportar fins a les últimes conseqüències; de l'altra, hi ha la passivitat alienada de la gent i l'oligarquia que la manipula. Això es tradueix, cada dia, en l'ús de l'idioma, en la lluita permanent contra l'idioma —contra la seva «normalització»—, en la suplantació de la tímida emergència nacional per la retòrica provinciana. No hi ha dos «valencianismes» en pugna, com volen fer creure els subproductes locals del feixisme hereditari. N'hi ha un, i només un. I mediocre.

Perquè si els diputats i els senadors, a Madrid, han donat preferències a Catalunya, a Euskadi i a la mateixa i lànguida Galícia, és perquè els valencians no som prou valencians. No som exactament «conflictius». En aquest país —el País Valencià—, la «consciència nacional» és mínima. Més aviat hi predomina una «mala consciència nacional», i, més encara, la «inconsciència» del «*para ofrendar*». Tenim ben merescuda la postergació constitucional. Som i serem una «*región*» de tercera categoria mentre no recobrem la nostra «identitat», com ara diuen, i no la recobrarem si, com a poble, no reaccionem com cal. De moment, el nostre nivell —nacionalista— de desig d'emancipació és molt baix. I és lògic que, des de Madrid, ens considerin com una Extremadura qualsevol: una àrea subalterna, irrisòria, dòcil. Som les tres «províncies» rutinàries, amb un Consell Pre-autonòmic tècnicament eixit de les eleccions del 15 de juny, però no massa decidit a res. En la II República, els valencians —de la Sénia al Segura— no es van decantar per l'autonomia; el 15 de juny, tampoc. Per què ens hauríem de queixar ara de la «postergació» constitucional?

Potser l'alternativa que el projecte de Constitució «consensual» ens obrí, de cinc anys de recapacitació i de treball, podria dur-nos a afirmar-nos com a «poble», com a «País Valencià». Una autonomia concedida demà ens pillaria sense saber què fer-ne. Seria una autonomia deixada en mans de la fauna sucursalista, de dretes i d'esquerres, i particularment de dretes. No servirà el Consell Pre-autonòmic per a donar pas a l'Autonomia vertadera? Paciència! El Consell, fins ara, només ha obtingut adhesions protocolàries, i no sempre. Podria adquirir-ne més. D'ell depèn, en bona part, que el poble valencià es reconegui solidari amb ell mateix, i que pugui guanyar un «estatut» mitjanament potable. Però qui es fiarà d'un Consell majoritàriament antiautonomista, vull dir «antinacional», que manipula la «pre-autonomia»? Al marge del Consell, haurem de continuar «fent país» com sempre: amb els sacrificis de sempre. El Consell no ha assumit, ni podria fer-ho, un corrent nacionalment decidit. Per això no és un interlocutor vàlid de cara a Madrid. I és lògic. No té el suport «nacionalista» que necessita. Sabrà crear-lo, sabrà crear-se'l?

*Reflexions per al 9 d'octubre**

Quan escric aquestes ratlles, el programa del 9 d'octubre d'enguany encara no sembla perfilat del tot. Sembla, però, que hi haurà «processó cívica», «marxes», «festivals», «manifestacions», i discurs del president del Consell: això, naturalment, a València, i el dia 8. A la resta del País Valencià, en la mateixa o en una data contigua, se suposa que també es produiran actes d'afirmació diguem-ne autonòmica o autonomista. Esperem que tot sigui a fi de bé. No podríem descartar el perill d'alguna situació conflictiva, és clar. Després de tants mesos seguits de sembrar vents, no fóra gens improbable collir tempestats. Els culpables i els còmplices d'haver desencadenat un cert corrent d'histèria municipal, ara, si les diverses convocatòries tenen èxit i reuneixen una bona —i inevitablement heterogènia— multitud de la ciutat i de les comarques, haurien de pensar en el risc d'enfrontaments indecorosos que no beneficiaran ningú, i menys que ningú, el Consell. No faré, ací, cap invocació «unitària». Els qui em coneixen, prou saben que jo no sóc un gran entusiasta dels conglomerats que solen qualificar d'«unitaris». Ara: les coses vénen rodades d'una manera determinada, circumstancialment ambigua, i convindria assumir-les amb una mica de calma i, si hi ha sort, amb esperança i tot.

Aquest primer 9 d'octubre pre-autonòmic, serà només «pre-autonòmic»? Em fa la impressió que sí. No serà encara el Dia Nacional del País Valencià, com valdria. El poble valencià —o sigui: de la Sénia al Segura— ha recobrat en els últims anys uns mínims de consciència de la seva identitat nacionalitària, i tots sabem gràcies a qui i a qui no. Però ¿són suficients ja per a convertir la perspectiva autonòmica —la modesta perspectiva autonòmica que preveu la

* Publicat a «Valencia Semanal», núm. 41 (València, 8 d'octubre de 1978).

Constitució del *consenso*— en un procés enèrgic de característiques netament polítiques? Jo contestaria que no. El problema valencià no és un problema de simple «autonomia», com podria ser el d'altres zones de l'estat espanyol. I ho estem veient. La ràpida, improvisada adhesió a la idea d'«autonomia», procedent de partits i de grups de pressió que mai no s'havien manifestat ni poc ni molt interessats en el projecte d'un País Valencià autogovernable, revela que la hipòtesi «autonòmica» és, per a ells, si no un pur oportunisme, l'oportunitat de renovar una hegemonia de classe o de no deixar escapar unes vives il·lusions populars. La meva experiència personal em fa desconfiar d'aquestes efusions imprevistes. Sobretot, de les que han emergit després del mític 15 de juny electoral.

Una «autonomia» futura per al País Valencià podria quedar-se en això: en una ficció descentralitzadora més o menys resignada a les eventuals concessions del Madrid centralista. O bé en una autèntica descentralització funcional i operativament eficaç. Al capdavall, el defecte bàsic del centralisme espanyol és que ha estat un centralisme inhàbil i de rapinya. Amb una mica d'intel·ligència, avui, poden convertir-lo en un «centralisme descentralitzat», i potser —de segur!— el remei seria pitjor que la malaltia. El cas del País Valencià és un cas de supervivència nacional, primer que res. I sense fer seva aquesta premissa, totes les emocions «autonomistes» no solament mancaran de sentit, sinó que esdevindran un simulacre darrere del qual s'afermarà el vell *tinglado* de les mediocritats oligàrquiques provincianes i del caciquisme rural. Mentre els valencians no arriben a restituir-se en la seva pròpia entitat nacional, l'«autonomia» serà la perpetuació del sucursalisme etern. Ni l'espai ni el temps no em permeten, en el present paper, allargar-me en precisions i en matisacions —de vegades «nominals»— que seria higiènic fer. Em limitaré a insistir que el tema de fons no és l'«autonomia»: és la decisió «nacional» dels valencians.

M'imagino que el Consell i el seu president, el 9 d'octubre, obtindran l'aclamació quasi unànime, si puc dir-ho així, de la gent concentrada a València entorn del Palau de la Generalitat. Serà, tanmateix, una aclamació contradictòria. Per pocs milers de persones que s'hi acumulin —haurien de ser un parell de centenars de milers, o que tanquin la botiga—, no hi faltaran les expressions de tots els antagonismes que comporta qualsevol societat, però que la societat valenciana —de la Sénia al Segura, alto!— els té particularment endanyats. No tots els que cridaran, cridaran els mateixos eslògans; ni totes les banderes seran iguals; ni les intencions reunides concordaran pràcticament en res. O és que la lluita de classes pot cessar davant una proclama «unitària»? O és que la divergència d'opcions nacionals a què ens veiem forçats els valencians serà superada per una clàusula d'estil del president en el seu discurs? És que en el venerable concepte de la «unió sagrada» patriotarda pot encara enganyar algú? La composició i l'estratègia del Consell, ara com ara, no convenç a tiris ni a troians. I és una llàstima. Perquè no tenim alternativa: o el Consell, o merda. La merda ja la teníem i la continuem tenint, notòriament manipulada des de Madrid i des de la mateixa València. Jo, com a ciutadà que paga les contribucions que li demanen, m'estimaria molt que el Consell no em defraudés.

No sóc un «polític» actiu: reclamo, això sí, la qualificació d'«intel·lectual», que és un ofici com qualsevol altre: un treballador de la cultura. Certament, la majoria dels polítics en actiu, també són «intel·lectuals» —catedràtics, advocats, metges, sociòlegs, economistes, historiadors— i mai no he vist que pugui haver-hi una frontera entre els uns i els altres, com no sigui la «militància». Però volen que uns siguem «intel·lectuals», i els altres, «polítics». No m'importa. Resulta que quan goso dir una meva opinió, els «polítics» em reprotxen que és una opinió d'«intel·lectual». Paciència! El meu punt de vista —i poso entre parèntesis la mala fe de certes campanyes de premsa (en mans de qui, aquesta premsa?)— és, contra el que molts creuen, extremadament «liberal», en el bon sentit de la paraula. I veig que el *consenso* madrileny, tan tenebrós, s'ha de traduir en termes de País Valencià. Vulguin o no els protagonistes de la maniobra, han de reproduir a escala «regional» els seus «pactes» de partits parlamentaris. El «pacte autonòmic», per exemple. Serà un «pacte»: un estira-i-afluixa. L'han acordat, i l'acordarien de totes totes. No podrien no fer-ho. Serà, si no vaig errat, una operació per a alguns anys: el País Valencià no obtindrà automàticament l'«autonomia» com el Principat o Euskadi. Ens l'hem de guanyar a pols. Caldrà els vots dels alcaldes, els vots del veïnat, i temps. Si el «pacte autonòmic» dels macropartits funcionés, tot s'arreglaria en els terminis previstos. Però quina «autonomia» seria? Jo no creuré mai en una «autonomia» del País Valencià que no vingui avalada per una «consciència nacional» neta i vigorosa. Interclassista, com el mateix Consell? Ho dubto. En la història concreta del País Valencià, les «classes» han pesat sobre la reivindicació nacional tant o més que en cap lloc del món. Descobrir el 1978 una «burgesia valencianista», o no, ni tan sols «valencianista», senzillament «autonomista», fa riure. Les excepcions són òbvies, i, per cert, mal vistes: mal vistes pel fals neovalencianisme de la burgesia castellanitzant, dimissionària, espanyolista. Caldrà afegir que també és catalanòfoba? Seria molt divertit esbrinar per què és catalanòfoba la burgesia valenciana d'avui. I ja ho deia aquell: «la ideologia dominant és la ideologia de la classe dominant». Què hi farem! Però tampoc en el *Manifest*, si no m'enganyo, hi ha aquella admonició a crear un moviment «de la immensa majoria a profit de la immensa majoria». El poble valencià, o emprèn el camí de l'emancipació nacional i de l'emancipació de classe —de les «classes populars»—, que són dialècticament solidàries, o es diluirà com a poble. Els «pactes», si han de servir per a alguna cosa, ha de ser per anar fent. I hem d'«anar fent». Ningú no té gana de fer la «revolució». Confessem-ho clarament: tots som uns impotents socialdemòcrates. Tots.

Pel que fa al 9 d'octubre, l'«alienació nacional» dels valencians esclatarà, a València, amb banderetes amb el blau —i m'estranya que encara no hagin eliminat les quatre barres restants— amb «*para ofrendar*», amb «*regionalismo bien entendido*» i amb grotesques especulacions gramaticals. De moment, ningú no sap qui mana al País Valencià. No el Consell, que, dia sí i dia no, rep les insolències del franquisme institucionalitzat, patrocinat pel govern Suárez. Si el 9 d'octubre serveix, almenys, per demostrar que, no tots, però la «immensa majoria», dels valencians volem «desalienar-nos», la festivitat tindria una importància decisiva. Amb un Consell interclassista, i amb la presència dels fantotxes feixistes que encara manen, i més que el Consell, si el poble respongués com a «valencià» —de la Sénia al Segura— en les afinitats essencials, ja seria una modesta victòria. Però la victòria definitiva demana anys. Podrà el Consell contribuir a l'acceleració de la possible «dinàmica nacional» del País Valencià? O ajudarà a frenar-la, per compromisos de classe —que seria lògic, ai!— o per una mera abdicació «nacional»? El discurs del president Albiñana podrà aclarir moltes coses, ja que no totes. Podrà sobretot eliminar una incògnita: si el Consell només vol ser una «*diputació provincial*» més àmplia, com les precedents ho havien estat, o si vol encapçalar, amb un poble que no li fallarà, una reivindicació nacional... Jo ja ho llegiré als diaris, l'endemà.

Països Catalans, 1978*

Uns quants «almogàvers» —pocs?, molts?: no tants com caldria, en tot cas— s'han enfadat perquè els diputats espanyols, en ple «consensualisme», han decidit que «*en ningún caso se admite la federación de comunidades autónomas*». La cosa s'ha interpretat, i així ha de ser interpretada, com un obstacle constitucional a la idea política d'allò que en diem «Països Catalans.» Naturalment, si, un dia, el País Valencià, les Illes i el Principat arribaven a «federar-se», ni que només fos des d'unes mínimes autonomies respectives, la «classe política» de Madrid, sofriria un infart «nacional». Siguem comprensius. La «classe política» en qüestió, heterogènia però solidària, no té cap vocació de suïcida. La proposta del veto provenia del sector ultra: l'anomenada Alianza Popular. I tothom, o gairebé tothom, la va votar. I qui no, s'hi va abstenir. Era un excés de *consensus*. Lògic, tanmateix. Com que era lògic —o sigui: previsible—, m'estranya que algú se n'hagi sentit ofès, per més «almogàver» que sigui. No en pagava la pena.

La hipotètica «federació» entre *comunidades autónomas*, en efecte, hauria estat un monstre jurídic dins la Constitució que volen encolomar-nos. González Casanova, expert en la matèria, ho ha explicat en un article al «Tele/exprés» (11 agost 1978). Tal com els genis del constitucionalisme parlamentari actual ho havien pactat prèviament, la temible «federació de comunitats autònomes» ja esdevenia impossible per principi. Resultava superflu insistir-hi, doncs. Per què l'han volguda tornar a prohibir, i ara d'una manera expressa? No hi ha cap altra explicació imaginable: es tracta d'una «provocació». Si no m'erro, González Casanova ja ho apunta. Això, en el vocabulari carpetovetònic de la política, és un *trágala*. Tècnicament, era innecessari afirmar que «*en ningún caso se admite etcètera*», però ells —«ells» tots plegats— no ens han estalviat aquest plus d'ignomínia. Dretes i esquerres unànimes, sembla. Amb les excepcions lloables, és clar. I repeteixo: és que no era d'esperar?

Més d'una vegada he escrit que la flamant Constitució del *consensus* solament té uns articles dignes d'atenció: aquells que, i deuen ser «disposicions transitòries», contemplen la possibilitat de derogar-la o canviar-la. La resta

---

* Publicat a «Serra d'Or», any XX, núm. 229 (15 d'octubre de 1978).

no té cap interès: és una mena de pastís contradictori, a estones ambigu, que només pot ser satisfactori per a la «classe política» que l'ha confeccionat. Certament, entre aquest paper i les *Leyes Orgánicas* del difunt general, hi ha unes diferències notòries. Són suficients perquè un ciutadà qualsevol es molesti a sortir de casa per acudir al *referendum* que anuncien? Que voti «sí» qui vulgui, i que voti «no» qui tingui l'humor —bon humor, mal humor— de manifestar la seva discrepància. Jo, el dia de la convocatòria, penso quedar-me a casa, llegint una novel·la de lladres i serenos i escoltant música de Telemann o romances d'òpera de la senyora Caballé. Com recitaven en el *Tenorio*: «*Son pláticas de famiilia, de las que nunca hice caso.*» O potser això no és del *Tenorio*? Tant se val. Si algú intentés convèncer-me que aquesta Constitució és l'única «factible» ací i avui, no diré que no. Però no per això deixa de ser un problema d'«ells». Per desgràcia, em veig obligat a continuar en la línia de sempre: per evitar remordiments de consciència, si més no.

La Constitució del *consensus* serà aprovada a través de les urnes. Ha de ser-ho inexcusablement. Perquè, si no, quina fóra la «legislació vigent»? La de Franco, derogada a mitges, i ni tan sols a mitges? I nosaltres, els descarats i miserables partidaris dels «Països Catalans», ho acceptarem amb resignació. No és encara el nostre moment. De fet, no té gens d'importància que els presidents pre-autonòmics del Principat, del País Valencià i de les Illes, siguin contraris a un projecte qualsevol de «Països Catalans». Són uns personatges circumstancials. La voluntat popular, per contra, sí que hi compta: ha de comptar-hi, en una «democràcia». Ara com ara, l'eventualitat de «*federación de comunidades autónomas*» és una utopia, pel que fa als Països Catalans. Les burgesies de cada zona, quan era l'hora oportuna, no van descobrir que podien convertir-se en una «burgesia nacional», i avui ja és massa tard per a elles: han perdut el tren de la història, com aquell qui diu. Queda l'esperança de les classes populars, en l'accepció gramsciana del terme. I quina consciència de classe, fins i tot amb la latitud de «classes populars», tenim, que inclogui la noció nacional, les multituds que poblem subalternament els Països Catalans, de Salses a Guardamar i de Fraga a Maó?

El debat sobre els Països Catalans al Congrés, iniciat curiosament per un diputat basc —un diputat basc, almenys, ha estat el primer a pronunciar, si no m'equivoco, en aquella casa l'expressió «*Países Catalanes*»—, tenia una altra perspectiva: la de demà. Democràticament, qui ho sap!, demà els electors dels Països Catalans podrien dir sí a una «federació». Tenim moltes coses en comú que, un dia o altre, hauran d'abordar els aparats o aparells pre-autonòmics i les seves clienteles: oligarquies, partits, sindicats. Per què els diputats espanyols han degollat aquesta proposició democràtica del futur? Suposant que el Congrés dels Diputats tingui alguna connotació realment democràtica, resulta sorprenent que la divertida collonada dels diputats hagi decidit que democràticament no podrem, els catalans estrictes, els valencians i els insulars, definir-nos, per exemple, nacionalment unitaris.

Sigui com sigui, ni tan sols cal arribar a aquest extrem —que és el meu—: unes urgències pragmàtiques forçaran les relacions i les mancomunitats cntre el Principat, les Illes i el País Valencià. No cal ser massa espavilat per a comprendre-ho. Ja el Conseller d'Economia i d'Hisenda del País Valencià, Javier Aguirre, en un paper publicat a «La Vanguardia» (16 agost 1978), advertia «*el camino para la cooperación, el entendimiento, el apoyo mutuo*», que la mateixa Constitució en tràmit permet. Jo no conec el senyor Aguirre, que deu ser un immigrat i d'UCD: una tan senzilla explicació com la que ha fet, pura obvietat, deixa en ridícul el sector socialdemòcrata, acagallonat per un trosset de blau en la senyera i una por grotesca a sentir-se acusats de «catalanistes». I no ens hem pas d'enganyar: els primers a entendre's seran els burgesos. Els burgesos no es mamen el dit. No serà una entesa «nacional»: únicament de «classe». Compraran i vendran bancs, per exemple. Per fer negoci i per explotar-nos. I, en el cas valencià, per infamar-nos. La burgesia valenciana, a més de ser idiota, és antivalenciana. Tant els burgesos de raça com els fills d'estraperlistes.

«Països Catalans»? Calma, calma! Quan sigui l'ocasió d'una autèntica oportunitat «revolucionària», en tornarem a parlar. La perspectiva no és cap «revolució». Els partits pseudomarxistes tendeixen a dissimular la trampa: són sol·lícitament afectuosos de cara a les «classes dominants», que són les nostres, vull dir, les que aguantem geogràficament, i les altres, més poderoses, que arriben al nivell multinacional. En realitat, ningú no vol fer la «revolució», ni tan sols una «reforma» mitjanament higiènica. Jo no sé què passa al Principat o a les Illes: al País Valencià, la burgesia més reaccionària, temperalment feixista i d'una visió provinciana del problema nacional, és la que festeja el Consell, i que intenta hipotecar-lo. Són les notícies que corren, i que jo sé de bona font. La lluita de classes i l'emancipació nacional dels valencians van pel mateix camí. I serà el camí d'uns Països Catalans conseqüents.

El sentit dels Premis Octubre*

No espereu de mi, aquesta nit, que faci com l'any passat. Crec que tots us en recordareu. Vaig limitar-me a enunciar un parell d'observacions relativament polítiques, i alguns professionals del ram s'hi van irritar, no sé per què. No vull que enguany tornin a emprenyar-se, precisament ells, que, al cap i a la fi, són bons xicots i amics meus la majoria. Ara podria retreure'ls que el temps i els seus fets —els fets del temps i els fets dels polítics— han vingut a donar-me la raó en les reticències i en les perplexitats. Però no: ho deixarem estar. Ben mirat, la concessió dels Premis Octubre, que, vulguem o no, ens agradi o no, és «també» un acte de significació política, potser no resulta el moment més adequat per a segons quines expansions de crítica o de reflexió. Ací ens reunim en pla de festa: tinguem la festa en pau, doncs. O tinguem-la militant, si voleu, i que sigui allò que, des del primer dia, ha estat: l'afirmació neta, sense eufemismes, d'una voluntat de supervivència nacional a través de la modesta, la infatigable, la definitivament eficaç proposta de la cultura.

La breu tradició dels Premis Octubre, i tot el que entorn de les iniciatives que la van fer néixer i la mantenen s'ha produït, constitueixen un dels esforços més sòlids realitzats fins ara en l'únic sentit possible per a la recuperació d'allò que en diem «senyes d'identitat» del poble valencià. No us precipiteu a interpretar-me malament. La lluita, en efecte, no és de papers impresos. S'ha de guanyar al carrer, amb urnes o sense urnes, i a les fàbriques i al camp, i als partits —o amb els partits— i a les «conselleries», si és que algun dia arriben a funcionar com Déu mana. I a més nivells. No simplifiqui el problema. Però res de tot això no aconseguirà la consistència oportuna sense la col·laboració activa del món de la cultura. Ni els uns ni els altres no hauríem après bé la lliçó bàsica, si no enteníem que, en la dinàmica de la història, de la societat sencera, tot ve lligat per una dialèctica interna, tan evident com dubtosa en les seves concrecions.

I aquesta és la nostra trinxera: la cultura. Podrà semblar una trinxera de cerimònia. No ho és. I menys que enlloc, ho ha de ser al País Valencià, on l'enfrontament de forces, per una estranya i irrisòria circumstància, fa que la

---

* Text del parlament pronunciat en l'acte de concessió dels Premis Octubre de 1978.

cultura, en el bloc més arrelat i alhora més abocat al futur, se situï a una de les dues bandes en conflicte. Entre nosaltres, fins l'elitisme més sofisticat, fins els gestos més esteticistes, per una fatalitat de classe, no poden trobar assistència en una burgesia que ni tan sols sap practicar el luxe intel·lectual. I hi ha, de més a més, la qüestió de l'idioma. Els Premis Octubre van ser creats «per salvar la llengua», si puc dir-ho així. Per salvar-la de segles de menyspreu, de vetos, de persecucions. L'havia conservada la multitud subalterna i analfabeta, i per rutina. Calia i cal que el poble valencià en recuperi la consciència, i calia i cal que el mateix poble doni de si una cultura, la que sigui, que respongui, d'entrada, als seus interessos de poble, que després ja ens barallarem pels altres. I que consti que no estic postulant una qualsevol broma «unitària». Jo només em sento «unitari» amb els qui combaten al meu costat. Els «pactes» i els «compromisos», oficials, són tota una altra cosa. Personalment, no m'entusiasmen. Millor dit: encara no m'han donat motius, no ja per a l'entusiasme, que sóc biològicament negat a experimentar, sinó ni per a una expectativa provisional d'il·lusió.

La trajectòria dels Premis Octubre, la de la cultura catalana al País Valencià representada per ells, ha tingut com tots sabeu —i més coses que no sabeu— importants dificultats, promogudes, primer, per les autoritats del franquisme, i després, per les de la divertida i miserable temptativa democràtica del post-franquisme. És imprescindible exhumar, ací i ara, la vella i eternament afligida paraula: «llibertat». Jo voldria evocar-la i invocar-la en molts dels seus aspectes, alguns de ben dramàtics, que comporten sang i por i fam, com ens recorden les incancel·lades cançons de Raimon. Però n'incidiré en un altre: en el de la concreta «llibertat d'expressió». Perquè en un *status* com el que volen fer-nos creure que vivim, de «llibertats formals», convé advertir, com ja ho havia fet algú i jo he repetit moltes vegades, que «totes les llibertats són solidàries». Ferir-ne una és ferir-les totes. No ho hem d'oblidar mai.

Com tampoc no hauríem de perdre de vista les formes, les mil formes subtils que hi ha d'atacar la «llibertat d'expressió». No són solament les censures, les agressions físiques i morals, l'anatema contra un film, contra un quadre o contra un llibre. Són també les pressions indirectes, el silenciament sistemàtic de fets i de persones, la tergiversació dels esdeveniments, el monopoli de certs mitjans de comunicació, la negativa d'ajuts econòmics públics, les intimidacions des del poder. Caldrà que en posem exemples?

Tots en tenim molts i ben clars en la memòria. Per desgràcia, al País Valencià, la implantació de la democràcia —que diuen— no ha suposat, en aquest terreny, uns avantatges massa grans. Sí alguns, no hi ha dubte; però no tants com càndidament haviem esperat sota la Dictadura. I les conseqüències s'han fet escandalosament visibles en la vasta campanya de manipulació ideològica que el nostre poble està sofrint.

Una volta més, els Premis Octubre ens han reunit en aquest ritual de l'amistat i de la confiança que és el seu sopar anual. Ens trobem convocats per un imperatiu profund, que sobrepassa la intenció estrictament literària. Vindrà un dia que això ja no serà imprescindible: el dia que el poble del País Valencià, el dia que la cultura del poble del País Valencià haurà obtingut la llibertat. Jo no sóc home d'entusiasmes, ho he dit ja, però tampoc un pressimista. Aquesta llibertat vindrà. Serà llibertat i serà normalitat. No demà ni despús-demà, però «el sentit de la història juga a favor nostre. Haurem de suportar encara un temps llarg d'hostilitats, d'incomprensió, de boicot. Podria ser d'una altra manera? No sabríem corregir en quatre anys un procés de deterioració nacional que ve de segles i que el franquisme i les seves seqüeles han accentuat. Ara: els símptomes d'un desvetllament col·lectiu van fent-se notoris. I hem de ser nosaltres, els mateixos valencians, els qui, entre la paciència i la urgència, hem d'anar rescatant-nos de la pròpia alienació. La cultura hi té una funció a acomplir: una cultura que definitivament recobri la seva llengua i que, sigui quina sigui la seva opció interna, faci costat als interessos essencials del poble.

Avui, crec, ningú no podrà reprotxar-me haver proferit cap impertinència. La «parida» que estic llegint-vos m'ha eixit bastant «unitària», si bé es mira. Massa «unitària», per al meu gust i per a les meves conviccions. Però tampoc no valia la pena de llançar més llenya al foc. O que sigui algú altre el qui la llanci. En realitat, els Premis Octubre, en la seva iniciativa i en la seva trajectòria, ja tenen un caràcter tan determinat, tan enèrgicament «catalanista», per pronunciar finalment el mot que tant preocupa les *fuerzas vivas* de la localitat i la seva escolania folklòrica, que ni tan sols cal mencionar-lo. Si en els anys de vida dels Premis Octubre, des que començaren als locals de la Societat El Micalet, hi ha hagut algun comensal que ignorava la cosa, era ell mateix qui s'enganyava: s'havia equivocat de botiga. Abans he ajuntat les paraules «llibertat» i «normalitat» per designar el projecte pendent. Quan hi deia «normalitat», ja m'heu entès: em referia tant a la instal·lació social de l'idioma al País Valencià com a la unitat multisecular i avui més que mai necessària dels Països Catalans. És una unitat que jo qualificaria de «nacional». En tot cas, no crec que cap dels ací presents gose negar que és, almenys, de llengua i de cultura. Es podia discutir. Però ací no hem vingut a discutir. Hem vingut a aplaudir: a aplaudir els autors premiats, els organitzadors dels Premis, els jurats, els convidats d'honor... I ara, aplaudiu-me a mi una miqueta, per la part que em toca.

El problema de sempre: davant l'Estatut de Sau*

La poca imaginació —o el poc coneixement del castellà i del català— dels nostres fabricants de diccionaris i de reculls de frases fetes m'obliga a una digressió prèvia. Jo, a casa, i tota la vida, i fora de casa, sempre he parlat el meu català dialectal; però a l'hora de guanyar-me algun jornal, he hagut d'escriure en castellà. I, poc o molt, una mica de castellà, ja en sé. Sé dir, per exemple: «*Aún no asamos, y ya pringamos.*» Com traduir en català, amb tota la seva gràcia —que vindrà ja consignada en el *Covarrubias*—, aquestes paraules insolents? N'hi deu haver algun equivalent. No l'he trobat en les meves consultes, ara, i tant se val.** M'hauria agradat començar aquest paper amb una «catalanada» puríssima que traduís això: «*aún no asamos, y ya pringamos*». Perquè la cosa s'ho val. Seria la millor manera d'encetar un comentari a propòsit de l'avantprojecte d'Estatut d'Autonomia, que, a Sau, ha redactat una colla de «catalunyesos». Aquests senyors, intoxicats per l'eufòria constitucionalista, han redactat un paper que, en alguns punts, ja ha estat denunciat com «anticonstitucional». La denúncia, l'ha feta el senyor Martín Villa, que és ministre de no-sé-què, però molt important a Madrid i amb molts amiguets a Barcelona.

Sí: «*aún no asamos, y ya pringamos*». Abans que el previst Estatut de Sau s'hagi formulat amb tots els ets i els uts, ha obtingut aquesta precipitada impugnació. Potser té rao el ministre de Madrid. No diré que no. L'Estatut catalunyès, com el valencià, com l'insular, en les respectives variants, ha d'ajustar-se al marc de la Constitució de l'Estat espanyol. I quan Martín Villa

---

* Publicat a «Serra d'Or» (febrer de 1979).

** (*Nota de l'editor*) *Cf. supra* p. 257, on el mateix Fuster ens dóna l'equivalent català: «Abans de la petardada, i les espurnes ja ens han socarrat.»

diu que no s'hi ajusta és que no s'hi ajusta. Martín Villa se la sap tota. Els qui no sembla que se la sabien ni tota, ni mitja, ni cap, eren els redactors del paper en qüestió. Ni tan sols dos o tres individus, de dreta i d'esquerra —són maneres d'expressar-se—, que, al mateix temps que havien contribuït a elaborar el gran bunyol jurídic de la Constitució espanyola, ara jugaven a promotors d'un pre-Estatut de Catalunya que es contradiu amb els seus assentiments a les Corts de Madrid. Trobo molt correcte que Martín Villa els hagi cridat l'atenció. L'estat espanyol no ha deixat de ser unitari, i —m'ho sembla— més unitari que mai: les alegries «estatutàries» de Sau ensopegaran, a Madrid, amb més obstacles que l'episodi del 32. I, si no, ja ho veurem.

Un cert tipus d'imbecil·litat periodístico-política ha fet córrer la veu que el pròxim Estatut catalunyès del 79 o del 80 serà més «generiós» que el del 32. El del 32 fou una merdeta: d'acord. Però el que ens espera com a model a la Catalunya-estricta-eufòrica, que repercutirà als altres Països Catalans, no serà ni tan sols una ombra del que fou la misèria del 32. Tots els que han dit el contrari, o són burros, o van de mala fe. Em refereixo als parlamentaris, als no parlamentaris i als extraparlamentaris que hagin caigut en la trampa. A Sau, com a Núria, els fervors romàntics catalanescos s'han excitat, i no gaire. Martín Villa s'ha afanyat a advertir-los que han ficat el peu —o la pota— en la galleda. Madrid no admetrà tal qual aquest Estatut. Ni tan sols amb l'aval de l'Honorable Tarradellas. En absolut. I ja tindrem l'ocasió de comprovar-ne els retalls. La dreta i l'esquerra espanyolistes, unànimes, hi fotran la traveta. O s'uniran —«*todos juntos en unión, defendiendo...*»— unes determinades sacralitzacions nacionalistes.

I torno al principi. Encara no hem començat a plantejar límpidament unes reivindicacions mínimes, i «ells», i nosaltres, creiem que «*ya pringamos*». La veritat és que «*ya pringamos*». Les modestes reclamacions autonòmiques, que tenen com a base prèvia molts agenollaments davant Madrid i d'allò que la «classe política» madrilenya representa, semblaran excessives. Si va ser excessiu l'Estatut de Núria, també ho serà l'Estatut de Sau. I l'Estatut de Sau no tindrà cap Azaña com a padrí. Amb la multiplicació —com la dels pans i dels peixos— de les «pre-autonomies», el govern Suárez ha minimitzat el problema de la Catalunya de les «quatre províncies», i, de passada, amb els seus governadors civils i els seus presidents de diputació, ha procurat paralitzar, per exemple, la temptativa pre-autònomica del País Valencià... L'aquiescència dels parlamentaris catalano-valenciano-balears a la maniobra

—i de tots els partits— tindrà conseqüències deplorables per a tots plegats. No parlarem, si voleu, dels «Països Catalans», conflictius i utòpics. Però si algú, a Barcelona, creu que hi pot haver una Catalunya autònoma sense un País Valencià autònom, i unes Illes autònomes, i tots sumats sentint-se «uns» nacionalitàriament, s'equivocarà de mig a mig. I, en tot cas, que medite els embolics de la Segona República.

L'Estatut de Sau, passat pel tamís de les «*Cortes españolas*» esdevindrà tan mediocre com el del 32, o més. En part perquè Tarradellas no és Macià, i en part perquè les «condicions objectives» tampoc no són les mateixes. De moment, Martín Villa ja s'ha acalorat: «*pringamos*», segons sembla, abans d'«*asar*». I si això passa a l'àrea catalunyesa, on el ressort «nacional» encara és important, què serà al País Valencià, què a les Illes? Sempre hi haurà un reducte de major o menor «indocilitat» de Salses al Segura i de Fraga a Maó. No suficient per a guanyar eleccions, encara. Però sí bastant per a fer la punyeta a qui sigui: a Suárez, a Martín Villa i a Tarradellas, que, des de l'òptica perifèrica catalana, tots ens semblen uns i els mateixos... L'Estatut del 79 entropessarà amb idèntiques interferències dels partits centralistes, que són tots els poderosos. Tant els de dreta com els d'esquerra: perquè, espanyolistes, no han assumit encara i com cal el «fet nacional català» en la seva entera dimensió. I embolicaran la troca. En aquestes o en les futures Corts espanyoles no hi haurà un Unamuno, un Ortega, que ens odiaven, ni un Azaña, que, ell i no Ortega, acceptava la *conllevancia*. Hi haurà, sortida del sufragi universal carpetovetònic, una fauna hostil, visceralment feixista —imperialista—, que aparentarà ser fins i tot d'esquerres.

Hem de patir molt encara.

I ja en tornarem a parlar, si Déu em dóna vida i salut, i sorta a «Serra d'Or». Les florides «pre-autonomies», si volen ser «autonomies», promouran uns episodis parlamentaris bastant divertits. O no, i pleguem. Conten que el diputat Puig i Ferreter, adreçant-se al diputat don Santiago Alba, o a don Antonio Royo Vilanova, va exclamar: «*¡Su señoría es un asno!*» La collonada parlamentària actual, «pactista» —això del «pactisme català» fou una ingènua i anhistòrica conclusió de Vicens Vives—, serà una calamitat. Com sempre.

Aprensions a propòsit del «pactisme»*

No sé a qui se li va acudir aquesta curiosa idea que els catalans són una gent tendencialment «pactista», o, en tot cas, més «pactista» que els pobles del costat. Cal creure que prové d'alguna brillant generalització de Jaume Vicens? D'una exageració dels seus deixebles? De certs malentesos dels polítics locals que, ells sí, han trobat en el «pactisme» una coartada per a les seves vel·leïtats confusionàries o per als trucs que anomenen «pragmàtics»? Tant se val. Perquè, sigui com sigui, i no és com diuen, el «pactisme», en primer lloc, es produeix en qualsevol lloc del món, quan no hi ha més remei, i, després i sobretot, la història de Catalunya —la de la Catalunya estricta potser més que la de la resta dels Països Catalans— no s'ha caracteritzat precisament per una particular inclinació a «pactar» per evitar conflictes, sinó tot el contrari. El fenomen, en última instància, no resulta gaire diferent del que trobem en la vida col·lectiva de qualsevol altre punt geogràfic de la venerable Europa.

Si no recordo malament —i ara no tinc a mà els textos que podrien certificar-ho—, quan l'any 31 o 32 es discutia l'Estatut a les Corts espanyoles, don José Ortega y Gasset ja feia observar al seu auditori parlamentari que els catalans havien estat sempre un poble «díscol»: en permanent guerra civil. I és de veres. Tenia raó el filòsof de Madrid. Les lluites en qüestió eren contra el rei i els seus sequaços, eren dels remences contra els senyors, eren dels senyors contra els senyors, eren dels bandolers contra tothom, eren per un canvi de dinasties, entre carlins i lliberals, han estat entre rojos i blaus. Uf! El veïnat agafava les armes amb una afable facilitat: l'espasa o la llança, el trabuc, la pistola, la bomba. I la falç, si convenia: «bon cop!», i els «defensors de la terra», avui, que mai no han vist una falç si no és en un museu d'antropologia, encara ho vociferen.

El senyor Ortega, naturalment, feia trampa: tot això que ell «reprotxava» als catalans, podia haver-ho aplicat als castellans, amb un saldo paregut. Perquè els castellans tampoc no es mamaven el dit, i tenien les seves trifulgues interiors tan greus, com les nostres, tan inevitables, tan fatals. Els antagonismes de classe són de sempre i de tot arreu, i encara està per veure si algun dia podrem sortir-nos-en: seria el límit de la història, que donaria el pas a la

* Publicat a «Serra d'Or» (març de 1979).

utopia. Jo no entro ni surto en la profecia. De moment, no veig que la cosa tingui una solució pactista. Sí: té una provisional opció al «pacte». Però les contradiccions es mantenen. En l'episodi «català» vist des del 31 o 32, Ortega posà en circulació el consell de la *conllevancia*. Era com dir: «Mira, això de Catalunya és com una malaltia que ens hem de resignar a aguantar, perquè no té cura, o la cura fóra l'amputació.» Ni Ortega ni ningú, en les Corts de la Segona República, i de més repúbliques que vinguen, no eren ni seran partidaris de l'«amputació». Aleshores: la *conllevancia*. M'estranya que avui ningú no hagi ressuscitat la *conllevancia*. Ni tan sols de cara a Euscadi. És el drama de cada dia: «terrorisme», a vegades.

Ens hem de *conllevar* els uns als altres, però hi ha uns «uns» més poc predisposats que els «altres» al programa. O no? Qui ha de *conllevar* a qui? Ara com ara, «ells» no ens volen *conllevar*: ni tan sols això... I torno al meu argument. Els innumerables «pactes» que registra la història dels catalans s'han formalitzat «després» de molta sang escampada. Primer hi hagué una situació bèl·lica o una tibantor econòmica entre interessos oposats. Hi arribà la sang al riu, o no. Sovint, sí. El «pacte» es produïa després, no abans. No abans de la guerra o guerreta o guerrilla, sinó per cancel·lar-la, i obviar-la. El presumpte «pactisme» ancestral és una límpida mentida dels historiadors i dels ideòlegs que, amb la màxima bona fe, o amb una «pactada» bona fe, han volgut explicar les peripècies del personal que habita el país, o els «països». Hi ha hagut tants «pactes» com ha convingut. Però no ens enganyem: han tingut, prèviament, un intent de revolta, amb un vessament d'hemoglobina important. Fins al 1939, els Països Catalans van demostrar, a través de prínceps de Viana, de comtes d'Urgell i d'arxiducs d'Àustria, i de remences i d'agermanats, i de progressistes i de conservadors, i de franquistes i d'antifranquistes, que el «pacte» era matemàticament irrisori.

Que consti que no estic en contra dels «pactes». Però em sembla trist i estúpid que, per ser catalans, automàticament ens proclamem «pactistes». No hem estat especialment «pactistes», si no fou per obligació: l'obligació del vençut, que espera no ser-ho del tot, és el «pacte». És el supòsit de les crispacions medievals, que investigà Vicens; és la grotesca animalada del Compromís de Casp; es la Guerra dels Segadors (o la de les Germanies, anterior); és la subversió prodigiosa del XIX, en el camp i l'inici revolucionari urbà, industrial. «Pactes»? L'un darrere l'altre: però «després»: després d'una violència oprobiosa. Un dels penúltims «pactes» fou el de la burgesia —no sempre catalanista, però malgrat tot catalana— del Principat amb el general Franco, un altre «pacte» és el del senyor Tarradellas amb els nebots polítics del difunt dictador. Són «pactes»: pactes d'autoritat, de negoci, de classe.

I ja se sap qui guanya, quan es pacta en aquestes condicions. Hi guanya la «classe dominant», la d'ací i la d'allà, unànime, malgrat les aparents discrepàncies. No ha existit, entre nosaltres, cap «pacte» de la línia pactista que no s'hagi convertit en un mediocre *engañabobos*. Això ja era evident en l'època de don Francesc Cambó. Cambó fou un polític increïblement més espavilat que tota la fauna que suporta avui el Principat, i no parlem ja del País Valencià i de les Illes. Cambó pactava, pactà, i el sufragi universal se li girà d'esquena. Les modulacions del sufragi universal, conformades pels televisors, són, avui, un factor nou. Cambó ja és pura arqueologia. Però els «pactes» del «pactisme» tradicional, on ens portaran?... Jo només voldria advertir, ara, que, en la història de la Catalunya estricta, i en la de tots els Països Catalans, cada «pacte» ha estat una claudicació, i que tot això del «pactisme» com a mecanisme polític és i serà una burla. «Pactar» és «perdre»: sempre. Malgrat els aparents avantatges provisionals.

2. El blau en la senyera*

I

Ara la polèmica és sobre la bandera. Ja teníem la de la llengua i la de si «*Región*», «*Reino*» o «*País*», però es veu que també calia aquesta altra. I sí: hi calia. Per a un espectador de fora, els valencians d'avui potser fem la impressió d'estar barallant-nos a propòsit de bizantinismes més o menys historicistes, i la veritat és que, en última instància, mai no es tracta de minúcies insignificants sinó precisament de problemes ben significatius. Darrere les qüestions plantejades, en efecte, hi ha la urgència d'aclarir les nostres «senyes d'identitat» com a poble i el projecte d'armar-les de cara al futur. Les actituds antagòniques reflecteixen, en el pla del debat presumptament erudit, unes posicions militants tan diàfanes, que serà innecessari advertir o subratllar el fons «polític» latent. D'una banda, trobem els qui aspiren a un País «normal», amb solucions de llibertat i de salut col·lectiva esperançada; en l'altra, hi figuren les rèmores provincianes i genuflexes, folkloritzants i castellanitzants que, per miopia o per interessos evidents, vénen practicant de sempre la més trista claudicació «nacional». Els temes discutits polaritzen, així, unes tensions explícites de la societat valenciana, a través de les quals es decideix, d'alguna manera, l'alternativa del nostre demà.

No valdrà la pena de recordar que les «polèmiques» al·ludides rarament han pogut formalitzar-se damunt els papers impresos periòdics. De fet, la premsa local —amb escasses i esporàdiques excepcions— s'instal·la en el bàndol de l'obstinació «sucursalista», amb una parcialitat lògica. La controvèrsia, per tant, no ha pogut desplegar-se a un nivell públic desitjable i honrat. De més a més, sovint, ni tan sols hi ha hagut un interlocutor vàlid. Mitja dotzena de paranoics s'han dedicat a sembrar-hi la confusió més sorprenent, i si aquests exabruptes, calculadament administrats, han incidit

* (València, Edicions Tres i Quatre, 1977).

en les rutines sentimentals d'un cert «particularisme», la cosa, al capdavall, tampoc no té massa importància. Podem confiar que, finalment, s'imposarà el bon sentit popular, a mesura que la gent —tan i tan manipulada per la *clique* de la Dictadura— vagi descobrint els objectius reals de la maniobra de què ha estat víctima. De fet, una gran part de les suposades «polèmiques» no passen de ser pura trampa, que només han prosperat gràcies a la desinformació general, promoguda ja des de les escoles oficials i cultivada sistemàticament pel *tinglado*. Però, per això mateix, les discussions havien de fer-se inevitables, i no hi ha més remei que assumir-les amb paciència de catequistes. [1]

El problema de la «senyera» és, com els altres, un «fals problema». I li ha arribat l'hora de ser posat damunt la taula. Que jo sàpiga, encara estava per estrenar. [2] En el procés de recuperació de la nostra «consciència de poble», els «símbols» no podien ocupar el primer lloc. Hi havia unes estacions prèvies, de lluita i de treball, que calia guanyar, i sense haver-les passades resultava improbable que la bandera, per exemple, esdevingués una postulació aclamatòria. Les concretes circumstàncies del «cas valencià» exigien, abans de tot, cobrir les etapes minoritàries, «intel·lectuals» si es vol, o «culturalistes», lligades al recobrament de l'idioma en la seva dignitat i en la seva viabilitat d'instrument de «relació» nacional, i, de seguida, l'expansió d'un programa reivindicador, ja declaradament polític, poc o molt perfilat, però incisiu. A

---

1. Tenint en compte la finalitat d'aquest opuscle, reduiré al mínim les notes a peu de pàgina, bibliogràfiques o d'altra mena. Sobre les polèmiques mencionades, la quantitat de papers a citar seria tan abundant com —amb mínimes excepcions— aberrant. Algun dia algú n'haurà de fer la recopilació i l'estudi perquè l'episodi s'ho mereix i per a vergonya nostra.

2. Cabria esmentat, com a antecedents, les perplexitats de Teodor LLORENTE I FALCÓ (amb el pseudònim «Jordi de Fenollar») en un article de l'any 1930 recollit a *En defensa de la personalidad valenciana* (València, s.a.), II, ps. 70-73, i de Lluís QUEROL I ROSO, *Las milicias valencianas desde el siglo XIII al XV* (Castelló de la Plana, 1935 p. 144). Els dubtes actuals van ser aclarits per Manuel Sanchis Guarner, en la nota *La franja blava de la senyera valenciana*, al diari «Avui» de Barcelona, el 6 de maig del 1976, p. 3. Després s'han multiplicat, a la premsa de València, les «*cartas al Director*» sobre el tema, i fins i tot hi ha aparegut alguna «enquesta». Quan ja aquest paper estava en curs d'impressió, s'ha fet circular un fullet anònim, *La senyera valenciana* (València 1977), editat per Lo Rat Penat, que ací només puc prendre en consideració damunt les galerades.

pesar dels obstacles miserables, ignominiosos, que ha calgut salvar —i en queden molts per salvar encara, ai!—, hem fet prou camí per aquest cantó. Ho demostra el fet que, a hores d'ara, la protesta i la reclamació han eixit al carrer. Només des del carrer, que és l'espai de les banderes, dels crits, de les cançons, podia erigir-se en «problema» això de la «senyera».

Una operació «catalanista»? És l'acusació immediata que el búnker-barraqueta s'ha afanyat a propagar. Deixem de banda, ara, la cosa del «catalanisme»: hi tornarem després. Però no sé estar-me de contar, una vegada més, una curiosa anècdota, de què vam ser protagonistes un amic i jo. Clients assidus d'un bar cèntric de València, el cambrer que acostumava a servir-nos, immigrat ell, devia estranyar-se que parlessim sempre en vernacle. Un dia s'atreví a demanar-nos: «*¿Son ustedes catalanes?*». Li vaig retrucar amb una altra interrogació: «*¿Por qué lo preguntas?*». La resposta fou genial: «*¡Hombre! ¡Como siempre hablan en valenciano!*»...[3] L'episodi és instructiu. No cal ser «catalanista», ni tan sols «valencianista», sinó senzillament «valencià», per a entendre la qüestió de la «senyera». El truc del búnker-barraqueta —«l'orxateria administrativa de la plaça del *Caudillo*» i les seves filials— consisteix a treure's de la mànega el fantasma de l'«*imperialismo catalán*» i del «*centralismo de Barcelona*». Tan habituats estan a ser «centrípets», aquesta fauna, que no són capaços d'imaginar-se, com a valencians, fora de la dependència d'un «centre», i creuen que si no és Madrid serà Barcelona. Pobrets! Tenen vocació d'agenollats.

I el cas és que, de sobte, un dia, a València, començaren a aparèixer «senyeres» sense la franja blava vertical. No era cap novetat, això, ni de bon tros. Les quatre barres estrictes constitueixen l'heràldica tradicional de la capital i del país, i els escuts en donen fe. Però, davant la presència de les quatre barres sense la llista blava, presència sostinguda en manifestacions, en aldarulls, en festes, i emblemàtica d'una concepció nova —o no tan nova— del País Valencià, el conglomerat inesperadament «regionalista» que té la paella pel mànec s'ha crispat. Contra la bandera valenciana de les quatre barres no han vacil·lat a mobilitzar la policia, i no són pocs, ja, els incidents lamentables que s'han produït.[4] Els residus del feixisme, amb una mala fe

---

3. Ja ho vaig explicar en les notes *La llengua (i més coses) dels valencian*s, «Serra d'Or», IV (1962), XII, p. 25.

4. La premsa espanyola de març-abril del 1977 i els mateixos diaris de València,

que no té perdó, han creat una situació supèrfluament conflictiva. El «conflicte» vertader és independent de les banderes: crec que ho he insinuat. Hi ha en joc i en pugna dues perspectives irreconciliables sobre el que és i el que volem que sigui el País Valencià. Però, per què pretenen involucrar-hi les «senyeres»?

La «senyera» amb el blau és pròpia de la ciutat de València: és la bandera municipal de València, i prou. Si alguna bandera pot ser comuna al País Valencià sencer, incloent-hi València, una bandera única des de Guardamar a Vinaròs, representativa de tots els valencians, és l'altra, la que no du el blau. En contraposar-les, el búnker-barraqueta i els seus aliats no fan sinó atiar una antiga i perillosa animositat de les comarques valencianes enfront de la capital. Perquè el recel davant el «centralisme» de València també forma part de la deterioració de la nostra consistència de «poble». València no és tot el País Valencià: és una parcel·la del País Valencià. Posats a enarborar una bandera per al País Valencià, haurà de ser la que hi pertoca, segons la història i segons una convenció actual coincident. La maquinació infame del búnker-barraqueta tendeix a fer incompatibles dues «senyeres» que, sent originàriament una, tenen una connotació diferent. Quan, entorn de les quatre barres sense el blau, s'alça el clamor escandit de «País Valencià!, País Valencià!, País Valencià!», i en la mateixa València, hi emergeixen moltes coses contradictòries i impulsives. N'hi ha una, però, que queda fora de dubte: la voluntat de recuperar aquella «consciència de poble» de tots els valencians, del Sénia al Segura —que és la premissa de qualsevol perspectiva alliberadora.

Ells, «ells», estan en contra d'això.

II

Comencem pel començament: la «senyera» de les quatre barres amb la franja blava unida a l'asta és la bandera de la ciutat de València, i prou. Són moltes les poblacions del País Valencià, pràcticament totes, que han tingut

---

no sempre explícits, en recolliren la notícia. Les accions repressives van ser, en alguns casos, d'una violència desproporcionada a la situació. No és, però, aquest, el lloc de parlar-ne.

també la seva senyera pròpia i distinta: en tot cas, la de València era distinta. Ens n'arriben notícies per molts conductes, de la majoria, i d'unes quantes, supervivents en exemplars arqueològics, n'hi ha mostres tan antigues o més que la que l'Ajuntament de la capital conserva el seu Museu Històric. La que tenim a Sueca, per exemple, molt deteriorada però completa, té més anys que la que exhibeixen a València.[5] Els erudits locals no han concedit massa atenció a les banderes dels seus pobles. Sovint, n'han trobat un rastre entre els documents, però la materialitat del drap s'ha perdut, i consideraven que la cosa no tenia importància. El cas és, de tota manera, que no solament València disposava de «senyera». Un fur de Jaume I (1261?) ja ordenava que els cavallers «sien tenguts» «de seguir la senyera de la ciutat, o del terme, o de qualque lloc que sien». Un altre fur, de Pere el Cerimoniós (1376), repeteix l'ordre en termes similars: «*quod barones, milites et generosi sequantur uexillum eius ciuitatis uel uillae ubi sunt domiciliati uel habentes executoria...*».[6] Aquests textos no poden ser més explícits: en principi, la pluralitat de banderes queda ben definida.

5. La senyera de Sueca, que conserva l'Ajuntament, data, per exemple, del 1536 (veg. Joan FUSTER, *La bandera de Sueca*, «Levante», suplement «Valencia», núm. 113 [15 juny 1956, p. 4]), mentre que la que València té al seu Museu Històric és del segle XVII (veg. José MARTÍNEZ ORTIZ, *Historia de la Senyera de Valencia* [València, 1972], p. 36).

6. *Furs e ordinations fetes per los gloriosos reys de Aragó als regnícols del Regne de València* (València, 1482; reproducció facsímil, València, 1977), ps. 177 i 334-335. En l'al·legat ratpenatista citat, p. 3, la disposició foral (del 1261?) és tergiversada d'aquesta manera: «ja constava que els cavallers de la ciutat o del terme o de qualsevol lloc que foren, estaven obligats a seguir la Senyera», quan la literalitat del legislador és que els cavallers (o «*barones, milites generosi*», segons la disposició del 1376) estaven obligats a seguir la bandera pròpia del lloc de la seva residència («la senyera de la ciutat, o del terme, o de qualque lloc que sien», «*eius civitatis uel villae ubi sunt domiciliati vel habentes executoria*»). La lectura no admet discussió. D'altra banda, per a aquella època, i per a les posteriors, en l'àmbit dels dominis reials, la «senyera» per antonomàsia era la de les quatre barres soles. Tota l'argumentació del fascicle del «Rat» es basa en cites exclusivament relacionades amb la ciutat de València, i sovint amb l'expansionisme centralista de la seva oligarquia, sense tenir en compte les oposicions armades de les comarques del Regne. L'hegemonia de la capital, com indicaré de seguida, era òbvia; era, també, permanentment contestada.

De fet, les banderes medievals van tenir, sobretot, una funció essencialment militar i municipal: encapçalaven les tropes populars, úniques reclutables aleshores, dependents dels reis o dels senyorius. A mesura que aquestes milícies van créixer en nombre i en entitat —creixement paral·lel a la demografia dels grups urbans i rurals—, les «senyeres» es consolidaren. De vegades, al costat d'una «bandera major», hi havia «banderes de camp»:[7] les «banderes de camp» eixien en incursions o excursions bèl·liques, de guerra civil, o contra els castellans o contra els pirates barbarescos, i les altres, les «banderes majors», retenien la consideració representativa de la comunitat, i eren presidencials en les festes civils o religioses més eminents.[8] Al llarg del segle XIV, pocs devien ser els pobles valencians sense bandera, per a l'un ús o l'altre. De quins colors?

Quins eren els colors de la bandera de la ciutat de València el 1261, posem per cas? Les quatre barres, ja? O la Creu roja de sant Jordi, sobre fons blanc? Els especialistes en dubten. Però, a partir del 1321, a València, els documents sempre parlen de «la senyera del senyor rei e de la ciutat».[9] La ciutat era «lliure»: no feudal. I el seu emblema era el del rei: el de les quatre barres, dinàstic. En la seva autèntica o apòcrifa Crònica —el Llibre dels feits—, Jaume I descriu així l'emoció colonial que li va proporcionar la victòria damunt els moros: «Quan vim la nostra Senyera sus en la torre, descavalcam del cavall, e endreçam-nos vers orient, e ploram de nostres ulls, e besam la terra.» La «senyera» en qüestió, que els sarraïns hissaren per rendir-se, és la que es conserva a l'Arxiu Històric de València: una tela blanca amb

<hr />

7. Així, a Sueca: veg. FUSTER, loc. cit. a la nota 5. Per a València, veg. Francesc SEVILLANO COLOM, El «Centenar de la Ploma» de la ciutat de València (1365-1711) (Barcelona, 1966), p. 50. El llibret de Sevillano Colom és molt ric en informació documental sobre la senyera de la capital.

8. «La qual bandera se trau tots anys per la dita ciutat [de València] en les festes de Sent Dionís e de Sent Jordi» (1459): SEVILLANO COLOM, op. cit., ps. 49-50. Devia fer-se'n un ús similar, de les altres senyeres locals: a Alcoi, posem per cas, «por la vuelta de la procesión lleva el Justicia el Estandarte mayor de la villa...» (Vicent CARBONELL, Célebre centuria que consagró la ilustre y real villa de Alcoy a honor y culto del soberano Sacramento del Altar [València, 1672], p. 234).

9. M[anuel] S[anchis] G[uarner], art. «senyera», en Gran Enciclopedia de la Región Valenciana, X (València, 1977), p. 302.

quatre ratlles grosses en roig. Sense blau, és clar.[10] I tots els territoris que s'incorporaven a la Corona no tenien altra bandera que la reial. Com a tot arreu, en circumstàncies paregudes, la bandera reial esdevenia la bandera del poble, en contraposició a les emulsions feudalistes dels senyors territorials i de l'Església.

Quan un poble aconseguia alliberar-se del feudalisme, la seva bandera era la de les quatre barres, i si un distintiu específic hi calia, era l'escut de la localitat. El 1443, la Vila Joiosa s'incorporava a la jurisdicció dels reis, i acordà que «en senyal de unió a la dita Corona la dita Universitat de la Vila-joiosa faça e puixca fer quan volrà bandera reial ab senyal de la dita vila en mig de la dita bandera».[11] La «bandera reial», o el «senyal reial», eren els quatre pals vermells en camp d'or, que ja apareixien emprats pel comte de Barcelona Ramon Berenguer IV el 1157, i que el seu fill, Alfons el Cast, ja rei d'Aragó de més a més, convertiria en heràldics de la casa regnant: un escut que, com era habitual en l'època, esdevenia «bandera».[12] Jo no sóc un expert en vexil·lografia, ni tampoc no m'interessa gaire el problema dels orígens de les «quatre barres». Em cenyiré a una obvietat: que en el Regne de València que fundava Jaume I i que a poc a poc es consolidava, les quatre barres sense afegits passaven a ser la bandera del poble, de tot el poble mitjanament lliure.

Hi havia, també, els territoris de feu, que tenien unes senyeres distintes, pel motiu de la dependència senyorial. Són les que han perdurat —no totes—: la de Sueca, que és d'un roig fosc, amb una creu blanca, que voldria recordar l'orde de Sant Joan de l'Hospital, propietària primera del lloc;[13] la

10. *Ibid.*

11. Pere Maria ORTS I BOSCH, *Introducció a la Història de la Vila de Vilajoiosa i el notari Andreu Mayor* (Alacant, 1972), ps. 31-32.

12. Sanchis Guarner, *loc. cit.* a la nota 9. En realitat, la «bandera reial», o el «senyal reial», no era sinó l'escut dels reis —les quatre barres— disposat sobre una tela Sense eixir de la ciutat de València, un exemple en seria el penó atorgat per Martí l'Humà al gremi de teixidors de llana el 1404, que Josep MARTÍNEZ ALOY reprodueix en *Provincia de Valencia, I*, de la *Geografia General del Reino de Valencia* (F. Carreras i Candi ed.) (Barcelona, s.a.), ps. 624-625.

13 . Amat de Crist BURGUERA I SERRANO, *Historia fundamental documentada de Sueca y sus alrededores*, I (s. 1., 1921), ps. 241 i ss. Pere Maria Orts i Bosch m'indica que la creu podria ser la de sant Pere, titular de la parròquia del poble.

de Gandia, datada des del 1444, que és de «tafetà morat», i refeta en el segle XVI;[14] la de Dénia, de color granat amb l'escut de la ciutat enmig.[15] N'hi hauria més, avui caducades. Quan Elx i Crevillent —o, almenys, la moreria de Crevillent— van ser baronies de Barcelona, tingueten banderes barcelonines...[16] Quines serien les banderes municipals de Catarroja, de Puçol, del Puig, de Rafelbunyol, de Massamagrell, de Vinaròs, de Benicarló, de Xèrica, a la primeria del XVI? El cronista Viciana les menciona, entre d'altres, en ocasió de la guerra de les Germanies. I la d'Onda?[17] I les altres, més fàcils d'imaginar: d'Alzira, de Xàtiva, d'Alacant, de Morella, d'Oriola, d'Alcoi, de Castelló de la Plana, de Biar, d'Ontinyent, de Vila-real, de Bocairent... Ciutats, viles i llocs exempts del feudalisme, vinculats a la Corona, amb vot en corts o sense, tenien per senyera la bandera «ab senyal real».[18] Quatre barres sense blau.

Fins i tot podríem evocar el cas d'un enfrontament de banderes locals, barrades l'una i l'altra, però amb el blau de diferència: la de Morvedre i la de València. La ciutat-capital —o la seva burgesia expansiva del XIV i del XV— volgué eixamplar la seva àrea de domini, i aconseguí que Morvedre li fos tributària. La disputa fou llarga i crispada. Un parell de vegades, la gent d'armes de l'actual Sagunt, en botí de guerra, arrabassà a la de València la suposadament invicta bandera «del Rat Penat»: la del blau. Va ser en temps del Compromís de Casp i en una de les escaramusses de la Germania. I és que eren dues banderes momentàniament enemigues, a escala municipal.[19]

14. Andreu MARTÍ SANZ, *Polvillo de antaño (Documentos para la Historia de Gandía)* (Gandia, 1971), ps. 51-52.

15. Informació de Josep A. Devesa, cronista de Dénia.

16. Francesc FIGUERAS PACHECO, *Provincia de Alicante*, dins *Geografía General del Reino de Valencia* (F. Carreras i Candi ed.) (Barcelona, s.a.), ps. 918 i 930.

17. Les mencions que de banderes locals fa MARTÍ DE VICIANA en la seva *Crònica de la ínclita y coronada ciudad de Valencia* (citaré per la reedició facsimilar a càrrec de Sebastià Garcia Martínez [València, 1972]), són nombroses a propòsit dels esdeveniments de les Germanies. Per a les poblacions al·ludides, veg. III, ps. 317 i 320, i IV, ps. 291, 292, 294 i 352.

18. Referències concretes a la bandera de Vila-real, ja des 1383, a Josep Maria Doñate, *Datos para la historia de Villarreal* (Vila-real, 1973), II, ps. 117 i 134, i també, per al 1536, III, p. 67.

19. Sobre l'hostilitat entre Morvedre i València, llarga i endanyada, i les seves peripècies, entre les quals les relatives a les banderes, veg. Antoni CHABRET, *Sagunto*.

Martí de Viciana, traduint-la al castellà, cita una carta de l'agermanat Estellés: «*Iba delante la bandera de Valencia, y después seguía la bandera de Morvedre, y después las otras...*»[20] No hi havia confusió.

No entra en els meus càlculs, ara, fer una «història de les banderes valencianes». Deixo el projecte per a algú que, demà, disposo de més documents i més paciència. Però penso que, amb les indicacions precedents, queda invalidada qualsevol aspiració a erigir com a «bandera valenciana», o sigui: de tot el País Valencià, la senyera de València amb el seu blau restrictiu. Seria curiós esbrinar com i per què la bandera de Morella adopta uns altres colors que els reials,[21] o per què la d'Oriola és vermella i plena de brodats barrocs. I per què Castelló de la Plana, a les seves quatre barres d'origen, ha posat una també vertical franja dissident, no blava com la de València, sinó verda. O Alacant, on els últims ajuntaments han promogut, per hostilitat a València potser, una fantàstica bandera blanca i blava, en bandes paral·leles al màstil, calcades potser del gallaret del seu port de mar.[22] Això supera les meves forces. Però confirma el meu argument.

Hi ha una senyera de València, amb la franja blava; hi ha més senyeres valencianes, tan valencianes com la de València —«qüestió de noms»?—, que no es basen en les barres o que tenen les barres sense el blau.

Una bandera per a tots els valencians, doncs?

Su historia y sus monumentos (Barcelona, 1888), I, ps. 300 i ss.; 305, 309, 312 i 365. També Xàtiva i València xocaren en algunes ocasions, i les banderes s'hi veien involucrades: «1402. Execució contra Xàtiva: La ciutat de València tragué la bandera contra Xàtiva perquè les guardes d'esta ciutat havien pres unes càrregues de farina que anaven a la ciutat de València, dels moros d'Anna» (Carles Sarthou Carreres, *Datos para la Historia de Játiva. Apéndices A, B y C* [Xàtiva, 1935] p. 47). I no degueren ser casos insòlits, ni que només fos, sovint, per motivacions trivials, i no sempre ho eren.

20. Viciana, *op. cit.*, IV, p. 293.

21. Sembla que degué ser arran de les Germanies, quan els morellans, addictes a l'emperador, «*hicieron una bandera de guerra colorada*» (VICIANA, *op. cit.*, IV, p. 151), que, després de la victòria reial, es convertiria en senyera del municipi.

22. Sanchis Guarner, *loc. cit.* a la nota 9, ps. 303-304.

III

Si no m'erro, només dues senyeres municipals, al País Valencià, tenen justificat el blau perpendicular: la de Borriana i la de València. I per una raó anecdòtica similar. Va ser una vel·leïtat de Pere el Cerimoniós. Aquest monarca i la ciutat de València foren enemics durant la guerra de la Unió —un boirós episodi de lluita de classes—, i el rei, vexat primer, i victoriós finalment, va estar a punt d'arrasar l'urbs i de sembrar-la de sal. Ell mateix ho conta en la seva *Crònica*. Però en una altra guerra, la que va mantenir amb el seu homònim Pere I de Castella, València li fou addicta, i ell li recompensà la fidelitat amb uns quants ornaments: les dues «eles» de l'escut, i que «al cap subirà sia feta corona», a banda d'altres.[23] Per un desplaçament automàtic d'aquest privilegi del 1377, València acabaria tendint a sobreposar la diadema reial a les barres de la seva bandera. I els edils, a la llarga, s'inventaren la faixa blava per col·locar-hi la privilegiada gratitud. A Borriana, dalt o baix, passà una cosa semblant. Pere el Cerimoniós, expressament, concedí a aquesta vila el privilegi d'incorporar a la bandera de les quatre barres, i solament per a Borriana, un pedaç de tela blava amb el dibuix no d'una sinó de tres corones. Era el premi per haver combatut al seu costat. Ho conta Martí de Viciana en la seva *Crònica*: Viciana, fill de Borriana, reprodueix dues vegades el text —sempre en castellà— de la concessió del Cerimoniós, orgullós com n'estava. El document ha estat retrobat fa poc.[24] Hi ha prou

23. *Ibid.*, p. 302.
24. VICIANA, *op. cit.*, III, p. 296, i IV, p. 139: Privilegi del 12 de maç del 1348: «*Os concedemos y queremos y ordenamos que la bandera acostumbrada de dicha villa se acresciente por la parte de arriba; la cual añadidura esté teñida de color azul, del cual los antiguos reyes de Aragón, nuestros antecesores ilustres, solían sus banderas vencedoras llevar. Y más: que en la dicha añadidura del sobredicho color se sobrepongan, o entretejeran, o se pinten, e en línea recta se pongan o impriman tres coronas reales de color de oro...*» El document original (Arxiu de la Corona d'Aragó, Reial Cancelleria, Reig. 888, fol. 209, *r.* i *u.*) ha estat últimament exhumat per Pere Maria Orts i Bosch, a qui he d'agrair la primícia. Als efectes de la present divagació —que, en aquest punt, ja ho és—, convé advertir que Viciana tradueix per «*color azul*» allò que el llatí del Cerimoniós deia «*colore liuido*». Era una bona traducció? Fou, si més no, la traducció de Borriana. A Ciutat de Mallorca, una disposició del rei Sanç, del 1312, concedia

motius per a suposar que el rei Pere atorgués, en pla d'agraïment, uns distintius honorables a les ciutats i pobles que van ser-li servils. Les tres corones de Borriana i la de València, però, són una excepció. No van obtenir aquesta deferència Xàtiva, Morvedre, Alcoi,[25] Morella, Vila-real, ni tants altres llocs del rei que, en la Guerra dels Dos Peres —el d'Aragó i el de Castella—, van tenir ocasió de demostrar la seva adhesió al Cerimoniós. València i Borriana tenen el blau a la senyera, directament o indirectament, per obra i gràcia de Pere el Cerimoniós. La resta del País Valencià, no. Continuaren amb les quatre barres eixutes o amb les coloraines feudals. En els llibres de comptes dels jurats de València, quan es tracta de renovar la

agregar a les quatre barres dinàstiques i populars «*in parte superiori signum castri albi positi in liuido*», i la interpretació mallorquina del «*liuido*» és el morat (Benet PONS FÀBREGUES, *La bandera de la ciudad de Mallorca* [Ciutat de Mallorca, 1907], p. 12). La divergència no deixa de ser amena. Ignoro, en canvi, d'on prové el blau de la bandera de Menorca. Perquè, segons tinc entès —no ho he pogut verificar—, la senyera dels menorquins és igual que la de València: les quatre barres amb la franja blava. Aquestes «particularitats» antigues, que, com veiem, no són massa «particulars», acaben tenint uns punts de coincidència bastant instructius. ¿Caldrà recordar que el mateix «rat-penat», tan hipotèticament «valencià» —vull dir: de la ciutat de València—, ha estat tradicionalment *també* un ornament dels escuts de Barcelona i de la Ciutat de Mallorca?... En qualsevol cas, tant el blau com el morat, a les «senyeres», només tenen sentit com a fons d'unes «corones» o d'uns «castells», si hem d'atenir-nos a les regles de l'heràldica... No hem d'oblidar, tanmateix, que l'afegit blau de Borriana se suma a la «*bandera acostumbrada*» —«*ut uexillum solitum*»—: a les quatre barres de tothom. La concessió de la «corona» a la bandera de València encara no ha estat documentalment puntualitzada pels historiadors: se suposa que és de Pere el Cerimoniós.

25. En una «carta al Director», al diari «Las Provincias» (13 abril l977) el cronista d'Alcoi, Rogeli Sanchis Llorens, es refereix a documents locals relatius a una «bandera nova de camp» i a «la bandera gran de sent Jordi» (1564): per a alguna de les dues —la primera, suposo— «*se compró tafetán carmesí y amarillo*». El senyor Sanchis Llorens parla d'un altre document, del 1582, segons el qual les autoritats d'Alcoi adquireixen «cinc alnes, tres palms de tafetà blau doblet per a l'escut de la bandera, comprès lo general», i conclou: «*Es difícil que se empleara más de cinco metros de tela para el azul de un pequeño escudo. Como, además, se indicaba "comprès lo general", yo interpreté que la bandera debía llevar también una banda azul.*» Es tracta, no cal dir-ho, d'una interpretació imprudent.

«senyera» local, només ben entrat el segle XV trobem notícies respecte a la utilització del blau.[26] De fet, el blau a la senyera és una introducció relativament «moderna». I local, sobretot: local. La bandera de les quatre barres amb el blau, a València i a Borriana, equivalen a la del «tafetà morat» de Gandia, a la de color granat de Dénia, a la santjoanista de Sueca... I podem preguntar-nos en nom de què ens volen imposar, a tots els valencians, una bandera que només és la bandera d'un municipi. En nom de Pere el Cerimoniós? Faria riure. I Pere el Cerimoniós tampoc no ho volia. Va restringir el seu «privilegi» a València i a Borriana. El País Valencià és molt més extens.

IV

I, al llarg dels segles forals, no hi hagué una bandera que ho fos de tot el Regne?

Seria un error —un anacronisme— creure que l'organització política del País Valencià, en aquella època, tenia una estructura semblant a la d'un «estat» modern. La possibilitat d'unes institucions comunes fortes, tant de sobirania com d'administració, s'hi veia retallada per dos fets decisius: l'àmplia àrea territorial subjecta a senyorius seculars i eclesiàstics i la prepotència demogràfica i també territorial de la ciutat de València.[27] Si el

26. En la documentació publicada fins ara, la menció del blau apareix per primera vegada (i encara amb possibilitats de ser interpretada ambiguament) el 1487: quan les autoritats municipals de València adquiriren «cent quaranta-cinc alnes de tela groga, vermella e blava, que són estades preses e comprades [...] per obs de fer certes banderes» (Francesc ALMELA I VIVES, *Aspectos del vivir cuotidiano en la Valencia de Fernando el Católico*, dins «*Fernando el Católico y la cultura de su tiempo. V Congreso de Historia de la Corona de Aragón*», V (Saragossa, 1961), p. 242.

27. És ben coneguda la importància dc la noblesa feudal al Regne de València, així com la del poder senyorial de l'Església i dels ordes religioso-militars. Quant a l'hegemonia de la capital, ja començava per ser evident en l'extensió del seu «terme», limitant amb els de Morvedre, Olocau, Xiva, Bunyol, Torls, Montserrat d'Alcalà, Alzira i Cullera, que s'accentuava en els projectes d'absorbir o annexar-se d'alguna manera els termes de Morvedre (d'aquí l'antagonisme abans al·ludit) i de Cullera. A les Corts del Regne, València tenia, ella sola, cinc vots, mentre que només en tenien

monarca i els seus buròcrates tractaven d'imposar-hi una autoritat eficaç, va ser en un sentit «absolutista» més que no pas amb voluntat «unitària». Al capdavall, els nostres reis mai no foren «exclusius» del Regne de València, i poc van interessar-se per instaurar en el seu àmbit un mínim d'articulació autònoma consistent. Fins i tot, amb el temps —sota la dinastia dels Àustries—, en boicotejaren les minses expectatives tradicionals.[28] Les quals, en la pràctica, només eren les Corts i els Parlaments, i, com a subproducte, la Generalitat. Però ni les Corts i els Parlaments, ni la Generalitat, entre nosaltres, muntades sobre la base estamental típica d'aleshores —«braç militar», «braç eclesiàstic», «braç reial»—, no constituïen sinó una confluència precària dels antagonismes permanents de classe entre el sector feudal i el de les oligarquies burgeses. En cada moment de crisi històrica, aquesta contradicció sorgia a la superfície, i no solament aquesta: en qualsevol cas, no va haver-hi l'oportunitat de cohesionar —pràcticament, mai— les forces socials en una orientació positiva. Si comparem les peripècies més aparatoses del País Valencià foral amb les simultànies del Principat, i inclús de Mallorca, podrem comprovar que només entre els valencians no va produir-se cap consolidació de les entitats supramunicipals. La Generalitat del Regne de València no arribà a tenir el poder ni la iniciativa que va tenir la Generalitat de Catalunya —valga la referència— enfront dels Felips.

Tanmateix, la Generalitat —una oficina de recaptació de contribucions— era, deduïda de les Corts, o dels «braços» de les Corts, una institució que, jurisdiccionalment, abraçava tot el Regne. Va hissar mai una bandera «seva» en algun lloc? No li calia fer-ho, si només havia de cobrar impostos. Tenien un «segell», el de la Generalitat, i era el dels tres emblemes dels «braços»: un Sant Jordi, que la noblesa feudal feia seu; una marededéu, representant les possessions del clero; un àngel armat, amb escut o bandera, encarnant les ciutats, les viles i els llocs que escapaven a la dominació dels aristòcrates i de les tonsures. Encara avui ho podem veure, això, en els murs i en els llenços

un cadascuna de les altres ciutats i viles reials (i no totes). Aquest mapa de forces «polítiques», en la pràctica, deixava ben poc d'espai a la consolidació d'unes «institucions» superiors. Els reis tampoc no tenien cap interès a promoure-les.

28.   Veg. Pere Maria ORTS I BOSCH, *Regalismo en el siglo XVI. Sus implicaciones políticas en la Diputación de Valencia (Dos cartas del virrey Vespasiano Gonzaga y Colonna a Felipe II) Año 1576* (València, 1971). Aquesta breu monografia demana comentaris i prolongacions, que serien ben il·lustratius.

del palau del carrer de Cavallers, a València.[29] Un «segell» no era una bandera. Quan el 1604 les Corts del Regne de València acordaren construir quatre galeres per vigilar i defensar les costes contra els corsaris musulmans, els pares de la pàtria de llavors van decidir que «lo estendard que es portarà en la Capitana de dites galeres, hagi de portar les armes de la Generalitat del present Regne de València».[30] Potser l'«estendard» en qüestió era blanc.[31] No ho sé. Allò que hi comptava era, segons sembla, les «armes», o sigui, el «segell»: el Sant Jordi, la marededéu i l'àngel custodi. Els investigadors locals no han sabut anar-hi més lluny.

Però... Una simple visita al palau de la Generalitat, a València, serà molt instructiva. En tota aquella santa casa, per més que el busqueu, no hi trobareu un retall de blau damunt les quatre barres. L'edifici i les pintures que conté són tardans: del XVI i del XVII. I les representacions del «braç reial», o «popular», sempre hi apareixen amb banderes amb les quatre barres límpides. En l'altar on es feien dir missa els diputats del Regne, hi ha l'àngel amb la bandera sense el blau. A un costat, hi ha, en vitrina, un davant-altar preciós, de brodadura de monges amb fils exquisits, i la figura del Protector Sobrenatural no porta el blau. Quan entrem en l'anomenat Saló de Corts, la cosa ja sembla escrupolosament prevista: ni una mica de blau. Els murals, on varen ser retratats els membres de les Corts que pagaren els pinzells, les tribunes del «braç reial», és a dir, les de les ciutats i les viles «reials» —d'alguna manera, «lliures», no feudals—, tenen al damunt, sempre, un àngel, l'àngel de sempre, amb la bandera barrada, i sense el blau. I ja es veu en tot això que la mateixa ciutat de València trobava ben natural que el «braç reial», del qual ella era individu prepotent, vingués simbolitzat per la bandera de les quatre barres estrictes.

La conclusió és que el poble-poble, el poble valencià no-feudal, s'acollia a la dubtosa oferta de «llibertat» que brindaven els reis. Tot és relatiu, en aquesta vida. L'episodi famós de Vinatea, fonamentalment antifeudal,

29. La inspecció ocular és a l'abast de tothom. Veg., encara, Josep MARTÍNEZ ALOY, *La Casa de la Diputación* (València, 1909-1910), *passim*.

30. Guillem Ramon MORA, *Volum e recopilació de tots los furs...* (València, 1625), p. 269.

31. MARTÍNEZ ALOY, *op. cit.*, p. 23.

reverteix a favor de les quatre barres dels reis.[32] Tothom qui podia, procurava evadir-se de les feixugues supeditacions senyorials. I la bandera reial, genèrica per principi, havia de ser la desitjable. En la mesura que la terminologia actual ho permet, podríem dir que el poble s'identificava amb la Corona.

En el nostre cas, encara, els canvis de dinasties, fins al 1707, no alteraren el sentit ja pràcticament «nacional» de les quatre barres de la casa de Barcelona. Instaurada la família Trastàmara després del Compromís de Casp, les quatre barres continuaren sent la insígnia vàlida. Ignoro si els nous reis en tenien alguna de pròpia: de tota manera, respectaren l'antiga i popularment assumida. Que, de més a més, s'havia assegurat amb una transcendència internacional enèrgica. Tampoc la casa d'Àustria no va introduir-hi novetats. Hi ha, és clar, el parèntesi de les Germanies, de divorci entre la reialesa i el poble;[33] però, restablert el *statu quo*, els Felips i els Carles deixaren fer. L'«absolutisme descentralitzat» que aquests monarques mantingueren —és un dir— no afectava el sentiment dels «regnícoles» quant a la bandera. És l'època en què s'anuncien i s'enceten els «dèficits nacionals» del País Valencià. Però no varen ser tants ni tan resolutoris, que la decoració del palau de la Generalitat —construït aleshores— no estigui plena de senyeres. De senyeres del «braç popular»: sense blau, com sempre. Les quatre barres, en el XVI i XVII, no eren ja la bandera imperial que havia estat en l'aventura almogàver d'Orient i en les batalles d'Itàlia, ni els peixos del Mediterrani les duien gravades sobre les escates. Els imperialistes, en aquells segles, eren uns altres... Les quatre barres, modestament domèstiques, es quedaven en «senyal» sufocat del poble.

32. Per a la comprensió del gest de Vinatea, vegeu el meu *Nosaltres els valencians* (3a. ed., Barcelona, 1977), ps. 53-55. D'altra banda, en temps de Vinatea, el blau era inimaginable, siga dit de passada.

33. Un petit estudi per fer, merament anecdòtic, seria el de les banderes dels agermanats, sovint improvisades i dels colors més diversos, segons sembla. Eren, però, banderes gremials. Mentre van poder, els revolucionaris intentaren apoderar-se de les senyeres locals i fer-les seves. VICIANA, *op. cit.*, IV, p. 333, esmenta algunes banderes de guerra dels nobles: «*negra con una cruz verde*», «*blanca con una cruz colorada*», «*de azul y anaranjado*».

V

La «senyera» —qualsevol senyera indígena— va deixar de tenir vigència després que els valencians van ser vençuts a Almansa, el 1707, per la coalició hispano-francesa. Si els Àustries no havien introduït cap novetat important en matèria de banderes mentre manaren, Felip V s'apressà a implantar-hi un nou «senyal reial»: una tela blanca, amb alguna flor de lis brodada. Se'n conserven exemplars: en l'edifici de l'Ajuntament de València, per exemple. Fou una bandera calculadament preparada per a la proclamació d'un nou rei, l'efímer Lluís I. La cerimònia al·ludida va fer-se, reglamentàriament, amb uns crits oficials molt il·lustratius: «¡*Valencia y Castilla por el rey Luis I!*», «¡*Alicante y Castilla por el rey Luis I!*», etcètera. De fet, el «Regne de València» ja havia desaparegut, «*por el justo derecho de conquista*», entre altres raons. Cite de memòria la frase exclamatòria que els botiflers pronunciaren des dels balcons de les cases-de-la-vila.[34]

Les velles senyeres van ser postergades als racons més desgraciats de les dependències municipals. Ja no eren útils ni tolerades. Les milícies municipals, finalment desarticulades, desaparegueren. En algunes poblacions, per inèrcia, encara treien el seu drap memorable en alguna festivitat litúrgica: la processó del Corpus, generalment.[35] Però allò era un ús decadent i sense massa significat. La majoria de les «senyeres», jubilades, van ser víctimes de les arnes o de l'abúlia dels ajuntaments. Les que han arribat fins avui són meres relíquies que els ciutadans no acaben d'entendre.

Mentrestant, d'una manera o altra, Carles III va posar en circulació una «bandera espanyola». Diuen que era un fragment de la bandera de les quatre barres: tècnicament, dues mitges barres vermelles a l'extrem i el groc sencer interferit. Era una reminiscència de l'oblidada glòria de la Corona d'Aragó: Carles III, abans de ser rei d'Espanya, havia estat rei de Nàpols, si no m'equivoco, i de Nàpols, amb una circumval·lació heràldica curiosa, els

---

34. Per a València, veg. Miquel DURAN DE VALÈNCIA, *La personalitat valenciana en el Museu Històric de la ciutat* (València, 1935), pàgines 99-100; per a Alacant, veg. Lluís MAS I GIL, *La Casa Consistorial y las proclamaciones de los reyes del linaje Borbón en Alicante* (Alacant, 1962), p. 72; per a Xàtiva —de data més tardana: 1746—, vegeu Carles SARTHOU CARRERES, *Datos para la historia de Játiua*, II (Xàtiva, 1935), p. 124.

35. És el cas de Sueca: *cf.* nota 5.

colors de la Corona d'Aragó esdevenien, mutilats, el signe de la monarquia borbònica.[36] La bandera en qüestió, encara, era una bandera militar. L'estat espanyol, incipient, continuava fent voleiar banderes blanques i flordelisades. Les quatre barres ingressaven en la memòria vacil·lant i obscura de les multituds. El «botiflerisme» de la classe dominant s'encarregava que fos així.

Hi ha la sospita que, durant la guerra contra Napoleó, alguns valencians van exhumar les quatre barres, amb el blau o sense el blau.[37] Eren valencians de València, a tot estirar: devien ser-ho, i està per comprovar. En el buit de l'intermedi, la bandera —a València— esdevingué «banderola». Les «banderoles», quatre barres i el blau adornat, han estat i són encara avui una grotesca peripècia de les processons pre-conciliars: les lloguen a un *florero*, i les aguanten uns individus amb barbes postisses i amb corones de llautó. En les comarques centrals del País Valencià, copiant la degradació «nacional» de València, la senyera amb el blau es convertia en una còmica anècdota popular. Les «banderoles», precedint els «cirialots» o la creu alçada, ja ni tant sols eren bandera. Eren i són pur folklore.[38]

Una altra indecència que tardarem a digerir és la «Renaixença» llorentina. Avui, els poemes de don Teodor Llorente —ni tan sols els més bons—, qui els recorda? Hauria d'haver-hi una «memòria col·lectiva», però no la tenim. I si no arriba a Llorente, com ha de «recuperar» Ausiàs Marc, o Roís de Corella, o el mateix sant Vicent Ferrer, tan aparentment «entranyable»?[39] La «Renaixença» valenciana, en bona mesura, fou una estafa. Si Llorente era,

---

36. Sembla que aquesta explicació de la bandera espanyola no és ben bé exacta: veg. Juli Guillem TATO, «*Ponencia sobre banderas y emblemas: Pabellón español*», dins *Estatuto nobiliario* (Madrid, 1945), ps. 343-357.

37. MARTÍNEZ ORTIZ, *op. cit.*, p. 26.

38. El decandiment de les processons que he qualificat de preconciliars ha extingit aquestes figures irrisòries, que, segons els exegetes de l'aparatós Corpus de València, representaven els «reis d'armes» de l'època foral. De fet, i a la llarga, implicaren una profanació de la senyera.

39. La «folklorització» del personatge de fra Vicent Ferrer —oblidant l'envergadura històrica del tipus i la seva incidència literària— és tot un altre símptoma de l'«alienació» que les classes dominants de València han infligit al veïnat. La revenja popular —potser més antiga que no sembla— ha estat inventar «miracles» del sant que ni tan sols Voltaire hauria estat capaç d'imaginar per burla.

com deia Azorín, un «*Ganimedes de Silvela*» —metàfora de mala llet—, com ens ha de sorprendre al final de «casino recreatiu» que ha tingut Lo Rat Penat? Els poetes renaixentistes, i llorentins, no volien banderes. Una bandera valenciana, pel fet de ser «valenciana», hi hauria estat una intemperància. El «valencianisme polític», que germinà, com un cuc desafiant, sobre el cadàver del poeta Llorente, tardà a obrir els ulls. Els primers a alçar la «bandera» d'una mica de reivindicació van ser els joves de la primeria del segle XX. I per a ells, la bandera, amb el blau urbà, era suficient. La modèstia de les seves possibilitats i de la seva imaginació no donava per res més. Grupets de veïns de València, distanciats de les comarques, s'acontentaren amb la «senyera» municipal. Aquell «valencianisme» primerenc era pobre i despistat. Passar, en punt de nomenclatura, de «València» a «País Valencià», ja va representar un salt endavant intel·ligentment oportú.[40]

De «València» a «País Valencià» hi ha una distància, conceptualment i militantment, considerable. I els qui som «de poble» ho tenim ben sabut.

VI

I per què el «blau de la senyera» ha pogut tenir un cert èxit —un èxit només relatiu, de tota manera— com a «bandera regional»?

Aquesta és una altra història, que també convé explicar i que, al seu torn, explica moltes coses. Fins ara, i sense esgotar les notícies que podrien recollir-se de la bibliografia assequible, m'he detingut en referències al passat remot. Calia fer-ho així: tant per puntualitzar unes obvietats que deliberadament han volgut emboirar, com per atenció a una curiositat ben natural que més d'un lector «enyoradís» arribarà a tenir. Però l'«altra història» que vull al·ludir ens toca de més a prop i presenta tot l'aire d'una maniobra no massa diferent de la que avui intenten fer triomfar.

La dèbil sensibilitat «nacional» dels valencians, durant les tres primeres dècades del segle XX, que els partits polítics de base local ni tan sols pretengueren potenciar —i que inclús de vegades, temeràriament, combateren—, havia deixat en un segon terme la bandera. Els mateixos partidets que es proclamaven

40 Sobre tot això, extensament, veg. Alfons CUCÓ, *El Valencianisme polític (1874-1936)* (València 1971), *passim*.

«valencianistes» tampoc no hi veien cap problema important. Cap al 1930, els corrents d'opinió, poc o molt, a tot arreu de l'estat espanyol, començaren a accentuar-se contra la dictadura del general Primo de Rivera, i, més en concret, a la perifèria recuperaven un desigual però visible fervor «reivindicatori». Els País Valencià no en fou una excepció.[41] Tampoc no va ser la zona on el clam es feia amb una energia més declarada. Desaparegut Primo del poder, els homes de la nova «situació» s'apressaren a manifestar-se ràpidament «regionalistes»: «*regionalistas bien entendidos*», com era lògic.

Més o menys, com ara. Els hereus de la Dictadura volgueren apoderar-se de l'incipient i gairebé inconscient estímul popular, i van incorporar-se'l als seus propòsits. El juny del 1930, l'Ajuntament de València i la Diputació Provincial de València «*acordaron la cooficialidad de la lengua valenciana*».[42] Era un acord fantasmagòric i probablement anticonstitucional: l'Ajuntament i la Diputació del postfranquisme, tot s'ha de dir, no han gosat a tant.[43] I a València, entre els números de la Fira de Juliol del mateix any, hi figurà una «Festa de la Senyera»: el dia de Sant Jaume, després de la correguda de bous, van hissar «*la bandera valenciana en el balcón principal de las Casas Consistoriales*». A l'acte havien estat convidats «*los presidentes de las Diputaciones y los alcaldes de Alicante y Castellón*». «*Desde el balcón, hablaron los alcaldes, en lengua valenciana.*» «*En este mismo día fueron izadas en otros edificios la Senyera, entre ellos en la Casa Patronal, cuyo acto se celebraba con un banquete, en el que no faltaban los brindis de tonos regionalistas.*» La «*cuestión de la mancomunidad valenciana*» era tema de converses «*en algunos centros oficiales*».[44] En març de 1931, «*Alicante reconoció como suya la Senyera valenciana, con sólo el aditamento de su escudo...*».[45]

41. *Ibid.*, ps. 171 i ss.
42. «Antología Almanaque "Las Provincias" (1879-1972)» (València 1974), III, ps. 864-865.
43.   Quan reviso aquestes notes, la premsa de València ens fa saber que l'Ajuntament de la ciutat «*se define a favor dc la autonomía y la cooficialidad del valenciano y el castellano*» («Las Provincias», 7 abril 1977). La Diputació provincial, de moment, calla. Tanmateix, caldrà esperar a veure en què es traduirà l'*acuerdo* en qüestió, dins el mecanisme del sistema.
44. «Antología Almanaque "Las Provincias"», III, ps. 865-866.
45. *Ibid.*, p. 876.

Jo no dic que aquella gent, en acceptar i difondre la bandera amb el blau, volgués crear més confusió de la que ja era corrent. No sabien el que es feien, probablement, Es tractava d'un oportunisme com qualsevol altre. Després, proclamada la II República Espanyola, el canvi de règim no es va traduir a nivell de «reivindicació nacional» en resolucions obertament clares. Els partits provinents de l'etapa anterior a Primo, i els que de seguida s'hi van fundar, prolongaren el sucursalisme tradicional: aquella ambigua situació estràbica d'estar pendents de l'exigència local i de la reverència a Madrid. Com que el «valencianisme» encara era tènue i minoritari, quedà pal·liat i fins i tot devorat pels «macropartits» diguem-ne espanyolistes. El «valencianisme» en definitiva, mancava de prestigi. En una carta privada d'un dirigent valencià republicà a un col·lega seu, hi trobo una frase genial: «¡*Menos Rat-Penat, y más República!*».[46] Si els dirigents de la Segona República a València identificaven «valencianisme» i Rat-Penat —institució caracteritzada, des de sempre, per practicar un «regionalisme intermitent i estantís»—,[47] es comprèn que, finalment, les campanyes pro-estatutistes acabessin sent pura pantomima. L'anècdota, de passada, ens fa veure quin concepte de la nova República tenien alguns, no pocs, republicans de València. I a Alacant, l'embolic es feia més gros: de sobte, l'oposició d'interessos entre les burgesies municipals d'aquesta ciutat i de la capital de la «*Región*» s'aguditzà, a través dels ajuntaments de la República. La il·lusió d'una «autonomia» que permetia la Constitució republicana del 1932 s'hi va evaporar.

El paral·lelisme amb les condicions polítiques actuals del País Valencià no és exacte, afortunadament. Avui, tot és ben distint. O mitjanament distint. Pesa damunt el poble valencià la hipoteca d'una «alienació» més dura i duradora: la dictadura de Franco ha estat això, més duradora i més dura que la de Primo. La desaparició de l'autòcrata no ha comportat avui, 1976-1977, una mínima renovació de les corporacions locals, i continuen manant els qui

---

46. Carta datada a 14 de juliol de 1931, des de Madrid, i adreçada per Joan Calot, aleshores resident de la Diputació Provincial de València, a Agustí Trigo, alcalde de la ciutat. Per discreció, no puc citar l'arxiu de procedència. El senyor Calot era blasquista i un estimable propietari rural de la Ribera Alta.

47. La definició, tan concisa com preciosa, és de Lluís NICOLAU D'OLWER, *Resum de literatura catalana* (Barcelona, 1927), p. 102.

manaven sota Franco. Aquest personal, de més a més, ha disposat i disposa d'uns instruments de domini sobre un sector de la població —l'artilugi de les «falles» i de les «fogueres», posem per cas, i no és l'únic— que no havien existit mai. Qualsevol opció democràtica, al País Valencià, vindrà condicionada pel desmantellament total d'aquestes últimes —últimes?— trinxeres de l'aliança provinciano-feixista. Però avui, i cada dia més, hi ha més valencians que obren els ulls, i que ja els tenen ben oberts. Això no passava, o no passava tant, fa cinquanta anys. Els descendents polítics dels qui el 1930 organitzaven la «Festa de la Senyera» (amb el blau) i parlaven de «*mancomunidad regional*» tenen en contra una bona part del poble.

I la bandera?

Doncs la bandera, l'única bandera que ha de reunir la voluntat de tot el poble valencià —naturalment, el de la ciutat de València inclòs—, ha de ser la de les quatre barres sense afegitons.

Deixem el blau «privilegiat» a València i a Borriana: són residus del passat molt estimables. I que Dénia, Gandia o Sueca, i allà on n'hi hagi, pengin les seves senyeres particulars, si els ve de gust. I que a Sagunt —o Morvedre— facin voleiar la de les quatre barres estrictes sense el remordiment de ser acusats de «catalanistes».[48] Però hem de considerar que, com a valencians, des de Vinaròs a Elx, «del Sénia al Segura», no en tenim d'altra: històricament, és la que ens pertoca; per a un demà netament valencià, és la que necessitem.

48. Copie un fragment de la crònica firmada per «Girona» i publicada a «Las Provincias» (13 març 1977), p. 49: «*Escrig pidió a la Alcaldía que cuando le llegue el acuerdo de Valencia sobre "la personalidad valenciana de los valencianos", lo pase rápidamente al pleno. Gómez se armó un pequeño lío al pedir que en el balcón figurase también la bandera valenciana, especialmente cuando Caudau le dijo que "si ponemos la del Ayuntamiento nos dirán catalanistas", ya que en la que el Ayuntamiento tiene no figura para nada la franja azul de la bandera de la ciudad de Valencia. Adán dijo que se podían iniciar las gestiones para adquirir una "valenciana" y Caudau insistió en que entonces tendríamos "la valenciana en el balcón y la catalana en la vitrina". Suponemos que el asunto no pasará de una broma y que la bandera valenciana seguirá siendo la que actualmente posee el Ayuntamiento y honra como senyera desde tiempo inmemorial.*» La perplexitat i les conclusions dels regidors de Sagunt són ben instructives.

VII

Que, sense el blau, la «bandera valenciana» és igual que la «bandera catalana»?

No: no és que sigui igual; és la mateixa.

Com és el mateix l'idioma, i com són els mateixos els enfrontaments polítics que tenim pendents, i com són les mateixes tantes coses més.

Personalment, no he amagat mai aquesta convicció, d'ençà que vaig arribar-hi. I veig que no sóc, ni de bon tros, l'únic a animar-m'hi. El problema «nacional», al País Valencià, passa inevitablement per això. Que el nostre «cas» específic no és, en termes d'història i d'actualitat, idèntic al del Principat i al de les Illes, i —no cal dir-ho— al de la Catalunya Nord, salta a la vista. Fins i tot he escrit tot un llibre, *Nosaltres els valencians*, per demostrar-ho. Però crec que qualsevol «reivindicació valenciana», i «nacional», possible, passa pel camí d'uns Països Catalans convergents cada un d'ells partint de la seva especificitat. Hi ha els «fets diferencials»: els «fets diferencials» són multiplicables fins a l'infinit, i deixen sempre un rastre d'acritud hostil, de «nació» a «nació», de «regió» a «regió», de «comarca» a «comarca», de «poblet» a «poblet». Els xovinismes més rabiosos són, potser, els de «poblet» a «poblet».[49] No vivim ja en una època d'animadversions etnogràfiques, i hem de superar, si volem sobreviure «nacionalment», els tòpics ignominiosament manufacturats per les classes dominants. La contraposició País Valencià-Principat, sense anar-hi més lluny, ha estat víctima de fastuoses mentides: que van des de les diferències dialectuals als interessos econòmics. «Proteccionista» diuen que era el Principat, i «lliurecanvista» el País Valencià: a Sueca i a Alcoi, per exemple, sempre havíem estat «proteccionistes» —o és que a Sueca i a Alcoi no som valencians?—, i no poques comarques agràries del Principat eren tan «lliurecanvistes» com la Plana o la Ribera Alta. L'explicació d'aquest confusionisme polític-cultural —«nacional»— haurem de demanar-la, pòstumament, als «valencianets» acollonits del segle passat i de la primeria del present. I als «catalans» contemporanis d'aquell *imbroglio*. Com hauríem de demanar-los responsabilitats per les tossuderies morfològiques o prosòdiques. Perquè, a hores d'ara, tot això ha perdut

49. *Cf.* Manuel SANCHIS GUARNER, *Els pobles valencians parlen els uns dels altres* (València 1963-1968).

vigència.

Avui, amb les banderes, algú vol enfrontar-nos: a catalans i valencians, i, sobretot, als valencians entre nosaltres mateixos. Són els que no volen que els valencians siguem, d'entrada, «valencians». «Ells» no volen ser res. Últimament, hem vist com s'han proferit grotesques «defenses» de la «personalitat valenciana» per individus aparatosament castellanitzats i que mai no havien alçat un dit de la mà per afavorir una escola «en valencià», ni per protestar pel «Sureste», o per reeditar els nostres clàssics, o ni tan sols per incorporar a València un «Museu Sorolla», i que, de més a més, han consentit i estan consentint la depredació del patrimoni artístico-literari local i s'han fet còmplices de greus afliccions econòmiques al País Valencià, a favor d'interessos forasters. Alguns, encara, amb un malentès «centralisme» de València —«cap i casal del Regne»!—, han endanyat les velles animositats «municipals», distanciant Castelló de la Plana i amargant la d'Alacant.

Si amb el blau de la senyera volen establir una frontera amb la resta dels Països Catalans, automàticament n'implantaran una altra, moltes més, dins el País Valencià.

I que cadascú tregui les conseqüències que vulgui.

Epíleg*

Ara fa un any, poc més o menys, que vaig escriure el present opuscle. En reeditar-lo de nou, no trob que calgui introduir en el text, quant al plantejament bàsic del problema, cap novetat. Durant aquests mesos, els fets han vingut a confirmar que, efectivament, la polèmica entorn de la Senyera sobrepassa el marc de les consideracions «històriques», i que ens enfrontem, avui més que mai, amb la qüestió de fons, o sigui, amb l'actitud *decisiva* davant el futur del poble valencià. Ja hem vist com s'han repartit les forces, i quines són les perspectives que ofereix cada posició. No val la pena d'allargar el comentari. Discutir sobre els colors d'una bandera és una cortina de fum, demagògica a la ciutat de València, darrere la qual s'oculta la realitat urgent d'una tria «nacional». O els valencians optem per recuperar la nostra «identitat», o, com voldrien els del «blavet», ens haurem de resignar —potser

* Signat el dia de Pasqua de 1978.

definitivament— a la condició subalterna, provinciana i miserable del
«*regionalismo bien entendido*» o de diluir-nos en un «*para ofrendar*» que en el
pecat portarà la penitència. Basta pensar un moment en les persones, en els
grups diguem-ne polítics i en els «programes»? que s'han aglomerat al voltant
de l'anomenada «senyera tricolor». Són prou coneguts, i els valencians, del
Sénia al Segura, sabem què podem esperar d'ells.

Però l'episodi, en la seva superfície més trivial, no deixa de tenir una certa
amenitat. Ha servit per a airejar un detall «erudit», i per a popularitzar-lo. Ha
servit, per exemple, per a provocar desesperades tervigersacions de l'evidència,
com és el cas d'aquella al·lusió a una pinzellada blava en un retaule
estrictament i acollonidorament «quadribarrat» que, atribuït a Marçal de
Sax, es conserva en un museu de Londres. En l'època que aquelles taules eren
pintades, la possibilitat del blau —ni tan sols municipal— era impensable.
No hi ha tal blau. Ni mai no pensaren en el blau els valencians que lluitaren
a Almansa, segons la documentació gràfica contemporània. Ni... Bé: aquest
epíleg ve suggerit per l'interès que pugui conservar l'aspecte «històric» del
tema. Que no és el primordial, vull insistir-hi. El debat és actualíssim, propi
d'una situació conflictiva, patètica i resolutòria. Ara: com que els partidaris
del «blau» solen procedir de la fauna tradicionalistoide, «passatista» i arnada,
i ignorant, convé afinar l'argument «històric».

Si no s'hagués produït «*la falsa guerra de las banderas*», com Josep Perarnau
titulava un seu article al «Tele/eXprés» (29 març 1978), avui encara no
disposaríem d'una declaració de principis antiquíssima, fundacional. Perarnau
ha exhumat unes notes manuscrites de Rafael Martí de Viciana, l'historiador
borrianenc del segle XVI, arxivades a la Biblioteca de l'Escorial. Segons
sembla, Viciana copiava documents antics, com és logic —avui encara ho
fan— en un «erudit». Fa una certa gràcia llegir un dels «capítols fermats entre
lo comte de Barcinona e la infanta donya Petronila, reina d'Aragó». «Lo
quart és que el seu senyal, ço és, groc e vermell, sia per tots sos regnes e terres.»
El «senyal» —escut i bandera— ja ens ve de la «unió» de Catalunya i Aragó.
Les quatre barres sense afegitons són d'Aragó i de Catalunya —del Principat—
, i nostres, dels valencians i del insulars, i d'una gran part del territori
llenguadocià. Si els aragonesos volen reivindicar les seves «quatre barres»
sense sofisticar, per què no ho farem els valencians? La senyera és «catalana»,
i per això mateix és valenciana. I aragonesa, i provençal? Com més serem, més
riurem... En l'escut d'Espanya vigent, els valencians estem representats per

la nefanda «quadribarrera»: sense blavets municipals. O no?

Un altre punt a dilucidar és des de quan la mateixa ciutat de València té el blau incorporat a la seva senyera. En l'escrit precedent, jo m'havia sumat a una vaga tradició local, que atribuiria a Pere el Cerimoniós, per a València, un privilegi similar al que va concedir a Borriana. Era una conjectura. El cas és, però, que la conjectura no s'aguanta. El blau diferenciador de la capital no deriva del Cerimoniós. I ni tan sols sembla admissible l'argument d'uns pams de tela blava que compraven els Jurats a començaments del segle XVI, Investigacions molt recents, encara no publicades —ja ho seran—, situen l'aparició de la franja discutida en uns temps notòriament pròxims. Aquesta és la rectificació que em veig obligat a fer. Deixo el tema en l'aire, perquè no sóc especialista en la matèria, ni puc ara i ací valer-me del treball d'altri, inèdit i en curs de maduració. Esperem-ne els resultats. Que segurament no seran gens favorables a les tesis «blavistes»: potser fins i tot ens trobarem que la bandera «tricolor» no arribà a ser «de la ciutat» sinó des de fa quatre dies, com aquell qui diu.

I vull acabar amb una insistència diàfana. No em cansaré de repetir-ho: l'aspecte «històric» de la qüestió, amb la importància que convingui donar-li, no és el més fonamental. Allò que, de veres, es ventila en el debat és una concepció ben concreta del País Valencià de cara a demà. I en aquest terreny no hi ha dubtes possibles.

3. País Valencià, per què?

Entre el 15 i el 19 de setembre de 1981, al «Diario de Valencia», vaig publicar quatre articles que haurien d'haver tingut com a títol general: *País Valencià, per què?*. Ara, davant la proposta de reeditar-los en aquest opuscle, he pensat que potser valia la pena de refer-los i de completar-los, tant per eliminar-ne alguns detalls circumstancials, superflus en definitiva, com per a afegir-hi unes poques dades històriques més. El contingut, però, és bàsicament el mateix. I la intenció. Perquè —i que quedi això ben clar— no es tracta, amb aquestes planes, de participar en la polèmica (polèmica?) de si «país», «*reino*» o «rechió», que tanta saliva i tanta tinta ha fet córrer en els últims anys: el propòsit és només d'explicar les raons pràctiques —polítiques, per descomptat— que un dia aconsellaren l'opció «País Valencià» enfront de qualsevol altra, i, naturalment, els precedents del terme a través de la documentació més assequible. No cal dir, i ho espero, que el tema tindrà, a la llarga, noves oportunitats d'examen i, sobretot, de reforçament erudit. Aquest paper respon a una urgència molt determinada, i, en realitat, fa molt de temps que algú l'hauria d'haver escrit. Un dels grans defectes —o dèficits— que l'impuls de recuperació «nacional» del poble valencià arrossega és, precisament, la precarietat de textos que li proporcionen fonaments de doctrina, informació clara del passat i del present, reflexions enèrgiques sobre el futur. Sigui com sigui, confio que aquesta aportació meva, esquemàtica i ràpida, podrà ser útil. Hi he renunciat a tota coloració pamfletària, i la cosa s'hi prestava! Tanmateix, el lector ha de saber, des del principi, que, en defensar la fórmula «País Valencià», els qui l'adoptem, ja triem, ja hem triat la perspectiva d'un dia de demà «normal» per al nostre poble: sense reminiscències arqueològiques ni nostàlgiques d'un «*reino*» (o «reine», o «regne», o «reialme») evaporat, i sense la desgraciada degradació provinciana de la «regió» (o «rechió» o, singularment, «*región*»). Són concepcions distintes, antagòniques, d'allò que uns i altres aspirem per a la nostra comunitat. No dic que tots els qui criden «País Valencià! País Valencià!» tinguen massa coincidències de fons: ja ho sé. Però ja en tenen una, per a començar: el repudi del vell «*regionalismo bien entendido*» —o «*sano regionalismo*», ara— i la possibilitat, tan vaga com es vulgui, d'apinyar-se entorn d'unes eficàcies immediates i coherents que puguin traduir-se en una «realització» mínimament compartida, o compartible, que retorni als valencians la seva dignitat col·lectiva, la seva entitat de «poble», la seva «identitat». Hi haurà discrepàncies, i profundes, per què no? De tota manera, per als tràmits pendents —desfranquitzar, democratitzar, liberalitzar inclús—, la línia-frontera passa per la denominació: «País Valencià». «País Valencià», des d'abans de la Guerra d'Espanya, i més encara en les tímides proposicions locals contra el franquisme i a favor de la democràcia factible, ha representat l'única —única— alternativa a les rèmores de la Dictadura, que, justament amb aquest nom, aconseguien posar els fonaments d'una «unitat valencia-na», de la Sénia al Segura, bastant dificultosa de reconstruir. Els fracassos dels «estatuts» valencians durant la II República venien fomentats per unes dissidències «provincials» —provincianes—, que no seré jo qui els negui justificació, però que descartaven la primera evidència de ser «valencians». No és ací el lloc de parlar-ne detingudament. L'expressió «País Valencià», en tot cas, en superava l'obstacle. Tots som valencians, els qui vivim i treballem en les tres «províncies» actuals, i uns parlem català i els altres parlen castellà. Indígenes o immigrats, hem de conviure i de buscar expedients que facin fàcil la convivència. Els límits que acceptem com els del País Valencià són els que l'Administració espanyola imposà a les tres províncies en el segle XIX. Ni la comarca de Villena, ni la de Requena, per cert, no havien format part mai del «Regne de València» foral. Però això és una altra història. La que ací vull esbossar és la de la denominació «País Valencià» i de les necessitats que la justifiquen.

I

En l'origen, hi ha la insatisfacció i el confusionisme que produïa l'homonímia del «regne», la «província» i la «ciutat»: València.

L'antiga locució «ciutat i Regne de València» havia estat vàlida durant segles: els segles, exactament, en què el «Regne» pogué mantenir la seva entitat política autònoma dins la Corona d'Aragó. No sembla que mai hagués estat posada en discussió.[1] La «ciutat», hegemònica des de molts punts de vista, assumia aleshores un paper dirigent que anava més enllà de les pròpies funcions municipals, i el «Regne», àmpliament feudalitzat, i ni tan sols uniforme en les seves estructures jurídiques,[2] no sempre va integrar-se amb plena harmonia en aquell laboriós procés de construcció d'allò que avui anomenaríem «estat» (i seria anacrònic d'establir-hi comparacions). En qualsevol cas, la situació canvia de manera radical arran de la derrota d'Almansa, el 1707. Felip V, en abolir els Furs i les institucions públiques que en derivaren, deixava el «Regne» —«la ciutat i Regne de València»— sense consistència política, i el deixà com una demarcació més de la monarquia unitària que procurava articular. El «*Reino de Valencia*», des d'aleshores, solament seria una designació administrativa, cada dia més simbòlica, inserida en les inèrcies de l'Antic Règim. En el XIX, aquesta ficció dels papers oficials va ser definitivament arraconada: el territori fou dividit en «províncies», i el resultat final ha estat el que encara sofrim.

A diferència del que s'esdevenia en altres llocs de la monarquia, la divisió provincial introduïa entre nosaltres un ingredient de dissidència insidiós. Si després de cent cinquanta anys —o els que siguin— les «províncies» han acabat per segregar a tot arreu el seu particularisme, a l'ex-«*Reino de Valencia*» les conseqüències van ser més greus: una part —una província— s'apropiava del nom genèric, València, i deixava la resta, les altres dues províncies, Alacant i Castelló de la Plana, en una condició centrífuga fàcil. En la majoria de les altres «regions» espanyoles, per una raó o una altra, a la dispersió provincial i provinciana se superposaven encara un corònim i un gentilici que podien fer de suport a un mínim de consciència d'unitat. Aragó i aragonès, per damunt de Saragossa, Osca i Terol. Catalunya i català, Galícia i gallec, Andalusia i andalús... Potser el cas més paregut al nostre era el basc, i tampoc massa: els bascos, si no tenien un nom únic territorial, sí que

---

1. Aleshores hauria estat inconcebible. Però l'enfrontament València-Alacant, amb les repercussions que a la lliga havia de tenir, ja el detectem en el segle XVII, i no venia de nou: veg. Sebastià GARCIA MARTÍNEZ, *Els fonaments del País Valencià modern* (València 1968), ps. 95-96.

2. *Cf.* M. GUAL CAMARENA, *Estudio de la territorialidad de los Fueros de Valencia* en «Estudios de Edad Media de la Corona de Aragón», *III* (1948), ps. 262-289.

conservaren clarament el gentilici comú. I, ni que sigui alterant una mica el fil de l'exposició, convé assenyalar la solució basca: d'unes «*Provincias Vascongadas*» inicials van passar a «*el País Vasco*», i això d'«Euskadi», unànimement i constitucionalment acceptat, és una creació recent: de fa quatre dies, com aquell qui diu.

I fou amb la provincialització que la unitat del poble valencià va patir unes fissures d'amarga duració. Si els de la província de València eren «valencians», els habitants de les províncies d'Alacant i de Castelló de la Plana havien de ser, respectivament, «alacantins» i «castellonencs», i la falta d'una denominació superadora, supra-provincial, no tardà a donar els seus efectes disgregadors. Els «valencians-valencians», els «valencians» per antonomàsia, eren els de la província de València, i l'ús restrictiu que feien del gentilici els distanciava d'uns «alacantins» i d'uns «castellonencs» que, sense voler, es veien desqualificats en tant que «valencians». I pitjor: dins la mateixa província de València, l'ambigüitat del nom capital-comarques també proporcionava l'ocasió d'un localisme absurd, que condensava en la «ciutat» i els seus voltants les «essències» d'aquest tros de comunitat.

L'absurd ha arribat a extrems inconcebibles, i l'extrem més grotesc de tots ha estat el dels tòpics: el Miquelet, la barraca, Blasco, la «llauradora ab aspecte de regina», la paella, el Tribunal de les Aigües, les falles... Tot això, i més. Són tòpics que, mirats o pensats des de Morella o des d'Elx —o des de Sogorb i des d'Oriola— no signifiquen res. Potser ja no signifiquen res a la Vall d'Albaida, a la Ribera Alta, al Camp de Morvedre, a la Safor. I, si dels tòpics folkloritzants passem a un estadi més precís i inflexible, com pot ser el de l'economia o el de la cultura, el de l'idioma o el de l'estructura social, la «peculiaritat» valenciana, segons aquesta rèmora provinciana i capitalina, s'emporia, i provocava marginacions i recels. És curiós d'observar que, en definitiva, els «castellonencs», a pesar de tot, s'han afirmat com a «valencians», i últimament ja s'hi detecta un distanciament, i un lògic desdeny pels «valencianets». A la província d'Alacant...

El problema de la província d'Alacant ha estat més complex, probablement per raons històriques que convindria aclarir.[3] Ve de lluny l'enfrontament de

3. D'alguna manera, en parla José Vicente MATEO en *Alacant a part* (Barcelona 1966).

les oligarquies municipals de València i d'Alacant: han estat unes «burgesies» rivals, que no s'han entès mai —o molt rarament— i que, pel seu tamany econòmic i per la seva mentalitat retrògrada, no han sabut jugar el protagonisme «de classe» que cronològicament els pertocava. Ni la burgesia d'Alcoi, per citar-ne una altra, probablement la més acostada als mòduls de l'Europa industrial. Descartaré ací la temptació d'analitzar l'espectacle. Però no hi ha dubte que una gran part de la província d'Alacant, començant per Alacant, s'ha sentit i encara se sent poc «valenciana», i sovint «antivalenciana». «*Yo soy alicantino y español, però no valenciano*», declarava fa poc un polític —petit polític— d'Alacant, en unes declaracions que, per imprevisió meva, no puc citar a peu de pàgina. L'aversió a considerar-se «valencians», per la banda d'alguns «alacantins», no seré jo qui la condemni. La «culpa» emana de València. O del dimoni.

Després parlarem del «Levante» i del «*levantinismo*». M'interessa avançar aquesta evidència: els grans escriptors «alacantins» en castellà —i més encara la púrria menor— han evitat tant com han pogut dir-se «valencians». Azorín encara ho feia, a estones.[4] Gabriel Miró, menys. Tendien a autoqualificar-se «*levantinos*», «*mediterráneos*» i coses per l'estil. Tot, llevat de «valencians». I Miguel Hernández? Qui gosaria dir que Hernández fou, des d'Oriola —com els Sijé—, un escriptor «valencià»? I no m'estic referint a la llengua en què escrivia. El bilingüisme literari, entre nosaltres, és antic. Em pregunte per què Blasco Ibáñez o Gil Albert són «valencians» per definició, i Azorín, Miró o Hernández ja són «*levantinos*». «Alacant» no volia ser «València». València-ciutat, encauada en la seva mitologia botigueril —el blasquisme en fou una demostració, com la Derecha Regional Valenciana més tard— acaparava el nom: València. Un nom que simultàniament volia abraçar la capital, la seva província i les altres dues províncies. O no: només la ciutat i la comarca circumdant.

Una qualsevol proposició de «refer» la unitat del poble valencià —en la mesura que aquesta unitat sigui possible per damunt les divergències de classe, polítiques, lingüístiques— havia de començar per recuperar una fórmula factible, capaç de coagular les diverses i divergents actituds que els valencians adoptem davant el nostre problema «nacional», o «regional», o

---

4. Veg. AZORÍN, *Valencia* (Madrid 1940), *passim*.

com vulguen dir-ho: tant me'n fot. No era viable allò de la «*región*» («*que supo luchar*»), perquè ja hi havia molts valencians, des del Sénia al Segura, que s'havien espavilat. La «*región*» era un terme de subordinació. El «*reino*»? El «*reino*» oferia dificultats tècniques, a banda d'altres. La poca o molta efervescència «autonomista» que s'havia despertat en els anys finals del franquisme, no era precisament reaccionària. Ningú no pensava en els furs medievals, ni en fantasies retroactives: era el dia de demà, amb una proposta inèdita, el que ens mobilitzava: un nou «model de societat». Aprovada la Constitució vigent, que fa d'Espanya un «Reino», a què vénen aquestes desbaratades exasperacions indígenes de voler un altre «*reino*»? Els andalusos pensen en Andalusia: no en el «Santo Reino de Jaén», ni en el «Reino de Granada», ni en el «Reino de Sevilla» (si és que hi hagué un «Reino de Sevilla», que no ho sé). Posats a reclamar històries, si jo fos un veí de Dénia, per què no hauria d'exigir la restauració del Regne musulmà de Dénia, amb poders sobre un tros de les Balears? Les collonades «historicistes» són inacabables. I el problema és ara. I és ara i és demà.

II

Quan van escindir el poble valencià en províncies, i amb l'estranya destitució del nom comú, de «valencians», algú va promoure una alternativa: «Levante». Seria ben interessant que algú investigués les fonts de la innovació en la nomenclatura.[5] Potser, en el fons, l'acceptació que «Levante» va aconseguir durant una llarga etapa tenia en la base aquesta facilitat que brindava: la de ser el nom supraprovincial de què mancaven els «valencians», els «castellonencs» i els «alacantins». No importava si es tractava d'una mera designació geogràfica imaginada des d'un «centre» que era Madrid; tampoc no importava la seva mateixa exactitud geogràfica. I no cal dir que ningú —pràcticament ningú— no va recordar que, en la tradició local, «Llevant» havia estat sempre la zona riberenca del Mediterrani oriental. Tenia aquell

---

5. F. ALMELA I VIVES, en *Valencia y su reino* (València 1965), ps. 22-27, en diu alguna cosa, però sense precisar dates, o limitant-se a algunes no precisament d'origen. Vicenç ROSSELLÓ insinua la data del 1847 (veg. *Saitabi*, XIV, p. 158).

avantatge: el de servir de substitut d'un «Regne de València» desaparegut o d'una «*Región Valenciana*» repel·lit. L'èxit del «*Levante*» i del conseqüent «*levantinismo*» va ser més marcat a la província d'Alacant. Molts «alacantins» eren reticents a dir-se «*valencianos*»: preferien això de «*levantinos*».

Però la cosa del «Levante» va tenir de seguida unes implicacions polítiques clares: venia a ser una manera com una altra de minar la «identitat» dels valencians,[6] en difuminar les possibilitats de reunir-nos en una reivindicació comuna. «Levante» esdevenia un terme molt elàstic, i, de vegades, a les tres províncies valencianes hi afegien la de Múrcia, la d'Albacete i tot, o la de Terol, no sé si inclús la de Conca. Estic convençut que, a partir d'un determinat moment, la maniobra fou deliberada: s'hi intentava desdibuixar el risc d'un altre «*regionalismo disgregador*». La barreja de províncies —excusada amb pretextos econòmics poc convincents— diluïa qualsevol projecte d'unitat valenciana real. Més encara: una derivació d'aquest plantejament inicialment «*levantino*» va ser, després, la temptativa del «Sureste», amb la qual volien substreure del «Regne de València», de la «Región Valenciana», o del «País Valencià», totes o la majoria de les comarques de la província d'Alacant, per unir-les a Múrcia i a la mateixa Almeria.[7]

La promoció del terme «Levante» va obtenir un màxim d'expansió després del 39. Les presumptes vinculacions econòmiques amb terres no valencianes es demostraren finalment poca cosa: uns problemes hidrogràfics i agraris en la frontera valenciano-murciana. Però el «Levante» perdurà durant anys, seguit del «Sureste», fins que, a poc a poc, s'ha imposat —no massa, ben mirat— una mica de «consciència» revalencianitzadora de Vinaròs a Oriola. Si no m'equivoco, llevat dels grups residuals de la CNT, a les acaballes del franquisme, ja cap estímul polític relativament popular no mantenia l'etiqueta de «Levante». L'oposició democràtica es decantava per «País Valencià». Amb una convicció segura? La rèmora del provincialisme impedia que ho fos, però també les necessitats d'un replantejament de l'estat

---

6. Veg. les meves indicacions en *Nosaltres els valencians* (Barcelona, 1962), ps. 107-108.

7. La loquacitat periodística sobre el «Sureste», un «*alicantinismo*» i una «*alicantinidad*» dissidents, demana ser estudiada amb calma. Ja en diu alguna cosa José Vicente MATEO (veg. nota 3).

espanyol, amb la idea de les «autonomies» interferida, ho forçaven.

Una primera aventura per desfer l'embolic contra el «Levante» per absurd, i al marge del «Regne de València» desuet i de la «Región Valenciana» inadmissible, va ser la que insinuà el doctor Faustí Barberà, un metge erudit de València, militant en el tendre «valencianisme polític» de les primeries del segle XX.[8] Barberà va comprendre que la descomposició provincial dels valencians exigia fomentar un nom nou: un nom que no fos «Levante», ni «Regne de València», ni «*Región Valenciana*». I va tenir l'acudit d'inventar-se «Valentínia».[9] La fórmula resultava tan insòlita i artificial, que va caure ràpidament en l'oblit. Més aviat degué ser considerada, en el seu temps, com una broma grotesca. Ara: la intenció era sana. Calia, en un «regionalisme» incipient, afrontar aquesta «qüestió de noms» que, no resolta, impedia tota operació aglutinant. La «Valentínia» del doctor Barberà fou discretament eludida pels seus continuadors en la tènue operació «regionalista».

Fins que, a les darreries de la Dictadura de Primo de Rivera, algú començà a parlar de «País Valencià». Jo ara no sabria dir qui ni quan. En la revista «Taula de Lletres Valencianes» no he sabut trobar el terme. Una indagació sobre els papers editats en el trànsit de la Dictadura a la II República potser ho aclariria. La meva impressió personal és que la iniciativa procedia de les minories universitàries que, amb una decisió nacionalista inèdita al País Valencià, s'organitzaren en una «Acció Cultural Valenciana», i en l'àrea d'influència que van tenir. Era, aquella, una generació d'«historiadors»: hi participavèn Mateu i Llopis, Gómez Nadal, Igual Úbeda, Beneyto Pérez, Carreres i de Catalayud, Sanchis Guarner...

D'ells degué sorgir el terme «País Valencià» com una solució «regional» i de cara a les vel·leïtats segregacionistes de les províncies.[10]

8. Veg. Alfons CUCÓ, *El valencianisme polític* (València, 1971), ps. 37 i ss.

9. Veg. J. NAVARRO CABANES, *Prensa valenciana* (València, 1928), p. 106. En realitat, resulta conjectural l'atribució de «Valentínia» a Faustí Barberà, però tot fa pensar que s'origina en el seu grup. Navarro Cabanes esmenta (*loc. cit.*) un «quincenari valentiniste» aparegut el 1908 i dirigit per l'obrer tipògraf Rossend Gumiel, que se subtitulava «democràtich, Christ y Valentínia». Faustí BARBERÀ, en *De Regionalisme y Valentinicultura* (València 1910), p. 51, parla de «Regió Valentina», indiscutiblement per evitar «Regió Valenciana». [P.S. En el setmanari «Lo Crit de la Patria» (València 1907), núm. 1, trobem: «nostra pàtria es Valentínia».]

10. Per exemple, Ferran VALENTÍ, *La bandera barrada a Castella*, dins «Acció Valenciana», núm. 16 (23 desembre 1930), p. 1 («Llevant ha estat sempre l'extrem

En realitat, això de «País Valencià» començava per ser una proposta culta. Algú havia trobat la fórmula en un llibre antic: no massa antic, però antic. O en molts llibres. I tenia uns avantatges diàfans. Quedava descartat el «regne» inexistent; hi descartaven, encara, la ignominiosa «Región» subalterna i afligida; abominaven del «Levante».[11] «País Valencià» venia a ser un calc de «País Basc», però probablement amb antecedents més antics. Mantenia el gentilici: «valencià». I «país»? Per qué no «país»? Un «país» és una terra i la gent que hi viu: és una «comunitat». No tenia les connotacions arcaiques del «regne», ni les despectives de «*región*». I ho posaren en marxa, això: «País Valencià.» Les dissidències provincianes d'Alacant i de Castelló de la Plana podien cedir davant una designació nova i plausible: hi cediren, més tard. Perquè la proposta «País Valencià» dels universitaris —alguns, estudiants encara— dels anys 30 i 31 tenia escasses oportunitats de prosperar. Però comença a tenir-les immediatament. La proclamació de la II República el 1931 feia més anacrònic el «regne»[12] i més estúpida la «*región*»...

Un dia caldrà que algú puntualitzi els avatars de «País València». No tardaren a acceptar-lo les agrupacions polítiques més o menys nacionalistes, i fins va figurar com a títol d'un setmanari.[13] Van fer-lo seu la majoria dels

oriental de la Mediterrània, Grècia, Síria, Palestina, Xipre, no les terres valencianes, i per Llevant s'entenen els historiadors quan parlen d'aquells països; mai ha acorregut nomenar així a açò que té un nom en Espanya, que és València, Regne de València o país valencià, senzillament»); *Els bells indrets del País Valencià*, núm. 18 (20 gener 1931), p. 6; eslògan editorial, núm. 19 (5 febrer 1931), p. 1 («L'hora de parlar de "*patria chica*" i "*patria grande*" és ja acabada; pàtria no n'hi ha més que una i la teua és el País Valencià»); V. M., *El català acadèmic i el comarcal*, núm. 20 (20 febrer 1931), p. 8; etc. Segons Emili GÓMEZ NADAL, *El País Valencià i els altres* (València 1973), p. 43, fou efectivament Acció Cultural Valenciana qui posà el terme en circulació. Cal dir que, més en concret, va ser ell el primer que l'utilitzà en la revista, en l'editorial anònim *Almansa: 25 d'abril de 1707*, núm. 2 (1 maig 1930), p. 2.

11. Un exemple d'aquesta abominació és un article del mateix GÓMEZ NADAL aparegut a «El Camí», núm. 13 (28 maig 1932), p. 3, titulat *Nomenclatura: Levante, Llevant i País Valencià*. L'autor hi suggeria que el terme Llevant designés totes les terres de llengua catalana.

12. Amb el canvi de règim, algunes institucions van corregir la seva denominació. Així, la Caja de Previsión Social del Reino de Valencia passà a designar-se Caja de Previsión Social del País Valenciano.

13. Veg. CUCÓ, *op. cit.*, mencions a les ps. 249 i 450.

intel·lectuals, bé sistemàticament, bé alternant-lo amb l'equívoc «València», tan arrelat. El 1933, Felip Mateu i Llopis publicà un llibre estimulant: *El País Valencià*;[14] les *Històries del País Valencià*, d'Antoni Igual, editades durant la Guerra d'Espanya, en són una altra fita.[15] I Almela i Vives, i Carles Salvador, i Miquel Duran, i tants més, procedents de generacions anteriors, usaven «País Valencià» habitualment.[16] El 1939, amb el règim de Franco, tallà aquests progressos de normalització. Tanmateix l'eficàcia del terme continuà conscient entre les petites minories que encara es mantenien fidels en la clandestinitat a les il·lusions truncades. Com podríem oblidar, per exemple, l'article que el 1954 publicava Miquel Adlert Noguerol, titulat precisament *La literatura catalana del País Valencià*, inserit en un volum miscel·lani d'homenatge a Carles Riba?[17]

Amb el temps, algunes d'aquestes decisions personals van claudicar. No és aquest el lloc de parlar-ne. El cas, però, era que la llavor llançada no tardà a rebrotar, i ara com una necessitat civil més àmplia. Degué ser entorn del

14. Felip Mateu i Llopis, «El País Valencià» (València, s.d.). Formava part dels «Quaderns d'Orientació Valencianista», de l'editorial l'Estel.

15. Antoni Igual Úbeda, *Històries del País Valencià* (València, 1938). Veg. p. 5: «El territori que, extenent-se del Sénia al Segura i d'Almansa a la mar comprèn les tres *provincias* d'Alacant, Castelló i València, té prou personalitat geogràfica, economista i llingüística per què es pugui parlar d'ell com d'una entitat homogènia denominada País Valencià. Sols li manca una apropiada personalitat política...»

No em puc entretenir ara a fer una relació exhaustiva de l'ús del terme «País Valencià» durant la Segona República i la Guerra d'Espanya. Apareix al text de les *Normes* de Castelló i en nombrosos documents i declaracions de l'època. Durant el conflicte foren creats la Biblioteca del País Valencià, el Centro de Estudios Históricos del País Valenciano, els Premis Musicals del País Valencià, el Premi Literari del País Valencià, etc.

16. Per exemple, veg. F. Almela i Vives, *La literatura valenciana* (València, 1934), *passim*; per a Carles Salvador, els testimoniatges són abundants a partir de 1931; la posició de Miquel Duran es veu ben clara a les pàgines de la seva revista «La República de les Lletres» (1934-1936).

17. Miquel Adlert Noguerol, *L'actual literatura catalana del País Valencià*, dins *Homenatge a Carles Riba en complir seixanta anys* (Barcelona s.d. [1954]), ps. 105-117. Vegeu encara, en Cucó, *op. cit*, p. 251, un altre text d'Adlert, ja del 1935.

1960. Jo mateix en sóc testimoni d'excepció, tant pel meu procés reflexiu sobre el tema com per l'episodi del 62-63, arran de la publicació de dos llibres meus,[18] quan es van concitar contra mi les ires dels sectors més «paleolítics» de la societat valenciana. L'anècdota és secundària, és clar. Ara: així com l'aparició —o reaparició— de «País Valencià» el 1930 no havia provocat pràcticament cap resposta hostil, el 1962 desencadenà una campanya frenètica. Això només volia dir —a banda l'espectacle dels giracasaques— que, sota la calma superficial del franquisme, s'havia gestat un corrent d'opinió amb «idees clares» sobre el futur del poble valencià. No passava de ser, aleshores, un moviment tímid, de pobra força numèrica i fonamentalment covada a les aules de la Universitat.[19] Aquesta vegada, el clima odiós de la dictadura franquista ajudà a un represa de «consciència nacional» més aguda i més decidida.[20]

I a mesura que la II Dictadura s'erosionava, i amb poca o molta empenta van sorgir forces populars que es definien en contra, la reivindicació «autonòmica» era assimilada pels partits polítics germinals. En part, fou per mimetisme del que s'esdevenia en altres llocs: a Catalunya, a Euskadi, principalment. En part, també, per una instintiva reacció contra el centralisme nacionalista amb què Franco havia engrillonat la seva Espanya. Però així mateix hi havia penetrat, d'una manera difusa, la «clarificació» nacional que

18. *El País Valenciano* (Barcelona, 1962) i *Nosaltres els valencians*, ja esmentat en la nota 6.

19. Cal no oblidar que alguns vells valencianistes continuaren emprant el terme País Valencià. Per exemple, Ismael ROSSELLÓ I ZURRIAGA: *Les dues maneres de sentir-se valencià*, «Pensat i Fet» (València 1960), reproduït a *Libro oficial fallero* (València 1982), Junta Central Fallera, s.p. En l'àmbit universitari, la denominació País Valencià ha tingut un ús generalitzat. Penso, per exemple, en el I Congrés d'Història del País Valencià, celebrat el 1971, i també en una enorme quantitat d'estudis de tota mena: les obres col·lectives *Història del País Valencià i Estructura econòmica del País Valencià; Aproximació a la història del País Valencià*, de Joan Reglà; *La banca al País Valencià*, de Vicenç Rosselló i Emèrit Bono; *La Inquisició al País Valencià*, de Manuel Ardit; *Història de la senyera al País Valencià*, de Pere Maria Orts i Bosch; *La CNT al País Valencià*, de Terence Smyth; *El País Valencià*, de Vicent Ventura i Francesc Jarque; *El País Valenciano del neolítico a la iberización*, de Miquel Tarradell; etc.

20. Francesc PÉREZ I MORAGON, *Premsa clandestina al País Valencià (1962-1977)* dins «L'Espill», núm. 5 (primavera 1980), ps. 55-93.

emanava de les minories joves del neovalencianisme. Aquest «valencianisme» imprevist, realment «nou», ja no tenia res a veure amb la imatge, afortunadament evaporada, del «valencianisme» anterior al 36, sempre acusat de «dretà». L'oposició hi havia de comptar, no solament perquè n'experimentava impregnacions, sinó perquè, de fet, es convertia en un ferment de possibles repercussions populars. L'esquerra, mòdica o extrema, s'incorporà la reclamació «autonòmica».

I, dins d'aquest magma antifranquista, l'assumpció del nom «País Valencià» va produir-se inicialment sense cap dificultat. Va ser emprat per tothom qui treballava per la «ruptura» o per la «transició».[21] Només els reductes impertèrrits del franquisme s'hi van resistir. Fins i tot alguns, com l'ultraconservador diari «Las Provincias», que mai no ha deixat de nedar i guardar la roba, s'hi va deixar endur.[22] El que ha passat últimament, ja no cal explicar-ho. Avui, «País Valencià» ha esdevingut una fórmula conflictiva. I no pel presumpte o real «catalanisme» dels qui el defensen, perquè això del «catalanisme» no és més que un pretext «desestabilitzador», com diuen ara. Per «País Valencià» formen els valencians que pensen cadascú al seu aire —que el nostre poble té uns drets col·lectius a exigir: la majoria, ni tan sols són «nacionalistes». Senzillament, es plantegen el problema viu dels «valencians» sense retòriques historicistes ni deixadeses folkloritzants. I pel «*reino*» —poc «regne», alto!— i per la «*región*» militen els de «sempre»: els qui no volen que els valencians siguem «normals».

21. Per exemple, el cas de Manuel BROSETA, que fou president de la Junta Democràtica del País Valencià. Un repàs dels seus articles a «Las Provincias» ofereix una bona mostra d'aquesta assumpció. Ell mateix en seleccionà alguns a *Som valencians. Selección de colaboraciones periodísticas publicadas desde 1974 hasta 1979 en el periódico «Las Provincias» de Valencia* (València, 1979).

22. Vegeu Maria Consuelo REYNA, *Adiós al país valenciano*, «Las Provincias» (24 maig 1980). Amb el to que li és habitual, l'autora justificava el seu «adéu» al terme País Valencià amb algunes referències a un fullet meu, *Qüestió de noms*, publicat divuit anys abans (veg. *supra*, ps. 13-29), N'hi ha que tarden a adonar-se de les coses...

III

Això de «País Valencià» no és una invenció recent. Recordo unes declaracions de don Emilio Attard a la premsa —lamento no poder citar-ne la referència exacta— que venien a dir: «*De eso de "País Valenciano" nunca se habló hasta los libros de Fuster...*». Aquest senyor, o no té memòria, o no tenia costum de prestar atenció a les efervescències nacionalistes d'abans de la Guerra d'Espanya: potser, ni aleshores com ara, no l'interessava gens la vertadera «entitat» o «identitat» d'un poble que, al capdavall i si no m'equivoco, també és el seu. Algun altre personatge, o personatja, ha proferit: «*Eso de "País" viene de "Països", y ya se sabe...*». I no. En tot cas, seria al contrari. La conclusió em sorprèn pel que significa d'ignorància o de tergiversació. Tots ells, en realitat, són gent que no concep la «*región*», el «*reino*» o —uf!— el «país» més enllà del camí de Trànsits: és el «centralisme» de València, que, si bé es mira, només és centralista d'ell mateix: la contemplació del propi melic. Vinaròs, Elx? Queden tan lluny!

Demanar-los, a aquesta mena d'individus, una tènue serenitat per a contemplar el problema és inútil. Ells, cada dia, conculquen les seves afirmacions. I si en els diaris que dominen apareix un reportatge sobre «*vinos valencianos*», de seguida veiem que no parlen de més enllà d'Almassora, ni tan sols arriben a Dénia. I si diuen: «*economía valenciana*», resulta que només s'ocupen dels interessos de la burgesia municipal, segurament importants, però amb una sistemàtica eliminació dels que puguin ser crítics a la província de Castelló de la Plana o a la província d'Alacant. La sinonímia ciutat-província-país la tenen en la massa de la sang: ells són els únics «valencians» i, per a major inri, «*valencianos*». I com que, segons un docte observador de la realitat social, «la ideologia dominant sempre és la ideologia de la classe dominant», el resultat final és que un botigueret de València —que no és «classe dominant», sinó «dominada»— acaba creient-s'ho. Són manipulacions infames, i ja s'ho apanyaran.

«País» serà o no serà un gal·licisme: ja el trobem en la *Crònica* que a Xirivella va escriure Ramon Muntaner, un empordanès «ciutadà de València» i home precoçment conscient d'allò que hauria d'haver estat la nostra «unitat nacional».[23] Bé. Però «País Valencià» havia de ser posterior a la desaparició

23. Veg. *Diccionari català-valencià-balear*, *s.u.*, amb documentació extreta de Muntaner, Jaume Roig i el *Curial*.

del «Reino de Valencia», en ple segle XVIII. Estic segur que, amb una delicada investigació, en els llibres valencians setcentistes, el terme «País Valenciano» —en castellà, és clar— abunda. Era, si es vol, un recurs estilístic: per a no dir repetidament «Reino de Valencia» o «Nación Valenciana». És fullejant aquests patracols que els estudiants dels anys 30 van trobar la solució. Jo no m'he dedicat particularment a la cosa, però em sembla que el volum de les *Fiestas seculares* que en honor de sant Vicent Ferrer va publicar el jesuïta Tomàs Serrano el 1762 en pot ser una mostra. El pare Serrano empra ara i adés «País Valenciano», i amb majúscules, com era propi de la tipografia de l'època.[24] I no devia ser una expressió determinadament culta quan un «col·loqui» anònim imprès el 1767, i en el vernacle més clar, diu «País Valencià». Ho enregistra la *Bibliografia* de Ribelles Comín.[25]

Però encara hi ha un rastre anterior. Marià González i Baldoví, en exhumar la biografia d'un frare de Xàtiva del XVII, ens hi afegeix un precedent: un precedent del Barroc.[26] El llibre que ens ha desenterrat Gonzàlez i Baldoví és del 1699, o sigui, dels finals de l'època foral, quan el «regne» encara era institucionalment el «regne» antic, el fundat per Jaume I. Diu la frase: «*Porque no le tenía el Señor destinado para Apóstol de las Indias, sino de nuestro País Valenciano...*». Torno a insistir: una investigació a fons ens proporcionaria més dades similars. I podrien resseguir-se, no solament al llarg del segle XVIII, sinó també en el XIX. El «Diario de Valencia» del 1804, deia «País Valenciano»

24. Tomàs SERRANO, *Fiestas seculares con que la coronada ciudad de Valencia celebró el tercer siglo de la canonización de su esclarecido hijo y ángel protector S. Vicente Ferrer...* (València, 1762), ps. 4, 34-35, 264, 266, 267, 279, 280, etc.

25. J. Ribelles COMÍN, *Bibliografia de la lengua valenciana*, III (Madrid, 1943), ps. 278-279. Cita un plec de quatre pàgines amb aquest títol: «*Carta no vista, lletra huberta, combit cheneral y particular que fa Quelo el Roig de Albal, Net de la tia Rafela, a tota la Cort de Madrit, pera que vinga a veure o mirar la gran festa Centenar de la Verche Amparadora, ulatant* [sic: relatant] *lo lluit que estarà el País Valencià...*» Ribelles data la impressió en el 1767, i cita un exemplar del romanç, com existent en la biblioteca de Carreres Vallo.

26. Marià GONZÁLEZ I BALDOVÍ, «Un Succés Curiós en la Xàtiva del Barroc», en *Papers de la Costera*, núm. 1 (desembre 1981), p. 89. El llibre en qüestió és: Agustí Bella, *Vida del venerable y apostólico siervo de Dios el P.M. Fr. Antonio Pascual...* (València, 1699), p. 41.

de tant en tant.[27] I amb les majúscules corresponents. No exageraré la nota: no afirmaré que els valencians de l'època tenien per hàbit dir «País Valencià». Però «País Valencià», o «País Valenciano», ja existia. I els lectors d'aleshores, i els clients dels «col·loquiers», ho trobaven «normal». Allò que els estudiants del 1930 van fer no era més que la repesca d'un terme que, en aquell moment, tornava a ser útil. O imprescindible.

Naturalment, tot això passa enmig d'una indiferència trista de la «classe dominant». Potser alguns homes de la Sociedad Económica de Amigos del País, ja en el ple del Vuit-cents, incidentalment, prolongaven la fórmula. Ismael Vallès ens recorda un text imprès del 1855 que diu: «*la Sociedad que se titula y es desde su fundación amiga del País Valenciano...*». I un any abans, la Sociedad Económica, parlant de sant Vicent Ferrer, el qualifica d'«*insigne hijo y grande amigo del País Valenciano...*».[28] Però són textos esporàdics. I al mateix temps, significatius. Desfan els muntatges ofuscants de la «regnicoleria». La conclusió és obvia: el terme «País Valencià» conviu amb el de «Regne de València» des d'abans de l'abolició dels Furs; és viu durant el segle XVIII i no és insòlit en el XIX. Encara en Teodor Llorente, en Elías Tormo, en els erudits de la Renaixença, tornem a descobrir-lo, però ja en minúscules:[29] el romanticisme jocfloralesc preferia el «regne», amb l'enyorança

27. Per exemple, núm. 44 (13 novembre 1804), ps. 208-209 («*y su foro le ocupará la Diosa de la Abundancia Amaltea, simbolización con que los Romanos figuraron la Fertilidad del País Valenciano...*»).

28. Comunicació personal. Ismael Vallès publicarà aquestes dades en un pròxim número de la revista «L'Espill».

29. Veg. J. Bta. PESET, *Bosquejo de la Historia de la Medicina de Valencia* (València, 1876), p. 38 («*nuestro país valenciano*»); Teodor LLORENTE, *València*, I (Barcelona, 1887-1888), p. 16; M. DANVILA Y COLLADÓ, *Las Germanías de Valencia* (Madrid, 1884), ps. 21 i 30; etc. Potser cal dir que don Elías TORMO és un bon exemple del confusionisme terminològic que la fórmula País Valencià vol resoldre. A *Levante (Provincias valencianas y murcianas)* (Madrid, 1923) alterna fórmules com ara «*país valenciano*», «*regiones valencianas*» i «*países levantinos*». D'altra banda, Tormo, en l'article *Los orígenes de la gran pintura en Cataluña y Valencia*, «Almanaque de "Las Provincias"» (València, 1912) p. 242, parteix de «*las escuelas pictóricas de los países de habla catalana (Cataluña y Valencia, con Mallorca)*». En *Levante*, p. CXXVIII, diu: «*en la* [arquitectura] r*eligiosa es en los países de lengua catalana [no en Aragón] de un arte gótico similar al militar.*»

idiota d'una edat mitjana que ells mateixos s'apressaven a renegar.

En la situació actual, el retorn al «*reino*» o al «regne» ha estat promogut pels partits més d'extrema dreta i més antivalencianistes, o antivalencians, per dir-ho com cal. I en ells, la «classe dominant». En altres llocs del món, quan hi ha un «problema nacional», ix una «burgesia nacional» que acapara la reivindicació en el seu propi profit. Al País Valencià, no. La «burgesia» local no és exactament «nacional»: tot al contrari. Ni abans ni ara ha deixat de ser «provinciana». Probablement contra els seus interessos («de classe»). Però això és cosa seva. És «dominant», però és «dirigent»? La diferència dels adjectius potser ve de Gramsci. O no. Tant se val. Molt «dominant» però poc «dirigent», la burgesia valenciana s'obstina a patrocinar el provincialisme més impermeable. Amando de Miguel, en un paper sociòlogic confús, la qualificà de «plorona». De tota manera, jo continuo preguntant-me si això és una burgesia como Déu o Marx mana, o una simple facció de «rics» que ni tan sols saben exercir de «rics». Personalment, crec que la «burgesia valenciana» és visceralment antivalenciana. Ja fa temps, per exemple, que va abandonar la llengua...

Deixo als sociòlegs l'última paraula. Però torno al fil del comentari, i vull insistir que «"País" no ve de "Països"». És molt anterior. Això dels «Països Catalans», paradoxalment, ve de don Benvingut Oliver, un valencià nascut a Catarroja i que s'especialitzà en l'estudi del dret foral de Tortosa, i que devia ser «canovista», o «silvelista». No un «pancatalanista», per cert. Era un home de «Las Provincias», de més a més.[30] Tot això del «catalanisme» polític, a València, al País Valencià, ha estat una conseqüència (i no sempre clara) d'un impossible «nacionalisme valencià».

Sigui com sigui, «País Valencià» no ha estat, ni és, ni necessàriament ha de ser una remissió «catalanista», com els ultres locals diuen per acorralar les dòcils esquerres —l'«esquerreta»— indígenes i immigrades. Jo, que sóc un pancatalanista evident, he de denunciar la trampa que la dreta espanyolista té parada a l'esquerra espanyola: una forma de desqualificar-la serà titllar-la de «catalanista». I no. L'esquerra espanyola —el PSOE, el PC— és espanyola

---

30. Veg. Joan FUSTER, *Destinat (sobretot) a valencians* (València 1979), ps. 159-165. En realitat, i malgrat el precedent de Benvingut Oliver, el terme Països Catalans tardà més a generalitzar-se que el de País Valencià. Abans de 1939, les fórmules usuals eren unes altres: terres catalanes, terres de llengua catalana, Gran Catalunya, etc.

i ben espanyola: tan com pugui ser-ho Fraga, l'Abril o Pinar. Els «catalanistes» som una altra fauna, que estem molt divertits amb la bel·ligerància que ens donen. La proporció de lletra impresa repugnantment acusatòria que ens han dedicat no correspon al percentatge de possibles vots estrictament «nacionalistes». Jo acabaria demanant per què ens tenen tanta por els espanyolistes de la dreta i els de l'esquerra.

Feta aquesta digressió, allò del «País Valencià» resta documentalment ben clar. I si la Constitució consensuada permet que, a més d'un Regne d'Espanya, hi hagi el Regne de València, amb una duplicitat diplomàtica de corones, ja ho podria decidir el Tribunal de Garanties Constitucionals —és aquest el nom?—: l'estrambòtic «regnicolisme» valencià de les dretes ens fa pensar en el conde-duque de Olivares i en Floridablanca, en el *Fuero-Juzgo*, en el visigot Recared i el seu concili de Toledo... Tot s'ha de dir: comparats amb Fraga, els visigots eren una espècie de trotskos *avant la lettre*. I qui diu Fraga, diu Abril.

Però la història és la història.

IV

No crec que sigui suficient que el País Valencià es digui oficialment «País Valencià». Cal que ens acostumem a les conseqüències d'una racionalització de la terminologia diària. Josep Giner, en 1934, publicà un article que posava els punts sobre les is. *Qüestió de nom*s es deia.[31] La seva vigència és absoluta. I val la pena de recordar-lo amb els seus matisos. L'autor hi feia la distinció que ara necessitem fer: «País Valencià» designant la col·lectivitat actual («la nostra pàtria», segons l'autor); «Regne de València», que podia designar l'«organització política autòctona»; «València», la ciutat. «Volem que el mot *València* per ell sol puga significar la capital del País Valencià.» I de seguida: «valencià». «València» només hauria de ser vàlid com a referència a tot el País Valencià: tan valencià és un habitant de València com de Llucena o d'Elda, tan valencià un habitant d'Alcoi o de Gandia, tan valencià un de Xàtiva com

---

31. G[uillem] R[enat] i F[erris], *Qüestió de noms*, «Acció», núm. 12 (21 juliol 1934), p. 4. Amb el pseudònim sencer com a firma, aparegué extractat, sota el títol Apunts per al Diccionari, en *Timó*, núm. 8-9 (febrer-març 1936), p. 3.

d'Oriola, o d'Alacant o de Castelló de la Plana. O som tots «valencians», o deixem-ho estar. Per tant, mai no hauríem d'aplicar l'adjectiu «valencià» sinó per a la totalitat del País Valencià.

Tot això és d'una lògica semàntica diàfana. «Valencià» és tot allò que és «del País Valencià», i no solament de València, ciutat o província. El que sigui de València, hauríem de dir que és «de València», o «valencià» si entra en l'òrbita global del País Valencià. «El poble de València (diferent del poble valencià)», deia Renat i Ferris. I una expressió com «l'alcalde valencià» és inadmissible, si es limita a l'alcalde de València: alcaldes valencians ho són tots els del País Valencià, i tan «alcalde valencià» és el de València com el d'Alacant o el de Castelló, o el de Beniopa. L'alcalde de València és l'alcalde de València, i l'alcalde de Beniopa és l'alcalde de Beniopa: tots dos, però, «alcaldes valencians», i ni l'un més que l'altre. Si no comencem per precisar aquestes minúcies, no arribarem enlloc. Hem de superar els «patriotismes» provincials, i restituir-hi la denominació única. I contra les províncies, les comarques: la Plana, la Marina, el Maestrat, la Ribera, la Safor, l'Alcoià, l'Alt o el Baix Vinalopó... Mentre continuïn les denominacions provincials, la «unitat» dels valencians serà precària. Ja sé que, avui, les comarques no són el que eren. Però les solucions probables queden obertes.

I, en realitat, sempre tornem al principi: a l'ambigüitat terminològica. Si volem un «País Valencià» és perquè tots els valencians puguem dir-nos «valencians» sense discriminacions, i ni uns siguin «castellonencs» o «alacantins», i els altres «valencians-valencians» doblats. La nostra restitució col·lectiva ha de salvar aquests obstacles localistes. Ni el «*reino*» ni la «*región*» són possibilitats viables... La demanda de «País Valencià» —i dels símbols pertinents— tenen, encara, el mèrit i el dret d'haver estat, tan primàriament com es vulgui, l'única veu que s'alça, abans de la mort de Franco, i després, per reclamar... Què reclamàvem, més o menys unitaris, aleshores? «Llibertat, amnistia i estatut d'autonomia!» No hi havia sinó aquest crit; no hi havia sinó una bandera; no hi havia problemes d'idioma. Una part de la dreta hi va participar. Hi participava l'esquerra, sense prejuïns. I quan Madrid va concedir-nos la modesta almoina de la pre-autonomia, ho va fer amb l'únic nom que resultava lògic, majoritàriament admissible i, sobretot, oportú: «País Valencià.»[32]

---

32. Vegeu, per exemple, el Decret de Pre-autonomia.

No entra en el pla del present paper exposar ni comentar les peripècies posteriors, les d'avui mateix, ni les maniobres que tendeixen a situar-nos en el punt de partida provincià i provincialista Les negociacions a què «*la España de las autonomías*» ha obligat els partits parlamentaris actuals, un cert electoralisme mal entès, les campanyes de «distracció» projectades damunt la gent i, potser el fet de no haver-se preocupat ningú, o quasi ningú, d'explicar les raons històriques i socials del terme «País Valencià», fan témer que qualsevol esperança mínimament «autonòmica» vingui viciada per la decepció. Però a nosaltres ens pertoca aguantar —i potenciar— les lleialtats que hem pensat sempre com les més vàlides i les més segures per al nostre poble.

Epíleg

Com hem vist, el terme «País Valencià» respon a unes raons d'eficàcia expositiva difícils d'ignorar, fins i tot per als defensors del «*reino*», perquè totes dues fórmules no són intercanviables, ni tan sols per aquesta necessitat de claredat. Amb un exemple ho veurem més clar. Tenint en compte que allò que ells volen anomenar «*Reino de Valencia*» no és ni de bon tros el mateix territori del que fou «Regne de València», gràcies a l'addició de les zones de Villena i Requena, com caldrà al·ludir aquell «regne»? Potser «*antiguo Reino de Valencia*» per a distingir-lo del «*nuevo*», que deu ser aquest d'ara? Si no fem aquesta distinció, com ens entendrem? Al capdavall, no estaria gens malament aquest «*nuevo Reino de Valencia*» amb una història de segle i mig de provincialisme. Bromes a banda, el terme «País Valencià» elimina aquest i altres problemes.

Hem vist també que és una autèntica fal·làcia la suposada derivació «País-Països», segons la qual tots els qui utilitzen la formula «País Valencià» són catalanistes declarats o estan en «perill» de ser-ho. La realitat prou demostra que no és així, encara que ho digui Martín Villa.

Finalment, hem comprovat que, fins fa quatre dies, només la dreta més ultramuntana —o més conscientment ultramuntana...— s'oposava a la denominació País Valencià. La resta, salvant les excepcions que calgui salvar, l'empraven sense embuts ni manies: «Las Provincias», «Levante», «Abril», Broseta, el conjunt dels parlamentaris locals, el Consell pre-autonòmic, el govern d'UCD i cadascun dels seus ministeris, els empresaris, les centrals sindicals, «Aitana», bancs, caixes d'estalvi, col·legis professionals, falles i fallers —o no hi havia un premi per als Colossos del País Valencià?—; en fi, *tutti quanti.*

Cal preguntar-se per què, de sobte, una part dels usuaris del terme se n'aparten amb horror i s'alineen amb la dreta conscientment ultramuntana en la defensa, gens heroica d'altra banda, del «Reino de Valencia».

La pregunta no pot tenir resposta sinó introduint-la en l'entrellat de tensions de tot tipus que han acompanyat el canvi de règim, la cèlebre «transició», que mai no sabem si s'ha acabat ja o si encara està començant: la mutació del «trencament democràtic» en una altra cosa; la llei d'Hondt; la «reconducció de les autonomies»; els qui pretenen «*meter en cintura*» les nacionalitats i regions; la LOAPA; els embolics entre els articles 151 i 143 de la Constitució —i entre tants altres—; els providencials girs de 180° en certes biografies polítiques... I també, cal no oblidar-ho, la resituació de les diverses forces polítiques, les que isqueren de la clandestinitat i les creades a última hora per entrar en el repartiment. Enmig de tot això s'ha trobat el pobre País Valencià, el país en pes i amb ell el seu nom, convertit en article de mercaderia per a qualsevol electoralisme precipitat.

Acabat de redactar aquest paper després del fracàs d'UCD al Parlament espanyol, el 9 de març, potser eixirà d'impremta abans que puguem saber com acaba això del nom. Les previsions apunten cap a fórmules anodines, incolores i insatisfactòries per a tots, com ara Comunitat Autònoma Valenciana o Regió Valenciana. Això, sembla, en el millor dels casos.

I bé, què vol dir això per a nosaltres? En realitat, ben poca cosa, perquè sota cada nom hi ha un projecte, o uns projectes convergents, d'articulació de la realitat valenciana. Al capdavall, no deixa de ser irònic que els més aferrissats defensors del «*reino*» siguin alhora els més entusiastes de les «*tres províncias*», i, lògicament, d'enfortir el poder de les diputacions. Per a nosaltres, el País Valencià seguirà sent el nom de la nostra terra, d'acord; però també una altra cosa: totes aquelles coses per les quals s'ha escrit, s'ha treballat, s'ha cantat, s'ha eixit al carrer, s'ha lluitat i alguns han patit.

Això vol dir també que els valencians haurem de treure la lliçó d'aquesta «anècdota» i que no tindrem més manera de fer-ho que recuperant el temps perdut durant el tràmit pre-autonòmic i probablement en l'autonòmic més immediat. Vol dir, al capdavall, que encara hi ha molt per fer.

4. O ara o mai. Per una cultura catalana majoritària*

Amb el títol *Per una cultura catalana majoritària*, les notes reunides en aquest opuscle van ser publicades en la *Nadala* de la Fundació Jaume I, corresponent al 1980. Com que la present edició s'adreça primordialment als lectors valencians, serà oportú fer ací una breu consideració preliminar, de cara a reconduir el tema a la nostra realitat social específica.

De fet, no falten en el text les referències concretes a la situació del País Valencià. Més aviat hi apareixen a cada pas, suggerides pel contrast amb la del Principat. Per raons òbvies, el paper, escrit a posta per a la *Nadala*, havia d'ajustar-se en primer lloc a un marc de consideracions —històriques o actuals— relatives al nord de l'Ebre. Adaptar-lo ara a les nostres perspectives hauria suposat sotmetre'l a una nova redacció, de cap a cap.

Però potser no en valia la pena. La substància de l'al·legat es manté vàlida, pel que fa a la problemàtica valenciana. Si alguna cosa mereixeria ser-hi afegida, seria una accentuació de les «tintes negres» en les descripcions i en els plantejaments. La precarietat de la llengua catalana, avui, és prou més amarga entre nosaltres que «allà dalt», i la urgència dels remeis se'ns fa també més angoixosa.

Evidentment, el toc d'alarma explícit en les meves paraules demana unes ampliacions i, sens dubte, una major rigorositat expositiva que jo no podia permetre'm en l'escrit originari per motius d'espai i de temps. Penso que cadascú, pel seu compte, sabrà suplir-me aquests i altres dèficits: no cal posar-hi massa imaginació, ai! Només una mica de lucidesa.

Els valencians estem en el perill immediat de perdre l'idioma. La crisi actual no és comparable amb qualsevol altra que la nostra llengua ha sofert al llarg de la història. Si almenys n'arribem a tenir una consciència plena, ja començarà a haver-hi lloc per a l'esperança. Després encara vindrà molta feina a fer: un gran esforç, lent i complicat, enèrgic.

* València, Edicions Tres i Quatre, 1981.

L'alternativa no serà sinó la nostra desaparició com a poble. Crec que no resultaria lícit limitar-nos a atribuir-ho a «genocidi»: seria, així mateix, una mena de «suïcidi» col·lectiu. De nosaltres depèn.

Introducció

Per fi, sembla que últimament el debat ja es planteja sense embuts i en els termes exactes: el precari present i el problemàtic futur de la llengua catalana. I no és que ningú no hi hagués pensat abans. Ben al contrari. La preocupació ve de lluny, accentuada d'ençà de la persecució franquista, i en podem trobar rastres ara i adés en les reflexions dels intel·lectuals i dels polítics autòctons. De tota manera, sovint es tractava només d'unes inquietuds episòdiques, que l'esperança optimista solia mitigar de seguida. Hi predominava la convicció implícita que la llengua «no podia morir mai», per més que es confabulessin l'hostilitat dels enemics i la deixadesa dels mateixos catalanoparlants. No ens n'havíem sortit en circumstàncies ben difícils, i repetides al llarg dels segles? Però avui tot és diferent: un dia, tot va començar a ser diferent. Ens autoenganyàvem sense saber-ho.

Potser s'hi intercalava la idea que, salvant la «cultura» —la cultura en català, el català com a llengua de cultura—, l'idioma recuperaria automàticament les seves posicions socials i, tard o d'hora, les polítiques i tot. Confesso que encara sóc dels qui creuen que això és una condició *sine qua non*. L'experiència dels anys de la Generalitat republicana, tan parcial com es vulgui, i tan fugaç, ho certificava fins a un cert punt. Tanmateix, avui veiem amb una claredat absoluta que les coses són més complicades. O que els temps que corren les han fetes més complicades. La «cultura» no té les virtuts expansives, gairebé màgiques, que li imaginàvem. Si no és que donem a la paraula «cultura» un sentit ampli, en el qual càpiguen també —i per què no?— això que en diem la «subcultura» o «infracultura» i la «contracultura», i fins i tot, paradoxalment, la «acultura». No val la pena, però, de distorsionar el vocabulari establert. La restauració del català ha de ser simultània i igualment formalitzada a tots els nivells de la vida col·lectiva dels Països Catalans. Qualsevol alternativa, o mancança, comportaria un fracàs de conseqüències irreparables.

I, una mica, en som conscients. Tant com caldria? No ho sé. Sigui com sigui, resulta prou simptomàtic que, en aquests moments crítics, s'hagin consolidat entre nosaltres dos corrents d'estudi molt oportuns: la «història social de la llengua» i la «sociolingüística». Són vies d'indagació científica —en la mesura que la Història i la Sociologia s'acosten al model de «ciència»— que aspiren a precisar, en la seva complexa realitat —diacrònica o sincrònica—, el procés de la «anormalitat» passada i actual del català, les causes que hi concorren, l'encert o els defectes de les temptatives de redreçament, les conjectures de cara a un demà boiros. Són, alhora, uns tocs d'alarma obvis. Perquè tampoc no hem d'equivocar-nos: la «història social de la llengua» i la «sociolingüística» han nascut d'una militància segura. La seva «utilitat» ja es veurà, o no, a la llarga. La urgència d'una «planificació» en matèria d'idioma hauria de buscar ací les seves premisses. Que aquesta hipotètica «planificació» suposa una política determinada, i unànime, d'un cap a l'altre dels Països Catalans? Ningú no gosaria negar-ho. Que és utòpica?

La solució, si n'hi ha alguna, és el retorn al monolingüisme. Les propostes oficials de «bilingüisme» són, i sempre seran, una trampa parada contra el català. Un idioma no pot subsistir, viu, dins la societat que li és pròpia, si no és l'idioma de tothom i practicat per tothom tothora. El nostre cas, a banda i banda dels Pirineus, és el de la interferència política d'una altra llengua, hegemònica per raons de classe, de prepotència administrativa, i —a escala editorial, per exemple, i en tots els mitjans de comunicació de masses— de «mercat». Hi ha «llengües minoritàries», demogràficament «minoritàries», que tenen un estat al darrere, i una societat homogènia que les aguanta en els seus usos quotidians, des de l'«alta cultura» a l'«alfabetització» primària. Amb això assegurat i perseverat, la qüestió d'una «segona llengua» no seria capciosa.

Per a nosaltres, la «segona llengua» obligatòria —l'espanyol o el francès, imposada pels estats respectius— no serà mai una «segona llengua», sinó la «primera». Així queda legislat, a Espanya, en la Constitució vigent, tan afablement votada per més d'un «almogàver» ingenu; a França, ni tan sols hi pensen. Les fantasmagòriques declaracions de ser «*las demás lenguas españolas*» —les que no són el castellà— «*un patrimonio cultural que será objeto de especial respeto y protección*», no obtindran cap concreció vàlida, per mòdica que sigui, i les «autonomies», allà on arriben a ser-ho de veres i tinguin pendent un «conflicte lingüístic», es veuran sense dispositius pràctics per a iniciar qualsevol mínima reivindicació. Cal, doncs, revisar l'enfocament del tema. I radicalitzar-lo sense contemplacions. No propugno cap xovinisme extemporani. O és que no són els altres, els xovinistes? «*Hablad en cristiano*», «*Hablad la lengua del Imperio*», «*el catalán es la lengua de la burguesía*», són consignes homologables, homologades.

Perquè, tot s'ha de dir, hi ha molts, moltíssims catalanoparlants que tenen «mala consciència» de ser això: catalanoparlants. Convertits en espanyols o en francesos, es troben incòmodes en la seva instal·lació lingüística de catalans, de Salses a Guardamar i de Fraga a Maó. És una «alienació» com una altra qualsevol. Se senten traïdors en secret, o trànsfugues, o gloriosamente pioners, malgrat tot, d'una integració «nacional» nova. Tot i la considerable eficàcia de la «lluita contra el català» a Espanya i a França, l'operació només podia reeixir, i hi ha reeixit, a base d'una complicitat indígena. No el català, el castellà ha estat i és la llengua de la burgesia, als Països Catalans. I molt abans que el general Franco encetés la Guerra d'Espanya, que, en definitiva, també era una guerra contra Catalunya, una guerra contra els Països Catalans.

Les llengues «regionals»

Desaparegut Franco, podia canviar la política de l'estat envers les llengües «*regionales*»? Deixo a part el problema de França: la Catalunya Nord demana una explicació particular, que ací semblaria desplaçada. A França encara mana Lluís XV, encara mana Napoleó, encara manen els jacobins. De fet, a la França actual, el català ja és un idioma residual, fins i tot entre la població rústica o anciana. A Espanya, la maniobra contra el català, consubstancial amb l'«altre nacionalisme», venia avalada també per la influència dels *soi-disant* liberals. Basta recordar els atacs d'Unamuno, de Castro, de Madariaga. «*Hay que llevar urgentemente el español a las montañas gallegas, a las aldeas vascas, a la montaña catalana y a donde quiera que falte*», deia Américo Castro el 1922. S'atribueix a Sánchez Albornoz allò de: «*¡Si al menos la victoria de Franco sirviese para eliminar el problema catalán!*» I el «problema català» era, sobretot, l'idioma. Era una incomprensió visceral, que les dues Dictadures assumiren, i que no podia desaparèixer de la nit al matí, per més «democràcia» que hi sobrevingués. Ni tan sols la famosa —un dia— «*conllevancia*» d'Ortega y Gasset s'ha mantingut. Ho porten en la massa de la sang.

Cal dir-ho tot: la castellanització dels Països Catalans, tant o més que obra del poder centralista, ha estat una obsequiosa predisposició indígena, estimulada per raons polítiques, també. El català deixa de ser l'idioma diguem-ne «oficial» al Principat, a les Illes i al País Valencià a les primeries del segle XVIII. L'excepció de Menorca, que passa a sobirania anglesa, hi compta precisament com una excepció. Però molt abans de la victòria franco-espanyola de Felip V, el castellà ja s'havia introduït notoriament als Països Catalans, i gràcies als catalanoparlants. No fou, com s'ha dit, una anècdota limitada a les «classes cultes», minoritària. Els catalanoparlants del XVII, sense excloure'n els herois de la resistència separatista contra Felip IV, no solament «entenien» el castellà, sinó que el llegien i l'escrivien primordialment. El sermó de cos present al canonge Pau Claris, panegíric patriòtic arborat, va ser pronunciat en castellà: unes honres fúnebres que ho diuen tot. La propensió venia del XVI, potser del XV. I no era «imposada» sinó «voluntària». Quan la monarquia borbònica va voler unificar-nos lingüísticament, des de l'Administració, les reticències van existir, però foren mínimes.

Darrerament, hi ha la tendència a atenuar les tintes negres de «la Decadència», i uns i altres exhumen títols de papers impresos en català entre el 1711 i el 1833, data de l'*Oda* del senyor Aribau, que encetava «la Renaixença». Ningú no ho ha negat mai, això. Però eren escriptures piadoses, generalment destinades a ser llegides en veu alta per un vicari des de la trona, o bé llibres insignificants que oferien a l'escassa feligresia que sabia llegir. Quan Antoni de Capmany afirmava que el català era una llengua morta per a la «*república de las letras*» (1779) no s'errava. Unes quantes «novenes», unes «preparacions a ben morir», uns «romanços» —o «col·loquis»— eren «literatura»? Sí, perquè no n'hi havia d'altra. Però no una «literatura» com les dels països veïns. Certament, mai no hi faltaren algunes temptatives «cultes», encara que no ideològicament desinteressades. Si hi hagué una «literatura» en català en el XVII i en el XVIII, fou una literatura agenollada davant el castellà i els seus models, i trista. Voler ignorar «la Decadència» en bloc, em sembla que són ganes d'«exculpar-nos», quan no hi ha manera de fer-ho. I no oblido els milers de pàgines manuscrites del baró de Maldà, un colossal idiota que ha passat a la història per la mania d'escriure en català quan les persones sensates optaven pel castellà.

Després de l'Aribau, canvià la cosa? Si canvià, no va ser per l'Aribau. Joaquim Rubió i Ors (1841) ja insinuà l'esperança, per als catalans, d'una «independència literària» (i ell era un subproducte dels romàntics castellans!). Milà i Fontanals dubtava de les possibilitats «normals» del català. No era l'únic. En una vintena d'anys, el moviment de recuperació de l'idioma va adquirir una excitació curiosa. La clientela real que aquells individus tenien, de moment, era escassa. El primer circuit literari de la Renaixença degué ser d'unes poques dotzenes de persones. I, de fet, pocs menys encara eren els qui hi creien. Milà va passar a la glòria celestial amb un rictus d'ironia respecte a l'embolic. El català que escrivien els senyors del Jocs Florals de Barcelona, altrament, quin català era? El «català que ara es parla» no tardà a reclamar els seus drets. Era una contradicció bèstia —o no tan bèstia— que, al capdavall, confluïa en un punt ambigu, però decisiu: el català tornava a ser, si no una llengua viva en «*la república de las letras*», una llengua viva. La Divina Providència, com ell mateix ho hauria dit, ens va ajudar amb l'aportació de mossèn Cinto Verdaguer.

La «història social de la llengua catalana», a partir d'un cert moment, esdevé alguna cosa més que una contemplació dels Jocs Florals. L'idioma es «polititza» perquè ja naixia polititzat. No tot el «poble català», que s'estén de Salses a Guardamar i de Fraga a Maó, però almenys el del Principat, va reintegrant-se a la seva llengua: en orfeons, en teatres, en revistes satíriques, en llibres doctes, en el folklore dels excursionistes, en la sardana. Necessitem uns càlculs —possibles de fer?— sobre aquesta efervescència. Probablement, el clima era d'exageració. Quan Santiago Rusiñol estrena *Els Jocs Florals de Camprosa* a les primeries del 900, ja es burla d'un passat pròxim i inviable. Ell era un «modernista». «Modernistes» i «noucentistes» es van aplicar a treure pintoresquisme i localisme de la literatura catalana. Pompeu Fabra s'imposà la tasca d'introduir ordre gramatical en aquell galimaties. Tot sumat, l'operació conduïa a restituir al català el seu *status* de «llengua de cultura». Pràcticament al marge d'una política idiomàtica oficial a l'alçada de les circumstàncies —i que consti que no m'oblido de Prat de la Riba ni de l'etapa 1931-1938—, el resultat va ser molt positiu: una batalla guanyada. Els catalanoparlants ja podien, si volien, eludir el complex de *patois* a què semblaven condemnats.

Però l'esquema bàsic continuava i continua en peu. D'una banda, hi ha el càlcul repressor i la ideologia que el sustenta. Américo Castro ho tenia ben clar, això, des d'abans de Primo de Rivera. «*Revelan un menguado espíritu de campanario los que hablan de las lenguas regionales como de algo absoluto, con exclusión del español.*» La no «*exclusión del español*» era, per a ell, la imposició de l'espanyol: «*estas lenguas deben vivir dentro de una armonía hispánica, cuya superior unidad no puede ser otra que la lengua española*». Cosa que, de fet, i en expressió una mica més suau, ve a repetir les consignes de Felip V, reforçades per Carles III, i constituïdes en dogma pels prohoms del Madrid vuitcentista. Franco en fou l'hereu. I, per l'altre cantó, són molts el catalanoparlants que haurien subscrit, fins i tot de bona fe, les citacions de Castro. No pensaven així Piferrer i Quadrado, per exemple, i Llorente? La castellanització de les classes altes, més accelerada i intensa en uns llocs que en altres, però general, ha estat un factor eficient, encara no prou valorat. Hem de tenir en compte que, per un mecanisme mimètic, les classes subalternes —majoritàries— són curiosament sensibles als comportaments socials de les *élites*. L'espanyolisme lingüístic de les capes burgeses s'ha refermat, a tot arreu, després de la Guerra del 36.

Els errors conceptuals són perillosos

I per què no ens aturem un instant sobre això que acabo d'apuntar? He dit «mimetisme». El fenomen, si no em falla la memòria, el descriu Prat de la Riba en *La nacionalitat catalana*. Ja havia esdevingut costum que els «senyors» escrivissin en castellà les seves cartes als masovers, i quan tornaren a escriure-les en català, la reacció dels pagesos no era favorable: creien que el retorn al català en l'escriptura era com una condescendència al seu «analfabetisme», a la seva «ignorància». Quan els habitants més rics de l'edifici parlaven el castellà, els altres tendien a imitar-los. Ascendir en l'escalafó classista té, en situacions de «conflicte lingüístic» com la catalana, una repercussió immediata en la manera de parlar. Existeix una vasta literatura sarcàstica centrada en aquest punt: en el «*quiero-y-no-puedo*» dels sectors populars que intenten parlar en castellà. Al País Valencià, els sainets d'Eduard Escalante retraten exactament aquest procés. «Mudar de classe» obligava a «mudar de llengua».

El procés funciona en els dos sentits. Hi ha predominat el castellanitzador. Tot i la seva fama de «catalanista», la burgesia del Principat —l'única que hi compta, als Països Catalans— no ho ha estat tant com diuen. La tendència és a suposar que tota la burgesia catalana era de la Lliga i que cada fabricant del tèxtil venia a ser una rèplica de Cambó. La simplificació resulta inadmissible: contradiu l'evidència històrica i actual. La burgesia és una classe més «contradictòria» del que imaginen el seus enemics de classe, i, sobretot, els sociòlegs populistes. Que la burgesia és un bloc unànime en un determinat nivell d'interessos, això no ho dubtarà ningú. Però que no és un bloc «compacte», també. No hi ha «una» sola «burgesia catalana»: n'hi ha diverses. I, quant a la referència lingüística, més encara. Burgesia fou la Lliga que, al Principat, abans de la Dictadura de Primo, se significava com a catalanista, i burgesia catalana fou també la que va jugar el joc d'aquell dictador, castellanitzant, espanyolista. I castellanitzant —de vegades *malgré lui*— i espanyolista fou la burgesia catalana refugiada a Sant Sebastià o a Burgos, adherida a Franco. No insinuo judicis de valor, ara. Em limito a constatar fets. Quan uns fills de burgesos, universitaris i d'un esquerranisme espasmòdic, van cridar allò de «*¡el catalán, lengua de la burguesía!*», no sabien el que es deien.

Certament, una part de la burgesia del Principat fou catalanista, i exercí de catalanista. Uns quants mecenatges importants en donen fe, respecte a la cultura i a la llengua. Però, després de la victòria de Franco, tant la conducta domèstica com les anècdotes magnificents d'aquesta burgesia, no han estat massa catalanistes. I menys encara la de fora del Principat. Hi ha hagut excepcions il·lustres. No són més que excepcions. Si examinàvem la composició d'una entitat tan característica del postfranquisme —millor dit, del franquisme «encara»— com és Òmnium Cultural, la presència de l'«alta burgesia» hi ha estat mínima. No ha estat una institució exactament «popular», perquè no podia ser-ho, però tampoc no reunia ni tan sols els detritus econòmics de la Lliga. L'actitud de la burgesia catalana, de cara al «fet nacional» català, i de cara a les angúnies de la llengua catalana, dista molt d'haver estat exactament «nacional». Una certa burgesia preferia l'Opus a l'Òmnium, per dir-ho ràpidament. Algun dia, en una tesi doctoral, algú ho aclarirà.

I torno a la qüestió del «mimetisme». Després faré unes consideracions vagues sobre els immigrats. Ara, voldria observar, fer observar, que una relativa catalanització idiomàtica del foraster s'ha produït, per què no reconèixer-ho?, gràcies al «mimetisme» a què em referia, però més per una convivència «bilingüe», en la qual el català duia les de guanyar. Els primers immigrants —de quins anys?— es catalanitzaven, a la curta o a la llarga. S'és «immigrant» en una primera generació: la segona ja és «catalana», parli català o no. Parlar català, a Barcelona, no a València ni a Ciutat de Mallorca, era un mitjà d'incorporació activa a la societat «diferent» on miraven d'incrustar-se. Si el burgès parlava en català, el proletari que no volia ser proletari sinó burgès, com no havia d'aprendre el català? El català, al Principat, i malgrat tot, és encara «útil» per a allò que en diuen la «promoció social». Ho serà demà? No se sap mai què passarà demà.

Durant una època, que caldria perfilar cronològicament, l'«immigrant», a tot arreu dels Països Catalans, s'integrava en els costums de la llengua. Al carrer, a la feina, en les barreges matrimonials, el català s'hi imposava. Hi funcionava el «mimetisme». Però quan els burgesos parlen en castellà, l'immigrant castellanoparlant ja no necessita imitar-lo. No he entès mai aquella polèmica estúpida sobre tot això, que, fa anys, implantaren uns xicots pseudo-sociòlegs i pseudo-esquerrans. L'immigrant, desarrelat de la seva terra, ha de començar per veure's com un «expulsat». Per qui? Qui l'obliga a abandonar el seu poble, la seva tradició de treball, la seva llengua, si molt convé? Són preguntes habitualment —i hàbilment— esquivades, quan es polemitza sobre això, ara i ací. Després en reprendrem el fil.

Qüestió de minories?

Durant el segle XIX i la primeria del XX, la supervivència del català disposava encara d'unes possibilitats d'aguant gairebé rutinàries, d'una inèrcia sòlida. L'ofensiva estatal, malgrat tot, no hi va ser massa eficient. L'aparell de la «*instrucción pública*», primera arma de castellanització que podia haver donat resultats a escala multitudinària, no va aconseguir-los, de moment. El poble catalanoparlant només en sortia «semialfabetitzat» en la llengua forastera, si a tant arribava, i, per tant, escassament permeable a ella a través de la lectura, que era el segon conducte important, aleshores, per a la destrucció de l'idioma. Hi hagué, mentrestant, la Renaixença, i el Modernisme, i el Noucentisme: són maneres de dir, és clar. Tanmateix, ni tan sols en aquelles situacions es produïa un pla d'igualtat en els recursos. Perquè, en la base, hi havia el fet que els catalanoparlants ni tan sols estaven «semialfabetitzats» en la pròpia llengua. Si la «lectura» constituïa el vehicle articulador «culturalment» vàlid en una societat lingüísticament conflictiva, el català duia les de perdre.

La Renaixença, en els inicis, no va trascendir d'unes minories reduïdes dins la reduïda minoria alfabetitzada. Fou essencialment una fabricació de poemes, redactats, de més a més, en un llenguatge arcaïtzant o supletòriament rural: per necessitat, el seu públic havia de ser poc i triat. Sens dubte, l'impacte positiu més considerable cal apuntar-lo a decisions marginals al jocfloralisme heroic: marginals a qualsevol proposta de «cultura» i tot. Penso en la difusió dels càntics i dels fulls devots del pare Claret; penso, encara, en el teatre o en els romanços, polítics o no, que es divertien amb el desballestat «català que ara es parla». Convindrà puntualitzar-ho en la mesura que sigui factible. La repercussió social de la Renaixença, al Principat, que és on arrelà i es va expandir amb una certa força, degué ser mediocre. Amb els anys, les coses canviaren. O sembla que canviaren. Van ser, de debò, mossèn Verdaguer o Àngel Guimerà, «autors populars»? O Rusiñol? Rusiñol, ja «modernista», es feia llegir...

Quan va morir mossèn Cinto (1902), l'enterrament, diuen, va ser una gran manifestació de condolença col·lectiva, a Barcelona. No ha estat, el seu, l'únic enterrament emocional. Verdaguer va morir, com no sé qui —segons Xènius— deia de Victor Hugo: «en olor de multitud». Quants dels milers de catalans, o de barcelonins, que participaren en l'acte, havien comprat alguns del seus llibres, i els havien llegits? Verdaguer, com Guimerà, ignoro si Maragall i algú més s'havien convertit en «mites» extraliteraris, quan ja la Renaixença deixava el pas al Catalanisme, i el Catalanisme és tota una altra història, o historieta. La veneració a Verdaguer va ser més aviat pòstuma. En tot cas, una «literatura» mai no pot considerar-se «ferma» amb uns quants escriptors d'excepció. Serà inoportú que insinuï que la literatura catalana moderna descansa exclusivament sobre deu o dotze escriptors d'excepció?

L'evolució posterior venia afligida per un ingredient «estètic», general, no exclusiu nostre: la literatura romàntica i postromàntica, a tot arreu, havia connectat amb un lector, si no exactament popular —i de vegades sí—, relativament popular. I sigui dit de passada: fou l'ocasió perduda pel català. Des de López Soler a Ayguals d'Izco, tots el nostres fulletonistes van escriure en castellà. I els postfulletonistes: Blasco Ibáñez, J.M. Gironella, Marsé. Fatalment, havien d'escriure en castellà, per a guanyar-se la vida. També per altres motius, però sobretot per aquest: el jornal. Ningú no hauria de ser tan purità que descarregui la seva ira contra els qui practiquen —o practiquem—

el «bilingüisme». Difícilment es pot posar casa amb l'ofici d'escriptor: és dificilíssim, si es tracta de ser un escriptor solament en català. O la clientela no hi respon, o no som capaços de guanyar-ne una. No ho veig gens clar. En tot cas, la narrativa «popular», als Països Catalans, quan podia ser «popular», funcionava en castellà, amb autors indígenes. En el Vuit-cents, el *best seller* es nodria d'efectismes melodramàtics. Ningú no va gosar escriure un *María, la hija de un jornalero* en català. Ni *El judío errante*, *Los misterios de París* o *El conde de Montecristo*. Si hi va haver uns *Misterios de Barcelona*, com avui *La prima Montse*, havia de ser en castellà.

Però Narcís Oller no arribà a ser «popular». La seva prosa de curial, calcada del castellà i amb els gerundis corresponents a un procurador dels Tribunals, no era una mercaderia feliç. Més ho va ser Rusiñol, i més Rusiñol que la senyora Víctor Català, que Raimon Casellas, que Miquel Llor. No faig ara valoracions literàries: em limito a referir-me a xifres de venda. Amb el Modernisme, la literatura catalana no es venia més. Bé: no es venia encara prou. Les col·leccions de «L'Avenç» o de «Juventut» s'han esgotat setanta anys després —fa quatre dies— en les parades dominicals del Mercat de Sant Antoni. Les magnífiques traduccions de Josep Carner, eren llegibles quan es van publicar, ho són avui? (Em demano si no caldrà tornar a traduir Dickens al català...) Carner ja fou un escriptor «no popular». No ho havia estat també Maragall? A mesura que la literatura s'esmolava amb unes pretensions estètiques refinades, s'allunyava del poble: del «consum». Quins tiratges van tenir les primeres edicions de Joan Maragall? I les d'en Carner, o les de Guerau de Liost? I així, fins arribar a Carles Riba, a Foix, a l'Espriu, a Gabriel Ferrater, a Brossa. I al mateix Pedrolo.

No és que això sigui irregular. En totes les «literatures» occidentals s'han desencadenat aquesta mena de processos de minoritarisme progressiu. (Proporcions servades, un llibre de poemes de Riba no sortia a la llum amb unes expectatives de clientela inferiors a les d'un llibre de poemes de Paul Valéry.) Però el català, vivia, en paper imprès, de la seva «literatura», mentre que en les altres llengües la literatura només era un fragment «cultural» inserit en múltiples coincidències «aculturals». No importa —o sí— que uns quants estetes facen els malabarismes més exquisits, si la gent «vulgar» viu en, amb i dins la seva llengua. L'angúnia s'enceta en casos, com el català, en què les prestidigitacions literàries no tenen el suport d'unes lectures banals. Pet dir-ho ràpidament: mentre les ofertes de tipografia en els quioscos de la Rambla no siguin, almenys, en un cinquanta per cent en català, la delícia cultural de Foix, de Pere Quart, d'Espriu, de Bartra, de Gimferrer, d'«El Mall», suposarà ben poca cosa.

Insisteixo: no parle de «literatura», sinó de «llengua»: d'una llengua que, si no es converteix de pressa en lectura múltiple i diària a tots els nivells, quedarà paralítica entre la llar i els mandarins. Hi manquen un «Hola», un «El Caso», un «Interviu», un «Playboy», molts «tebeos», la quota pertinent de pornografia imbècil o de ciència-ficció.

El fenomen Folch i Torres

Ja que ara commemorem el centenari de Josep Maria Folch i Torres, per què no l'hauríem de fer servir com a referència? Sembla que Folch i Torres va renunciar a una il·lusió de ser novel·lista «normal» per dedicar-se a dos apostolats: el de l'idioma i el d'una determinada ideologia. Els qui no procedim del Principat ni tenim l'edat adequada no sabem valorar-ho com cal, això. Ho lamento, per la part que em toca. Però, segons sembla, Josep Maria Folch i Torres va fer «llegir en català» una quantitat de persones increïble, al marge de les escoles castellanes i contra elles. Entre l'Ebre i el Pirineu, i sobretot a Barcelona, la confessió és clara: ah, «En Patufet»! I no solament era el «Patufet». La incansable grafomania del senyor Folch s'apoderà d'uns gèneres narratius de plàcida deglució per un cert tipus de lectors i lectores. Llegir Folch i Torres, tanmateix, equivalia a absorbir unes ben concretes lliçons «morals». La mesocràcia de dretes hi trobava un «predicador» amable. L'alternativa eren les descarades provocacions de la premsa satírica i suaument «sicalíptica», que tampoc no s'ha de menysvalorar. Era una altra opció de llegir en català.

. Franco les degollà totes dues. I avui són irrepetibles. Només Déu Nostre Senyor és capaç de ressuscitar morts. Avui no són viables, ni el «Patufet» ni «L'Esquella». Ni el «Papitu» ni el «Be Negre». Ni «La Traca». Les temptatives dirigides en aquest sentit, poques, han fracassat. És un problema tècnic i de cèntims: en última instància, de «clientela». Si la «literatura» en català per a minories no l'ha perduda, l'altra, la paperassa de destinació popular, s'ha diluït en el no-res. Després de Folch i Torres no hi ha hagut cap més Folch i Torres plausible, ni que fos «distint». No hi ha hagut cap «Esquella» ni cap

«Traca». Potser no podia haver-n'hi.

Quan els governs de Madrid, al final, van fer-nos algunes concessions, sembla que ningú no ha sabut aprofitar-les. Una mitjana predisposició favorable, ja la van tenir el «Tele/estel» i l'«Avui», per posar uns exemples: els «lectors» —i compradors— existien, i. ho demostrava l'entusiasme amb què van ser acollits al començament el setmanari i el diari. Les raons per les quals el setmanari va tenir una vida breu i sincopada, i el diari perdure amb una continuïtat només dèbil, haurien de ser objecte d'examen i de meditació. Hi ha alguna cosa que falla.

Què s'ha fet d'aquells milers i milers de «clients» que el «Tele/estel» i l'«Avui» van aconseguir els primers dies? Ben mirat, haurien d'haver augmentat. Poc o molt, en els últims anys, l'ensenyament del català —o sigui: de la «lectura» en català— ha progressat. Una apreciable eufòria «lingüística» es reflectia en pancartes, pintades, cartells, manifestos, lligada als fervors polítics incipients de la Postdictadura. Els programes de gairebé tots els partits consignen afirmacions prometedores per a l'idioma. I això, no solament al Principat, sinó també al País Valencià i a les Illes. Si fos possible reduir tot això a xifres, la conclusió evident seria que el català no ha tingut mai tants «lectors» virtuals. La realitat revela, en canvi, que aquestes esperances no s'han condensat en accions positivament constants. Els sociolingüistes, amb les anàlisis pertinents, haurien d'explicar-nos què passa. Jo tinc la meva opinió: és més aviat sinistra, i prefereixo reservar-me-la, ara com ara. Espere dictàmens més setens i relaxats.

No voldria, però, que, en les notes que improviso, restessin discriminades les posicions heroiques. Posem per cas dos extrems: el Serra d'Or, amb les seves propostes d'«alta cultura», i el «Canigó», l'entranyable «full parroquial» del maximalisme, i més coses —algunes— en l'endemig. Ni entre ni surt en les respectives finances, que, de segur, són deficitàries, o, almenys, no massa alegres. Però es tracta de papers que, més que «papers», són trinxeres: havien acceptat, des de l'inici de l'aventura editorial, la seva condició de «militància» resoluda. Mai no agrairem prou a l'Abadia de Montserrat l'esplèndida tossuderia d'aguantar anys i anys a «Serra d'Or». I als de Canigó? Però això no era, no és suficient. Crec que són denúncies implícites d'una «insuficiència» general. El comentari, que no vull allargar, ens portaria, de nou, a un punt, com diria la Maria Aurèlia Capmany, de «pedra de toc». En les moltes «pedres de toc» que tenim a l'abast, n'hi ha una que és essencial: la nostra pròpia «dimissió lingüística». No hem d'atribuir totes les culpes a l'enemic tradicional. Seria molt còmode, si ho féssem. La culpa també és nostra, i molta culpa. I hi ha d'altres «culpes» interferides.

Però si nosaltres no defensem com cal, catalanoparlants, el català, qui ho farà? El «Ministerio de Educación»?

Revisió del passat

Un enfocament seriós del tema ens hauria de dur a revisar les vel·leïtats «triomfalistes» respecte al passat. Jo no negaré que, en un moment determinat, no fossin necessàries, com un estratagema per a reanimar la desanimada «consciència lingüística» dels catalanoparlants. Va ser *El que s'ha de saber...* de Joan Coromines, publicat per Moll a Mallorca, i fa tants anys!? No degué ser l'únic escrit en aquesta direcció. La idea emergent era que, abans del 39, es publicaven no-sé quants diaris en català, hi havia un centenar de revistes setmanals o mensuals en català, creixia anualment la publicació de llibres en català. Tot això era exacte, sens dubte. Però, no era així mateix «il·lusori»? La referència a aquells anys «daurats», és vàlida? Pensem que, en l'entretant, no sols hi ha hagut Franco, sinó, damunt, uns canvis profunds en els mecanismes econòmics i professionals que condicionen la indústria tipogràfica. I això, en qualsevol idioma: més encara, però, en un idioma «minoritari». Abans del 38, fer un diari o una revista costava quatre duros; en 1980 una operació similar en demana milions. La cosa es repeteix quant a les edicions de llibres. Potser, «si» Franco no s'hi hagués interferit, una evolució natural de la societat catalana hauria possibilitat fórmules que, de sobte, ara costen molt de trobar. No dic que no. Només que els fets són els fets.

Francesc Cambó, en *Per la concòrdia*, tocava incidentalment el tema. La tàctica repressiva contra el català, del general Primo de Rivera, hauria produït una reacció estimulant, sobretot al Principat. En efecte: mai com aleshores no s'havien publicat tants llibres, ni havien proliferat tantes revistes, ni la gent s'havia sentit tan «catalanesca», tan predisposada a l'autodefensa col·lectiva. És probable. Fins a quin punt, tanmateix? Tinc el record, una mica boirós, de la lectura llunyana del pamflet *Cataluña en España*, escrit per Bartolomé Soler arran dels fets del 6 d'octubre del 1934. Segons l'autor, afermada l'autonomia d'en Macià, i obertes per a l'idioma les portes de la tolerància, tot hi tornava a ser com abans. Els catalanoparlants es reintegraren a la displicència de llegir en castellà perquè el català ja no era la «seva» llengua «perseguida». Va ser així? Ignoro si hi ha alguna manera de comprovar-ho. En tot cas, vist el que avui passa, jo no desdenyaria aquesta interpretació, que, al capdavall, coincideix amb la d'en Cambó. Què hi va ocórrer realment? És que tant havia pujat el nombre de lectors en català «gràcies a» la Primera Dictadura?

Sota la bota de Franco, la reacció instintiva a favor del català, si hagués «volgut» donar-se, no hauria pogut tenir-ne l'oportunitat. La Segona Dictadura va ser infinitament més dràstica que la Primera, en la seva acció contra la llengua. El franquisme, des del primer dia, i fins a l'últim moment, s'havia proposat fer desaparèixer el català. Les mesures administratives preses contra l'idioma, amb Franco, no van ser de mera «censura». Hi hagué una «censura» que el català compartia amb el castellà; però hi havia alguna cosa més, una política deliberada de genocidi cultural. Carles Riba solia dir-ho de tant en tant: almenys, jo li ho vaig sentir dir més d'una vegada: «Ara no depenem de l'humor d'un coronel o d'un buròcrata. La campanya oficial contra el català ha estat inspirada per algú que sap com es pot fer que mori una llengua. Un filòleg...» I no citaré els noms sobre els quals requeia la sospita de Riba. I això que encara no s'havia introduït la televisió en els nostres costums. Ni la ràdio preveia eixamplar la seva audiència a través de la multiplicació dels transistors. Carles Riba pensava en l'escola, en els periòdics, en els llibres, en el veto a les traduccions, en la Universitat, potser en el teatre... Jo crec que en Riba tenia raó. I un dia, algú ho especificarà. És una qüestió de temps.

Però, vull insistir-hi, erraríem si volguéssim fer comparacions amb la Preguerra o amb la Guerra. La «quaresma» de Franco va coincidir amb l'expansió d'uns mitjans de comunicació de masses, dels quals el català era exclòs per principi: la premsa, el cinema, les ràdios, la televisió. Important és l'escola, important la Universitat. En la pràctica, importants són els micròfons i la *camera*, l'altaveu i la pantalla, gran i petita pantalla. Més? Probablement, sí. Els qui hagin de plantejar-se el problema en termes acadèmics o en termes polítics, caldrà que s'encarin amb aquesta evidència: una llengua qualsevol, actualment, si es troba en col·lisió amb una altra, o bé recobra o assoleix la integritat dels ressorts públics de la societat que la parla, o bé ja pot considerar-se difunta. Tardarà més o menys a «morir-se», però es morirà. Amb la particularitat que no tornarà a ser possible pensar-la, de nou, com «la Morta-Viva», a la manera que ho feien els homes de la Renaixença. Que ningú no es faci il·lusions: o tot o res. I no és el català l'únic cas que es veu davant una tal disjuntiva.

Avui, la «competència» amb l'altra llengua, la dominant —encara que no sigui la «predominant»— no pot sostenir-se a través dels mitjans familiars, privats, i generalment pobres, que van ser útils, eficients i tot, fa cent anys. El nostre món és tot un altre, i l'enfrontament idiomàtic s'ha desequilibrat més encara, i el desequilibri, la «desigualtat d'oportunitats», s'accentua, per començar, en el mateix terreny de les publicacions. La indústria editorial, inserida en aquest context lingüístic político-social, queda sotmesa a uns condicionaments difícils. Quan, en castellà, la majoria dels diaris locals no arriben a sobreviure, què podem esperar d'una premsa en català? Ni que fos tècnicament superior, que tampoc no ho podria ser, ara com ara. Ho comporta el sistema, i que cadascú doni al mot «sistema» l'abast que vulgui.

El paper imprès continua tenint una gran trascendència, entre els suports essencials dels idiomes. I en tindrà durant segles, malgrat les prediccions de McLuhan. El pronòstic d'uns altres «mitjans de comunicació de masses» més decisius no és, però, equivocat. Hi ha el cinema, hi ha la ràdio, hi ha la televisió. En situacions com la nostra, el desenvolupament d'aquest instrumental s'ha produït en condicions adverses a la llengua dominada. La història és cruel, sovint, i quan comença a ser cruel no para de ser-ho: així ho sembla. Les petites victòries aconseguides abans de 1939, no solament se'n van anat en orris, sinó que van ser substituïdes per la introducció dels grans *massmedia* obligatòriament en castellà, tant per imposició administrativa del franquisme com per l'acceptació tàcita dels catalanoparlants, i per més motius, sens dubte. Un cinema en català, seria rendible? I posat que ho fos, seria tan rendible com en castellà? El negoci és el negoci...

Avui, a tot arreu dels Països Catalans —i més en la zona sotmesa a l'estat francès—, la llengua dominant té totes les de guanyar: la postergació del català, consumada, té unes molt primes oportunitats de ser superada. Legalment, les traves s'han afluixat. Però s'han afluixat massa tard. Si l'empenta iniciada el 1931 no hagués estat dramàticament interrompuda, probablement nosaltres no hauríem de lamentar uns obstacles tan aguts. La castellanització dels Països Catalans de l'àrea espanyola s'ha endurit. I no penso solament en la multitud immigrada: penso, sobretot, en la passivitat amb què els catalanoparlants hem acceptat la imposició del castellà. A tots els nivells. Davant un televisor, un catalanoparlant deixa de ser catalanoparlant per a ser televident en castellà, o en francès.

Influència dels mitjans de comunicació moderns

En la desestabilització social del català, i fins i tot en la familiar, la ràdio, primer, i la televisió, després, han estat factors determinants. El cinema hi coadjuvava. Però, a mesura que s'escampava l'ús de la ràdio, s'encetava una situació inèdita: per primera vegada, des de feia gairebé mil anys, en els domicilis de llengua catalana s'introduïa una veu que parlava en castellà — o cantava en castellà— durant hores i hores, cada dia. Ningú no podia ser tan impermeable perquè aquesta ingerència lingüística, ben rebuda, no repercutís en els hàbits col·loquials. El primer pas de la castellanització havia estat, en el XVI i en el XVII, el fet que els catalanoparlants s'acostumessin al castellà: s'hi acostumaven amb el tracte dels forasters —castellans— que venien a aveïnar-se entre nosaltres, amb els frecs amb les tropes castellanes que anaven i venien per ací, amb els sermons dels capellans barrocs, amb el pas dels *cómicos de la lengua*, amb... Aquestes intromissions expliquen moltes coses. La ràdio les superava. La televisió, de seguida, les ha magnificades. És una dada que no hem d'oblidar.

Perquè, en el millor dels supòsits, i per més catalanescos que siguin els receptors, la influència del castellà sobre el català es consolida. Torno a dir que no és cosa d'ara: ve de fa segles. Només que ara és més efectiva i més ràpida, i es produeix enmig d'una «inconsciència» global. També hi era, abans, aquesta «inconsciència». A partir d'un cert moment —un moment clau—, els catalanoparlants parlaven català sense adonar-se'n: una mica com el burgès-gentilhome de Molière que ignorava que parlava en prosa. O pitjor encara. I el català que parlaven restava contaminat pel castellà invadent, afectant el lèxic, la prosòdia, la sintaxi, i més, el sentit social de l'ús de l'idioma. El capítol més fonamental d'una «història social de la llengua catalana» seria aquest: el que aclarís com el poble catalanoparlant s'«acostuma» al castellà. Com, quan i per què. Això és anterior a les mesures repressives adjacents a la Nova Planta. Un cop acostumats al castellà —a entendre'l poc o molt—, els catalanoparlants de la Península i de les Illes ja no necessitaven gaires pressions per castellanitzar-se. Els del Continent ja estaven condemnats al francès. Si això era inflexiblement lògic en el temps pre-audio-visual, què no serà avui?

L'única possibilitat seria rescatar l'utillatge àudio-visual per al català. Trobe que és un pas a donar, abans i tot que recuperar l'escola o la Universitat, o la tipografia. Sota la Dictadura, no hi havia res a fer. Prou que ho haurien aconsellat al Generalísimo els seus assessors filològics, aquells que temia Carles Riba. Si per a Franco l'enemic era el «catalanisme», algú li hagué de dir que havia de començar per l'idioma. Hi hagué molts franquistes catalanoparlants i catalanoparlants conscients. Van comprovar que la maniobra era ben calculada. No hi tenien res a fer, per més adhesions al «*régimen*» que hi vagin formular. Hi ha dos llibres molt instructius sobre el particular: *Los catalanes en la guerra de España*, d'un tal senyor Fontana, i *Los valencianos en San Sebastián*, de Teodor Llorente i Falcó, fill del poeta Llorente. Són anècdotes delicades. Les deixarem de banda.

Simultàniament, o una mica després, en la «Revista de Catalunya», que es publicava a París, Rovira i Virgili posava el dit en la plaga. Rovira i Virgili venia a dir: «Més m'estimo un diari anticatalanista en català, que no pas un diari catalanista en castellà.» L'afirmació, d'entrada, pot semblar discutible. No ho era, aleshores, ni ho és ara: si un diari «anticatalanista» pogués funcionar en català, acabaria creant «catalanistes». En canvi, tot el «catalanisme» que s'hagi pogut intentar en castellà —el «Destino» del senyor Vergés, ben poc «catalanista» tanmateix— ha vingut a refermar la castellanització. Que no podien fer una altra cosa? Podrien no haver simulat fer «catalanisme». I quin «catalanisme»? No negaré que, d'alguna manera, publicacions com el *Destino* van col·laborar tangencialment a mantenir la «flama sagrada». I que consti que jo m'hi vaig apuntar. Però fou una trampa.

El català, a les acaballes del franquisme i avui, ha tingut un mòdic accés als «mitjans de comunicació de masses»: al cinema, a la ràdio, a la televisio. No és suficient. Si el català no ha de «morir», caldrà instaurar-lo plenament en aquesta línia. No estem per perdre temps. Cal catalanitzar el cinema, cal catalanitzar la ràdio, cal catalanitzar la televisió, i urgentment. I els diaris, és clar. Però, com? I qui ho podria fer? Hi ha, en uns casos, el monopoli de l'estat, que, a tot estirar, farà concessions no massa clares. Si n'ha fetes algunes al Principat, en la ràdio o en la televisió, i si arriba a ser condescendent amb les Illes, que no ho sé, al País Valencià —àmbit catalanoparlant dens, malgrat el seu «bilingüisme» territorial— hi ha una sistemàtica marginació del català.

I hi ha l'empresa privada. L'empresa privada, que va a fer diners, no adoptarà el català fins que el català no sigui lucratiu en la publicitat. Igual que el cine. I igual que tot. És el «sistema».

L'anomenat *Estado de las autonomías*, que seria l'actual, tampoc no es mostrarà gaire disposat a cedir en matèria d'idioma. I ho hem d'entendre. Al cap i a la fi, entorn del castellà, hi ha massa interessos creats perquè gosin fer moltes concessions, ni que volguessin, que no voldran. El restabliment del català en uns mínims graus d'oficialitat implicaria serioses ruptures en tots els escalafons burocràtics —des dels mestres d'escola a l'administració de justícia, passant per mil oficines—, i això no ho consentiran sense infinites resistències. Mani qui mani, per descomptat. Una «autonomia» per a Obres Públiques o per a Sanitat —seria una descentralització— potser s'animaran a atorgar-la, i encara amb parsimònia. Pel que fa a la llengua, seran tan restrictius com podran. Ja sé que val més una mica que no res, i hem d'acceptar les coses com vénen. No ens hi hauríem de resignar, però.

Les accions positives

A les primeres condescendències del franquisme, com l'edició de llibres o la represa del teatre, un dia, se n'afegí una altra: la cançó. Era la *nova cançó*: en deien «nova» per marcar distàncies, en la intenció i en el caràcter, amb el repertori tradicional dels orfeons i amb l'estil ja caducat dels cuplets. Inicialment, fou una imitació dels *chansonniers* francesos aleshores en voga, més aviat literaris, i de fet, no pocs d'aquells pioners ni tan sols sabien cantar. D'entrada, tot allò no feia por: era cosa d'aficionats, sense gran repercussió popular, limitades les actuacions a locals petits i pràcticament secrets. «Els Setze Jutges», i Raimon, i algun espontani coincident, no tardaren a obrir-se un camí que es revelà fructuós. Els catalanoparlants començaven a sentir unes cançons que ja no eren «folklòriques»: que semblaven «normals». I que eren «normals» per a una determinada clientela. El segon pas va ser la introducció del disc. El disc suposava ingressar en els *mass-media* més vius.

La catàstrofe del 39 havia impedit qualsevol proposta d'un cinema en català, d'una ràdio en català. Jo no sabria dir ara què s'havia fet, fins aleshores, en català, per al cine i per la ràdio. Alguna cosa, però no suficient, ni de bon tros. El cine i la sonor, és clar—van tenir la seva expansió en l'època de franco, i, exclusivament, en castellà. El disc, sobretot a partir de la difusió dels sistemes que superaven les 75 revolucions, i de l'abaratiment dels aparells reproductors, s'instaurava com un mitjà d'àmplia penetració. Un disc, comparat amb un llibre, representava un avanç considerable. Quantes persones arribaven a llegir llibres en català? Sentir una cançó catalana en un giradiscos domèstic o amistós significava recuperar per a la llengua un sector del poble, que, així, s'hi trobava identificat. Més que més, quan els de la «nova cançó», amb més o menys traça, imbuïen en les lletres que cantaven les dosis «tolerades» de crítica social i de reivindicació cívica.

Tot quedava molt lluny encara de les necessitats immediates de l'idioma. Quan els de la «cançó» van eixir dels caus clericals on començaren, i atreien auditoris més vastos, les autotitats franquistes van posar-hi tants entrebancs com van saber. Censures, multes, prohibicions: tot el que es vulgui. I van evitar fins on pogueren —i ho podien tot— l'accés dels cantants catalans a les ràdios i a la televisió. La «cançó» tenia un defecte, si puc parlar de defecte: un dèficit, fóra una manera millor de dir-ho. Ha estat, dins la seva projecció majoritària, «minoritarista». Un percentatge important de la societat dels Països Catalans, que ja era immigrada i castellanoparlant, preferia les manufactures anodines de la *canción española*, andalusoide, que ben sovint emergia de la mateixa Barcelona i que, per a major inri, fins i tot arribà a codificar una «rumba catalana» d'un remotíssim aire gitano.

No vull entrar en la història caòtica i suïcida de la «nova cançó». La maniobra, en els seus orígens, i encara avui, disposava d'elements d'esplèndid atractiu, els quals, de més a més, procedien de tots els Països Catalans, i que, *engagés* o no, van permetre unes coagulacions d'entusiasme increïblement superiors als pamflets clandestins o als discursos dels líders tolerats en la «transició». Cal recordar alguns recitals d'en Raimon i de Lluís Llach, i d'altres, sens dubte, que, quan el franquisme semblava fer figa, reunien més gent i injectaven més coratge que qualsevol míting de l'oposició. Comprenc que avui, a penes cinc o sis anys després, l'«oposició» es desenganxi de la «cançó»: s'equivoquen els «partits» en qüestió. També, en canvi, és positiu que els cantants supervivents aspirin a ser escoltats com a cantants «normals», i en català. La «nova cançó» s'ha desfet, i els qui encara s'hi aguanten, per més audiència que tinguin, no poden fer el que haurien de fer per la llengua.

Quant als cantants, si cal afinar l'anàlisi, la competència ja no és solament el castellà folklòric, sinó també l'anglès multinacional de les discoteques. El castellà desplaça el català, i l'anglès desplaça el castellà. En les discoteques autòctones ningú no «escolta» les paraules, i tant se val l'idioma en què siguin cantades. Això deu passar, aproximadament, igual a Alemanya, a França, a Itàlia, a l'Argentina: a tota la «sacrosanta àrea del dòlar», com deia Pere Quart. L'anglès és, per a nosaltres, un idioma colonial que se sobreposa al colonialisme del castellà. La «cançó», repeteixo, és una cançó literària. Manolo Escobar, Peret, i *tutti quanti*, són els ídols de la població. No dels immigrants: de tothom. I si no són els que cito seran Raphael, Camilo Sesto, Julio Iglesias o el fill d'aquell torero famós, que ara no recordo com es diu.

Convindria veure, ja que toquem el tema, si no tenen la seva raó de ser —i molta «raó de ser»— els grups que vociferen sobre pautes xarones o «xavacanes». El seu públic és més extens. Penso en La Trinca, i estic obligat a pensar en Els Pavesos. Entre l'un nivell i l'altre hi ha l'espai per a Al tall, que no sé si té una rèplica al Principat i a les Illes. Però la xaroneria —o «xavacaneria»— ha estat, històricament parlant, un punt de salvació per al català, com per a totes les llengües postergades. Si suprimim Pitarra —o Escalante— en una imaginària història del català, potser ni jo escriuria avui en català ni el meu lector em llegiria. I qui diu Pitarra i Escalante, diu els capellans que acudien al vernacle per a les seves novenes i per als seus cantables.

El risc que correm

Voldria insistir, tanmateix, en el risc «culturalista» a què ens veiem induïts. Esperò que, «llibresc» com sóc, les meves reticències d'ara no seran mal interpretades. No es tracta sinó de subratllar el fet que puguem excedir-nos, quan arribi el moment, en un sentit massa pedagògic o il·lustrat en l'ús dels mitjans de comunicació. La «cultura catalana» dista molt de trobar-se en condicions afables: d'acord. Però i la «no-cultura» catalana, o sigui, en català? Si això de «no-cultura» sembla poc adequat, poseu-hi «pre-cultura» o «para-cultura», no hi fa res: intente designar, d'una manera o altra, el vast espai d'activitats no específicament culturals lligades a l'idioma, sense descartar-ne els nivells més baixos. És un terreny que ha quedat a disposició del castellà, i hi continua. El meu escrúpol s'alimenta del temor que hi hagi una confusió de «funcions», i que, en definitiva, l'oportunitat es frustre per un *trop-de-zèle* mal entès. Jo sé a qui m'adreço.

El catalanoparlant, posat a ser televident, ha de ser distint del televident de qualsevol altre lloc —o llengua— del món? Els *best sellers* de la inanitat internacional, ha de llegir-los la gent d'ací necessàriament en castellà? I els «tebeos» —o *comics*— per a infants i per a adults? I...? Si féssim un recompte de les representacions teatrals en català fetes en els últims tres anys, no em sorprendria que en resultàs un alt percentatge de Shakespeare, potser escandalosament superior, en proporció, al que donarien les cartelleres d'Anglaterra. Té això alguna lògica? Benvingut Shakespeare, i molt: com més sucre, més dolç. No estic defensant la «barbàrie». Significa, senzillament, que el públic del teatre en català és, només, un públic culte. La resta de la població catalanoparlant omple, mentrestant, les plantes dels locals on actuen en castellà. O, a casa, mira els horrorosos telefilms ianquis, que, què hi farem, escolten en castellà. La «competència» torna a plantejar-se. El nostre «conflicte lingüístic» té aquestes amargures.

Hi ha hagut, en les últimes dècades, temptatives popularitzants o populistes. Sense abandonar el teatre, pensem en l'èxit mesocràtic de Joan Capri, a Barcelona, per exemple. Hi ha hagut, i hi ha, alguna revista per a criatures amb historietes gràfiques normals. Hi va haver, un dia, «La cua de palla», que brindava un material narratiu de lladres i *serenos* tan ben triat com fascinant. Però tot això, i més, en uns casos tenia unes limitacions inflexibles, i, en els altres, hagué de cancel·lar-se per desassistència dels clients possibles. Algú podrà contestar-me que el clima —lingüístic— no era propici. No ho és encara. Sigui així o no, resta pendent el problema dels «beneficis». La majoria dels catalanoparlants no saben llegir en la seva llengua. Només saben «escoltar-la». Aleshores? Aquestes «indústries», en català, són deficitàries. No hi ha «producció», per tant. En conseqüència, els catalanoparlants han de consumir necessàriament «castellà». És un cercle viciós.

I no acaba ací l'embolic. Hi ha, també, la qüestió del «to de llengua». Hi pensen, hi pensem tots, escriptors, editors, actors, cantants, conferenciants? El català és un idioma amb mala sort. De les tènues diferències dialectals que Ramon Muntaner desdenyava en la seva època, hem caigut en el fraccionament dialectal més primari. Amb una demografia petita, si, damunt, hi afegim una suposada «llengua estàndard» que ja no val per a Tortosa o per a Lleida, ni menys encara per a les Illes o el País Valencià, on anirem a parar? Mentre el joc sigui estrictament «literari», no tindrà gaire importància. M'imagine que

Foix o Espriu, llegits a València, són com l'Estellés llegit a Barcelona: hi ha un «localisme» magnífic en els versos d'aquests tres senyors. Però un idioma no se sosté amb els cims de la lírica: la seva unitat ha de ser, sobretot, col·loquial, i a un nivell que afecta la mateixa literatura. Qui s'ha preocupat fins ara de trobar el punt dolç que facilita la recuperació «unitària»? Ja sé que els obstacles, de fonètica sobretot, i de lèxic, i de morfologia, són penosos. Alguns consells, com els de Joan Coromines, donats als grups teatrals de Barcelona, em semblen un error: els farien créixer. Reduir el català al barceloní serà, a curt termini, eficaç: serà també convertir el català en un idioma municipal, i fomentarà el cantonalisme.

Un cantonalisme que ensenya l'orella, novament, estimulat des de Madrid. La tàctica, ja vella, consisteix a erigir un «valencià» i un «mallorquí», que, successivament, poden dividir-se en un «lleidatà», en un «menorquí», en un «tortosí», en un «eivissenc», en un «alacantí», i en mil peces més del mosaic viu que és tot idioma. Per aquest cantó, com per qualsevol altre, els «fets diferencials» són infinits: unes variants de vocabulari, una entonació, unes formes verbals disperses. Les llengües «imperials», a través d'escoles, de micròfons, de diaris o revistes de gran circulació, han establert una *koiné* potable: vàlida per damunt els estrats socials i les divergències geogràficament constatades. En castellà, ho sentim cada dia en la televisió, quan les pel·lícules nord-americanes —i igual seria si fossen soviètiques— ens vénen «doblades» de cara al mercat hispano-americà. Ja no és el castellà de Burgos o de Valladolid, ni és el *Diccionario* dels acadèmics. És un tràmit pragmàtic que, alhora que rendeix econòmicament, preserva la unitat de la llengua.

No m'atreveixo a expressar la meva opinió sobre el particular. Vindria velada per objeccions d'experiència. Però la conclusio fóra que la dificultat no és insuperable: que la *koiné* —¿no la va aconseguir Pere el Cerimoniós, amb la seva Cancelleria, que eren quatre gats d'escrivans i d'escrivents?—, una *koiné* acceptable de Salses a Guardamar i de Fraga a Maó, pot ser factible. I si no ho és, pleguem. La demagògia localista sempre hi serà a l'aguait: una demagògia, torn a dir-ho, i amb coneixement de causa, fomentada des de Madrid. A París, ni tan sols en fan cas. Ens trobem acarats amb una sinistra maniobra de fomentar les «llengües regionals», i com més «regionals», millor. Al País Valencià, uns ex-fabristes s'estan inventant una ortografia grotesca que, malgrat els seus esforços, encara té molt de fabriana. El propòsit explícit és ofegar el català, amb l'excusa de convertir-lo en «valencià», i ofegar definitivament el «valencià»... A Madrid, saben el que fan. A Barcelona, no. Ni a València. A les Illes?

«Normalitzar» el català vol dir l'escola, la ràdio, el cinema, la televisió, i vol dir assumir tot això amb una decisió «nacional» clara i amb una flexibilitat simultània de cara a totes les propostes que els *mass media* i l'ensenyament tenen pendents, de cara al poble i de cara a l'Administració. N'hi ha unes de verticals i unes altres d'horitzontals. Les verticals abracen tot el que una llengua exigeix per a sobreviure, entre la «cultura» i la «infracultura», en un àmbit regional. I les horitzontals miren la recuperació de les perifèries. El català és una llengua «perifèrica», però, al seu torn, té les seves «perifèries»: el «valencià», el «mallorquí», i etcètera, actuals, passades —Marc, Llull, Martorell, Turmeda, Roig— i futures.

Qui és català?

Tant com he pogut, al llarg d'aquesta divagació, m'he referit als «catalanoparlants». Per dues raons. La primera: dir «catalans» per mencionar tots els catalanoparlants és un terme discutit. I no per mi. La segona: hi ha una quantitat considerable de «catalans» que no parlen en català, i que no tenen més remei que ser catalans, ells i la seva descendència. Deixem de banda, ara, si són o no «catalans» els valencians i els mallorquins —i els de la Catalunya Nord— que parlen en català, per més dialectal que sigui. Hi ha l'allau de castellanoparlants que, des de molt abans de la Guerra d'Espanya, i sobretot després, s'han instal·lat en l'àrea lingüística catalana. La cosa, sembla, començà amb Martínez Anido. Una «invasió» pacífica de mà d'obra barata era útil a l'oligarquia castellano-andalusa, que amb l'emigració dels seus súbdits superflus es treia problemes de sobre, i era útil també a la burgesia dels Països Catalans, que s'aprofitava d'aquesta reserva de força de treball. L'«immigrant», generalment, no pensa tornar al seu lloc d'origen: esdevé «català», si no ell, els seus fills, i ho són els seus néts. Parlant ja català?

No ens hem d'enganyar: és català el qui parla català, o, a tot estirar, el qui, sense parlar-lo, creu que ha canviat de «nacionalitat», de «societat», de «món». El *lumpen* agrari que ha ascendit a la condició «proletària», gràcies a Barcelona, a Elx, a Badalona, a Alcoi, a València, a les àrees industrials del Principat i del País Valencià, i al «sector terciari» del turisme, amb el ram de la construcció inclòs, s'incorpora al «món català», li agrade o no. Una manera d'incorporar-s'hi seria estar en contra. Les primeres pintades, a Barcelona, deien: «*Queremos una Catalunya sin catalanes*», i fou pels anys de la Guerra d'Espanya. I, abans, el lerrouxisme. Però, com podrien deixar de ser catalans, ni que fossen catalans espanyolistes, d'en Lerroux o de la FAI? La contradicció d'aquests centenars de milers de persones és que les han «desarrelades» i que els costa d'«arrelar-se».

«Són catalans tots aquells qui treballen i viuen a Catalunya», deia un eslògan polític, molt difós en els darrers anys. I no estava gens mal vist, això. Però, responia de debò a una exigència «nacional» clara? L'enyorat Joan Ballester i Canals solia impugnar-ho: no li semblava suficient. De fet, no ho és. Per més aigua que vulguem abocar al vi, la qüestió dels immigrats passa per una necessitat d'integració a la societat que els rep, i la llengua ocupa un lloc definitiu en aquest tràmit. Cal alguna cosa més que «viure» i «treballar». L'assimilació idiomàtica, no solament en l'etapa de Franco sinó avui mateix, resulta difícil. Hi mancaven, i hi manquen, els mitjans adequats per a propiciar-la, negats per l'estat espanyol. I negats a consciència. Algun ministre de la Dictadura no va tenir cap escrúpol a confessar-ho: estimulant la «invasió pacífica» dels treballadors castellanoparlants, la unitat de l'estat venia reforçada, perquè, a la llarga, produiria la castellanització total dels Països Catalans.

Fins a quin punt la maniobra ha reeixit? Pensem que, avui, segons diuen, un quaranta per cent de la població del Principat és castellanoparlant. Desconec les xifres paral·leles del País Valencià i de les Illes, globalment considerades, però no deuen ser inferiors. Hem de tenir-hi present, a més de la demografia forastera, la massa dels autòctons castellanitzats. I, com que l'acció castellanitzadora de l'estat, prevista en l'actual Constitució, no minvarà, hem de presumir un futur poc favorable a la llengua catalana, si no s'articula, dins i fora dels organismes autònoms —de moment, només n'hi ha un—, una acció raonable, hàbil i conjunta amb aquest objectiu. Que és tan prioritari com el més prioritari. Ningú no m'argüirà preeminències sòlides en contra, a nivell de «nació», «ètnia», «formació social» o com se'n vulgui dir. L'ofensiva incessant contra el català, en nom de què es fa? En nom d'un nacionalisme imperialista: de dos nacionalismes imperialistes.

Altrament, parlar dels immigrats com si tots fossin iguals, de la mateixa extracció social, per exemple, seria un error. L'experiència demostra que l'immigrant de les classes subalternes no oposa gaire resistència a acceptar el català. Qui no recorda les pàgines autobiogràfiques de Francesc Candel en *Els altres catalans?* Són els immigrats petitburgesos, o burgesos del tot, la fauna burocràtica i acadèmica, els qui s'irriten davant el fet català: davant el fet idiomàtic català. Són una gent refractària, o, més encara, hostil. Encarnació d'un «poder», sovint el de l'Administració central, i servidors que en són, no admeten que «viure» i «treballar» allà on el català és la llengua genuïna els hauria d'induir al mateix esforç d'acomodació que si els hagués tocat instal·lar-se a França, a Alemanya, a Anglaterra, en una hipòtesi fantàstica. Perquè a Franca, a Alemanya, a Anglaterra, els qui emigren són els altres: els pobres, ai! Són els nostres *pieds-noirs.*

De cara al futur mirant l'esdevenidor

Els immigrats no són «culpables». Expulsats de la seva terra per unes estructures arcaiques de la propietat rural, i per un règim que no volia saber-ne res o més aviat aprofitar-se'n, ja no regressaran mai al lloc d'origen. Són irreversiblement «catalans». I ells ho saben. I més tard o més d'hora, el català esdevindrà la seva llengua. Bé: fóra natural que ho esdevingués. Hi ha hagut, i, sens dubte, continua havent-hi friccions anecdòtiques, perquè el patriotisme lingüístic és tremendament vidriós. Però, no mereixen, «ells», un respecte que vagi més enllà de tot això? No el tindrien a França, a Alemanya, a Anglaterra, ni el tindrien els nostres, si fossin immigrats a Madrid, a Sòria, a Sevilla, a Guadalajara. Però el tenen! Les polèmiques literàries que s'han desencadenat entorn de l'immigrat castellanoparlant als Països Catalans són —han estat i són— amenament absurdes. La immigració castellanoparlant ha trobat uns estranys defensors dels seus drets lingüístics. I dels seus drets culturals. Solen ser uns xenòfobs castellanistes emergits, no del proletariat, sinó de la microburgesia —com deia el malagueny Diego Ruiz— dels escalafons, que ni tan sols són «castellans», sinó andalusos o aragonesos...

En realitat, no cal ni que ens recomanin el «respecte» a la llengua i a la possible cultura dels immigrants castellanoparlants. Els castellanoparlants dels Països Catalans ho tenen tot al seu favor, com ho havien previst Franco i Américo Castro: l'escola, els diaris, la televisió, tot. El problema no és d'ells; el problema és nostre, que, per al català, encara no disposem d'escoles, de diaris, de televisió, ni de res. Tenen, ells, al seu favor, la sencera indústria editorial dels Països Catalans. Què més volen? Parlar d'una qualsevol marginació del castellà, als Països Catalans, no solament és una ximpleria: és, sobretot, afegir als odiosos trucs del genocidi franquista un plus d'ignomínia. Passi el que passi amb la Generalitat monàrquica, i no passarà gran cosa, els dispositius oficials que tindrà seran mòdics, i no diguem ja els Consells del País Valencià o de les Illes, si és que aquestes bromes arribessin a plantejar-se lúcidament l'angúnia de la llengua. Potser a Mallorca. No a València.

No importa qui, des de Madrid o des de Barcelona, podria preocupar-se per la llengua i la cultura dels immigrats: els qui se'n preocupen pertanyen a la classe dels «senyorets», encara que hi siguin uns polls ressuscitats. No hi ha de què. La Constitució els empara. La Constitució, a part d'emparar-los, ens col·loca, els no-castellanoparlants —catalans, bascos, gallecs—, en una subordinació risible. Cap immigrat no ha de passar ànsia per la seva condició lingüística i cultural, perquè queda ben protegit. A què vénen, doncs, les protestes? Ben mirat, la presumpta «cultura popular» dels immigrats és tan devorada com la catalana per la primera discoteca de la cantonada. Els immigrats com els indígenes ja no tenim cap «cultura popular», o deixarem de tenir-la l'any vinent. Hi ha la llengua, i prou. Hi ha una llengua invadent i una llengua resistent. Ja no es tracta de les inflexions derrotades dels catalans, que vénen del XVI i del XVIII...

I per què no deixem de costat la «Història», i pensem en el dia de demà? Un idioma no pot subsistir a força de grans poetes, de distingits novel·listes, d'escriptors subalterns entre els quals m'incloc. No basta una «literatura». Ni que sigui insigne, i la nostra ho és. Una «literatura» no pot salvar-se si no se salva la llengua en què s'escriu. Personalment, a mi, la «literatura» m'interessa molt, però més que la literatura m'interessa la «llengua». Correm el perill que llegir Foix, Espriu o Brossa sigui com llegir Virgili, Horaci o Marcial, respectivament. Una llengua difunta? No serà despús-demà «llegir català» una eventualitat erudita, com avui ho és «llegir llatí»? La recuperació del català demana moltes activitats governamentals, però no hi ha governs —quins governs?— que les acceptin: només hi ha un govern, i poderós, que hi està en contra: el de Madrid, i el de les seves sucursals. La il·lusió de Madrid no és de resoldre el problema econòmic, ni la convivència liberal, ni remeiar la desocupació laboral a Andalusia o a Extremadura. Tots tracten que la perifèria parli en castellà. Tots. No és solament l'herència del franquisme. O sí.

Cal esperar

De cap a cap, la present divagació a què m'he atrevit, té molts buits a cobrir. Ja ho sé, i tampoc no em proposava dir l'última paraula del credo. Però si hi ha una esperança de salvació per al «català» ha de ser assumida enèrgicament pels catalanoparlants i pels castellanoparlants que se'ns uneixin en una mateixa concepció nacional. Sobretot, la decisió dels catalanoparlants. Que no és sempre efectiva... La campanya del «català al carrer», pose per cas, quina repercussió ha tingut? I no és d'ara. Conten que, en visita a Barcelona d'Alfons XIII, don Toni Maura, mallorquí castellanitzat, hi feia una observació oportuna: «*Majestad, hay muchas banderas catalanas pero pocos letreros en catalán...*» Això s'ha repetit, i es repeteix cada dia. Jo m'estimaria més una disminució de quadribarrades a canvi de més «*lletreros*» en català: en les botigues, en els senyals de trànsit, en la toponímia, en els menús dels restaurants. La banderola té la seva importància, però més en té la llengua. I no cal dir que, al País Valencià —no parlo de les Illes—, com més banderes necessàriament quadribarrades aguantem amb una franja blava, més castellà es parla.

Això és un indici. Per «salvar» el català, d'un cap a l'altre de l'àrea lingüística, no hi ha més remei que reclamar dels catalanoparlants una fidelitat plena a la llengua, i en tots els aspectes: a l'hora d'escriure llibres i a l'hora de fer publicitat per als productes industrials. La desgràcia és que això falla. Hi ha el «mercat nacional», que funciona en castellà, tant per a les edicions dels historiadors esquerranots com per als capitalistes locals: tots coincideixen en el castellà, perquè és més lucratiu. No és una qüestió de «classes»: ho és de negoci. Totes les dretes i totes les esquerres «catalanes» odien ser precisament «catalanes», i amb el català. Si als Països Catalans l'idioma fos fàcilment extirpable —com un queixal deteriorat—, la «classe política» hauria optat per extirpar-lo. La llengua és incòmoda, per als uns i per als altres. Des de Madrid, sobretot. Jo no estic massa segur que a Madrid els importa més una *ikastola* que un comando d'ETA. Més la *ikastola*. Quan els bascos recuperin l'èuscar, i com Déu mana, l'ETA serà supèrflua.

Als Països Catalans l'idioma comú es troba geogràficament perplex i indefinit. No hi ha cap alternativa contra aquesta sinistra maquinació de l'unitarisme espanyolista, si no és una represa àmplia de l'autoconsciència més elemental. I de Salses a Maó, i de Fraga a Elx, i d'on sigui a on sigui, la reclamació del català com a idioma «normal» ha de ser terminant. Les dissidències localistes, a les Illes i al País Valencià, s'hi apuntatan o preferiran agenollar-se davant el castellà?... Siguin discrepàncies regionals o fonètiques, hem d'afermar-nos, si no com a catalans, almenys com a catalanoparlants. Els qui no entrin en aquesta operació clarificadora, ja sabrem qui o què són: castellanistes, espanyolistes o tant se val. I si multitudinàriament no hi ha una resposta «catalana», o «catalàunica», ja podem deixar-ho córrer. Perquè no és des de Madrid i amb la seva Constitució que ens han de salvar la llengua.

Si els catalanoparlants volem continuar parlant en català, si volem que els immigrats que es catalanitzen parlen català, si volem, indígenes i immigrats, ser els qui no podrem ser sinó, tots uns, i a partir d'una definició «gramsciana» de les «classes populars», el català ens ha de reunir amb les reclamacions òbvies: tots els *mass media* i alguna cosa més. I si no emprenyem, no ens faran cas. Hem d'exigir el català com a llengua pròpia dels catalans, amb tots els efectius culturals, administratius, polítics. I no solament al Principat. Ha de ser a tota l'«àrea lingüística»... En tot cas, si els catalans, els catalanoparlants, dimitim de parlar en català, el saldo serà tenebrós. Ens convertirem en què? No en «espanyols», perquè ja ho érem per definició jurídica, molt abans. En què?

Si el present paper fos indefinit, les meves reflexions es multiplicarien. He de frenar-me. Jo voldria, tanmateix, que aquestes notes, escrites a corre-cuita, poguessin servir d'estímul a meditar sobre la «llengua», la «cultura» i la «literatura», pròpies dels Països Catalans, i que no ho són. O no ho són del tot. Com que jo puc permetre'm el luxe —per ser valencià!— de dir alguna impertinència lateral, n'he dita alguna, però no tantes com em deixo en el pap. Una altra volta serà. Per ser valencià, i acceptant la superstició que els valencians, els mallorquins, som «diferents», reclamo Ausiàs Marc, el *Tirant*, Corella, Roig, sor Villena, i Bernat i Baldoví. Els mallorquins reclamarien Llull, Turmeda, i la resta, tots els Aguilons xuetes, i mil capellans, i Llorenç Villalonga, i tothom que ha vingut després. Com es pot ser català sense ser valencià i sense ser mallorquí, i viceversa?

És un punt de partida.

Sumari

374

376